Maja Serafin

Vermögensabschöpfung – zwischen Effektivität und Rechtsstaatlichkeit

Schriftenreihe des Max-Planck-Instituts für
ausländisches und internationales Strafrecht

Strafrechtliche Forschungsberichte

Herausgegeben von Ulrich Sieber

Band S 168

Max-Planck-Institut für ausländisches
und internationales Strafrecht

Vermögensabschöpfung – zwischen Effektivität und Rechtsstaatlichkeit

Ein deutsch-polnischer Rechtsvergleich

Maja Serafin

Duncker & Humblot · Berlin

Bibliografische Information der Deutschen Nationalbibliothek

Die Deutsche Nationalbibliothek verzeichnet diese Publikation in der Deutschen Nationalbibliografie; detaillierte bibliografische Daten sind im Internet über <http://dnb.d-nb.de> abrufbar.

Vertrieb in Gemeinschaft mit Duncker & Humblot GmbH, Berlin
http://www.duncker-humblot.de

Umschlagbild: Adobe Stock/VTT Studio
Foto der Autorin: Eugen Baumann/www.brawa-photo.com
Druck: Stückle Druck und Verlag, Stückle-Straße 1, 77955 Ettenheim
Printed in Germany
Gedruckt auf alterungsbeständigem (säurefreiem) Papier
entsprechend ISO 9706

ISSN 1860-0093
ISBN 978-3-86113-771-9 (Max-Planck-Institut)
ISBN 978-3-428-15967-3 (Duncker & Humblot)
DOI unter https://doi.org/10.30709/978-3-86113-771-9

Vorwort

Die Rechtswissenschaftliche Fakultät der Albert-Ludwigs-Universität Freiburg hat die vorliegende Arbeit im Sommersemester 2019 als Dissertation angenommen. Gesetzgebung, Literatur und Rechtsprechung sind bis Juni 2019 berücksichtigt.

Die Arbeit ist während meiner Zeit als Doktorandin am Max-Planck-Institut für ausländisches und internationales Strafrecht und als wissenschaftliche Mitarbeiterin in der Otto-Hahn-Gruppe „Architektur des Sicherheitsrechts" entstanden. In dieser Zeit haben viele Personen dieses Projekt unterstützt und gefördert. Mein Dank gilt zunächst Herrn Prof. Dr. Dr. h.c. mult. *Ulrich Sieber* für die Anregung und die Betreuung dieser Arbeit. Bei Herrn Prof. Dr. Dr. h.c. mult. *Hans-Jörg Albrecht* bedanke ich mich für die zügige Erstellung des Zweitgutachtens. Für die anhaltende Unterstützung dieses Vorhabens und viele bereichernde Diskussionen danke ich herzlich Herrn Dr. *Marc Engelhart*.

Den Betreuern, Doktorandinnen und Doktoranden der International Max Planck Research School for Comparative Criminal Law sowie den Gästen und allen Mitarbeiterinnen und Mitarbeitern am Max-Planck-Institut für ausländisches und internationales Strafrecht danke ich für die offene Atmosphäre, die interessanten Gespräche und Begegnungen. Davon habe nicht nur ich persönlich profitiert, sie haben auch zum Gelingen dieser Arbeit beigetragen. Mein besonderer Dank geht dabei an meine Bürokolleginnen und -kollegen von der Otto-Hahn-Gruppe, die mit mir den Arbeitsalltag geteilt haben.

Bei Frau *Dorothea Borner-Burger* und Frau *Hildegund Schaab* bedanke ich mich herzlich für das sorgfältige Lektorieren dieser Arbeit und die Vorbereitung der Drucklegung, bei Frau *Christina Nurawar Sani* von den Freiburg Research Services der Albert-Ludwigs-Universität für das Korrekturlesen des Manuskripts.

Meiner Familie und meinen Freunden danke ich von Herzen für den Rückhalt, den sie mir während dieser anspruchsvollen Zeit gegeben haben, besonders meinem Mann – für seine Geduld und aufmunternden Worte.

Freiburg, im November 2019 *Maja Serafin*

English summary

Asset forfeiture has become an important tool of both crime prevention and control. In areas of crime such as organized crime or corruption financial gain is a crucial incentive to commit an offence. For this reason, an adequate response to those crimes must also address the financial aspect and deprive the offender of his or her financial gain. For areas of crime such as terrorism, financial assets are a tool that facilitates those offences. Here, asset forfeiture represents a measure to prevent criminal activity. These two applications of asset forfeiture can be observed both in international and national law. To make asset forfeiture an effective law enforcement tool, several changes have been introduced concerning requirements for criminal evidence and burden of proof. On the one hand, the requirements for proving a link between an asset and an offence have been reduced. On the other hand, under certain circumstances a person concerned must prove the legal origin of his or her assets.

This study deals with the development of asset forfeiture regulations from the perspective of comparative law. The analysis begins with the requirements established under international law and takes them as a background for changes implemented in the national laws of Germany and Poland. The central part of the study consists of an analysis of asset forfeiture regulations in criminal law and administrative offences law in both legal systems. It is demonstrated that asset forfeiture is in many cases not considered a punishment or even a penal measure. This fact, in combination with a reduced standard of proof or a reversed burden of proof, weakens the protection of property. At the same time these same features of asset forfeiture are presented as necessary for effective crime prevention and control. The aim of the study is to examine the constitutional limits of the asset forfeiture regulations currently in force. Pursuing this goal from the comparative law perspective allows to concentrate not on the legal regulations but on the actual problem to be solved by these regulations. The study perceives asset forfeiture as a response to the needs of an effective financial sanctions system, allowing law enforcement to deprive criminals of their ill-gotten gains and preventing further crimes. This regulatory system must respect the protection of property guaranteed under the rule of law, hence the question about the extent of forfeiture both in terms of effectiveness and accordance with the rule of law.

Inhaltsübersicht

Vorwort ... V

English summary ... VII

Inhaltsverzeichnis ... XII

Abkürzungsverzeichnis ... XXV

Teil 1

Einführung

I. Ausgangspunkt und Gegenstand der Untersuchung ... 1

II. Ziele der Untersuchung ... 4

III. Forschungsmethoden ... 6

IV. Gang der Untersuchung ... 9

Teil 2

Vorgaben für die Vermögensabschöpfung im internationalen Recht

I. Regelungen der Vermögensabschöpfung ... 10

A. Internationale Vorgaben ... 10
B. Vorgaben des Europarats ... 17
C. Vorgaben der Europäischen Union ... 18

II. Vorgaben für die Grenzen der Vermögensabschöpfung ... 23

A. Internationale Vorgaben ... 23
B. Vorgaben des Europarats ... 25
C. Vorgaben der Europäischen Union ... 27

III. Zusammenfassung ... 29

Teil 3

Einführende Systematisierung zur Vermögensabschöpfung im deutschen und im polnischen Recht

I. Gegenstand der Vermögensabschöpfung ... 31

II. Vermögensabschöpfung im Sanktionssystem ... 32

III. Zweck der Vermögensabschöpfung ... 35

IV. Einschränkung durch das Schuldprinzip und den Verhältnismäßigkeitsgrundsatz ... 37

Teil 4

Nationale Regelungen: Deutschland

I. Historische Entwicklung ... 40

A. Entwicklung bis Mitte des 20. Jahrhunderts ... 40
B. Entwicklung ab Mitte des 20. Jahrhunderts ... 55

II. Gesetzliche Regelungen ... 76

A. Abgrenzung zwischen Vermögensabschöpfung und Geldstrafe ... 76
B. Vermögensabschöpfung im Strafgesetzbuch ... 78
C. Vermögensabschöpfung im Ordnungswidrigkeitengesetz ... 105

III. Grenzen der Vermögensabschöpfung ... 122

A. Überblick ... 122
B. Grenzen aus der Rechtsnatur der Maßnahme ... 124
C. Übergreifende verfassungsrechtliche Grenzen – Verhältnismäßigkeit der Vermögensabschöpfung ... 151
D. Zusammenfassung ... 168

Teil 5

Nationale Regelungen: Polen

I. Historische Entwicklung ... 170

A. Entwicklung bis Mitte des 20. Jahrhunderts ... 170
B. Entwicklung ab Mitte des 20. Jahrhunderts ... 175

II. Gesetzliche Regelungen ... 189

A. Abgrenzung zwischen Vermögensabschöpfung und Geldstrafe ... 189
B. Vermögensabschöpfung im Strafgesetzbuch ... 190
C. Vermögensabschöpfung im Fiskalstrafgesetzbuch ... 214
D. Vermögensabschöpfung im Übertretungsgesetzbuch ... 228

III. Grenzen der Vermögensabschöpfung ... 232

A. Überblick ... 232
B. Grenzen aus der Rechtsnatur der Maßnahme ... 234
C. Übergreifende verfassungsrechtliche Grenzen – Verhältnismäßigkeit der Vermögensabschöpfung ... 253
D. Zusammenfassung ... 267

Teil 6

Rechtsvergleichung

I. Überblick ... 269

II. Vermögensabschöpfungsregelung in den untersuchten Rechtsordnungen ... 270

A. Vermögensabschöpfung im Strafrecht ... 270

B. Vermögensabschöpfung im Ordnungswidrigkeitenrecht 287
C. Fazit 296

III. Grenzen der Vermögensabschöpfung 297
A. Grenzen aus der Rechtsnatur der Maßnahme 297
B. Übergreifende verfassungsrechtliche Grenzen – Verhältnismäßigkeit der Vermögensabschöpfung 307

Teil 7
Rechtspolitische Schlussfolgerungen

I. Legitimation der Vermögensabschöpfung 323
A. Strafrechtliche Vermögensabschöpfung 324
B. Präventiv-polizeiliche Vermögensabschöpfung 327
C. Zivilrechtliche Vermögensabschöpfung 329

II. Zusammenfassung 331

Literaturverzeichnis 333

Inhaltsverzeichnis

Vorwort ... V

English summary ... VII

Inhaltsübersicht ... IX

Abkürzungsverzeichnis ... XXV

Teil 1

Einführung

I. Ausgangspunkt und Gegenstand der Untersuchung ... 1

II. Ziele der Untersuchung ... 4

III. Forschungsmethoden ... 6

IV. Gang der Untersuchung ... 9

Teil 2

Vorgaben für die Vermögensabschöpfung im internationalen Recht

I. Regelungen der Vermögensabschöpfung ... 10

A. Internationale Vorgaben ... 10

1. Übereinkommen der Vereinten Nationen gegen den unerlaubten Verkehr mit Suchtstoffen und psychotropen Stoffen vom 20. Dezember 1988 ... 10

2. Übereinkommen gegen die grenzüberschreitende organisierte Kriminalität vom 15. November 2000 (Palermo-Übereinkommen) ... 11

3. Übereinkommen der Vereinten Nationen gegen Korruption vom 31. Oktober 2003 ... 12

4. Maßnahmen zur vermögensbezogenen Terrorismusbekämpfung ... 13

a) Übereinkommen zur Bekämpfung der Finanzierung des Terrorismus vom 9. Dezember 1999 ... 13

b) Resolutionen des UN-Sicherheitsrates – asset freezing ... 14

5. Internationale Standards für die Bekämpfung der Geldwäsche, Terrorismusfinanzierung und Finanzierung der Proliferation (FATF-Empfehlungen) ... 16

6. Übereinkommen über die Bekämpfung der Bestechung ausländischer Amtsträger im internationalen Geschäftsverkehr vom 21. November 1997 ... 16

B. Vorgaben des Europarats ... 17

1. Übereinkommen über Geldwäsche sowie Ermittlung, Beschlagnahme und Einziehung von Erträgen aus Straftaten vom 8. November 1990 (Straßburger Übereinkommen) ... 17
2. Übereinkommen über Geldwäsche, Terrorismusfinanzierung sowie Ermittlung, Beschlagnahme und Einziehung von Erträgen aus Straftaten vom 16. Mai 2005 ... 18
C. Vorgaben der Europäischen Union ... 18
1. Gemeinsame Maßnahme 98/699/JI und Rahmenbeschluss 2001/500/JI ... 19
2. Rahmenbeschluss 2005/212/JI ... 20
3. Richtlinie 2014/42/EU ... 21

II. Vorgaben für die Grenzen der Vermögensabschöpfung ... 23
A. Internationale Vorgaben ... 23
1. Einschränkungen für strafähnliche Maßnahmen ... 23
2. Einschränkungen für Maßnahmen ohne Strafcharakter ... 24
B. Vorgaben des Europarats ... 25
1. Einschränkungen für strafähnliche Maßnahmen ... 25
2. Einschränkungen für Maßnahmen ohne Strafcharakter ... 26
C. Vorgaben der Europäischen Union ... 27
1. Einschränkungen für strafähnliche Maßnahmen ... 27
2. Einschränkungen für Maßnahmen ohne Strafcharakter ... 28

III. Zusammenfassung ... 29

Teil 3

Einführende Systematisierung zur Vermögensabschöpfung im deutschen und im polnischen Recht

I. Gegenstand der Vermögensabschöpfung ... 31
II. Vermögensabschöpfung im Sanktionssystem ... 32
III. Zweck der Vermögensabschöpfung ... 35
IV. Einschränkung durch das Schuldprinzip und den Verhältnismäßigkeitsgrundsatz ... 37

Teil 4

Nationale Regelungen: Deutschland

I. Historische Entwicklung ... 40
A. Entwicklung bis Mitte des 20. Jahrhunderts ... 40
1. Grundriss der Vermögenssanktionen im römischen und germanischen Recht ... 40
2. Preußisches Strafgesetzbuch von 1851 ... 43

3. Reichsstrafgesetzbuch von 1871 ... 45
4. Zeit bis zum Ersten Weltkrieg (1871–1914) ... 48
a) Diskussion über die rechtliche Natur der Einziehung ... 48
b) Reformentwürfe des RStGB ... 50
5. Reformentwürfe zur Zeit der Weimarer Republik ... 52
6. Zeit des Nationalsozialismus ... 54
B. Entwicklung ab Mitte des 20. Jahrhunderts ... 55
1. Reformen des Strafrechts nach dem Zweiten Weltkrieg ... 55
a) Entwürfe von 1960 und 1962 ... 57
b) Alternativ-Entwurf ... 58
c) Diskussion im Rahmen des Sonderausschusses – Rechtsnatur des Verfalls und der Einziehung. Erstes und Zweites Gesetz zur Reform des Strafrechts ... 59
2. Trennung zwischen Ordnungswidrigkeiten und Straftaten ... 61
a) Gesetz über Ordnungswidrigkeiten von 1952 ... 61
b) Gesetz über Ordnungswidrigkeiten von 1968 ... 63
3. Zweites Gesetz zur Reform des Strafrechts – Geldstrafe nach Tagessatzsystem ... 64
4. Neufassung des OWiG und Zweites Gesetz zur Bekämpfung der Wirtschaftskriminalität ... 64
5. Gesetz zur Bekämpfung des illegalen Rauschgifthandels und anderer Erscheinungsformen der Organisierten Kriminalität (OrgKG) – Einführung des erweiterten Verfalls und der Vermögensstrafe ... 65
a) Gesetz zur Änderung des Außenwirtschaftsgesetzes, des Strafgesetzbuches und anderer Gesetze ... 65
b) Gesetz zur Bekämpfung des illegalen Rauschgifthandels und anderer Erscheinungsformen der Organisierten Kriminalität (OrgKG) ... 65
c) Diskussion und Kritik ... 69
aa) Beschluss des Bundesgerichtshofs über die Verfassungsmäßigkeit der Vermögensstrafe ... 72
bb) Beschluss des Bundesverfassungsgerichts über die Verfassungsmäßigkeit des erweiterten Verfalls gemäß § 73d StGB ... 73
cc) Urteil des Bundesverfassungsgerichts zur Verfassungswidrigkeit der Vermögensstrafe nach § 43a StGB ... 75
6. Gesetz zur Stärkung der Rückgewinnungshilfe und der Vermögensabschöpfung bei Strafsachen ... 76

II. Gesetzliche Regelungen ... 76
A. Abgrenzung zwischen Vermögensabschöpfung und Geldstrafe ... 76
B. Vermögensabschöpfung im Strafgesetzbuch ... 78
1. Tatgewinne ... 79
a) Abschöpfung der Gegenstände ... 81

aa) Einziehung von Taterträgen bei Tätern und Teilnehmern nach § 73 StGB ... 81
bb) Erweiterte Einziehung von Taterträgen bei Tätern und Teilnehmern nach § 73a StGB ... 82
cc) Einziehung von Taterträgen bei anderen nach § 73b StGB ... 85
dd) Einziehung von Tatprodukten nach § 74 StGB ... 87
ee) Einziehung von Tatprodukten bei anderen nach § 74a StGB ... 87
ff) Sicherungseinziehung (von Tatprodukten) nach §74b StGB ... 88
gg) Selbständige Einziehung nach § 76a Abs. 1 bis 3 StGB ... 88
hh) Selbständige Einziehung nach § 76a Abs. 4 StGB (non-conviction-based confiscation) ... 90
ii) Formlose außergerichtliche Einziehung ... 94
b) Zahlung eines Geldbetrages ... 96
aa) Einziehung des Wertes von Taterträgen nach § 73c StGB ... 96
bb) Einziehung des Wertes von Tatprodukten bei Tätern und Teilnehmern nach § 74c StGB ... 97
cc) Nachträgliche Anordnung der Einziehung des Wertersatzes nach § 76 StGB ... 97
c) Zwischenbilanz ... 98
2. Tatmittel ... 99
a) Abschöpfung der Gegenstände ... 100
aa) Einziehung von Tatmitteln bei Tätern und Teilnehmern nach § 74 StGB ... 100
bb) Einziehung von Tatmitteln bei anderen nach § 74a StGB ... 101
cc) Sicherungseinziehung (von Tatmitteln) nach § 74b StGB ... 102
dd) Selbständige Einziehung nach § 76a Abs. 1 und 3 StGB ... 103
b) Zahlung eines Geldbetrages ... 103
aa) Einziehung des Wertes von Tatmitteln bei Tätern und Teilnehmern nach § 74c StGB ... 103
bb) Nachträgliche Anordnung der Einziehung des Wertersatzes nach § 76 StGB ... 104
c) Zwischenbilanz ... 104
C. Vermögensabschöpfung im Ordnungswidrigkeitengesetz ... 105
1. Tatgewinne ... 105
a) Abschöpfung der Gegenstände ... 105
aa) Einziehung von Gegenständen (Tatprodukten) nach § 22 Abs. 2 Nr. 1 OWiG ... 105
bb) Sicherungseinziehung nach § 22 Abs. 2 Nr. 2 OWiG ... 106
cc) Erweiterte Voraussetzungen der Einziehung nach § 23 Nr. 2 OWiG ... 107
dd) Selbständige Anordnung (der Einziehung) nach § 27 Abs. 1 und Abs. 3 OWiG ... 108
b) Zahlung eines Geldbetrages ... 109
aa) Geldbuße nach § 17 OWiG ... 109

bb) Einziehung des Wertersatzes (der Tatprodukte beim Täter) nach § 25 OWiG 111
cc) Einziehung des Wertes von Taterträgen nach § 29a Abs. 1 OWiG 112
dd) Einziehung des Wertes von Taterträgen (bei anderen) nach § 29a Abs. 2 OWiG 113
ee) Selbständige Anordnung (der Einziehung) nach § 29a Abs. 5 OWiG 114
c) Zwischenbilanz 115
2. Tatmittel 115
a) Abschöpfung der Gegenstände 115
aa) Einziehung von Gegenständen (Tatmitteln) nach § 22 Abs. 1 OWiG 115
bb) Erweiterte Voraussetzungen der Einziehung nach § 23 Nr. 1 OWiG 117
cc) Sicherungseinziehung nach § 22 Abs. 2 Nr. 2 und Abs. 3 OWiG 118
dd) Selbständige Anordnung (der Einziehung) nach § 27 Abs. 1 und Abs. 3 OWiG 119
b) Zahlung eines Geldbetrages 120
aa) Einziehung des Wertersatzes (der Tatmittel beim Täter) nach § 25 OWiG 120
c) Zwischenbilanz 122

III. Grenzen der Vermögensabschöpfung 122
A. Überblick 122
B. Grenzen aus der Rechtsnatur der Maßnahme 124
1. Strafrechtliche Verfassungsgarantien 125
a) Schuldprinzip 125
b) Unschuldsvermutung 126
aa) Verbot der Verdachtsstrafe 126
bb) Verteilung der Beweislast und der Grundsatz in dubio pro reo 127
2. Abgrenzung zwischen strafrechtlicher und nicht-strafrechtlicher Natur der Sanktion 128
a) Ansätze zur Abgrenzung zwischen strafrechtlicher und nicht-strafrechtlicher Natur der Sanktion 128
aa) Rechtsprechung des BVerfG und BGH 129
bb) Literatur 131
cc) Fazit 134
b) Argumente zur Bestimmung der Rechtsnatur von Vermögens-abschöpfungsmaßnahmen 135
aa) Gewinnabschöpfung nach dem Bruttoprinzip 136
i) Wirkung für den Betroffenen 136
ii) Zweck der Maßnahme 138

iii) Zwischenbilanz ... 139
bb) Erweiterte Einziehung ... 140
i) Wirkung für den Betroffenen ... 140
ii) Zweck der Maßnahme ... 142
iii) Zwischenbilanz ... 144
cc) Selbständige Einziehung ... 145
i) Zweck der Maßnahme ... 145
ii) Anordnung im Strafverfahren ... 146
iii) Zwischenbilanz ... 147
dd) Formlose außergerichtliche Einziehung ... 148
i) Wirkung für den Betroffenen ... 148
ii) Zwischenbilanz ... 149
3. Fazit ... 149
C. Übergreifende verfassungsrechtliche Grenzen – Verhältnismäßigkeit der Vermögensabschöpfung ... 151
1. Überblick ... 151
2. Anwendbarkeit und Grenzen der Verhältnismäßigkeitsprüfung ... 153
3. Verhältnismäßigkeit der Vermögensabschöpfung ... 154
a) Verfassungsrechtliche Garantien ... 155
aa) Eigentumsgarantie nach Art. 14 GG ... 155
bb) Allgemeine Handlungsfreiheit nach Art. 2 Abs. 1 GG ... 156
cc) Zwischenbilanz ... 158
b) Verhältnismäßigkeitsprüfung ... 158
aa) Geeignetheit und Erforderlichkeit des Grundrechtseingriffs 158
bb) Angemessenheit des Grundrechtseingriffs ... 160
i) Gewinnabschöpfung nach dem Bruttoprinzip ... 160
ii) Erweiterte Einziehung ... 161
iii) Selbständige Einziehung ... 163
iv) Dritteinziehung ... 166
v) Sicherungseinziehung ... 167
4. Fazit ... 167
D. Zusammenfassung ... 168

Teil 5

Nationale Regelungen: Polen

I. Historische Entwicklung ... 170
A. Entwicklung bis Mitte des 20. Jahrhunderts ... 170
1. Grundzüge der Vermögenssanktionen bis ins 19. Jahrhundert ... 170
2. Gesetzgebung nach der Wiedererlangung der Unabhängigkeit ... 172
a) Strafgesetzbuch von 1932 ... 172
b) Fiskalstrafgesetze von 1926, 1932 und 1936 ... 173

c) Das Recht der Übertretungen ... 174

B. Entwicklung ab Mitte des 20. Jahrhunderts ... 175

1. Gesetzgebung zwischen 1944 und 1969 ... 175

a) Strafrecht ... 175

aa) Beschlüsse des Komitees der Nationalen Befreiung und das Kleine Strafgesetzbuch von 1946 ... 175

bb) Vereinheitlichung der Vermögensstrafe ... 176

cc) Gesetze zum Schutz des kollektiven Vermögens ... 177

b) Fiskalstrafgesetze von 1947 und 1960 ... 178

2. Strafrechtsreform 1969–1971 ... 178

a) Strafgesetzbuch von 1969 ... 178

b) Fiskalstrafgesetz von 1971 ... 181

c) Übertretungsgesetzbuch von 1971 ... 181

3. Strafgesetze von 1985 ... 182

4. Kritik und Aufheben von Vermögensstrafe ... 183

5. Strafgesetzbuch von 1997 ... 183

6. Fiskalstrafgesetzbuch von 1999 ... 185

7. Reformen der Vermögensabschöpfung 2000–2015 ... 186

a) Änderungen des Strafgesetzes vom 9. September 2000 und 13. Juli 2003 ... 186

b) Änderung des Fiskalstrafgesetzes vom 28. Juli 2005 ... 187

c) Gesetz zur Änderung des Strafgesetzes und Fiskalstrafgesetzes vom 20. Februar 2015 ... 188

II. Gesetzliche Regelungen ... 189

A. Abgrenzung zwischen Vermögensabschöpfung und Geldstrafe ... 189

B. Vermögensabschöpfung im Strafgesetzbuch ... 190

1. Tatgewinne ... 194

a) Abschöpfung der Gegenstände ... 194

aa) Einziehung der Gegenstände nach Art. 44 § 1 k.k. ... 194

bb) Einziehung des Vermögensvorteils nach Art. 45 § 1 k.k. ... 195

cc) Erweiterte Einziehung nach Art. 45 § 2 k.k. ... 198

dd) Erweiterte Einziehung bei anderen nach Art. 45 § 3 k.k. ... 200

ee) Einziehung ohne Verurteilung nach Art. 45a k.k. ... 201

b) Zahlung eines Geldbetrages ... 203

aa) Einziehung des Wertes der aus der Tat stammenden Gegenstände nach Art. 44 § 4 k.k. ... 203

bb) Einziehung des Wertes für den Vermögensvorteil nach Art. 45 § 1 k.k. ... 204

c) Zwischenbilanz ... 205

2. Tatmittel ... 206

a) Abschöpfung der Gegenstände ... 206

aa) Einziehung der Tatwerkzeuge nach Art. 44 § 2 k.k. 206
bb) Einziehung der Tatwerkzeuge bei anderen nach Art. 44 §7 k.k. 208
cc) Einziehung eines Unternehmens nach Art. 44a § 1 k.k. 208
dd) Einziehung eines Unternehmens bei anderen nach Art. 44a § 2 k.k. 210
ee) Einziehung ohne Verurteilung nach Art. 45a k.k. 211
b) Zahlung eines Geldbetrages 212
aa) Einziehung des Wertes der Tatwerkzeuge nach Art. 44 §4 k.k. 212
bb) Einziehung des Wertes von Unternehmen nach Art. 44a § 1 k.k. 212
cc) Einziehung des Wertes von Unternehmen bei anderen nach Art. 44a § 1 k.k. 213
c) Zwischenbilanz 213
C. Vermögensabschöpfung im Fiskalstrafgesetzbuch 214
1. Tatgewinne 215
a) Abschöpfung der Gegenstände 215
aa) Einziehung der Gegenstände nach Art. 29 Pkt. 1 i.V.m. Art. 31 § 1 k.k.s. 215
bb) Einziehung des Vermögensvorteils nach Art. 33 § 1 k.k.s. 217
cc) Erweiterte Einziehung nach Art. 33 § 2 k.k.s. 218
dd) Erweiterte Einziehung bei anderen nach Art. 33 § 3 k.k.s. ... 219
ee) Verpflichtung des Begünstigten zur Herausgabe des Vermögensvorteils nach Art. 24 § 5 k.k.s. 220
b) Zahlung eines Geldbetrages 221
aa) Einziehung des Wertes der Gegenstände nach Art. 32 k.k.s. 221
bb) Einziehung des Wertes des Vermögensvorteils nach Art. 33 § 1 k.k.s. 222
cc) Subsidiäre Haftung nach Art. 24 §§ 1 und 2 k.k.s. 222
c) Zwischenbilanz 224
2. Tatmittel 225
a) Abschöpfung der Gegenstände 225
aa) Einziehung der Tatwerkzeuge nach Art. 29 Pkt. 2 k.k.s. 225
bb) Einziehung der Tatwerkzeuge bei anderen nach Art. 29 Pkt. 2 k.k.s. i.V.m. Art. 31 § 1a k.k.s. 226
b) Zahlung eines Geldbetrages 227
aa) Einziehung des Wertes der Tatwerkzeuge nach Art. 32 § 1 k.k.s. 227
c) Zwischenbilanz 227
D. Vermögensabschöpfung im Übertretungsgesetzbuch 228
1. Tatgewinne 228
a) Abschöpfung der Gegenstände 228
aa) Einziehung von Gegenständen nach Art. 30 § 1 k.w. 228

bb) Einziehung von Gegenständen bei anderen nach Art. 30 § 2 k.w. 229
cc) Selbständige Anordnung der Einziehung nach Art. 28 § 3 k.w. 229
b) Zahlung eines Geldbetrages 229
c) Zwischenbilanz 229
2. Tatmittel 230
a) Abschöpfung der Gegenstände 230
aa) Einziehung von Tatwerkzeugen nach Art. 30 § 1 k.w. 230
bb) Einziehung von Tatwerkzeugen bei anderen nach Art. 30 § 2 k.w. 231
cc) Selbständige Anordnung der Einziehung nach Art. 28 § 3 k.w. 231
b) Zahlung eines Geldbetrages 232
c) Zwischenbilanz 232

III. Grenzen der Vermögensabschöpfung 232
A. Überblick 232
B. Grenzen aus der Rechtsnatur der Maßnahme 234
1. Strafrechtliche Verfassungsgarantien 234
a) Schuldprinzip 234
b) Unschuldsvermutung 235
aa) Verteilung der Beweislast und der Grundsatz in dubio pro reo 237
2. Abgrenzung zwischen strafrechtlicher und nicht-strafrechtlicher Natur der Sanktion 238
a) Ansätze zur Abgrenzung zwischen strafrechtlicher und nicht-strafrechtlicher Natur der Sanktion 238
aa) Rechtsprechung des Verfassungsgerichtshofs (Trybunał Konstytucyjny) 238
bb) Literatur 240
cc) Fazit 241
b) Argumente zur Bestimmung der Rechtsnatur der Vermögens-abschöpfungsmaßnahmen 242
aa) Erweiterte Einziehung 242
i) Wirkung für den Betroffenen 242
ii) Zweck der Maßnahme 244
iii) Zwischenbilanz 245
bb) Einziehung eines Unternehmens als Tatmittel 246
i) Wirkung für den Betroffenen 246
ii) Zweck der Maßnahme 247
iii) Zwischenbilanz 248
cc) Selbständige Einziehung (Einziehung ohne Verurteilung) 248
i) Zweck der Maßnahme 248

ii) Zwischenbilanz ... 249
dd) Subsidiäre Haftung im Fiskalstrafrecht ... 250
i) Wirkung für den Betroffenen ... 250
ii) Zweck der Maßnahme ... 250
iii) Zwischenbilanz ... 251
3. Fazit ... 252
C. Übergreifende verfassungsrechtliche Grenzen – Verhältnismäßigkeit der Vermögensabschöpfung ... 253
1. Überblick ... 253
2. Anwendbarkeit und Grenzen der Verhältnismäßigkeitsprüfung ... 255
3. Verhältnismäßigkeit der Vermögensabschöpfung ... 256
a) Verfassungsrechtliche Garantien ... 257
aa) Eigentumsgarantie nach Art. 64 der polnischen Verfassung 257
bb) Regelung der Einziehung in Art. 46 der polnischen Verfassung ... 258
cc) Zwischenbilanz ... 259
b) Verhältnismäßigkeitsprüfung ... 259
aa) Geeignetheit und Erforderlichkeit des Grundrechtseingriffs 260
bb) Angemessenheit des Grundrechtseingriffs ... 261
i) Erweiterte Einziehung ... 261
ii) Einziehung eines Unternehmens ... 264
iii) Selbständige Einziehung ... 265
iv) Obligatorische Dritteinziehung ... 266
4. Fazit ... 266
D. Zusammenfassung ... 267

Teil 6
Rechtsvergleichung

I. Überblick ... 269

II. Vermögensabschöpfungsregelung in den untersuchten Rechtsordnungen ... 270
A. Vermögensabschöpfung im Strafrecht ... 270
1. Tatgewinne ... 270
a) Abschöpfung der Gegenstände ... 270
aa) Anforderungen an die Abschöpfungsadressaten ... 270
i) Tatbeteiligte ... 270
ii) Unbeteiligte Dritte ... 273
bb) Anforderungen an den Abschöpfungsgegenstand und die tatbestandliche Anknüpfung ... 275
i) Rechtswidrige Tat und Verbindung mit dem Vermögen ... 275

ii) Rechtswidrige Tat und Verbindung zwischen dem Vermögen und einer (anderen) rechtswidrigen Tat 277
iii) Annahme einer Verbindung zwischen dem Vermögen und einer rechtswidrigen Tat 278
iv) Überzeugung über eine Verbindung zwischen dem Vermögen und einer rechtswidrigen Tat 279
b) Zahlung eines Geldbetrages 280
aa) Anforderungen an die Abschöpfungsadressaten 280
i) Tatbeteiligte 280
ii) Unbeteiligte Dritte 281
bb) Anforderungen an den Abschöpfungsgegenstand und die tatbestandliche Anknüpfung 282
2. Tatmittel 283
a) Abschöpfung der Gegenstände 283
aa) Anforderungen an die Abschöpfungsadressaten 283
i) Tatbeteiligte 283
ii) Unbeteiligte Dritte 284
bb) Anforderungen an den Abschöpfungsgegenstand und die tatbestandliche Anknüpfung 285
b) Zahlung eines Geldbetrages 286
aa) Anforderungen an den Abschöpfungsadressaten 286
i) Tatbeteiligte 286
ii) Unbeteiligte Dritte 286
bb) Anforderungen an den Abschöpfungsgegenstand und die tatbestandliche Anknüpfung 287
B. Vermögensabschöpfung im Ordnungswidrigkeitenrecht 287
1. Tatgewinne 287
a) Abschöpfung der Gegenstände 287
aa) Anforderungen an die Abschöpfungsadressaten 287
i) Tatbeteiligte 287
ii) Unbeteiligte Dritte 288
bb) Anforderungen an den Abschöpfungsgegenstand und die tatbestandliche Anknüpfung 290
b) Zahlung eines Geldbetrages 290
aa) Anforderungen an die Abschöpfungsadressaten 290
i) Tatbeteiligte 290
ii) Unbeteiligte Dritte 291
bb) Anforderungen an den Abschöpfungsgegenstand und die tatbestandliche Anknüpfung 291
2. Tatmittel 292
a) Abschöpfung der Gegenstände 292
aa) Anforderungen an die Abschöpfungsadressaten 292
i) Tatbeteiligte 292
ii) Unbeteiligte Dritte 293

bb) Anforderungen an den Abschöpfungsgegenstand und die tatbestandliche Anknüpfung 294

b) Zahlung eines Geldbetrages 295

aa) Anforderungen an die Abschöpfungsadressaten 295

i) Tatbeteiligte 295

ii) Unbeteiligte Dritte 295

bb) Anforderungen an den Abschöpfungsgegenstand und die tatbestandliche Anknüpfung 295

C. Fazit 296

III. Grenzen der Vermögensabschöpfung 297

A. Grenzen aus der Rechtsnatur der Maßnahme 297

1. Überblick 297

2. Strafrechtliche Verfassungsgarantien 298

a) Schuldprinzip 298

b) Unschuldsvermutung 299

3. Abgrenzung zwischen strafrechtlicher und nicht-strafrechtlicher Natur der Sanktion 299

a) Ansätze zur Abgrenzung zwischen strafrechtlicher und nicht-strafrechtlicher Natur der Sanktion 300

b) Argumente zur Bestimmung der Rechtsnatur der Vermögensabschöpfungsmaßnahmen 300

aa) Wirkung für den Betroffenen 300

i) Als Argument gegen den Strafcharakter 301

ii) Als Argument für den Strafcharakter 302

bb) Zweck der Maßnahme 303

i) Als Argument gegen den Strafcharakter 304

ii) Als Argument für den Strafcharakter 305

cc) Anordnung im Strafverfahren 305

i) Als Argument gegen den Strafcharakter 306

ii) Als Argument für den Strafcharakter 306

dd) Sonstige Argumente in der Diskussion 306

4. Fazit 307

B. Übergreifende verfassungsrechtliche Grenzen – Verhältnismäßigkeit der Vermögensabschöpfung 307

1. Überblick 308

2. Anwendbarkeit und Grenzen der Verhältnismäßigkeitsprüfung 309

3. Verhältnismäßigkeit der Vermögensabschöpfung 310

a) Verfassungsrechtliche Garantien 311

b) Verhältnismäßigkeitsprüfung 312

aa) Geeignetheit und Erforderlichkeit des Grundrechtseingriffs 312

bb) Angemessenheit des Grundrechtseingriffs 313

i) Verknüpfung zwischen dem Vermögen und einer rechtswidrigen Tat ... 314
ii) Deklarierter Zweck und tatsächlicher Anwendungsbereich ... 317
iii) Abschöpfung von tatunbeteiligten Personen ... 318
iv) Umfang der primären Einziehung und Einziehung des Wertes ... 320
4. Fazit ... 321

Teil 7
Rechtspolitische Schlussfolgerungen

I. Legitimation der Vermögensabschöpfung ... 323
A. Strafrechtliche Vermögensabschöpfung ... 324
1. Tatbestandliche Anknüpfung und Abschöpfungsumfang ... 325
2. Abschöpfungsadressaten ... 326
B. Präventiv-polizeiliche Vermögensabschöpfung ... 327
1. Tatbestandliche Anknüpfung und Abschöpfungsumfang ... 328
2. Abschöpfungsadressaten ... 329
C. Zivilrechtliche Vermögensabschöpfung ... 329
1. Tatbestandliche Anknüpfung und Abschöpfungsumfang ... 330
2. Abschöpfungsadressaten ... 330

II. Zusammenfassung ... 331

Literaturverzeichnis ... 333

Abkürzungsverzeichnis

Abs.	Absatz
AE	Alternativentwurf (eines Strafgesetzbuchs)
a.F.	alte Fassung
ALR	Allgemeines Landrecht für Preußische Staaten von 1794
Anm.	Anmerkung
Art.	Artikel
AT	Allgemeiner Teil
BayObLG	Bayerisches Oberstes Landesgericht
Bd.	Band
BGB	Bürgerliches Gesetzbuch
BGBl.	Bundesgesetzblatt
BGH	Bundesgerichtshof
BGHSt	Entscheidungen des Bundesgerichtshofs in Strafsachen
BRAK	Bundesrechtsanwaltskammer
bspw.	beispielsweise
BT	Besonderer Teil
BT-Drs.	Drucksache des Deutschen Bundestages
BVerfG	Bundesverfassungsgericht
BVerfGE	Entscheidungen des Bundesverfassungsgerichts
bzgl.	bezüglich
bzw.	beziehungsweise
CCC	Constitutio Criminalis Carolina, Peinliche Halsgerichtsordnung Karls V. von 1532
d.h.	das heißt
Dz.U.Nr	Dziennik Ustaw (Polnisches Gesetzblatt)
EGMR	Europäischer Gerichtshof für Menschenrechte
EMRK	Europäische Konvention zum Schutz der Menschenrechte und Grundfreiheiten
EU-Grundrechtecharta	Charta der Grundrechte der Europäischen Union
EuZW	Europäische Zeitschrift für Wirtschaftsrecht

f.	folgende (Seite, Randnummer etc.)
FATF	Financial Action Task Force
ff.	folgende (Seiten, Randnummern etc.)
Fn.	Fußnote
FS	Festschrift
gem.	gemäß
GA	Goltdammer's Archiv für Strafrecht
GewArch	Gewerbearchiv
GG	Grundgesetz
ggf.	gegebenenfalls
Harv. L. Rev.	Harvard Law Review
h.M.	herrschende Meinung
Hrsg.	Herausgeber
i.S.d.	im Sinne der/des
i.S.v.	im Sinne von
i.V.m.	in Verbindung mit
JR	Juristische Rundschau
JZ	Juristenzeitung
k.c.	Kodeks cywilny (Polnisches Zivilgesetzbuch)
k.k.	Kodeks karny (Polnisches Strafgesetzbuch)
KK-OWiG	Karlsruher Kommentar zum Gesetz über Ordnungswidrigkeiten
k.k.s.	Kodeks karny skarbowy (Polnisches Fiskalstrafgesetzbuch)
KKSSiP	Kwartalnik Krajowej Szkoły Sądownictwa i Prokuratury
k.p.k.	Kodeks postępowania karnego (Polnische Strafprozessordnung)
k.w.	Kodeks wykroczeń (Polnisches Übertretungsgesetzbuch)
MüKo	Münchener Kommentar zum Strafgesetzbuch
m.w.N.	mit weiteren Nachweisen
NJECL	New Journal of European Criminal Law
NJW	Neue Juristische Wochenschrift
Nr.	Nummer
NStZ	Neue Zeitschrift für Strafrecht

NStZ-RR	Neue Zeitschrift für Strafrecht – Rechtsprechungs-Report
NZWiSt	Neue Zeitschrift für Wirtschafts-, Steuer- und Unternehmensstrafrecht
OECD	Organisation for Economic Cooperation and Development (Organisation für wirtschaftliche Zusammenarbeit und Entwicklung)
OLG	Oberlandesgericht
OSNKW Nr	Orzecznictwo Sądu Najwyższego – Izba Karna i Wojskowa (Rechtsprechung des polnischen Obersten Gerichts – Strafkammer und Militärkammer)
OTK ZU	Orzecznictwo Trybunału Konstytucyjnego Zbiór Urzędowy (Entscheidungen des polnischen Verfassungsgerichts)
OVG	Oberverwaltungsgericht
OWiG	Gesetz über Ordnungswidrigkeiten
Pkt.	Punkt
post. SN	Postanowienie Sądu Najwyższego (Beschluss des polnischen Obersten Gerichts)
poz.	pozycja (Nummer im polnischen Gesetzesblatt)
PLN	Polnischer Złoty
PreußStGB	Preußisches Strafgesetzbuch von 1851
RG	Reichsgericht
RGSt	Entscheidungen des Reichsgerichts in Strafsachen
RGBl.	Reichsgesetzblatt
Rn.	Randnummer
RStGB	Reichstrafgesetzbuch
S.	Seite
SA	Sąd Apelacyjny (polnisches Berufungsgericht)
sog.	sogenannt
StÄG	Strafrechtsänderungsgesetz
StGB	Strafgesetzbuch
StPO	Strafprozessordnung
StrRG	Strafrechtsreformgesetz; Gesetz zur Reform des Strafrechts
StraFO	Strafverteidiger Forum
StV	Strafverteidiger

u.a.	unter anderem, und andere
uchw. SN	Uchwała Sądu Najwyższego (Beschluss des polnischen Obersten Gerichts)
v.	versus, von
vgl.	vergleiche
wistra	Zeitschrift für Wirtschafts- und Steuerstrafrecht
wyr. TK	Wyrok Trybunału Konstytucyjnego (Urteil des polnischen Verfassungsgerichtshofs)
wyr. SN	Wyrok Sądu Najwyższego (Urteil des polnischen Obersten Gerichts)
2. WiKG	Zweites Gesetz zur Bekämpfung der Wirtschaftskriminalität
z.B.	zum Beispiel
ZIP	Zeitschrift für Wirtschaftsrecht
ZIS	Zeitschrift für Internationale Strafrechtsdogmatik
ZJS	Zeitschrift für Juristisches Studium
ZRP	Zeitschrift für Rechtspolitik
ZStW	Zeitschrift für die gesamte Strafrechtswissenschaft
zust.	zustimmend
ZWH	Zeitschrift für Wirtschaftsstrafrecht und Haftung im Unternehmen

Teil 1

Einführung

I. Ausgangspunkt und Gegenstand der Untersuchung

In manchen Kriminalitätsbereichen wie Organisierter Kriminalität, Terrorismus oder Korruption spielt Vermögen eine wichtige Rolle: einerseits, weil es Anreiz und Ziel zugleich ist, schwere Straftaten zu begehen, andererseits, weil es zu deren Finanzierung eingesetzt wird. In diesen Bereichen soll nach verbreiteter Auffassung die staatliche Reaktion neben der Strafe auch vermögensrechtliche Folgen der Tat umfassen. Aus diesem Grunde wurde in den letzten Jahrzehnten das Vermögensabschöpfungsrecht ausgebaut und zu einem Instrument zur Bekämpfung der oben genannten Kriminalitätsbereiche gestaltet. Da es sich bei Organisierter Kriminalität, Terrorismus und Korruption meist um grenzüberschreitende Kriminalität handelt, war es notwendig, auch auf der internationalen Ebene zu agieren. Es wurden international zahlreiche Vermögensabschöpfungsmaßnahmen gefordert. Dabei kann sowohl auf der internationalen als auch auf der nationalen Ebene von einer Entwicklung der Vermögensabschöpfung in zwei verschiedene Richtungen gesprochen werden.

Zum einen wurden Maßnahmen gegen Organisierte Kriminalität und Korruption ergriffen, bei denen die Anforderungen an den Nachweis der kriminellen Herkunft des Vermögens reduziert wurden. Dabei ging es um Fälle, in denen die Täter für eine Straftat verurteilt wurden. Den Strafverfolgungsbehörden war in diesen Fällen bekannt, dass das Vermögen, das nicht in Verbindung mit der abgeurteilten Tat stand, nicht mit Einnahmen aus legalen Quellen erklärt werden konnte. Aufgrund der Verurteilung des Täters wurde die Wahrscheinlichkeit der kriminellen Herkunft dieses Vermögens als sehr hoch eingeschätzt. Darüber hinaus sollte der Praxis entgegengewirkt werden, einen Teil des Vermögens auf einen Dritten zu übertragen, um der Einziehung zu entkommen. In beiden Situationen erschien es als eine kaum zu bewältigende Aufgabe, den vollen Beweis von der Strafverfolgungsbehörde zu verlangen. Selbst wenn der Nachweis der kriminellen Herkunft des Vermögens infolge eines langwierigen Verfahrens gelingen sollte, wäre es in der Zwischenzeit längst beiseitegeschafft worden. Dieses Ergebnis widersprach dem Gefühl der Gerechtigkeit und den Erwartungen gegenüber der Rechtsordnung, was in der Aussage „Verbrechen darf sich nicht lohnen“ zum Ausdruck kommt.[1]

---

[1] Siehe nur *Herzog*, FS Lüderssen, S. 241 ff.; *Hetzer*, wistra 2000, 372; *Weigend*, FS Triffterer, S. 707 f.

Im Hinblick darauf dient die Stärkung der Vermögensabschöpfung dem Zweck, die Beweislage für die Strafverfolgung durch die Einführung von widerlegbaren Vermutungen zu erleichtern.

Die zweite Richtung, in die sich die Vermögensabschöpfung entwickelt hat, steht mit der Bekämpfung der Terrorismusfinanzierung in Verbindung und umfasst den Ausbau von präventiven Maßnahmen. Der präventive Charakter der Maßnahmen ergibt sich daraus, dass Terrorismusfinanzierung selbst eine Handlung im Vorfeld der Rechtsgüterverletzung darstellt. Sobald jedoch einer terroristischen Organisation finanzielle Mittel zufließen, kann eine wesentliche, wenn auch nur abstrakte Gefahr für die Rechtsgüter entstehen. Mit diesem Risiko wollte sich die internationale Gemeinschaft nach den Terroranschlägen vom 11. September 2001 in den USA nicht abfinden,[2] weswegen präventiv ausgerichtete Instrumente zur Vermögensabschöpfung in den nationalen Rechtsordnungen gestärkt werden sollten.

Diese beiden Entwicklungslinien der Vermögensabschöpfung auf internationaler Ebene beeinflussten die nationalen Rechtsordnungen. Es wurden zahlreiche Anforderungen an die Vermögensmaßnahmen gestellt, die in den nationalen Rechtsordnungen umzusetzen sind. Trotz der Prägung durch internationale Vorgaben sind in nationalen Rechtsordnungen die Vermögensabschöpfungsmaßnahmen unterschiedlich ausgestaltet, was an den jeweiligen Rechtssystemen und Rechtstraditionen liegt. Diese Arbeit vergleicht die Vermögensabschöpfungsmaßnahmen im deutschen und im polnischen Recht. Die einzelnen Vermögensabschöpfungsmaßnahmen sind in diesen Rechtsordnungen an unterschiedlichen Stellen in das Sanktionensystem eingebettet. Heutzutage werden viele dieser Maßnahmen nicht oder nicht mehr als Strafen gesehen. Der Vermögensabschöpfung wird häufig auch kein Strafcharakter zugeschrieben. In Deutschland gilt beispielsweise die Einziehung von Vermögen als eine *quasi-konditionelle* Ausgleichsmaßnahme, in Polen ist sie eine Maßnahme *sui generis*. Die verschiedenen Ansätze zur Rechtfertigung der Vermögensabschöpfung werden jedoch bei der Gesetzgebung oft vermischt. Da also keine ausreichende Differenzierung herrscht, bleiben die Begründungen für den staatlichen Eingriff und somit auch für die Feststellung seiner Grenzen umstritten. Folglich besteht ein Klärungsbedarf, insbesondere nach den vor Kurzem in beiden Ländern durchgeführten Reformen. Durch einen Vergleich der Lösungsmöglichkeiten in Deutschland und Polen und der gegen sie vorgebrachten verfassungsrechtlichen Bedenken können neue Argumente die Debatte zur Gestaltung der Vermögensabschöpfung befördern.

Für den Begriff der Vermögensabschöpfung gibt es jedoch in beiden Rechtsordnungen, weder in der Literatur noch im Strafgesetz, eine allgemein gültige Definition. Es handelt sich nicht um einen Rechts-, sondern um einen Sammelbegriff, der

---

[2] Zur Forderung effektiver Kriminalitätsprävention siehe zu den Aufgaben des Verfassungsrechts *Poscher*, in: Korioth/Vesting (Hrsg.), Der Eigenwert des Verfassungsrechts, S. 253 ff.

diverse rechtliche Maßnahmen umfasst. Alle in dieser Arbeit untersuchten Vermögensabschöpfungsmaßnahmen haben eine Gemeinsamkeit: Es handelt sich um einen staatlichen Eingriff, der entweder den Übergang des Eigentums auf den Staat zur Folge hat oder eine Zahlungspflicht des Betroffenen begründet. Der staatliche Eingriff knüpft an die Verwicklung des Vermögens in kriminelle Tätigkeiten an. Vermögensabschöpfung setzt grundsätzlich die Begehung einer rechtswidrigen Tat – eines Unrechts – voraus. Teilweise wird vom Gesetzgeber kein Beweis für die Begehung dieses Unrechts verlangt, die überwiegende Wahrscheinlichkeit, dass ein Unrecht begangen wurde, ist für die Einziehung ausreichend. In anderen Fällen wird aus der Begehung einer einzelnen rechtswidrigen Tat auf die Begehung weiterer Taten geschlossen. Schließlich findet die Vermögensabschöpfung auch bereits vor der Tatbegehung Anwendung: Sie umfasst Gegenstände, die zukünftig zu kriminellen Zwecken eingesetzt werden sollen. Jedoch wird in allen Fällen an ein Unrecht angeknüpft, und die Maßnahmen werden deswegen als Sanktionen – Rechtsfolgen der Tat – bezeichnet. Aus Sicht des Betroffenen handelt es sich bei der Vermögensabschöpfung um einen, in einigen Fällen sehr schweren, Eingriff des Staates auf sein Vermögen. Der Betroffene kann sowohl Täter oder Teilnehmer als auch unbeteiligter Dritter sein. Die Vermögensabschöpfung gegen Dritte unterliegt dabei zusätzlichen Einschränkungen. Es wird eine Art Verschulden vorausgesetzt, dass der Dritte mit seinem Eigentum leichtfertig umgegangen sei. Gegen Dritte kann sich die Vermögensabschöpfung aber auch dann richten, wenn es Anhaltspunkte dafür gibt, dass es sich um eine sogenannte Vermögensverschiebung handelt: Der Täter überträgt sein Eigentum auf andere Personen, um so die Einziehung seines Vermögens zu verhindern. In solchen Fällen wird der Zugriff auf das Vermögen Dritter erleichtert. Unterschiedliche Beweisanforderungen ergeben sich auch aus der Art der Verwicklung des Gegenstandes in die Tat. In diesem Sinne wird von Abschöpfung der Tatmittel (Tatwerkzeuge) und Taterträge, und – falls diese nicht mehr vorhanden sind – deren Wertersatz gesprochen.

Die Arbeit beschäftigt sich ausschließlich mit Sanktionen gegen natürliche Personen und mit Gegenständen, die an sich legal sind; illegal ist hingegen die Art und Weise, wie man sie erworben oder verwendet hat, oder wie man sie hätte erwerben oder verwenden können.

Von der Untersuchung ausgeschlossen sind die vorläufigen Maßnahmen, die im Rahmen des Strafverfahrens angeordnet werden, wie beispielsweise Sicherstellung oder Einfrieren von Bankkonten, weil der Betroffene dadurch nur die Verfügungsgewalt über sein Eigentum verliert. Außer Betracht bleiben ebenso Maßnahmen, die zum Eigentumsverlust an Sachen führen, die schon durch die Rechtsordnung als illegal gelten – wie illegale Waffen oder Drogen. Dieser Eigentumsverlust unterscheidet sich seinem Wesen nach von anderen Fällen, denn man verliert etwas, was überhaupt niemand besitzen darf. Deswegen wird über diese Maßnahmen gesagt, sie hätten einen ordnenden Charakter.

Die Untersuchung befasst sich mit dem Konflikt zwischen der Verbesserung der Effektivität der Vermögensabschöpfung und der Notwendigkeit, dem Einzelnen die Rechte, die sich aus dem Rechtsstaatsprinzip ergeben, zu gewähren. Der Konflikt zwischen Effektivität und Rechtsstaatlichkeit ist im Strafrecht unvermeidlich und betrifft nicht nur die Vermögensabschöpfung.[3] Insbesondere durch den technologischen Fortschritt eröffnen sich für die Strafverfolgung neue Möglichkeiten, Informationen, die früher nicht zugänglich waren, zu gewinnen.[4] Das betrifft auch die Vermögensabschöpfung, aber weniger in der Hinsicht, dass mehr Vermögenswerte entdeckt werden können, als in dem Sinne, dass die Strafverfolgung mehr Daten über den Besitzer dieser Vermögenswerte erheben kann. Die Schwierigkeit bei der Strafverfolgung besteht jedoch immer noch darin, einen kausalen Zusammenhang zwischen den Vermögenswerten und einer konkreten strafrechtswidrigen Handlung nachzuweisen.[5] Während ein großer Teil der Abschöpfungsmaßnahmen weiterhin auf einem Nachweis der Verbindung zwischen dem Abschöpfungsgegenstand und einer rechtswidrigen Tat beruht, verzichtet man zugleich bei manchen Abschöpfungsvorschriften auf diesen Verbindungsnachweis – sei es in Form einer Beweiserleichterung, sei es durch die Einführung der Beweislastumkehr. Die Gesetzgeber reagieren so auf die praktischen Schwierigkeiten, die sich aus dem Nachweis dieser Verbindung ergeben, wenn viele Indizien für die strafrechtswidrige Herkunft oder Verwendung des Vermögens sprechen. Die Gesetzgeber in den untersuchten Rechtsordnungen argumentieren, bei der Allgemeinheit entstehe der Eindruck, der Rechtsstaat sei machtlos, und das Vertrauen in die Rechtsordnung werde geschwächt, wenn das Vermögen nicht abgeschöpft wird. Deswegen müsse die Effektivität der Vermögensabschöpfung verbessert werden, insbesondere als Maßnahmen zur Bekämpfung organisierter gewinnorientierter Kriminalität.[6] Der Anwendungsbereich der Vermögensabschöpfung beschränkt sich aber nicht ausschließlich auf die schwere Kriminalität, was zur Frage nach der Legitimation der zum Teil weitreichenden Maßnahmen und somit auch nach der Grenze zwischen der effektiven Kriminalitätsbekämpfung und dem rechtsstaatlichen Schutz der Rechte des Einzelnen führen muss.

II. Ziele der Untersuchung

Zusammengefasst sollen drei Ziele verfolgt werden: Erstens werden die deutschen und die polnischen Regelungen zur Vermögensabschöpfung analysiert und

---

3 Vgl. *Sieber*, in: Sieber u.a. (Hrsg.), Alternative Systems, S. 7 ff.; *Steiker*, Journal of Criminal Law and Criminology 88 (1998), 776 ff.

4 Siehe *Sieber*, in: Tiedemann u.a. (Hrsg.), Die Verfassung, S. 364 f.

5 *Meyer*, NZWiSt 2018, 250.

6 Vgl. Deutscher Bundestag, 18. Wahlperiode, BT-Drs. 18/9525, S. 45; Sejm RP, VIII kadencja, Druk sejmowy Nr. 1186, Begründung, S. 3 f.

verglichen, zweitens die Schutznormen zur Begrenzung dieser Regelungen untersucht und drittens rechtspolitische Vorschläge zur Verbesserung der bisherigen Vorschriften entwickelt. Zunächst werden die gesetzlichen Regelungen der Vermögensabschöpfung analysiert und verglichen. Die einschlägigen Normen im deutschen und im polnischen Recht werden anhand der Sachprobleme, welche sie lösen sollen, strukturiert dargestellt und im Hinblick auf ihre Anwendungsvoraussetzungen behandelt. Aus den Berichten zu den nationalen Regelungen ergibt sich, dass die Vermögensabschöpfung in den untersuchten Rechtsordnungen eine besondere Stellung einnimmt. Diese Maßnahmen gehören zwar zu den strafrechtlichen Kontrollsystemen. Die Frage nach ihrer Rechtsnatur und die Frage, ob sie einer Strafe dermaßen ähnlich sind, dass ihre Anwendung den gleichen Einschränkungen wie die Strafe unterliegen soll, bleiben aber in beiden Rechtsordnungen umstritten. Daraus ergibt sich das zweite Ziel der Arbeit, die Untersuchung von Grenzen der Vermögensabschöpfung.

Bei der Prüfung der Grenzen von Vermögensabschöpfungsmaßnahmen werden zuerst die Einschränkungen der Vermögensabschöpfung durch strafrechtliche Garantien erläutert, die dem Betroffenen einen weitgehenden und umfassenden Schutz seiner Rechte garantieren.[7] Wegen Meinungsunterschieden bezüglich der Rechtsnatur der Vermögensabschöpfung geht die Untersuchung über die Frage nach der Anwendung der strafrechtlichen Garantien hinaus. Dabei wird vor allem die Anwendung der allgemeinen verfassungsrechtlichen Garantien geprüft. Während die strafrechtlichen Grenzen, die die Vermögensabschöpfung einschränken, in der Wissenschaft bereits grundlegen aufgearbeitet wurden,[8] besteht für die Bestimmung von nicht speziell strafrechtlichen Grenzen noch Diskussionsbedarf. Die von der Frage nach dem Strafcharakter der Vermögensabschöpfungsmaßnahmen dominierte Wissenschaft vermittelt den Eindruck, dass an den Maßnahmen selbst nichts zu beanstanden ist, solange es sich bei den staatlichen Eingriffen nicht um Strafen handelt. Die Frage nach den Grenzen des staatlichen Eingriffs, der durch Kriminalitätsprävention oder den Schutz der öffentlichen Sicherheit und Ordnung legitimiert wird, sollte aber nicht vernachlässigt werden.[9] Im Hinblick auf die heutige Rechtsentwicklung ist es wichtig zu ermitteln, wie sich die verfassungsrechtlichen

---

7 Siehe *Sieber*, in: Dyson/Vogel (Hrsg.), Limits of Criminal Law, S. 311.

8 Hier ist auf folgende Untersuchung hinzuweisen: *Berg*, Beweiserleichterungen bei der Gewinnabschöpfung. Der Autor befasste sich mit der Frage nach den verfassungsrechtlichen Grenzen der Beweiserleichterungen bei der Gewinnabschöpfung, insbesondere im Hinblick auf Schuldprinzip und Unschuldsvermutung. Zur Beantwortung der Forschungsfrage hat er eine Zusammenfassung der Merkmale der Strafe erarbeitet. Eine Überprüfung der Gewinnabschöpfungsmaßnahmen anhand dieser Kriterien ergab, dass der erweiterte Verfall (§ 73d StGB) gegen das Schuldprinzip und die Unschuldsvermutung verstößt. Eine Effektivierung der Gewinnabschöpfung durch die Beweiserleichterungen erwies sich als mit den schuldbezogenen Verfassungsgarantien unvereinbar.

9 Vgl. *Sieber*, in: Tiedemann u.a. (Hrsg.), Die Verfassung, S. 370 ff.; *Sieber*, in: Dyson/Vogel (Hrsg.), Limits of Criminal Law, S. 326 ff.

Einschränkungen – vor allem die Anforderung der Verhältnismäßigkeit eines Grundrechtseingriffs – auf die Gesetzgebung in diesem Bereich auswirken sollen. Die Untersuchung der Grenzen der Vermögensabschöpfung in Deutschland und Polen stellt damit auch einen Beitrag zur Bestimmung der funktionalen Grenzen des Strafrechts und des Sicherheitsrechts dar.[10]

Die Eingriffsnormen und ihre Grenzen werden über die Analyse hinaus auch bewertet und die rechtspolitischen Schlussfolgerungen daraus gezogen. Dabei werden die Alternativen zu der strafrechtlichen Regelung der Vermögensabschöpfung unter Berücksichtigung ihrer Legitimation und der Grenzen, die sich daraus für die Maßnahmen bereits auf der Ebene der Gesetzgebung ergeben, aufgezeigt.[11] Durch die Regelung der Vermögensabschöpfung außerhalb des Strafrechts kann die Effektivität der Abschöpfungsinstrumente in dem Sinne gesteigert werden,[12] dass ein schnellerer Zugriff auf das einzuziehende Vermögen ermöglicht wird, da dieser unabhängig vom Ergebnis eines langwierigen Strafverfahrens erfolgt. Dabei ist aber genau zu prüfen, in welchem Umfang dieser Zugriff außerhalb der strafrechtlichen Regelung gewährt werden kann, damit der Eingriff in einem demokratischen Rechtsstaat als verhältnismäßig bewertet werden kann.[13]

III. Forschungsmethoden

Die Analyse der Regelungen zur Vermögensabschöpfung in Deutschland und in Polen wird mithilfe der funktionalen Rechtsvergleichung durchgeführt.[14] Dabei handelt es sich um einen planmäßigen „Vergleich von Lösungen“[15] für ein bestimmtes Sachproblem. Anknüpfungspunkt ist daher ein Sachproblem und nicht eine bestimmte Norm, sodass unterschiedliche Lösungsansätze miteinander verglichen werden können. Die Rechtsvergleichung ist in erster Linie ein Analyseinstrument für das deutsche Recht, das mit dem polnischen Recht verglichen wird.

Ausgehend von den entsprechenden gesetzlichen Regelungen wird deren historische Entwicklung nachgezeichnet, um die, wie später zu erläutern sein wird, widersprüchliche Sichtweise auf die Vermögensabschöpfung verständlich zu machen. Der Schwerpunkt der Darstellung liegt auf den Voraussetzungen für die Bestimmung der Verbindung zwischen dem Vermögensgegenstand und einer rechtswid-

---

10 Vgl. *Sieber*, ZStW 2007, 3 ff.

11 Zu der Frage nach den Grenzen von alternativen Kontrollsystemen gegen Kriminalität siehe *Sieber*, in: Tiedemann u.a. (Hrsg.), Die Verfassung, S. 370 ff.

12 Siehe *Sieber*, in: Dyson/Vogel (Hrsg.), Limits of Criminal Law, S. 302.

13 Vgl. ebenda, S. 326.

14 Ausführlich zur Rechtsvergleichung *Engelhart*, Sanktionierung von Unternehmen und Compliance, S. 10 ff.

15 *Rheinstein/Borries*, Einführung in die Rechtsvergleichung, S. 28.

rigen Tat. Berücksichtigt werden sowohl die Voraussetzungen der Tat als auch der Nachweis für die Verwicklung von Vermögen in die Tat. So wird überprüft, ob dabei die eventuellen Unsicherheiten im Verantwortungsbereich der Strafverfolgung oder des Betroffenen liegen. In der Darstellung des nationalen Rechts wird auf der ersten Ebene nach dem Gesetzeswerk unterschieden: Dazu gehören die jeweiligen Regelungen des Kernstrafrechts, des Ordnungswidrigkeitenrechts und des kodifizierten Fiskalstraf- und Fiskalordnungswidrigkeitenrechts im Bericht zum polnischen Recht. Der Untersuchungsgegenstand wird dann weiter nach der Art der Verbindung zwischen dem Abschöpfungsgegenstand und dem Delikt gegliedert. Zu differenzieren ist zwischen der Abschöpfung von aus der Tat stammendem (Tatgewinne) und von zur Tatbegehung verwendetem (Tatmittel) Vermögen. Die Betrachtung der Maßnahmen anhand dieses Kriteriums veranschaulicht die unterschiedliche *ratio legis* der Regelungen. Weiter wird im Rahmen dieser beiden Kategorien der Maßnahmen nach dem, was abgeschöpft wird, differenziert, das heißt, ob es sich um einen konkreten Gegenstand handelt oder um einen Geldbetrag als Ersatz für den Vermögensgegenstand. Diese Unterscheidung ergibt sich aus der Bestimmung der Anknüpfung zwischen dem Gegenstand und der Tat, dient aber auch einer besseren Übersichtlichkeit der Darstellung. Bei den einzelnen Maßnahmen werden zwei Aspekte hervorgehoben: Wer ist der Abschöpfungsadressat, und wie werden der Abschöpfungsgegenstand und die Verknüpfung zu einem Delikt bestimmt?

Die Berichte zum nationalen Recht befassen sich dann mit den Ansätzen zur Bestimmung der Grenzen der Vermögensabschöpfung. Die Beweiserleichterungen werden den speziellen strafrechtlichen und den allgemeinen verfassungsrechtlichen Einschränkungen gegenübergestellt. Im Mittelpunkt stehen dabei nicht die Zulässigkeit der Beweiserleichterungen aus strafprozessualer Sicht, sondern ihre Auswirkungen auf die Schwere des Eingriffs in die Rechte des Betroffenen. Die Frage nach den Beweiserleichterungen gehört in diesem Sinne zu den Einschränkungen der Sanktionen im materiellen Recht. Im Hinblick auf die Bestimmung von rechtsstaatlichen Einschränkungen der Vermögensabschöpfung werden die in beiden Rechtsordnungen vertretenen Ansätze erläutert. Ihr Ausgangspunkt ist die Analyse der Grenzen, die sich aus der Rechtsnatur der Maßnahmen ergeben. Wenn die Maßnahme einen Strafcharakter hat, finden spezielle strafrechtliche Garantien Anwendung, insbesondere das Schuldprinzip und die Unschuldsvermutung, die die Grenzen des Eingriffs bestimmen.

Die Rechtsnatur einzelner Vermögensabschöpfungsmaßnahmen ist jedoch umstritten und die Zwecke, die mit ihnen verfolgt werden, können nicht immer klar ermittelt werden. Deswegen wird hier auch der Versuch unternommen, die Schranken der Vermögensabschöpfung ohne Bezug auf die Rechtsnatur der einzelnen Instrumente zu bestimmen. Die Vermögensabschöpfungsmaßnahmen werden anhand des Verhältnismäßigkeitsgrundsatzes überprüft, dessen Anwendbarkeit von der Rechtsnatur des jeweiligen Instrumentes unabhängig ist. Diese Betrachtungsweise kann einen Beitrag zur Diskussion über die Bestimmung des rechtsstaatlichen Rahmens des Sicherheitsrechts leisten.[16] Zu den verschiedenen Argumentationsansätzen wird Stellung genommen; die nationalen Regelungen werden im Hinblick auf die straf- und verfassungsrechtlichen Einschränkungen bewertet.

Durch die analytische Strukturierung der Darstellung (Festlegung des Sachproblems, Landesberichte, Rechtsvergleich und rechtspolitische Schlussfolgerungen) sollen die Gemeinsamkeiten und Unterschiede der Vermögensabschöpfung in beiden Rechtsordnungen herausgearbeitet werden. Die Vermögensabschöpfung befindet sich in den für die Untersuchung ausgewählten Ländern – Deutschland und Polen – im Wandel. Das Ziel des Vergleichs ist die Bewertung der durchgeführten Reformen, insbesondere in Bezug auf die Einschränkungen der Vermögensabschöpfung. Da die Regulierung der Vermögensabschöpfung durch internationale Vorgaben geprägt wird, wird auch ein prüfender Blick auf die Harmonisierung nationaler Rechte aufgrund dieser Vorgaben geworfen. Beide Länder gehören dem Europarat und der Europäischen Union an, der polnische wie der deutsche Gesetzgeber haben somit die gleichen Anforderungen aus dem internationalen Recht zu erfüllen. Jedoch unterscheiden sich die Lösungsansätze im Bereich der Vermögensabschöpfung, obwohl die polnische Rechtsordnung von der deutschen stark beeinflusst ist. Erkenntnisse über den strukturellen Aufbau beider Rechtssysteme, und an welchen Stellen die Vermögensabschöpfungsinstrumente eingebettet wurden, schaffen einen Überblick über mehrere potenzielle Lösungen. Unterschiedlich wird in beiden Rechtsordnungen auch mit den Beweisschwierigkeiten bei der Vermögensabschöpfung umgegangen. Während sich der deutsche Gesetzgeber für die Einbeziehung von zusätzlichen Delikten, die nicht Gegenstand des Verfahrens sind, entschieden hat, hat der polnische weitgehende Beweiserleichterungen bezüglich der Herkunft des Vermögens eingeführt. Der Rechtsvergleich der Vermögensabschöpfungsregelung in beiden Ländern dient darüber hinaus der Ausarbeitung der Grenzen, denen diese Maßnahmen unter europäischen Rahmenbedingungen entsprechen müssen, und zugleich aber auch der Feststellung der Freiräume, die den nationalen Gesetzgebern bei der Gestaltung des Vermögensabschöpfungsrechts zustehen. Dem letzten Aspekt widmen sich die rechtspolitischen Schlussfolgerungen in Kapitel 7.

---

[16] Das gilt beispielsweise für die selbständige Einziehung des aus Straftaten herrührenden Vermögens unklarer Herkunft unabhängig vom Nachweis einer konkreten Straftat. Über Vermögensabschöpfung als „Maßregelrecht (…) zur Befriedigung des Sicherheitsbedürfnisses der staatlichen Gemeinschaft“ siehe *Hetzer*, wistra 2000, 369, 373; *Heine*, JZ 1995, 653 ff.
[Hinweis: Die Verfasserin hat sich durchgängig für die Schreibweise *selbständig* entschieden, da der deutsche Gesetzgeber diese im Strafgesetzbuch verwendet.]

IV. Gang der Untersuchung

Die Arbeit besteht aus sieben Teilen. Nach der Einführung in das Thema wird der internationale Kontext des Vermögensabschöpfungsrechts geschildert. Diesen Kontext bilden die internationalen Übereinkommen, die die Entwicklung der Vermögensabschöpfung geprägt haben. Darauf folgen zwei Landesberichte (Deutschland/Polen) mit jeweils einer Untersuchung der historischen Entwicklung und des geltenden Rechts, und anschließend eine Ausarbeitung der strafrechtlichen und allgemeinen verfassungsrechtlichen Einschränkungen der Vermögensabschöpfung. Im rechtsvergleichenden Teil werden die beiden nationalen Rechtsordnungen einander gegenübergestellt und die Ergebnisse analysiert. Im Wesentlichen orientiert sich die Gliederung dieses Teils an den Darstellungen zum nationalen Recht: Zuerst werden die nationalen Regelungen unter Berücksichtigung der Beweisanforderungen bezüglich der Abschöpfungsadressaten, dann des Abschöpfungsgegenstandes und der tatbestandlichen Anknüpfung verglichen. Darüber hinaus werden die Ansätze zur Bestimmung der Grenzen der Beweiserleichterungen miteinander konfrontiert. Zum Schluss werden die Legitimation der Vermögensabschöpfung und die dabei zu beachtenden Einschränkungen erläutert.

Teil 2

Vorgaben für die Vermögensabschöpfung im internationalen Recht

Die nachfolgende Darstellung der internationalen Vorgaben für die Vermögensabschöpfung ermöglicht es, die Regelungen im deutschen und im polnischen Recht im Kontext der Einflüsse zu sehen, welche sie geprägt und der Entwicklung der Vermögensabschöpfung eine Richtung vorgegeben haben. Zuerst werden die Vorgaben für die Vermögensabschöpfung (I.), dann diejenigen für die Bestimmung von Grenzen der Vermögensabschöpfung (II.) erläutert. Die Zusammenfassung (III.) gibt einen Überblick über die internationalen Rahmenbedingungen für die nationalen Regelungen der Materie.

I. Regelungen der Vermögensabschöpfung

A. Internationale Vorgaben

1. Übereinkommen der Vereinten Nationen gegen den unerlaubten Verkehr mit Suchtstoffen und psychotropen Stoffen vom 20. Dezember 1988

Das UN-Übereinkommen gegen den unerlaubten Verkehr mit Suchtstoffen und psychotropen Stoffen wurde 1988 mit dem Ziel verabschiedet, die Effektivität der Bekämpfung von Drogenkriminalität zu verbessern. Das Übereinkommen kriminalisierte den Besitz und Vertrieb von Suchtstoffen und psychotropen Stoffen. Das durch Drogengeschäfte erlangte Vermögen sollte der Einziehung unterliegen.[1] Diese Regelung ist aus einer politischen Kampagne gegen Geldwäsche der Erträge aus Drogenkriminalität in den USA entstanden:[2] Seither ist der *war on drugs*, der wirtschaftliche Einflussmöglichkeiten von Drogenhändlern verhindern soll, ein wichtiger Bestandteil der US-amerikanischen Außenpolitik.[3] Um Drogenkriminalität effek-

---

[1] *Boister*, Penal Aspects, S. 65.

[2] Einziehung regelten bereits die Übereinkommen aus den Jahren 1961 (Einheitsabkommen über die Betäubungsmittel) und 1971 (Konvention über psychotrope Substanzen). Sie ermöglichten aber lediglich die Einziehung von Vermögensgegenständen, die der Täter aus der Tat erhalten hat. Dabei sah das nationale Recht einiger Staaten weitergehende Einziehungsvorschriften vor – genau diese Unterschiede in der Rechtslage haben die internationale Zusammenarbeit beeinträchtigt. Dazu siehe *Boister*, Penal Aspects, S. 348 ff.

[3] Siehe ebenda, S. 64 f.

tiver zu bekämpfen, mussten neue Einziehungsregelungen geschaffen werden, die berücksichtigen, dass der Zusammenhang zwischen dem Vermögen und einem Drogengeschäft oft kaum nachzuweisen war. Dies galt insbesondere für die mittelbaren Gewinne, wenn mit dem Vermögen rechtswidriger Herkunft weitere Rechtsgeschäfte getätigt wurden.[4] Die Abschöpfungsregelung sollte diesem Umstand Rechnung tragen und den Zugriff auf mittelbare Gewinne aus Drogenkriminalität ermöglichen. Das Übereinkommen regelt die Einziehung sowohl der Taterträge als auch der Tatmittel.

Die Abschöpfung der Taterträge ist in Art. 5 des Übereinkommens geregelt. Bei der Vorschrift handelt es sich um eine *best effort provision*: Die Vertragsstaaten haben sich verpflichtet, entsprechende Regelungen im nationalen Recht, in Übereinstimmung mit der jeweiligen Rechtsordnung, zu verabschieden.[5] Gegenstand der Einziehung ist das Eigentum, das Art. 1 Buchstabe q als Vermögen jeglicher Art, materiell und immateriell, beweglich und unbeweglich, definiert.[6] Das Übereinkommen bestimmt nicht, ob der Eigentümer des einzuziehenden Vermögens zuerst in einem Strafprozess verurteilt werden muss.[7] Gemäß Art. 5 Abs. 6 Buchstabe a ist auch der Wert der Erträge vom Täter einzuziehen. Wenn das Vermögen aus legalen und illegalen Quellen vermischt wurde, soll sich die Einziehung gemäß Art. 5 Abs. 6 Buchstabe b auf die geschätzte Höhe der Taterträge beschränken. Darüber hinaus wurde in Art. 5 Abs. 7 die Möglichkeit der Beweislastumkehr im Hinblick auf den rechtmäßigen Ursprung des einzuziehenden Vermögens vorgesehen. Die Einziehung von Tatmitteln regelt Art. 5 Abs. 1 Buchstabe b. Sie umfasst Gegenstände, die zur Begehung einer Straftat verwendet oder dazu bestimmt wurden. Dabei können die nationalen Gesetzgeber die Einziehung auf die Tatmittel einschränken, die Eigentum des Täters sind.[8]

2. Übereinkommen gegen die grenzüberschreitende organisierte Kriminalität vom 15. November 2000 (Palermo-Übereinkommen)

Die Abschöpfung von Erträgen aus Straftaten wurde auch in dem am 15. November 2000 verabschiedeten Palermo-Übereinkommen mit seinen Zusatzprotokollen geregelt. Gegenstand des Übereinkommens ist die grenzüberschreitende Organisierte Kriminalität, insbesondere die Beteiligung an einer organisierten kriminellen Gruppe (Art. 5), Geldwäsche (Art. 6), Korruption und Behinderung der Justiz (Art. 23).[9] Die Vermögensabschöpfungsmaßnahmen sind bei den genannten

---

4 Ebenda, S. 353 f.

5 Ebenda, S. 355.

6 Ebenda, S. 357 f.

7 Ebenda, S. 359 f.

8 Ebenda, S. 365.

9 Ausführlich dazu *Pintaske*, Das Palermo-Übereinkommen.

Straftaten gemäß Art. 12 Abs. 1 im größtmöglichen Umfang zu treffen und umfassen sowohl die Taterträge als auch Tatmittel.[10]

Die Einziehung der Taterträge bezieht sich auf Erträge aus Straftaten, die im Übereinkommen geregelt werden. Wenn die Einziehung der Erträge selbst nicht möglich ist, ist gemäß Art. 12 Abs. 1 Buchstabe a deren Wertersatz einzuziehen. Im Falle, dass die Taterträge in andere Vermögensgegenstände umgewandelt wurden, können auch diese gemäß Art. 12 Abs. 3 eingezogen werden. Bei Vermischung von legal und illegal erworbenem Vermögen beschränkt sich die Einziehung nach Art. 12 Abs. 4 auf die geschätzte Höhe der Taterträge. Bezüglich der rechtmäßigen Herkunft des Vermögens kann die Beweislast gemäß Art. 12 Abs. 7 dem Täter auferlegt werden. Das Übereinkommen regelt auch die Einziehung von Tatmitteln. Diese umfasst nach Art. 12 Abs. 1 Buchstabe b die zur Tatbegehung verwendeten und zu diesem Zweck bestimmten Gegenstände.

3. Übereinkommen der Vereinten Nationen gegen Korruption vom 31. Oktober 2003

Wegen der großen Bedeutung des internationalen Wirtschaftsverkehrs wurde 2003 das Übereinkommen der Vereinten Nationen als das „erste verbindliche weltumspannende Instrument gegen Korruption“ verabschiedet.[11] Das Übereinkommen regelt neben der Deliktprävention (Art. 5 bis 14), der Kriminalisierung der Korruption (Art. 15 bis 24) und der internationalen Rechtshilfe (Art. 43 ff.) auch die Gewinnabschöpfung (Art. 31 ff.) und die Widererlangung von Vermögenswerten (Art. 51 ff.). Die Regelung der Vermögensabschöpfung entspricht der in den UN-Übereinkommen gegen Organisierte Kriminalität vom 15. November 2000 und gegen Drogenkriminalität vom 20. Dezember 1998. Sie umfasst sowohl die Taterträge als auch die Tatmittel.

Die Einziehung der Taterlöse – geregelt in Art. 31 Abs. 1 Buchstabe a – umfasst Abschöpfung der Gegenstände und Zahlung eines Geldbetrags, der dem Wert der Gegenstände entspricht. Darüber hinaus können Surrogate der Taterträge gemäß Art. 31 Abs. 4 eingezogen werden. Im Falle einer Vermischung von Erträgen aus legalen und illegalen Quellen ist nach Art. 31 Abs. 5 ein Geldbetrag in der geschätzten Höhe der Taterträge einzuziehen. Die Möglichkeit der Einführung einer Beweislastumkehr bezüglich der rechtmäßigen Herkunft des einzuziehenden Vermögens wird in Art. 31 Abs. 8 vorgesehen. Einziehung der Tatmittel wird in Art. 31 Abs. 1 Buchstabe b geregelt. Als Tatmittel gelten die zur Tatbegehung verwendeten und die dazu bestimmten Vermögensgegenstände.

---

[10] *Boister*, in: Cassese (Hrsg.), The Oxford Companion, S. 542.

[11] *Meyer*, Strafrechtsgenese, S. 214.

4. Maßnahmen zur vermögensbezogenen Terrorismusbekämpfung

Die Vereinten Nationen haben Vermögensabschöpfungsmaßnahmen auch zur Bekämpfung des Terrorismus erlassen. Diese umfassen zum einen Einziehungsregelungen, die in den nationalen Rechtsordnungen umzusetzen sind. Sie sind in dem Übereinkommen zur Bekämpfung der Finanzierung des Terrorismus von 1999 geregelt. Zum anderen werden zur vermögensbezogenen Terrorismusbekämpfung auch vorläufige Maßnahmen durch das Al-Qaida Sanktionskomitee (siehe unten) unmittelbar einzelnen natürlichen oder juristischen Personen auferlegt. Zu diesen sogenannten *smart sanctions* gehört das vorläufige, präventive Einfrieren von Vermögen des Betroffenen – *asset freezing*.

a) Übereinkommen zur Bekämpfung der Finanzierung des Terrorismus vom 9. Dezember 1999

Ein grundlegendes Instrument der Vereinten Nationen gegen die Terrorismusfinanzierung ist das Übereinkommen aus dem Jahr 1999.[12] In Art. 2 wird die Finanzierung von terroristischen Handlungen kriminalisiert und als tatbestandsmäßige Handlung das Bereitstellen und Sammeln von finanziellen Mitteln bestimmt.[13] Die Bezeichnung „finanzielle Mittel“ umfasst materielle und immaterielle, bewegliche und unbewegliche Vermögensgegenstände.[14] Dabei können die Mittel sowohl legaler als auch illegaler Herkunft sein; auf ihre tatsächliche Verwendung zur Begehung einer Straftat kommt es gemäß Art. 2 Abs. 3 nicht an. Eine terroristische Bezugstat muss lediglich in der Vorstellung des Täters bestehen.[15] Überdies regelt das Übereinkommen regelt das Übereinkommen die Einziehung der dazu verwendeten Mittel und der Erträge aus diesen Delikten. In Art. 8 wird die Verpflichtung der Staaten begründet, die Mittel, die zur Finanzierung von terroristischen Handlungen verwendet werden sollen, zu identifizieren, aufzuspüren, zu sichern und einzuziehen. Dies betrifft sowohl die zur Terrorismusfinanzierung verwendeten als auch die zu diesem Zweck bestimmten finanziellen Mittel. Dabei ist die subjektive Vorstellung des Täters bezüglich der Verwendung der Mittel abschöpfungsrelevant.[16] Zur subjektiven Vorstellung gehört auch die Finanzierung von Vorbereitungshandlungen.[17]

---

12 *Sieber/Vogel*, Terrorismusfinanzierung, S. 20.

13 Die tatbestandsmäßige Handlung „sammeln“ setzt eine zielgerichtete aktive Förderungshandlung voraus, ein bloßer Empfang finanzieller Mittel reicht nicht aus, um die Strafbarkeit zu begründen; siehe ebenda, S. 22.

14 Ebenda, S. 23.

15 Eine derartige Vorverlagerung der Strafbarkeit kann als versuchte Beihilfe oder als ein weit vorverlagerter Versuch bezeichnet werden; siehe ebenda, S. 22 f.

16 Somit braucht es keinen Nachweis des Vorsatzes des terroristischen Haupttäters. Siehe ebenda, S. 24 f.

17 Ebenda, S. 26 f.

Die Erträge aus den in Art. 2 geregelten Straftaten sollen der Einziehung unterliegen. Die Signatarstaaten sind dazu verpflichtet, angemessene Maßnahmen in Übereinstimmung mit der jeweiligen Rechtsordnung zu treffen. Dabei ist die Strafbarkeit des Betroffenen wegen Finanzierung terroristischer Handlungen gemäß Art. 8 keine zwingende Voraussetzung der Einziehung.

b) Resolutionen des UN-Sicherheitsrates – asset freezing

Neben der Verabschiedung von Vorgaben für die nationalen Rechtsordnungen wurde auf UN-Ebene die Notwendigkeit erkannt, gegen Terrorismusfinanzierung mittels unmittelbar geltender Maßnahmen vorzugehen. Solche unmittelbar geltenden Maßnahmen können gemäß Kapitel VII UN-Charta bei einer Bedrohung für den Weltfrieden und der Sicherheit erlassen werden. Somit stellt sich die Frage, ob die Terrorismusfinanzierung eine Bedrohung für den Weltfrieden im Sinne des Art. 39 der UN-Charta darstellt.[18] Diese Frage wurde bejaht und dadurch die Möglichkeit eröffnet, auf UN-Ebene Individualsanktionen gegen Personen, die terroristische Handlungen begehen und unterstützen, zu verhängen.[19] Als eine der Individualmaßnahmen gegen Terrorismusfinanzierung wurde das Einfrieren von Vermögen *(asset freezing)* eingeführt.[20] Die Verhängung dieser Sanktion begründet für die UN-Mitgliedstaaten eine Verpflichtung, die Vermögenswerte des Betroffenen unverzüglich einzufrieren. Obwohl es sich dabei um eine präventive und vorläufige Maßnahme handelt, wird ihre Maximaldauer nicht festgelegt, die Zulässigkeit einer endgültigen Einziehung des eingefrorenen Vermögens ist keine Anordnungsvoraussetzung. Die Sanktion umfasst neben dem Einfriergebot jeweils ein Bereitstellungsverbot: Dies „unterbindet auch Geschäfte wie An- oder Verkäufe, Schenkungen oder Gehaltszahlungen, durch die Gelder oder wirtschaftliche Ressourcen zur Verfügung gestellt werden, die geeignet sind, für die Unterstützung terroristischer Tätigkeiten eingesetzt zu werden."[21] Somit betrifft die Maßnahme nur die Tatmittel und knüpft dabei eher an die vergangenen Handlungen des Betroffenen als an die Gefahr der Begehung einer konkreten Straftat.

Zum ersten Mal wurden die Individualsanktionen – u.a. *asset freezing* – durch die Resolution 1267 (1999) des UN-Sicherheitsrates eingeführt. Die Resolution wurde als Reaktion auf die politische Situation in Afghanistan mit dem Ziel verab-

---

18 *Tehrani*, Die „Smart Sanctions", S. 38 ff.

19 *Simma*, The Charter of the United Nations, Art. 39 Rn. 16 ff.; Gefährdung der Sicherheit gehört aber nicht zu den Eingriffsgrundlagen gem. Art. 39 UN-Charta – siehe *Albers*, in: Albers/Groth (Hrsg.), Globales Recht, S. 111 ff.

20 Eingeführt durch Resolution 1267 (1999) vom 15.10.1999; Resolution 1333 (2000) vom 19.12.2000; Resolution 1373 (2001) vom 28.09.2001; Resolution 1390 (2002) vom 16.01.2002; Resolution 1989 (2011) vom 17.06.2011; Resolution 2161 (2014) vom 17.06.2014; Resolution 2199 (2015) vom 12.02.2015; Resolution 2253 (2015) vom 17.12.2015.

21 *Albers*, in: Albers/Groth (Hrsg.), Globales Recht, S. 106.

schiedet, die Bekämpfung des internationalen Terrorismus zu stärken. *Asset freezing*, geregelt in § 4 Buchstabe b, diente als politisches Druckmittel gegen Unterstützer Osama bin Ladens. Einzufrieren war das Vermögen, das durch die Taliban direkt oder indirekt kontrolliert wurde. Darüber hinaus gründete sich aufgrund der Resolution ein Sanktionsausschuss, dessen Aufgabe die Verhängung und Durchführung der Individualsanktionen war.

Eine Weiterentwicklung der Individualsanktionen erfolgte mit der Resolution 1373 (2001). Sie forderte die UN-Mitgliedstaaten auf, dem Übereinkommen zur Bekämpfung der Finanzierung des Terrorismus von 1999 beizutreten und das Vermögen von Personen, die terroristische Angriffe begangen hatten oder zu begehen versuchten oder ihre Begehung erleichtert haben, einzufrieren.[22] Die Resolution erweiterte den Kreis der Betroffenen auf natürliche und juristische Personen, die gegenüber den oben genannten weisungsgebunden waren oder von ihnen kontrolliert wurden. Gegenstand der Sanktion waren auch Erlöse aus den Vermögensgegenständen, die Eigentum der betroffenen Person sind oder sich unter ihrer Kontrolle befinden. Obwohl es sich um eine vorläufige Maßnahme handelte, wurde sie nicht zeitlich beschränkt.[23]

Durch die Resolution 1390 (2002) wurde der Umfang von *asset freezing* auf die wirtschaftlichen Ressourcen erweitert, was dazu führte, dass die Maßnahme Vermögenswerte und wirtschaftliche Vorteile jeder Art umfassen konnte.[24] Der weite Umfang von *asset freezing* diente dazu, die Betroffenen wirtschaftlich zu isolieren.[25] Erweitert wurde auch der persönliche Anwendungsbereich, welcher nicht mehr auf den Personenkreis der Taliban, von Al-Qaida und Nahestehenden von Osama bin Laden beschränkt war. *Asset freezing* konnte sich auch gegen die oben genannten unterstützenden Personen richten. Für die Anwendung der Maßnahme war nicht der Vorsatz des Handelnden, sondern die Frage, in wessen Namen die Handlung vorgenommen wurde, relevant. Somit konnten auch die durch Dritte weitergeleiteten finanziellen Mittel eingefroren werden.[26]

---

22 Siehe *Sieber/Vogel*, Terrorismusfinanzierung, S. 21.

23 Siehe *Vierucci*, in: Cassese (Hrsg.), The Oxford Companion, S. 327.

24 Vgl. *Tehrani*, Die „Smart Sanctions“, S. 51.

25 Vgl. ebenda, S. 55 f.

26 Siehe ebenda, S. 54 f.; der gleiche persönliche und sachliche Anwendungsbereich galt für die späteren Resolutionen – Resolution 1989 (2011) vom 17.06.2011; Resolution 2161 (2014) vom 17.06.2014; Resolution 2253 (2015) vom 17.12.2015. In der Resolution 2199 (2015) wurde der persönliche Anwendungsbereich auf den *Islamic State in Iraq and Levant* und die *Al Nusra-Front* erweitert.

5. Internationale Standards für die Bekämpfung der Geldwäsche, Terrorismusfinanzierung und Finanzierung der Proliferation (FATF-Empfehlungen)

Maßnahmen zur vermögensbezogenen Kriminalitätsbekämpfung wurden auch durch die Financial Action Task Force (FATF) verabschiedet. Im Jahr 1990 hat die FATF 40 Empfehlungen erlassen, mit dem Ziel, dem Missbrauch von Finanzsystemen zu Zwecken der Geldwäsche entgegenzuwirken.[27] Anfangs bezogen sich die Empfehlungen nur auf Drogenkriminalität, aber 1996 wurde diese Einschränkung aufgehoben.[28] In der aktuellen Fassung umfassen die Empfehlungen neben der Geldwäsche auch die Terrorismusfinanzierung und Proliferation.[29] Die FATF-Empfehlungen betreffen die Abschöpfung der Taterträge und Tatmittel. Sie sind dabei an die Vorgaben der UN in diesem Bereich angelehnt.

Die Einziehung der Tatmittel und Taterträge ist in Empfehlung 4 geregelt. Diese bezieht sich auf entsprechende Vorschriften der Palermo-Konvention und des UN-Übereinkommens gegen Terrorismusfinanzierung.[30] Die gesetzliche Regelung auf nationaler Ebene sollte, gemäß den Vorgaben, sowohl das vorläufige Einfrieren als auch die endgültige Einziehung des Vermögens ermöglichen. Abschöpfungsgegenstand sind aus Geldwäsche oder aus entsprechenden Vortatbeständen zur Geldwäsche stammende Erlöse sowie das für die Begehung dieser Delikte eingesetzte oder dazu bestimmte Vermögen. Darüber hinaus ist das zur Finanzierung von Terrorismus, terroristischen Organisationen und Terrorakten eingesetzte als auch dazu bestimmte Vermögen einzuziehen. Die Abschöpfung soll dabei auch den Wert der Taterträge erfassen. Außerdem wird die Beweislastumkehr in Erwägung gezogen, indem der Verurteilte die rechtmäßige Herkunft des einzuziehenden Vermögens beweisen muss.

6. Übereinkommen über die Bekämpfung der Bestechung ausländischer Amtsträger im internationalen Geschäftsverkehr vom 21. November 1997

Im Jahr 1997 hat die Organisation für wirtschaftliche Zusammenarbeit und Entwicklung (OECD) das Übereinkommen über die Bekämpfung der Bestechung ausländischer Amtsträger im internationalen Geschäftsverkehr verabschiedet. Das Übereinkommen knüpft an die Empfehlungen der OECD zur Bekämpfung der Be-

---

27 Die Empfehlungen wurden in den Jahren 1996, 2003 und 2012 revidiert, weil sie sich aufgrund der aktuellen Entwicklungen im Bereich der Geldwäsche als nicht effektiv genug erwiesen haben. Siehe *Krämer,* Geldwäsche und Terrorismusfinanzierung, S. 53 ff.

28 *Krämer*, Geldwäsche und Terrorismusfinanzierung, S. 55.

29 Financial Action Task Force, International Standards 2012, S. 7.

30 Ebenda, Empfehlung 4.

stechung ausländischer Amtsträger im internationalen Geschäftsverkehr.[31] Es hat zum Ziel, die nationalen Vorschriften zu harmonisieren und die internationale Zusammenarbeit in dem Bereich zu stärken.[32] Neben der Verpflichtung zur Pönalisierung der Bestechungshandlung regelt das Übereinkommen in Art. 3 die Einziehung des Bestechungsgeldes und der durch die Bestechung erlangten wirtschaftlichen Vorteile – also Tatmittel und Taterträge. Die Abschöpfung der Erträge umfasst auch deren Wertersatz. Der Wert des Erlangten kann dabei geschätzt werden. Bezüglich der Tatmittel wird es den Vertragsstaaten überlassen, ob die Einziehung der zur Bestechung bestimmten Vermögenswerte angeordnet werden kann.[33]

Nach den Vorschriften des Übereinkommens kann die Abschöpfung auch mittels einer anderen gleichwertigen finanziellen Sanktion erfolgen, wie beispielsweise einer Geldstrafe. Beide Instrumente werden als funktionale Äquivalente betrachtet, dabei setzt die Geldstrafe die Schuld des Täters voraus und für die Einziehung ist die unrechtmäßige Herkunft oder die unrechtmäßige Verwendung des Vermögens ausreichend.[34] Die Einziehung kann durch ein Gericht oder eine andere zuständige Behörde angeordnet werden. Die Bezeichnung „andere zuständige Behörde" umfasst dabei die Einziehung, die in einem *in rem*-Verfahren oder durch eine Ermittlungsbehörde angeordnet wurde.[35]

B. Vorgaben des Europarats

1. Übereinkommen über Geldwäsche sowie Ermittlung, Beschlagnahme und Einziehung von Erträgen aus Straftaten vom 8. November 1990 (Straßburger Übereinkommen)

Zur Bekämpfung der schweren Kriminalität hat 1990 der Europarat das Übereinkommen über Geldwäsche sowie Ermittlung, Beschlagnahme und Einziehung von Erträgen aus Straftaten verabschiedet. Das Übereinkommen ist an die Drogenkonvention der Vereinten Nationen aus dem Jahre 1988 angelehnt, sein Anwendungsbereich umfasst aber auch andere Kriminalitätsbereiche.[36] Ein wichtiger Bestandteil des Straßburger Übereinkommens ist die Regelung der internationalen Zusammenarbeit bei der Bekämpfung der Geldwäsche. Den Geldwäschetatbestand definiert Art. 6. Als tatbestandsmäßige Handlungen werden das Verbergen oder

---

[31] Revised Recommendation on Combating Bribery in International Business Transactions, C(97)123/FINAL.

[32] Vgl. Präambel des Übereinkommens über die Bekämpfung der Bestechung ausländischer Amtsträger im internationalen Geschäftsverkehr vom 21.11.1997.

[33] Low u.a.-*Pieth*, The OECD Convention on Bribery, Article 3(3) S. 259.

[34] Ebenda, Article 3(3) S. 255.

[35] Ebenda, Article 3(3) S. 257 f.

[36] Siehe *Sotiriadis*, Gewinnabschöpfung und Geldwäsche, S. 259.

Verschleiern des Ursprungs von Vermögen, das Umwandeln oder Übertragen von Vermögensgegenständen rechtswidriger Herkunft, als auch ihr Erwerb, ihr Besitz oder ihre Verwertung bestimmt. Auf den Geldwäschetatbestand beziehen sich die im Übereinkommen vorgesehenen Abschöpfungsmaßnahmen – Einziehung der Taterträge und Tatmittel.

Die in das nationale Recht umzusetzenden Anforderungen an die Einziehung und das Einfrieren des Vermögens werden in Art. 2 und 3 festgelegt. Die Vertragsstaaten sind verpflichtet, die erforderlichen Maßnahmen zu treffen, um das Einziehen und vorläufige Einfrieren von Tatmitteln, Taterträgen und Vermögensgegenständen, deren Wert diesen Erträgen entspricht, zu ermöglichen. Der Anwendungsbereich der Einziehungsvorschriften kann dabei auf bestimmte Delikte eingeschränkt werden.[37]

2. Übereinkommen über Geldwäsche, Terrorismusfinanzierung sowie Ermittlung, Beschlagnahme und Einziehung von Erträgen aus Straftaten vom 16. Mai 2005

Ein weiteres Übereinkommen des Europarats zur Bekämpfung der Geldwäsche und Terrorismusfinanzierung wurde am 16. Mai 2005 verabschiedet. Verglichen mit dem Straßburger Übereinkommen hat dieses die Vermögensabschöpfungsmaßnahmen erweitert:[38] Nach Art. 2 bis 7 sind die Vertragsstaaten zur Bekämpfung der Terrorismusfinanzierung durch geeignete Abschöpfungsmaßnahmen sogar verpflichtet. Diese sind in Art. 3 und 5 geregelt und umfassen sowohl die Tatmittel als auch die Taterträge.

Als Taterträge werden – gemäß Art. 5 – auch Surrogate und deren Wertersatz eingezogen. Bei einer Vermischung von Vermögen aus legalen und strafrechtswidrigen Quellen wird die Einziehung eines Geldbetrages bis zur geschätzten Höhe des Erlangten angeordnet. Nach Art. 3 Abs. 4 kann die Beweislastumkehr bezüglich der rechtmäßigen Herkunft des einzuziehenden Vermögens eingeführt werden, vorausgesetzt, dies ist mit den Grundsätzen des nationalen Rechts vereinbar. Einziehung der Tatmittel umfasst – nach Art. 1 Buchstabe c – ganz oder teilweise zur Terrorismusfinanzierung verwendete oder dazu bestimmte Vermögenswerte.

C. Vorgaben der Europäischen Union

Vermögensabschöpfung wurde auch auf der Ebene der Europäischen Union geregelt. Zuerst wurde 1999 auf der Tagung des Europäischen Rats in Amsterdam ein Aktionsplan zur Bekämpfung der Organisierten Kriminalität verfasst. Laut seiner

37 Siehe ebenda, S. 260.

38 Siehe *Görg*, Geldwäschebezogene Terrorismusbekämpfung, S. 94 f.

Bestimmungen sollte unter anderem die Regelung der Ermittlung, Beschlagnahme und Einziehung von rechtswidrig erlangtem Vermögen geprüft und gegebenfalls an die Anforderungen der Bekämpfung von Organisierter Kriminalität angepasst werden.[39] Daraufhin wurde am 3. Dezember 1998 die „Gemeinsame Maßnahme (...) betreffend der Geldwäsche, der Ermittlung, des Einfrierens, der Beschlagnahme und der Einziehung von Tatwerkzeugen und Erträgen aus Straftaten" durch den Rat verabschiedet.[40] Sie sollte die Abschöpfung von Erträgen aus Organisierter Kriminalität, illegalem Drogenhandel und Geldwäsche stärken und dadurch zur Bekämpfung, aber auch zur Verhinderung dieser Straftaten beitragen. Dieses Ziel sollte zum einen durch die Verbesserung der Effizienz der nationalen Regelungen der Vermögensabschöpfung, zum anderen durch die Stärkung der internationalen Zusammenarbeit zwischen den Mitgliedstaaten erreicht werden.[41] Dabei ist die Stärkung der justiziellen Zusammenarbeit durch gegenseitige Anerkennung der nationalen Einziehungsentscheidungen der Schwerpunkt der Regelung der Europäischen Union.[42]

1. Gemeinsame Maßnahme 98/699/JI[43] und Rahmenbeschluss 2001/500/JI[44]

Das erste Instrument zur Regelung der Vermögensabschöpfung im Rahmen der Europäischen Union war die Gemeinsame Maßnahme vom 3. Dezember 1998. Sie diente insbesondere der Stärkung der Zusammenarbeit zwischen den Mitgliedstaaten durch die Vereinheitlichung und Vereinfachung der Rechtshilfe.[45] Die Einziehungsregelung umfasste Taterträge und Tatmittel.

Gemäß Art. 1 Abs. 2 haben die Mitgliedstaaten die Einziehung von Erträgen aus Straftaten und von deren Wertersatz zu gewähren. Die Einziehung des Wertersatzes soll im nationalen Recht geregelt und bei den Entscheidungen anderer Mitgliedstaaten anerkannt werden. Die Gemeinsame Maßnahme regelt in Art. 1 Abs. 3 auch die Ermittlung der Erträge aus Straftaten auf Ersuchen eines anderen Mitgliedstaates, wenn hinreichende Verdachtsgründe für die Begehung einer Straftat bestehen.

---

39 Siehe http://eur-lex.europa.eu/legal-content/DE/TXT/?uri=celex:32000F0503 [Stand: 29.10.2018].

40 Gemeinsame Maßnahme 98/699/II vom 3.12.1998.

41 Mitteilung der Kommission an das Europäische Parlament und den Rat COM (2008) 766, S. 3.

42 *Borgers*, in: King/Walker (Hrsg.), Dirty Assets, S. 32.

43 Gemeinsame Maßnahme vom 3. Dezember 1998 – vom Rat aufgrund von Artikel K.3 des Vertrags über die Europäische Union angenommen – betreffend Geldwäsche, die Ermittlung, das Einfrieren, die Beschlagnahme und die Einziehung von Tatwerkzeugen und Erträgen aus Straftaten –98/699/JI.

44 Rahmenbeschluss 2001/500/JI des Rates vom 26. Juni 2001 über Geldwäsche sowie Ermittlung, Einfrieren, Beschlagnahme und Einziehung von Tatwerkzeugen und Erträgen aus Straftaten.

45 *Borgers*, in: King/Walker (Hrsg.), Dirty Assets, S. 28 ff.

Darüber hinaus haben die Mitgliedstaaten nach Art. 5 erforderliche Maßnahmen zu treffen, um das Risiko, dass Vermögenswerte aus Straftaten verschleiert werden, zu verringern. Deswegen soll auf Ersuchen eines Mitgliedstaats das Vermögen unverzüglich eingefroren oder beschlagnahmt werden können. Die Bestimmungen der Gemeinsamen Maßnahme sollen unter Vorbehalt der Vereinbarkeit mit dem nationalen Recht der Mitgliedstaaten umgesetzt werden.

Auf der Gemeinsamen Maßnahme 98/699/JI baute der 2011 erlassene Rahmenbeschluss 2001/500/JI auf.[46] Der Rahmenbeschluss hatte zum Ziel, die Vorschriften der Mitgliedstaaten über die Einziehung und strafrechtliche Sanktionen bei Geldwäsche zu harmonisieren. Somit verpflichtet Art. 3 die Mitgliedstaaten, auf Ersuchen eines anderen Mitgliedstaates die Einziehung des Wertes der Taterträge zu gewähren, wenn die primäre Einziehung nicht möglich ist.

2. Rahmenbeschluss 2005/212/JI

Zur weiteren Vereinheitlichung der Regelung der Vermögensabschöpfung in den Mitgliedstaaten wurde 2005 der Rahmenbeschluss 2005/212/JI[47] erlassen. Dadurch sollten die Rahmenbedingungen für eine effiziente Prävention und Bekämpfung von Organisierter Kriminalität geschaffen werden.[48] Der Rat hat sich dabei auf das durch die Mitgliedstaaten ratifizierte UN-Übereinkommen vom 15. November 2000 gegen die grenzüberschreitende Organisierte Kriminalität und die dort geregelte Beweislastumkehr bezüglich der Herkunft von Vermögen berufen.[49] Der Rahmenbeschluss regelt die Einziehung von Tatmitteln, Taterträgen und Vermögensgegenständen, deren Wert diesen entspricht (Art. 2 Abs. 1).

In Bezug auf die Abschöpfung der Taterträge haben die Mitgliedstaaten effiziente Vorschriften für die Einziehung von Erträgen aus Straftaten zu verabschieden,

> „auch in Bezug auf die Beweislast hinsichtlich der Herkunft von Vermögenswerten einer Person, die für eine Straftat im Zusammenhang mit organisierter Kriminalität verurteilt wurde".[50]

Die Beweislastumkehr bezieht sich auf die erweiterte Einziehung bei einer von den in Art. 3 Abs. 1 genannten Straftaten.[51] Nach Art. 3 Abs. 2 Buchstabe c kann die richterliche Überzeugung über die strafrechtswidrige Herkunft des Vermögens darauf gestützt werden, dass der Wert der Vermögensgegenstände einer verurteilten

---

46 Ebenda, S. 31.

47 Rahmenbeschluss 2005/212/JI des Rates vom 24. Februar 2005 über die Einziehung von Erträgen, Tatwerkzeugen und Vermögensgegenständen aus Straftaten.

48 1. Erwägungsgrund, Rahmenbeschluss 2005/212/JI.

49 6. Erwägungsgrund, Rahmenbeschluss 2005/212/JI; vgl. Art. 12, UN-Übereinkommen gegen die grenzüberschreitende organisierte Kriminalität vom 15.11.2000 (Palermo-Übereinkommen).

50 10. Erwägungsgrund, Rahmenbeschluss 2005/212/JI.

51 Bspw. Geldwäsche, Menschenhandel, Kinderpornographie, illegaler Drogenhandel.

Person in einem Missverhältnis zu ihrem rechtmäßigen Einkommen steht. Die Mitgliedstaaten können unter denselben Voraussetzungen die Einziehung von Vermögensgegenständen von den dem Täter nahestehenden Personen regeln. Betroffen sind auch die Vermögensgegenstände, die auf juristische Personen, die vom Verurteilten oder einer ihm nahestehenden Person maßgeblich beeinflusst werden, übertragen wurden. Darüber hinaus verpflichtet Art. 2 des Rahmenbeschlusses die Mitgliedstaaten im nationalen Recht dazu, die Einziehung des Wertersatzes von Erträgen aus Straftaten zu regeln. Die Einziehung soll durch ein Gericht grundsätzlich im Zusammenhang mit einem Strafverfahren angeordnet werden.[52] Davon ausgenommen ist die erweiterte Einziehung, die gemäß Art. 3 Abs. 4 auch außerhalb des Strafverfahrens angeordnet werden kann.

3. Richtlinie 2014/42/EU

Am 3. April 2014 haben das Europäische Parlament und der Europäische Rat die Richtlinie 2014/42/EU[53] zur Regelung der Vermögensabschöpfung erlassen. Im Gegensatz zu anderen internationalen Instrumenten regelt die Richtlinie die Vermögensabschöpfung nicht nur in Bezug auf bestimmte Kriminalitätsbereiche, sondern bei allen profitorientierten Straftaten.[54] Die Richtlinie bestimmt die Mindestanforderungen an die Einziehungsregelung der Mitgliedstaaten, um die Unterschiede in den nationalen Rechtsordnungen zu minimieren und dadurch die Rechtshilfe zu erleichtern.[55] Abschöpfungsgegenstände sind gemäß der Richtlinie sowohl die Erträge aus Straftaten als auch Tatmittel – also das zur Tatbegehung verwendete oder dazu bestimmte Vermögen.

Der Begriff „Erträge aus Straftaten“ wird im Erwägungsgrund 11 definiert und erfasst die unmittelbaren Taterträge, die mittelbaren Vorteile und die Gewinne aus unmittelbaren und mittelbaren Erträgen. Im Falle der Vermischung von Vermögen legaler und illegaler Herkunft ist die Einziehung auf den geschätzten Wert der Taterträge einzuschränken.[56]

Die Richtlinie bestimmt darüber hinaus die Mindestanforderungen für spezielle Formen der Einziehung – die erweiterte Einziehung, Dritteinziehung und selbstän-

---

52 Art. 1, Rahmenbeschluss 2005/212/JI. Siehe *Borgers*, in: King/Walker (Hrsg.), Dirty Assets, S. 43.

53 Richtlinie 2014/42/EU des Europäischen Parlamentes und des Rates vom 3. April 2014 über die Sicherstellung und Einziehung von Tatwerkzeugen und Erträgen aus Straftaten in der Europäischen Union.

54 Die Richtlinie ersetzt die Gemeinsame Maßnahme 98/699/II vom 3.12.1998, Art. 1 Buchstabe a, sowie die Art. 3 und 4 des Rahmenbeschlusses 2001/500/JI und die Art. 1 Gedankenstriche 1 bis 4 und Art. 3 des Rahmenbeschlusses 2005/212/JI.

55 8. Erwägungsgrund, RL 2014/42/EU. Dazu siehe *Kilchling*, in: Sieber u.a. (Hrsg.), Europäisches Strafrecht, § 16 Rn. 21; *Rönnau*, FS Ostendorf, S. 713 ff.

56 11. Erwägungsgrund, RL 2014/42/EU.

dige Einziehung.[57] Selbständige Einziehung *(non-conviction based confiscation)* nach Art. 4 Abs. 2 sollte in den Fällen zur Anwendung kommen, in denen Verurteilung wegen einer Straftat – zumindest wegen einer Krankheit oder Flucht des Beschuldigten – nicht möglich ist. Die Maßnahme bezieht sich zwar auf Straftaten, die direkt oder indirekt zu einem wirtschaftlichen Vorteil führen können, wird aber nicht auf bestimmte Tatbestände beschränkt. Ihre Anwendung setzt voraus, dass das Strafverfahren eingeleitet wurde und auch zur Verurteilung hätte führen können. Der rechtliche Charakter dieser Maßnahme ist umstritten.[58]

Die erweiterte Einziehung nach Art. 5 betrifft das Vermögen einer Person, die wegen einer Straftat, welche direkt oder indirekt zu einem wirtschaftlichen Vorteil geführt hat oder führen konnte, verurteilt wurde. Steht der Wert der Vermögensgegenstände im Missverhältnis zum rechtmäßigen Einkommen eines Verurteilten, kann das Gericht entscheiden, ob es diese Vermögensgegenstände als aus Straftaten stammende einstuft. Die Beweisanforderungen bezüglich der Verbindung zwischen dem Vermögen und der Tat wurden im Vergleich zum Rahmenbeschluss 2005/212/JI von „voller Überzeugung" auf „Überzeugung auf Grund der Umstände des Falles" heruntergesetzt.[59] Für die Einziehungsanordnung genügt, dass die strafrechtswidrige Herkunft des Vermögens „wesentlich wahrscheinlicher ist als eine legale".[60] Dies bedeutet jedoch keine Wahrscheinlichkeitsabwägung als Beweismaß, da diese mit den Rechtssystemen einiger Mitgliedstaaten unvereinbar ist.[61] Die Überzeugungsbildung über die strafrechtswidrige Herkunft des Vermögens sollte unter Berücksichtigung der im jeweiligen Mitgliedstaat geltenden Beweisanforderungen erfolgen.[62] Die Richtlinie setzt als Mindestanforderung die Einführung der Beweiserleichterung für bestimmte, in Abs. 2 genannte Straftaten voraus: Aufgezählt werden beispielsweise Bestechung und Bestechlichkeit im privaten Sektor oder an Beamte der Organe der Union oder der Mitgliedstaaten beteiligt sind, Beteiligung an kriminellen Vereinigungen oder Kinderpornografie.[63]

In Art. 6 wird die Einziehung von Vermögen einer anderen Person, die also nicht mit dem Täter identisch ist, geregelt. Es handelt sich um die Fälle, in denen der Verdächtigte oder Beschuldigte die Taterträge auf eine andere, dritte Person übertragen hat, um so die Einziehung zu vereiteln. In solchen Fällen kann auch der Wert der Erträge vom Dritten eingezogen werden, wenn dieser anhand der Um-

57 Art. 4–7 RL 2014/42/EU.

58 Siehe *Simonato*, NJECL 6 (2015), 225.

59 *Kilchling*, in: Sieber u.a. (Hrsg.), Europäisches Strafrecht, § 16 Rn. 21.

60 Siehe *Rönnau*, FS Ostendorf, S. 715 f.

61 Ratsdokument 17117/12 vom 03.12.2012, S. 3, 17; *Rönnau*, FS Ostendorf, S. 716 f.

62 Siehe *Brodowski*, ZIS 2012, 564; *Brodowski*, ZIS 2013, 467; *Rönnau*, FS Ostendorf, S. 717.

63 Vgl. Art. 5 Abs. 2 RL 2014/42/EU.

stände wusste oder hätte wissen müssen, dass es sich um eine Übertragung handelt, die die Einziehung verhindern sollte. Die Beweislast bezüglich der Unkenntnis dieser Umstände kann dem Betroffenen auferlegt werden.

II. Vorgaben für die Grenzen der Vermögensabschöpfung

Neben den Vorgaben für die nationalen Eingriffsnormen sind für die Forschungsfrage dieser Untersuchung auch die internationalen Vorgaben zur Begrenzung dieser Eingriffsnormen von Bedeutung. Diese bilden für die nationalen Gesetzgeber die Rahmenbedingungen und einen Freiraum für die Vermögensabschöpfungsregelung. Im folgenden Kapitel werden diese Rahmenbedingungen skizziert.

A. Internationale Vorgaben

Bei der Regelung der Vermögensabschöpfung auf internationaler Ebene werden Mindestvoraussetzungen für die nationalen Rechtsordnungen statuiert und zugleich auf die Übereinstimmung mit den nationalen Rechtsordnungen bei ihrer Umsetzung verwiesen. Der Schutz der Rechte des Betroffenen wird dabei, mehr als durch die Einführung materieller Normen zur Einschränkung der Eingriffsmaßnahmen, im Rahmen eines Rechtsschutzverfahrens gewährleistet. Dies gilt insbesondere für die Anordnung von Individualsanktionen durch das Sanktionskomitee des Sicherheitsrates.

1. Einschränkungen für strafähnliche Maßnahmen

Die oben dargestellte Anordnung von *asset freezing* erfolgt im Rahmen eines sog. Listing-Verfahrens, welches im Laufe der Zeit entwickelt wurde. Zuerst richtete der Sicherheitsrat mit der Resolution 1267 (1999) den Al-Qaida-Sanktionsausschuss ein und betraute ihn mit der Aufgabe, die Implementierung der Resolution durch die Mitgliedstaaten zu beaufsichtigen.[64] Ein Jahr später wurde der Sanktionsausschuss durch die Resolution 1333 (2000) verpflichtet, eine regelmäßig aktualisierte Liste derjenigen Personen und Einrichtungen zu führen, gegen die Sanktionen angeordnet wurden.[65] Zu diesem Zeitpunkt waren weder die Kriterien klar, nach der die Liste geführt werden soll, noch gab es ein Verfahren, in dem ein Betroffener gegen die Sanktionen vorgehen konnte. Ihm stand lediglich die Mög-

---

[64] Resolution 1267 (1999) vom 15.10.1999 Ziff. 6.

[65] Resolution 1333 (2000) vom 19.12.2000 Ziff. 8(a); siehe *Albers*, in: Albers/Groth (Hrsg.), Globales Recht, S. 109.

lichkeit zu, sich an seinen Heimat- oder Aufenthaltsstaat zu wenden, um seine Aufnahme in die Liste rückgängig zu machen.[66] Die verfahrensrechtliche Mediatisierung des Individuums wurde jedoch dem einschneidenden Charakter der Sanktion nicht gerecht.[67] Um den Betroffenen einen angemessenen Schutz ihrer Rechte zu ermöglichen, hat der Sicherheitsrat in der Resolution 1730 (2006) ein De-Listing-Verfahren eingeführt und eine Koordinationsstelle *(Focal Point)* eingerichtet, an die sich die Betroffenen wenden können.[68] Im Jahr 2009 wurde zur Vertretung der Betroffenen das Amt der Ombudsperson geschaffen.[69] Die Resolutionen unterstreichen dabei den präventiven Charakter von *asset freezing* und die daraus folgende Nichtanwendbarkeit der strafrechtlichen Verfahrensmaßstäbe.[70] Aus diesem Grund kann der Listing-Antrag auf Informationen der Nachrichtendienste oder Strafverfolgungsbehörden sowie allgemein zugänglichen Informationen, wie Medienberichten, beruhen.[71] Darüber hinaus muss der Betroffene, der gegen seine Aufnahme in die Sanktionsliste vorgehen will, durch Beweise die Grundlage widerlegen, warum er in die Liste aufgenommen wurde.[72]

2. Einschränkungen für Maßnahmen ohne Strafcharakter

Die internationale Gemeinschaft sieht sich zwar zunehmend in der Verantwortung für den Schutz der Menschenrechte, aber eher in Bezug auf besonders schwere Verbrechen, wie etwa Völkermord.[73] Die Entscheidung darüber, in welchem Umfang der Schutz des Eigentums bei der Vermögensabschöpfung gewährt wird, bleibt somit den Mitgliedstaaten vorbehalten. Als eine Einschränkung auf UN-Ebene kann das in Art. 17 der Allgemeinen Erklärung der Menschenrechte geschützte Recht auf Eigentum gelten.[74] Die Norm garantiert das Institut des Eigentums und den Schutz vor einem willkürlichen Verlust, stellt aber für die Mitgliedstaaten nur eine unverbindliche Empfehlung dar. Diese allgemeine Garantie wird auch nicht weitergehend bestimmt, weder im UN-Zivilpakt noch im UN-Sozialpakt.

---

66 *Sauer*, NJW 2008, 3685.

67 Vgl. *Tehrani*, Die „Smart Sanctions“, S. 112 ff.; *Sauer*, NJW 2008, 3685 ff.

68 S/RES/1730 (2006); dazu *Tehrani*, Die „Smart Sanctions“, S. 133 ff.; *Feinäugle*, ZRP 2007, 76 ff.

69 Resolution 1904 (2009) vom 17.12.2009; das Mandat wurde durch die Resolution 2253 (2015) vom 17.12.2015 verlängert.

70 Vgl. Resolution 2235 (2015) vom 7.8.2015.

71 Guidelines of the Committee for the Conduct of its Work, Paragraph 6(h), abrufbar unter: https://www.un.org/securitycouncil/sites/www.un.org.securitycouncil/files/guidelines_of_the_committee_for_the_conduct_of_its_work.pdf [Stand: 22.10.2019].

72 Resolution 2083 (2012) vom 17.12.2012 Annex II; zum De-Listing-Verfahren siehe https://www.un.org/sc/suborg/en/ombudsperson/application [Stand: 29.10.2018].

73 *Meyer*, Strafrechtsgenese, S. 131.

74 A/RES/217, UN-Doc. 217/A-(III).

B. Vorgaben des Europarats

Im Rahmen des Europarats bilden die durch die Konvention zum Schutz der Menschenrechte und Grundfreiheiten (EMRK) gewährleisteten Grundrechte die Vorgaben zur Einschränkung der Vermögensabschöpfungsmaßnahmen.

1. Einschränkungen für strafähnliche Maßnahmen

Die Anwendung der Schutzgarantien der EMRK auf die Vermögensabschöpfungsmaßnahmen – insbesondere des Art. 6 (*fair trial*, Selbstbezichtigungsverbot, Unschuldsvermutung), des Art. 7 (Gesetzlichkeitsgrundsatz, Rückwirkungsverbot) und des Art. 4 des Zusatzprotokolls Nr. 7 *(ne bis in idem)* – hängt davon ab, ob die Vermögensabschöpfungsmaßnahmen als strafrechtliche Maßnahmen eingestuft werden.[75] Die Einstufung erfolgt anhand der in der EGMR-Rechtsprechung erarbeiteten *Engel*-Kriterien. Sie wurden 1976 im Urteil *Engel u.a. gegen Niederlande* geschaffen und in der späteren EGMR-Rechtsprechung weiterentwickelt.[76] Für die Entscheidung, ob eine Maßnahme als Strafe gilt, ist in erster Linie relevant, wie sie im nationalen Recht eingeordnet wird. Dabei spricht eine Einordnung als Strafe im nationalen Recht dafür, dass die Maßnahme gemäß der EMRK ebenfalls als Strafe einzuordnen ist. Ist die Maßnahme im nationalen Recht dagegen keine Strafe, wird dadurch ihre Einstufung als Strafe durch den EGMR aber nicht ausgeschlossen.[77] Als zweites Kriterium gilt dann die Rechtsnatur des Tatbestandes, hinsichtlich derer der Zweck der Einziehungsnorm bestimmt wird.[78] Wenn der Zweck die Repression ist, gilt die Maßnahme als Strafe. Bei repressiven Maßnahmen hat die Schwere des Eingriffs in die Rechte des Betroffenen marginale Bedeutung, sie gilt aber als drittes zu berücksichtigendes *Engel*-Kriterium, wenn die Natur des Tatbestandes eine strafrechtliche ist.[79]

Aus der EGMR-Rechtsprechung bezüglich der Anwendung der strafrechtlichen Garantien auf die Vermögensabschöpfungsmaßnahmen ergibt sich, dass letztere keine Anwendung finden, wenn die Maßnahme zur Wiederherstellung des *Status quo ante* dient[80] oder präventiv ausgerichtet ist.[81] Als eine Maßnahme zur Wiederherstellung der rechtmäßigen Vermögenslage gilt Einziehung ausschließlich bis zur

---

75 *Rui/Sieber*, in: Rui/Sieber (Hrsg.), Non-Conviction-Based Confiscation, S. 256.

76 Vgl. EGMR vom 08.08.1976, Beschwerde-Nr. 5100/71; 5101/71; 5102/71; 5354/72; 5370/72 – *Engel u.a. ./. Niederlande*; siehe *Rui/Sieber*, in: Rui/Sieber (Hrsg.), Non-Conviction-Based Confiscation, S. 256 f.

77 Siehe *Rui/Sieber,* in: Rui/Sieber (Hrsg.), Non-Conviction-Based Confiscation, S. 256.

78 Siehe EGMR vom 09.02.1995, Beschwerde-Nr. 17440/90 – *Welch ./. Vereinigtes Königreich.*

79 *Rui/Sieber*, in: Rui/Sieber (Hrsg.), Non-Conviction-Based Confiscation, S. 257.

80 Ebenda, S. 258 ff.

81 Ebenda, S. 261 ff.

Höhe der aus der Tat erzielten Bereicherung. Der einzuziehende Betrag ist nach dem Nettoprinzip zu bestimmen, und ein Vermögen, das nicht mit der Straftat verknüpft wird, darf nicht eingezogen werden.[82] Bei der Entscheidung, ob die Abschöpfungsmaßnahme der Wiederherstellung der rechtmäßigen Vermögenslage dient, werden aber auch andere Umstände berücksichtigt, u.a. die Anknüpfung des Einziehungsumfangs an die Schuld des Täters oder die Möglichkeit der Inhaftierung des Betroffenen, wenn die Einziehung nicht durchgeführt werden kann. In Anbetracht der Gesamtumstände wird über die strafrechtliche Natur des Tatbestandes und den repressiven Zweck der Vermögensabschöpfung entschieden.[83] Bezüglich der präventiven Vermögensabschöpfungsmaßnahmen wird das Bestehen einer konkreten Gefahr der rechtswidrigen Verwendung des Vermögens mit einer bestimmten Wahrscheinlichkeit, dass diese Gefahr eintreten wird, verlangt.[84] Grundsätzlich kann aber gesagt werden, dass bei der Abgrenzung zwischen präventiven und repressiven Maßnahmen den nationalen Gesetzgebern ein Ermessensspielraum gewährt wird.[85]

2. Einschränkungen für Maßnahmen ohne Strafcharakter

Bei Maßnahmen, die nicht durch die strafrechtlichen Garantien eingeschränkt werden, kommt der Schutz des Eigentums nach Art. 1 des 1. Zusatzprotokolls zur EMRK als Einschränkungskriterium in Betracht. Die Norm wird vom EGMR so ausgelegt, dass der Eigentumsverlust im Rahmen eines gesetzlich geregelten Verfahrens erfolgen und dabei einem legitimen Zweck dienen muss. Darüber hinaus muss die Maßnahme ein verhältnismäßiges Mittel zum Erreichen des vorgesehenen Zwecks darstellen. Bei dieser Zweck-Mittel-Abwägung – Abwägung zwischen dem Individualinteresse am Eigentumsschutz und dem Interesse der Allgemeinheit an dessen Einziehung – wird den Mitgliedstaaten des Europarats ein großzügiger Ermessensspielraum gewährt.[86] Die Verhältnismäßigkeit des Eingriffs liefert ein Entscheidungskriterium dafür, ob eine Maßnahme eine Verletzung des Eigentumsrechts darstellt.[87] Der Schutzbereich des Art. 1 umfasst dabei sowohl Dritte, die ihr

---

[82] Ebenda, S. 264; siehe EGMR vom 09.02.1995, Beschwerde-Nr. 17440/90 – *Welch ./. Vereinigtes Königreich*; EGMR vom 21.11.2006, Beschwerde-Nr. 43384/05 – *Walsh ./. Vereinigtes Königreich*; EGMR vom 10.07.2007, Beschwerde-Nr. 696/05 – *Dassa Foundation u.a. ./. Liechtenstein.*

[83] Siehe *Rui/Sieber*, in: Rui/Sieber (Hrsg.), Non-Conviction-Based Confiscation, S. 261.

[84] *Rui/Sieber*, in: Rui/Sieber (Hrsg.), Non-Conviction-Based Confiscation, S. 264; siehe EGMR vom 27.06.2002, Beschwerde-Nr. 41661/98 – *Butler ./. Vereinigtes Königreich*; EGMR vom 05.07.20001, Beschwerde-Nr. 52024/99 – *Arcuri u.a. ./. Italien.*

[85] *Rui/Sieber*, in: Rui/Sieber (Hrsg.), Non-Conviction-Based Confiscation, S. 263.

[86] Siehe nur EGMR vom 10.04.2012, Beschwerde-Nr. 20496/02 – *Silickiene ./. Litauen*; vgl. *Rui/Sieber*, in: Rui/Sieber (Hrsg.), Non-Conviction-Based Confiscation, S. 266.

[87] *Rui/Sieber*, in: Rui/Sieber (Hrsg.), Non-Conviction-Based Confiscation, S. 268.

Eigentum infolge eines Einziehungsverfahrens verloren haben, als auch Täter.[88] Ob das strafrechtswidrig erlangte Vermögen dem Eigentumsschutz als Menschenrecht unterliegt, wird nicht präzisiert,[89] der Gerichtshof hat jedoch in den Entscheidungen bezüglich der Einziehung des Vermögens von Tätern ihre Verhältnismäßigkeit bejaht.[90] Als eine Ausnahme davon gelten die Fälle, in denen keine unmittelbare Verknüpfung zwischen dem Vermögen und einer Straftat besteht.[91]

C. Vorgaben der Europäischen Union

Im Rahmen der Europäischen Union werden die Grundrechte durch die Charta der Grundrechte der Europäischen Union (EU-Grundrechtecharta) gewährleistet. Seit dem Vertrag von Lissabon vom 1. Dezember 2009 besitzt die EU-Grundrechtecharta als eigenständiges Dokument Rechtskraft. Bei ihrer Anwendung gilt, gemäß Art. 52 Abs. 3 Satz 1, dass die Rechte, die den Menschenrechten und Grundfreiheiten nach der EMRK entsprechen, gleiche Bedeutung haben und somit gleichen oder weitergehenden Schutz genießen. Diese Vorschriften werden auf der EU-Ebene im Einklang mit der Rechtsprechung des EGMR ausgelegt.[92]

1. Einschränkungen für strafähnliche Maßnahmen

Die Sanktionen mit Strafcharakter unterliegen der Einschränkung durch die Unschuldsvermutung, wie sie Art. 48 Abs. 1 EU-Grundrechtecharta regelt. Die Norm wird durch den EuGH unter Berücksichtigung der EGMR-Rechtsprechung ausgelegt. Bisher hat der Gerichtshof bezüglich der Verletzung der Unschuldsvermutung durch die Äußerungen von Beamten der EU-Kommission in Kartellfällen Stellung genommen.[93] Daher kann erwartet werden, dass der EuGH über die Anwendung dieser strafrechtlichen Garantie auf die Vermögensabschöpfungsmaßnahmen einzelfallbezogen entscheiden wird.[94]

---

[88] EGMR vom 13.05.2014, Beschwerde-Nr. 6219/08 – *Paulet ./. Vereinigtes Königreich.*

[89] *Rui/Sieber*, in: Rui/Sieber (Hrsg.), Non-Conviction-Based Confiscation, S. 267.

[90] Siehe EGMR vom 02.02.1994, Beschwerde-Nr. 12954/87 – *Raimondo ./. Italien*; EGMR vom 05.07.2001, Beschwerde-Nr. 52024/99 – *Arcuri u.a. ./. Italien*; EGMR vom 05.07.2001, Beschwerde-Nr. 41087/98 – *Phillips ./. Vereinigtes Königreich*; EGMR vom 27.06.2002, Beschwerde-Nr. 41661/98 – *Butler ./. Vereinigtes Königreich*; EGMR vom 18.12.2008, Beschwerde-Nr. 69917/01 – *Saccoccia ./. Österreich.*

[91] *Rui/Sieber*, in: Rui/Sieber (Hrsg.), Non-Conviction-Based Confiscation, S. 269; vgl. EGMR vom 06.11.2008, Beschwerde-Nr. 30352/03 – *Ismayilow ./. Russland*; EGMR vom 13.05.2014, Beschwerde-Nr. 6219/08 – *Paulet ./. Vereinigtes Königreich.*

[92] Vgl. *Esser*, in: Rui/Sieber (Hrsg.), Non-Conviction-Based Confiscation, S. 101.

[93] Vgl. *Esser*, in: Rui/Sieber (Hrsg.), Non-Conviction-Based Confiscation, S. 103 m.w.N.; siehe auch EuGH, Rs. C-199/92P *(Hüls ./. Kommission)*, Slg. 1999, I-04287 Rn. 150.

[94] *Esser*, in: Rui/Sieber (Hrsg.), Non-Conviction-Based Confiscation, S. 103.

Zur Anwendung einer weiteren strafrechtlichen Garantie – *ne bis in idem* – äußerte sich der EuGH im Urteil *Menci.* In einem Vorabentscheidungsverfahren hat der Gerichtshof die Kriterien aus der EGMR-Rechtsprechung angewendet, um zu entscheiden, ob eine Person – nachdem gegen sie eine Verwaltungssanktion wegen derselben Tat verhängt wurde – auch in einem Strafverfahren verfolgt werden kann. Diese Frage wurde bejaht, obwohl der Verwaltungssanktion eine strafrechtliche Natur zugeschrieben wurde. Bei einer solchen Kumulierung der Sanktionen handelt es sich um eine Einschränkung des Art. 50 EU-Grundrechtecharta *(ne bis in idem)*, die aber gerechtfertigt werden kann.[95] Die Rechtfertigung hat der Gerichtshof an folgende Bedingungen geknüpft:

a) die Regelung muss eine dem Gemeinwohl dienende Zielsetzung haben;

b) sie muss gewähren, dass die Doppelbelastung für den Betroffenen auf das zwingend Erforderliche eingeschränkt wird;

c) sie muss sicherstellen, dass die Schwere aller verhängten Sanktionen auf das im Verhältnis zur Schwere der betreffenden Straftat zwingend Erforderliche beschränkt wird.[96]

Dieses Urteil bestätigte darüber hinaus, dass die rechtliche Natur einer Sanktion durch den EuGH anhand der *Engel*-Kriterien beurteilt wird.[97]

2. Einschränkungen für Maßnahmen ohne Strafcharakter

Maßnahmen, die keinen Strafcharakter haben, unterliegen nach Art. 17 der EU-Grundrechtecharta der Einschränkung im Hinblick auf das Eigentumsrecht. Im Schutzumfang der Norm befindet sich allerdings nur rechtmäßig erlangtes Eigentum, somit ist Art. 17 der Charta enger gefasst als Art. 1 des 1. Zusatzprotokolls zur EMRK. Zum Teil wird aber dieser Differenz, im Hinblick auf Art. 52 Abs. 3 Satz 1 EU-Grundrechtecharta, keine praktische Bedeutung zugeschrieben.[98] Daher wird der Schutzumfang der EU-Grundrechtecharta anhand des Verhältnismäßigkeitsgrundsatzes gemäß Art. 52 Abs. 1 Satz 2 bestimmt. Der Verhältnismäßigkeitsgrundsatz wurde bereits vor der Einführung der EU-Grundrechtecharta in die EuGH-Rechtsprechung als ein generelles Prinzip des Europäischen Rechts anerkannt.[99] Die Abwägung bei der Anwendung dieses Grundsatzes bezieht einerseits das von der Union anerkannte Gemeinwohl und andererseits die Grundrechte und Grundfreiheiten des Einzelnen ein. Unter dem anerkannten Gemeinwohl werden

---

[95] Siehe *Stotz*, ZIS 2018, 444.

[96] *Stotz*, ZIS 2018, 444 f.

[97] EuGH, Rs. C-524/15 *(Menci)*, Slg. 2018, I-197.

[98] *Rui/Sieber*, in: Rui/Sieber (Hrsg.), Non-Conviction-Based Confiscation, S. 274; *Esser*, in: Rui/Sieber (Hrsg.), Non-Conviction-Based Confiscation, S. 104 m.w.N.

[99] *Esser*, in: Rui/Sieber (Hrsg.), Non-Conviction-Based Confiscation, S. 104; siehe EuGH, Rs. C-310/04 *(Spanien ./. Rat)*, Slg. 2006, I-7285; EuGH, Rs. C-189/01 *(Jippes u.a.)*, Slg. 2001, I-5689; EuGH, Rs. C-133/93 *(Crispoltini u.a.)*, Slg. 1994, I-4863.

sowohl die in Art. 3 EUV als auch die durch spezielle Regelungen geschützten Interessen der Allgemeinheit verstanden, darunter auch die öffentliche Sicherheit.[100] Die Verhältnismäßigkeitsprüfung erfolgt in zwei Schritten: Zuerst wird die Geeignetheit der Maßnahme zum Erreichen ihres Zwecks geprüft, dann ihre Erforderlichkeit und Angemessenheit.[101]

III. Zusammenfassung

Im Internationalen Recht wurden seit 1988 zahlreiche Vorgaben für die Regelung der Vermögensabschöpfung eingeführt. Mit Ausnahme der Vorgaben der Richtlinie 2014/42/EU beziehen sich diese Regelungen jedoch nur auf bestimmte, in den jeweiligen Übereinkommen geregelte Delikte bzw. Kriminalitätsbereiche, wobei es sich um Kriminalität mit grenzüberschreitendem Charakter handelt, bei der die justizielle Zusammenarbeit eine große Rolle spielt. Somit wurde die Vermögensabschöpfung insbesondere bei Organisierter Kriminalität, Terrorismus, Drogenhandel und Korruption geregelt, wodurch die Rahmenbedingungen für die zwischenstaatliche Kooperation bei der Verfolgung dieser Delikte geschaffen wurden.

Die oben dargestellten Vorgaben des Internationalen Rechts betreffen die Einziehung von Tatmitteln, Taterträgen und deren Wertersatz. Die Vermögensabschöpfung sollte dabei die in die nationalen Rechtsordnungen einzuführenden strafrechtlichen Sanktionen ergänzen. Die internationalen Vorgaben der Vermögensabschöpfung dienen der Annäherung von nationalen strafrechtlichen Regelungen, was die internationale Zusammenarbeit wiederum unterstützt und erleichtert. Das Internationale Recht statuiert dabei keine verbindlichen Vorgaben, sondern Mindestvorschriften, die grundsätzlich – mit Ausnahme der EU-Regelung – nur mit diplomatischen Mitteln durchgesetzt werden können.[102] Die Vorgaben selbst haben auch oft nur die Form einer Empfehlung für die nationalen Gesetzgeber.[103]

Die Vorgaben verweisen vielfach auf die Beweisschwierigkeiten bezüglich der Herkunft des Vermögens und ziehen daher die Einführung einer Beweiserleichterung in Erwägung. Die Beweiserleichterung sollte den Zugriff auf das einzuziehende Vermögen möglich machen, so dass die Abschöpfung trotz deliktspezifischer Beweisschwierigkeiten durchgeführt werden kann. Die besonders eingriffsintensiven Vermögensabschöpfungsmaßnahmen – die erweiterte und die selbständige Einziehung – wurden als Reaktion auf solche Beweisschwierigkeiten entwickelt,

---

100 Siehe *Esser*, in: Rui/Sieber (Hrsg.), Non-Conviction-Based Confiscation, S. 105.

101 EuGH, Rs. C-92/09 *(Schecke GbR ./. Land Hessen)*, EuZW 2010, 943; vgl. *Esser,* in: Rui/Sieber (Hrsg.), Non-Conviction-Based Confiscation, S. 105.

102 *Boister,* in: Cassese (Hrsg.), The Oxford Companion, S. 542.

103 Davon stellen die EU-Regelungen eine Ausnahme dar.

die bei bestimmten Kriminalitätsbereichen eine effektive Strafverfolgung verhinderten. Die Schwere dieser Delikte rechtfertigte dabei die Eingriffsintensität der Maßnahmen. Diese Maßnahmen regelt ausführlich die Richtlinie 2014/42/EU. In den anderen internationalen Instrumenten befinden sich allgemeine Vorgaben, die für ihre Umsetzung immer die Übereinstimmung mit der nationalen Rechtsordnung voraussetzen.

Neben den Vorgaben für die nationalen Eingriffsnormen wird auf der internationalen Ebene auch die Frage nach deren Grenzen thematisiert. Für die untersuchten Rechtsordnungen sind dabei insbesondere die in der EMRK und EU-Grundrechtecharta gewährleisteten Grundrechte und Grundfreiheiten von Bedeutung. Ihre Anwendung auf die Vermögensabschöpfungsmaßnahmen hängt von der Beurteilung ihrer rechtlichen Natur ab. Bei der Entscheidung über die Anwendung der strafrechtlichen Garantien stützt sich der EGMR auf die sogenannten *Engel*-Kriterien, welche auch der EuGH übernommen hat. Wird die strafrechtliche Natur des Vermögens bejaht, genießt der Betroffene einen stärkeren Schutz durch die strafrechtlichen Garantien. Ist dies nicht der Fall, wird der Eingriff am Eigentumsschutz gemessen. Dabei wird die Verhältnismäßigkeit der Einschränkung geprüft und eine Abwägung zwischen dem durch die Eingriffsnorm geschützten Gemeinwohl und dem Interesse des Einzelnen durchgeführt. Im Lichte der Europäischen Menschenrechtskonvention kann für die Vermögensabschöpfungsmaßnahmen ohne Strafcharakter Folgendes festgestellt werden: Grundsätzlich gibt es für die Einziehung von Vermögen, das unmittelbar mit einer Straftat verknüpft werden kann, keine Bedenken bezüglich der Verhältnismäßigkeit des Eingriffs. Die Abwägung kann zugunsten des Betroffenen ausfallen, wenn die Verknüpfung zwischen dem Vermögen und einer Straftat nicht unmittelbar ist. Wenn sich die Maßnahme gegen eine tatunbeteiligte Person richtet, ist der gute Glaube des Betroffenen zu berücksichtigen.[104]

Die hier beschriebenen Vorgaben für die Regelung, aber auch für die Grenzen der Vermögensabschöpfung haben die Entwicklung des deutschen und des polnischen Rechts beeinflusst. In beiden Rechtsordnungen wurden die Abschöpfungsmaßnahmen im Laufe der Zeit ausgebaut und auch ihr Anwendungsbereich, der sich anfangs nur auf bestimmte Kriminalitätsbereiche beschränkte, wurde erweitert. In beiden Rechtsordnungen stellt sich hinsichtlich dieses Ausbaus erneut die Frage nach den Grenzen der Eingriffsmaßnahmen.

---

104 *Rui/Sieber*, in: Rui/Sieber (Hrsg.), Non-Conviction-Based Confiscation, S. 269 f.

Teil 3

Einführende Systematisierung zur Vermögensabschöpfung im deutschen und im polnischen Recht

Der folgende Teil der Arbeit dient dem Überblick über die für die Forschungsfragen relevanten Aspekte der Vermögensabschöpfung im deutschen und im polnischen Recht. Zuerst wird der Gegenstand der untersuchten Abschöpfungsmaßnahmen dargestellt (I.). Dann werden die Mittel der strafrechtlichen Reaktion in beiden Rechtsordnungen und die Zuordnung von Abschöpfungsinstrumenten innerhalb dieser Systeme präsentiert (II.). Daraufhin wird der Zweck der Abschöpfungsinstrumente in beiden Rechtsordnungen erläutert (III.). Anschließend werden die Ansätze zur Bestimmung der Grenzen der Abschöpfungsmaßnahmen skizziert (IV.).

I. Gegenstand der Vermögensabschöpfung

Die Untersuchung der nationalen Abschöpfungsmaßnahmen im deutschen und im polnischen Recht orientiert sich am Abschöpfungsgegenstand als Unterscheidungskriterium. Der Abschöpfungsgegenstand ist entweder aus der Tat erlangtes Vermögen – Tatgewinne – oder das Vermögen, das zur Tatbegehung verwendet wurde – Tatmittel. Innerhalb der beiden Kategorien wird ferner danach unterschieden, was tatsächlich abgeschöpft wird – ein Gegenstand oder ein Geldbetrag, der dem Wert des Gegenstandes entspricht. Die verwendeten Kategorien systematisieren die jeweiligen nationalen Regelungen nach dem Sachverhalt (Sachproblem) und ermöglichen somit die anschließende Vergleichung.

Die Abschöpfung der Tatgewinne umfasst im deutschen Recht primär die Einziehung von dem durch oder für eine rechtswidrige Tat erlangten Etwas (Originaleinziehung oder primäre Einziehung). Wenn die Einziehungsgegenstände nicht mehr vorhanden sind, können bestimmte Surrogate eingezogen werden. Sollte das nicht möglich sein, kann stattdessen die Einziehung eines Geldbetrags angeordnet werden, welcher dem Wert des Erlangten entspricht. In der Praxis wird die Einziehung des Wertes von Taterträgen am häufigsten angeordnet.[1] Darüber hinaus können auch Gegenstände, die durch eine vorsätzliche Tat hervorgebracht wurden, eingezogen werden. Diese werden im Strafgesetz als Tatprodukte bezeichnet. Wenn ihre Einziehung nicht möglich ist, kann auch ihr Geldwert eingezogen wer-

---

[1] *Rönnau*, Vermögensabschöpfung in der Praxis, Rn. 251.

den.[2] Im polnischen Recht bezieht sich die Abschöpfung der Tatgewinne primär auf die Gegenstände, die unmittelbar aus der Tat erlangt wurden. Ist ihre Einziehung nicht möglich, kann der Wertersatz eingezogen werden. Wenn der Täter aus der Tatbegehung einen Vermögensvorteil erlangt hat, der nicht der Einziehung der Gegenstände unterliegt, wird dieser eingezogen. Dies kann auch ein mittelbarer Vorteil sein. Statt des Vermögensvorteils kann auch sein Wert eingezogen werden. Ob die Einziehung des Wertes subsidiär ist oder im Ermessen des Gerichts liegt, bleibt umstritten.[3]

Als Tatmittel können hingegen im deutschen Recht zur Begehung einer Tat verwendete oder dazu bestimmte Gegenstände eingezogen werden. Wenn die Einziehung der Tatmittel nicht möglich ist, kann unter bestimmten Voraussetzungen ihr Geldwert eingezogen werden. In der Literatur zum polnischen Recht werden Gegenstände dieser Kategorie als Tatwerkzeuge bezeichnet, während das Gesetz über Einziehung von zur Tatbegehung verwendeten oder dazu bestimmten Gegenständen spricht. Wenn die Einziehung der Tatwerkzeuge nicht möglich ist, kann ihr Wertersatz eingezogen werden.

II. Vermögensabschöpfung im Sanktionssystem

Vermögensabschöpfung gehört in beiden Rechtsordnungen zu den strafrechtlichen Folgen der Tat, nimmt dabei aber eine besondere Stellung im jeweiligen Sanktionssystem ein. Daraus ergeben sich die Interpretationsunsicherheiten in Bezug auf die Einschränkungen der Abschöpfungsmaßnahmen. Das deutsche Strafrecht kennt grundsätzlich zwei Arten von Rechtsfolgen: Strafen und Maßnahmen zur Besserung und Sicherung. Die Strafen setzen eine Schuld des Täters bei Begehung der in der Vergangenheit liegenden Tat voraus. Die Maßnahmen zur Besserung und Sicherung werden bei einer fortdauernden Gefährlichkeit des Täters angewendet.[4] Die Maßregeln können auch bei fehlender Schuld angeordnet werden und unterliegen nicht den Strafzumessungsregeln nach § 46 StGB, weil sie sich auf eine zukunftsgerichtete Gefährlichkeit des Täters beziehen.

Während das deutsche Strafrecht oft als „System der Zweispurigkeit“ [5] bezeichnet wird, könnte das polnische Strafrecht ein „System der Dreispurigkeit“ genannt

---

[2] Das deutsche Recht kennt darüber hinaus die Einziehung von Tatobjekten, also Gegenständen, auf die sich eine Straftat bezieht (§ 74 Abs. 2 StGB). Diese stellen jedoch eine andere Kategorie der Abschöpfungsgegenstände dar und werden deswegen in dieser Arbeit nicht behandelt. Im polnischen Recht können Tatobjekte nicht eingezogen werden.

[3] Siehe nur Wilk/Zagrodnik-*Wilk*, Kodeks karny skarbowy, Art. 33 Rn. 2.

[4] *Roxin*, Strafrecht AT I, S. 2.

[5] Der Begriff geht auf den schweizerischen Strafrechtler *Carl Stooss* (1849–1934) zurück. Siehe *Roxin*, Strafrecht AT I, S. 3, Fn. 1; *Jescheck/Weigend*, Strafrecht AT, S. 6 f.

werden:[6] Neben Strafen, die eine schuldhafte Tatbegehung voraussetzen, gibt es zwei weitere Arten von strafrechtlichen Rechtsfolgen.[7] Eine davon sind die Strafmaßnahmen.[8] Sie stellen eine Ergänzung der Strafe dar und ihre Verhängung setzt die Schuld des Täters voraus. Sie können sowohl vergangenheitsorientiert – als Verschärfung der Strafe – als auch zukunftsorientiert – wegen einer Gefahrenprognose – verhängt werden.[9] Strafmaßnahmen unterliegen den Grundsätzen der Strafzumessung nach Art. 56 i.V.m. Art. 53 k.k. und Art. 12 § 2 k.k.s. Außer Strafmaßnahmen kennen Strafgesetzbuch und Fiskalstrafgesetzbuch in Polen noch Sicherungsmaßnahmen,[10] die wegen einer rechtswidrigen Tat verhängt werden und keine schuldhafte Tatbegehung voraussetzen. Sicherungsmaßnahmen sind immer zukunftsorientiert und werden wegen fortdauernder Gefährlichkeit des Täters angeordnet.[11] Manche der Strafmaßnahmen können auch als Sicherungsmaßnahmen angeordnet werden.

Die meisten der untersuchten Vermögensabschöpfungsmaßnahmen stellen in beiden Rechtsordnungen eine separate Kategorie der strafrechtlichen Folgen der Tat dar und gehören nicht zu den oben genannten. Deswegen können diese Maßnahmen unabhängig von der Schuld des Täters verhängt werden. Ausnahmen davon bilden die Einziehung im polnischen Fiskalstrafrecht und die Einziehung der Tatprodukte und Tatmittel im deutschen Strafrecht. Die Einziehung im polnischen Fiskalstrafrecht gehört zu den Strafmaßnahmen. Somit muss nach Art. 12 § 2 k.k.s. bei ihrer Verhängung der Grad der Schuld des Täters berücksichtigt werden (Strafzumessungsschuld).[12] Im deutschen Recht ist die Einziehung der Tatmittel und Tatprodukte – angeordnet gegen Tatbeteiligte – eine Strafe bzw. Nebenstrafe.[13] Aus diesem Grunde stellt die Anordnung dieser Maßnahme eine Strafzumessungsentscheidung dar.[14] Als solche ist sie bei der Bemessung der daneben zu verhängenden Strafe zu berücksichtigen.[15]

---

6 Das System der Dreispurigkeit gilt sowohl für das polnische Strafgesetzbuch als auch für das Fiskalstrafgesetzbuch. Im polnischen Recht werden nach dem Kriterium des geschützten Rechtsgutes Fiskaldelikte aus dem allgemeinen Strafrecht ausgegliedert. Durch die Tatbestände des Fiskalstrafgesetzbuchs werden die finanziellen Interessen des Staates, die Einheiten territorialer Selbstverwaltung, die Europäische Union und die gesetzlich geregelte Finanzordnung geschützt. Vgl. *Konarska-Wrzosek*, in: Konarska-Wrzosek u.a. (Hrsg.), Prawo i postępowanie karne skarbowe, S. 25.

7 Melezini u.a.-*Melezini*, System Prawa Karnego, Kapitel I § 1 Rn. 72 ff.

8 Geregelt in Art. 39 k.k., Art. 22 § 2 k.k.s. und Art. 28 k.w.

9 *Wróbel/Zoll*, Polskie prawo karne, S. 33.

10 Geregelt in Art. 93a k.k. und Art. 22 § 3 Pkt. 6 k.k.s.

11 *Wróbel/Zoll*, Polskie prawo karne, S. 35 f.

12 Siehe Melezini u.a.-*Melezini*, System Prawa Karnego, Kapitel II § 9 Rn. 71 ff.; Kardas u.a.-*Łabuda*, Kodeks karny skarbowy, Art. 12 Rn. 1 ff.

13 Vgl. *Fischer*, Strafgesetzbuch mit Nebengesetzen, 66. Aufl., § 74 Rn. 3; siehe auch BGH NStZ 2018, 526; BGH NStZ 2019, 82

14 Siehe BGH NStZ 2019, 82; BGH NStZ-RR, 170.

15 Dies gilt insbesondere bei der Abschöpfung von Gegenständen von nicht unerheblichem Wert – vgl. BGH NStZ 2018, 526; BGH NStZ 2019, 82.

Im Ordnungswidrigkeitenrecht der beiden Länder bilden die Vermögensabschöpfungsmaßnahmen dagegen keine eigene Kategorie von Sanktionen. Im deutschen Recht wird zwischen primären und sekundären Rechtsfolgen einer Ordnungswidrigkeit unterschieden. Eine primäre Rechtsfolge (Hauptfolge) ist beispielsweise die Geldbuße.[16] Die Verhängung einer Geldbuße setzt die Verantwortlichkeit des Handelnden voraus, welche der strafrechtlichen Schuld entspricht.[17] Die Geldbuße knüpft somit an ein in der Vergangenheit begangenes Unrecht an. Sie ist im deutschen Ordnungswidrigkeitenrecht ein grundlegendes Vermögensabschöpfungsinstrument. Zu den sekundären Folgen einer Ordnungswidrigkeit gehören Einziehung der Gegenstände und Einziehung des Wertes der Taterträge.[18] Einziehung der Gegenstände ist eine Nebenfolge einer Ordnungwsidrigkeit und wird zusammen mit der Geldbuße als Hauptfolge angeordnet. Allerdings setzt die Einziehung der Gegenstände nicht die Verantwortlichkeit des Handelnden voraus; eine rechtswidrige bzw. vorsätzliche Tatbegehung ist ausreichend.[19] Bei der Anordnung der Einziehung der Gegenstände findet der Grundsatz der Verhältnismäßigkeit gemäß § 24 OWiG Anwendung. Die Einziehung des Wertes der Taterträge ist dagegen keine Nebenfolge einer Ordnungswidrigkeit. Vielmehr kann sie nur dann angeordnet werden, wenn gegen den Täter keine Geldbuße festgesetzt wurde. Dabei gilt die Einschränkung durch den Grundsatz der Verhältnismäßigkeit nicht.

Im polnischen Ordnungswidrigkeitenrecht[20] gibt es ebenfalls zwei Arten von Rechtsfolgen: Strafen und Strafmaßnahmen. Die Strafe setzt die schuldhafte Begehung einer Tat voraus:[21] Das Kriterium der Schuld wird im polnischen Ordnungswidrigkeitenrecht im Gegensatz zum deutschen verwendet.[22] Darüber hinaus werden Sanktionen für Ordnungswidrigkeiten, dem Strafrecht gleich, als Strafen bezeichnet.[23] Neben einer Strafe oder statt dieser können die Strafmaßnahmen angeordnet werden. Sie setzen somit eine rechtswidrige Tat voraus. Eine Strafmaßnahme kann nur dann angeordnet werden, wenn sie in der Regelung des Tatbestandes vorgesehen wurde.[24] Zu den Strafmaßnahmen gehört im polnischen Ordnungswidrigkeitenrecht die Einziehung der Gegenstände.[25] Bei Fiskalübertre-

---

16 *Bohnert*, Ordnungswidrigkeitenrecht, § 2 Rn. 160.

17 Mitsch-*Mitsch*, KK-OWiG, Einleitung Rn. 170.

18 *Bohnert*, Ordnungswidrigkeitenrecht, § 2 Rn. 160.

19 Vgl. Mitsch-*Mitsch*, KK-OWiG, § 22 Rn. 8; *Bohnert*, Ordnungswidrigkeitenrecht, § 2 Rn. 214.

20 Wörtlich übersetzt „Recht der Übertretungen".

21 *Marek*, Prawo wykroczeń, Rn. 152.

22 Vgl. Art. 1 § 2 k.w.; siehe dazu Grzegorczyk u.a.-*Grzegorczyk*, Kodeks wykroczeń, Art. 1 Rn. 9.

23 Vgl. nur Art. 18 k.w.; siehe dazu *Marek*, Prawo wykroczeń, Rn. 152.

24 *Marek*, Prawo wykroczeń, Rn. 180.

25 Ebenda, Rn. 188 ff.

tungen[26] enthält der Katalog der Strafmaßnahmen darüber hinaus die Einziehung des Geldwertes von Gegenständen. Bei der Anordnung von Strafmaßnahmen finden die Strafzumessungsregeln nach Art. 33 k.w. Anwendung.[27]

III. Zweck der Vermögensabschöpfung

Der Zweck der Abschöpfung des aus Straftaten stammenden Vermögens lässt sich in beiden Ländern mit der Aussage „Verbrechen darf sich nicht lohnen" zusammenfassen. Übertragen auf die Strafzwecke bedeutet dies, dass Vermögensabschöpfung insbesondere der Generalprävention dient: In der Gesellschaft soll die Überzeugung gestärkt werden, dass nur auf legalem Wege erlangtes Vermögen den staatlichen Eigentumsschutz genießt. Bei der Abschöpfung der Tatmittel rückt dagegen die Spezialprävention in den Vordergrund, bei der es darum geht, die Begehung weiterer Delikte zu verhindern.

Nach der sowohl in Deutschland als auch in Polen herrschenden Meinung besteht die Aufgabe des Strafrechts im subsidiären Rechtsgüterschutz, wodurch das Zusammenleben der Menschen in Frieden und Freiheit gesichert werden soll.[28] Der Rechtsgüterschutz definiert die Zwecke, die eine Strafe, aber auch andere Maßnahmen der strafrechtlichen Reaktion erfüllen sollen. Zweck der Strafe bedeutet somit die Art und Weise, in der sie wirken soll, um der Aufgabe des Strafrechts gerecht zu werden. Bei dieser Definition der Aufgabe des Strafrechts ist die absolute Straftheorie (Vergeltungstheorie) nicht mehr vertretbar.[29] Jedoch wurde das Strafrecht lange Zeit durch den Vergeltungsgedanken geprägt, und auch heute gibt es immer noch Elemente, die auf den Einfluss der Vergeltungstheorie hindeuten, wie zum Beispiel die Auffassung, dass das Wesen einer Strafe Übelszufügung sei.[30] Strafzwecke wurden auch durch relative Straftheorien definiert, die den

---

[26] Gemäß Art. 53 § 3 k.k.s unterscheiden sich Fiskalübertretungen von Fiskalstraftaten duch die Höhe des durch die Tat beeinträchtigten finanziellen Interesses des Staates, der Einheiten territorialer Selbstverwaltung oder der Europäischen Union. Siehe auch Fn. 6.

[27] *Marek*, Prawo wykroczeń, Rn. 202 ff.

[28] Siehe nur *Roxin*, Strafrecht AT I, S. 69 f.; *Jescheck/Weigend*, Strafrecht AT, S. 7 f.; *Gardocki*, Prawo karne, § 2 Rn. 16; *Wróbel/Zoll*, Polskie prawo karne, S. 39 ff. Zur Schutzfunktion im Fiskalstrafrecht siehe *Konarska-Wrzosek*, in: Konarska-Wrzosek u.a. (Hrsg.), Prawo i postępowanie karne skarbowe, S. 27; *Wilk/Zagrodnik*, Prawo i proces karny skarbowy, Rn. 27.

[29] Die absolute Straftheorie setzt Vergeltung auch dort voraus, wo sie durch den subsidiären Rechtsgüterschutz nicht mehr gerechtfertigt ist. Die Vergeltungstheorie dient einer metaphysischen Idee der Gerechtigkeit, die *Kant* in Form des kategorischen Imperativs zum Ausdruck brachte. Siehe *Roxin*, Strafrecht AT I, S. 71.

[30] Vgl. *Roxin*, Strafrecht AT I, S. 72 f.; *Cieślak*, Nowe Prawo 1969, 200 ff.; *Warylewski*, Kara, S. 22. Die große Stärke der Vergeltungstheorie liegt auch darin, dass sie einen Maß-

Zweck von Strafe in der Verhinderung künftiger Straftaten, also in der Verbrechensbekämpfung, sehen.[31] Dies kann entweder durch eine spezielle Einwirkung auf den Täter (Theorie der Spezialprävention) oder durch die generelle Einwirkung auf die Allgemeinheit (Theorie der Generalprävention) geschehen. Die Theorie der Spezialprävention sieht den Zweck der Strafe darin, den Täter von künftigen Straftaten abzuhalten. *Franz von Liszt* unterschied dabei drei Formen der Spezialprävention: Sicherung der Allgemeinheit durch das Einsperren des Täters, Abschreckung des Täters von der Begehung weiterer Straftaten durch die Strafe und das Verhindern der Rückfälligkeit des Täters durch seine Besserung.[32] Während sich die Spezialprävention allein auf den Täter konzentriert, sieht die generalpräventive Theorie in der Einflussnahme auf die Allgemeinheit den Zweck der Strafe. Sie baut auf *Feuerbachs* Theorie des psychologischen Zwangs auf: Das Strafrecht diene dazu, auf die Psyche der potenziellen Täter einzuwirken und ihn dadurch davon abzuhalten, Straftaten zu begehen.[33] Nach dieser Theorie soll die Strafe einerseits die Menschen von der Begehung von Straftaten abschrecken (negativer Aspekt), andererseits das Vertrauen der Bevölkerung in die Unverbrüchlichkeit der Rechtsordnung stärken (positiver Aspekt).[34] Die generalpräventive Theorie ist empirisch kaum widerlegbar, was sie auch sozialpolitisch attraktiv macht.[35]

Nach der heute im deutschen Strafrecht vertretenen Vereinigungstheorie dient die Strafe der Spezial- und Generalprävention gleichermaßen und soll dabei einen gerechten Schuldausgleich darstellen.[36] Vergeltung für begangenes Unrecht wird nach der Vereinigungstheorie zum Teil nicht mehr als Zweck der Strafe angesehen, Strafe wird als eine retrospektive Reaktion des Staates verstanden, die sich gegen eine bestimmte Person richtet und für diese Person eine Übelszufügung bedeutet.[37] Als ein Vergeltungselement kann aber die Regel der Strafzumessung gesehen werden, nach der die Schuld des Täters einen Maßstab für die Obergrenze der Strafe darstellt. Dieser auf die Vergeltungstheorie zurückgehende Gedanke verbietet es,

---

stab für die Strafe liefert, nämlich die Schuld des Täters. Siehe *Roxin*, Strafrecht AT I, S. 72.

31 *Roxin*, Strafrecht AT I, S. 73 f.

32 Siehe ebenda, S. 74. Den spezialpräventiven Zweck der Strafe bestätigte der BGH in seiner Rechtsprechung. Nach Auffassung des Gerichtshofs ist die Strafe kein Schuldausgleich um ihrer selbst willen, sondern hat auch eine präventive Schutzaufgabe zu erfüllen. Dem Täter steht sogar ein in Art. 2 Abs. 1 i.V.m. Art. 1 GG und im Sozialstaatsprinzip verankertes Recht zu, bei der Resozialisierung Unterstützung durch den Staat zu erhalten. Siehe BGHSt 24, 40, 42.

33 Siehe *Roxin*, Strafrecht AT I, S. 78 f.

34 Ebenda, S. 80; vgl. Deutscher Bundestag, 18. Wahlperiode, BT-Drs. 18/9525, S. 45.

35 Siehe *Roxin*, Strafrecht AT I, S. 81; *Boucht*, The Limits of Asset Confiscation, S. 102 ff.

36 Siehe *Roxin*, Strafrecht AT I, S. 83 ff.

37 Vgl. ebenda, S. 84 f.; *Rui/Sieber*, in: Rui/Sieber (Hrsg.), Non-Conviction-Based Confiscation, S. 250.

jemanden allein um der exemplarischen Abschreckung willen zu bestrafen, und dient somit der Wahrung der Freiheit, indem der staatlichen Gewalt eine Grenze gesetzt wird.[38] Die Verhängung der Strafe wird allerdings durch die Zwecke der Spezial- und Generalprävention legitimiert. Diese sind gegeneinander abzuwägen: Im Konfliktfall hat die Spezialprävention den Vorrang,[39] was nicht nur bei der Verhängung der Strafe im Einzelfall, sondern auch bei der Bestimmung der Strafandrohung durch den Gesetzgeber gilt.

In der polnischen Strafrechtslehre und Rechtsprechung wird ebenfalls eine Vereinigungstheorie vertreten, welche der Strafe sowohl spezial- als auch generalpräventive Zwecke zuschreibt.[40] Das polnische Strafgesetz bestimmt die Zwecke der Strafe zwar nicht direkt, sie ergeben sich jedoch aus den Grundsätzen der Strafzumessung.[41] Dazu zählen Berücksichtigung der Sozialschädlichkeit der Tat, präventive und erzieherische Wirkung der Strafe auf den Bestraften und die Ausprägung des Rechtsbewusstseins der Gesellschaft. Dabei darf die Strafe den Grad der Schuld nicht übersteigen.[42] Unter diesem Aspekt lässt sich feststellen, dass bei der Vermögensabschöpfung eine Abkehr vom Resozialisierungsgedanken zugunsten der Generalprävention, teilweise auch zugunsten der Vergeltungstheorie, zum Ausdruck kommt, wie die in beiden Rechtsordnungen durchgeführten Reformen der Vermögensabschöpfung zeigen.[43]

IV. Einschränkung durch das Schuldprinzip und den Verhältnismäßigkeitsgrundsatz

In der Literatur, aber auch in der Rechtsprechung beider Länder, werden Versuche unternommen, den sich ausweitenden Abschöpfungsmaßnahmen eine Grenze zu setzen. Dabei wird einerseits auf das Schuldprinzip, anderseits auf die Verhältnismäßigkeit des Eingriffs in das Eigentumsrecht Bezug genommen. Das Schuld-

---

38 Vgl. *Roxin*, Strafrecht AT I, S. 72.

39 Dies liegt daran, dass die Resozialisierung des Täters ein grundgesetzliches Gebot ist, und selbst wenn eine mildere Strafe verhängt wird, wirkt sie generalpräventiv. Zu beachten ist aber, dass auch eine milde Strafe die generalpräventiven Mindesterfordernisse erfüllen muss. Siehe *Roxin*, Strafrecht AT I, S. 87.

40 Vgl. *Wróbel/Zoll*, Polskie prawo karne, S. 418 ff.; *Gardocki*, Prawo karne, § 16 Rn. 293 ff.; wyr. SN z 05.11.1985, Rw 991/85, OSNKW 1986, Nr. 5–6, poz. 40.

41 Art. 53 § 1 k.k., Art. 12 § 2 k.k.s. und Art. 33 § 1 k.w.; siehe nur Królikowski u.a.-*Królikowski/Żółtek*, Kodeks karny – część ogólna, Bd. II, Art. 53 Rn. 60 ff.

42 Vgl. *Bojarski/Radecki*, Kodeks wykroczeń, Art. 33 Rn. 3.

43 Vgl. Deutscher Bundestag, 18. Wahlperiode, BT-Drs. 18/9525, S. 45; Sejm RP, VIII kadencja, Druk sejmowy Nr. 1186, Begründung, S. 4; siehe auch *Marstaller/Zimmermann*, Non-conviction-based confiscation in Deutschland? S. 26 f.; generell zur Abkehr vom Resozialisierungsgedanken zugunsten der Generalprävention und Vergeltungstheorie siehe *Roxin*, Strafrecht AT I, S. 77.

prinzip gilt sowohl im deutschen als auch im polnischen Strafrecht als Mittel der Eingriffsbegrenzung bei Strafen und strafähnlichen Maßnahmen. Das Schuldprinzip beruht auf der Annahme der Freiheit des menschlichen Handelns. Der Staat behandelt den Menschen als frei und hält ihn für fähig, die Verantwortung für seine Handlungen zu übernehmen.[44] So geht es von der Annahme aus, dass eine Strafe, die über das Schuldmaß hinausgeht, die Menschenwürde verletzt.[45] Obwohl im Umkehrschluss anderen Sanktionen, die nicht dem Schuldprinzip unterliegen, nicht vorgeworfen wird, dass sie gegen die Menschenwürde verstoßen, gilt das Schuldprinzip als bestes Mittel zur Einschränkung staatlicher Gewalt, weil es an die Umstände, die die Person des Täters und seine Handlung beeinflussen, und an das Ausmaß des Schadens anknüpft. Das Schuldprinzip dient dem Schutz des Einzelnen, der nicht als Mittel zum Zweck der Generalprävention bestraft werden darf. Dies kann vor allem im Hinblick auf die generalpräventive Ausrichtung der Vermögensabschöpfung von Bedeutung sein. Darüber hinaus entspricht das Schuldprinzip dem Gerechtigkeitsgefühl der Allgemeinheit – „niemand darf härter bestraft werden, als er verdient" – und dient somit der Stabilisierung des Rechtsbewusstseins.[46] Maßnahmen, die keine Strafen – oder im polnischen Strafrecht auch keine Strafmaßnahmen – sind, unterliegen nicht der Einschränkung durch das Schuldprinzip. Die Grenze dieser Maßnahmen wird durch den Grundsatz der Verhältnismäßigkeit bestimmt, welcher aus dem Rechtsstaatsgedanken abgeleitet wird.[47] Es ist für den Gesetzgeber möglich, mit solchen Maßnahmen stärkere Eingriffe in die Freiheit des Betroffenen vorzunehmen. Während beim Schuldprinzip die Schuld des Täters dem Präventionsinteresse entgegensteht, ist es bei dem Verhältnismäßigkeitsgrundsatz das Übermaßverbot, das die Grenze bestimmt.[48]

In dieser Arbeit werden die Ansätze zur Bestimmung der Grenzen von Vermögensabschöpfung nach beiden Grundsätzen, Schuld- und Verhältnismäßigkeitsprinzip, analysiert. Die Einschränkung durch das Schuldprinzip setzt voraus, dass die Maßnahmen als Strafen oder strafähnliche Instrumente angesehen werden, wobei die Rechtsnatur der Vermögensabschöpfung seit langem umstritten ist. Dabei sind im Strafrecht auch Maßnahmen, die keine Strafen sind – gerade wegen der Einschränkung durch das Schuldprinzip –, notwendig. Eine durch das Schuldprinzip eingeschränkte Strafe ist nicht immer ausreichend, um die Allgemeinheit vor den

---

[44] Siehe *Giezek*, in: Bojarski u.a. (Hrsg.), Prawo karne materialne, Rn. 37; *Wróbel*, in: Hofmański (Hrsg.), System prawa karnego procesowego, Bd. III, Teil 2, S. 1703 f.; *Roxin*, Strafrecht AT I, S. 93 f.

[45] Siehe *Giezek*, in: Bojarski u.a. (Hrsg.), Prawo karne materialne, Rn. 37; *Wróbel*, in: Hofmański (Hrsg.), System prawa karnego procesowego, Bd. III, Teil 2, S. 1703 ff.; *Roxin*, Strafrecht AT I, S. 92 m.w.N.; BVerfGE 20, 323, 331.

[46] *Roxin*, Strafrecht AT I, S. 93 f.

[47] Vgl. ebenda, S. 98 f.; BVerfGE 23, 127, 133.

[48] Aus diesem Grunde wird den Ansätzen widersprochen, im Strafrecht das Schuldprinzip durch den Verhältnismäßigkeitsgrundsatz zu ersetzen. Siehe *Roxin*, Strafrecht AT I, S. 96 f.

Gefahren zu schützen, die von einem Täter ausgehen.[49] Damit eine solche Maßnahme angeordnet werden kann, muss allerdings eine Gefährlichkeitsprognose vorliegen. Auch bei der Vermögensabschöpfung geht es um die Sicherung der Gesellschaft vor Gefahren, insbesondere bei der Abschöpfung der Tatmittel. Teilweise trifft das aber auch zu für die Einziehung von Gewinnen aus Straftaten, die Kriminellen mutmaßlich ermöglichen, Einfluss auf die Wirtschaft zu nehmen. Die staatliche Reaktion darauf allein mittels einer schuldangemessenen Strafe wäre nicht effektiv. Dazu sind Maßnahmen notwendig, die nicht der Einschränkung durch das Schuldprinzip unterliegen. Die Verhältnismäßigkeit des Grundrechtseingriffs, den diese Maßnahmen darstellen, soll jedoch gewährleistet sein.

---

49 So eine Gefahr besteht beispielsweise dann, wenn der Täter wegen einer psychischen Krankheit nicht oder nur in vermindertem Maße schuldfähig ist, aber voraussichtlich weitere Straftaten begehen wird. Siehe *Roxin*, Strafrecht AT I, S. 96 f.

Teil 4

Nationale Regelungen: Deutschland

Der folgende Teil der Arbeit widmet sich den Regelungen der Vermögensabschöpfung im deutschen Straf- und Ordnungswidrigkeitenrecht. Im ersten Kapitel (I.) wird die historische Entwicklung der Vermögensabschöpfungsmaßnahmen dargestellt. Das zweite Kapitel (II.) beschäftigt sich mit der Vermögensabschöpfung im geltenden Recht. Abschließend werden die Ansätze zur Bestimmung der Grenzen der Abschöpfungsmaßnahmen untersucht (III.).

I. Historische Entwicklung

A. Entwicklung bis Mitte des 20. Jahrhunderts

1. Grundriss der Vermögenssanktionen im römischen und germanischen Recht

Die heutigen Regelungen der Vermögensabschöpfung im deutschen Recht gehen auf römisches und auch germanisches Recht zurück. Ein Blick auf die geschichtliche Entwicklung ermöglicht es, die derzeit reformierten Vermögenssanktionen in einem anderen Licht zu sehen. Sowohl im römischen als auch später im germanischen Recht kann bereits zwischen Vermögenssanktionen gegen das gesamte Vermögen des Täters und gegen einzelne Gegenstände (nicht zwingend des Täters) unterschieden werden. Diese beiden Sanktionsarten unterschieden sich voneinander nicht nur durch den Umfang, sondern auch durch ihre Zielsetzung. Bei der Konfiskation des gesamten Vermögens zielte die Sanktion vor allem auf Vergeltung und Sühne. Die Einziehung einzelner Gegenstände war einerseits repressiv, andererseits sollte sie dem Schutz der Allgemeinheit dienen.[1]

Die Einziehung des gesamten Vermögens oder eines abstrakten Teils davon war bereits dem römischen Recht der Frühzeit und der Republik bekannt.[2] Sie war u.a. Folge jeder Kapitalstrafe, somit mit dem Tod oder Ausschluss des Täters aus der

---

[1] Vgl. *Arnold*, Verfall, Einziehung und Unbrauchbarmachung, S. 278 ff.; *Eser*, Sanktionen gegen das Eigentum, S. 15 f.

[2] *Schnieders*, Geschichte der Vermögensstrafe, S. 39. Anfangs als Sanktion für *crimina publica*, zu denen später *crimina privata* getreten sind. Siehe *Lehmann*, Vermögensstrafen des römischen Rechts, S. 94 ff.

Rechtsgemeinschaft verbunden. Die Strafe trat von Rechts wegen ein, das Urteil war nur deklaratorisch. Die Konfiskation des Vermögens hatte im römischen Recht zuerst einen sakralen Charakter, später wurde sie in eine Konfiskation zugunsten des Staates umgewandelt.[3] Dabei wurde die Konfiskation häufig als Mittel zur eigenen Bereicherung auf Kosten politischer Gegner missbraucht.[4] Dies war einer der Gründe, warum das römische Recht die Konfiskation mit der Zeit einschränkte. Darüber hinaus wurden Ausnahmen zugunsten unterhaltsbedürftiger Familien des Täters eingeführt, indem der einzuziehende Anteil des Vermögens gemindert wurde.[5]

Das römische Recht kannte auch die Einziehung bestimmter Gegenstände als eine selbständige Sanktion. Diese fungierte einerseits als Strafe, andererseits als polizeiliche Maßregel, die dem Schutz des Gemeinwesens diente.[6] Die Einziehung der Gegenstände, die als Strafe fungierte, war eigentlich ein zivilrechtlicher Reparationsanspruch infolge gesetzwidriger Handlungen. Sie trat bei *Noxalhaftung*[7] und Sittenwidrigkeit des Erwerbsgrundes ein.[8] Dabei ist anzumerken, dass es nach heutigem Verständnis keine Trennung von Zivil- und Strafrecht im römischen Recht gab und die *Noxalklagen* einen Strafcharakter hatten.[9] Gemäß dem Gedanken, dass der Verbrecher aus seiner Tat keine Vorteile ziehen sollte, war beim rechtswidrigen Erwerb von Vermögen auch die Einziehung als Strafe vorgesehen (heute würde man sie Gewinnabschöpfung nennen).[10] Die Einziehung mit präventivem Zweck betraf einerseits Gegenstände, die verboten waren, andererseits – nach heutiger Terminologie – die Tatwerkzeuge. Um Einziehung „verbotener Gegenstände" handelte es sich beispielsweise bei der Vernichtung ketzerischer Schriften, Zerstörung von rechtswidrig errichteten Gebäuden, Einziehung von Lebensmitteln oder verbotenerweise hergestellten Waffen. Um Einziehung von Tatwerkzeugen handelte es sich dagegen beispielsweise bei der Einziehung eines Sattels eines gesetzwidrig beladenen Pferdes oder von Häusern, die als Hehlernester dienten.[11] Die Unter-

---

3 Vgl. *Eser*, Sanktionen gegen das Eigentum, S. 13 ff.; *Lehmann*, Vermögensstrafen des römischen Rechts, S. 94 ff.; *Mommsen*, Römisches Strafrecht, S. 1006 ff.; *Schnieders*, Geschichte der Vermögensstrafe, S. 50.

4 Vgl. *Lehmann*, Vermögensstrafen des römischen Rechts, S. 94; *Schnieders*, Geschichte der Vermögensstrafe, S. 50.

5 Vgl. *Eser*, Sanktionen gegen das Eigentum, S. 15; *Lehmann*, Vermögensstrafen des römischen Rechts, S. 97 f.; *Mommsen*, Römisches Strafrecht, S. 1006.

6 Vgl. *Eser*, Sanktionen gegen das Eigentum, S. 16; *Lehmann*, Vermögensstrafen des römischen Rechts, S. 101 ff.

7 Haftung des Gewalthabers für den Gewaltunterworfenen, im römischen Recht als der Ausgleich von Schäden gegenüber Dritten geregelt, die durch einen der *patria potestas* des Hausherrn Unterworfenen, etwa einen Sklaven oder ein Kind, verursacht wurden.

8 Vgl. *Arnold*, Verfall, Einziehung und Unbrauchbarmachung, S. 8 f.; *Eser*, Sanktionen gegen das Eigentum, S. 16 f.

9 *Arnold*, Verfall, Einziehung und Unbrauchbarmachung, S. 9; siehe auch *Lehmann*, Vermögensstrafen des römischen Rechts, S. 104.

10 *Eser*, Sanktionen gegen das Eigentum, S. 17.

11 Beispiele nach *Lehmann*, Vermögensstrafen des römischen Rechts, S. 102 ff.

scheidung, ob die Einziehung eines konkreten Gegenstandes repressiv als Strafe oder präventiv als Verwaltungsakt fungierte, war in der Theorie klar, in der Praxis aber schwierig.[12]

Im germanischen Recht konnte die Einziehung das gesamte Vermögen eines sogenannten Friedlosen, also eines aus dem Rechts- und Friedensverband seines Volkes ausgeschlossenen Täters betreffen. Die Sanktion konnte sich ebenso gegen das Vermögen eines zum Tode Verurteilten richten.[13] Im fränkischen Recht gab es die Vermögenskonfiskation („Wüstung" genannt) bei Straftaten, die mit heutiger Terminologie als Hoch- und Landesverrat bezeichnet werden könnten,[14] aber auch bei Verstößen gegen kirchlich-rechtliche Verbote.[15] Anfangs hatte die Wüstung einen magisch-kultischen Charakter, das Haus des Friedlosen wurde verbrannt. Später wurde das Vermögen zugunsten der Gemeinschaft eingezogen.[16] Dies führte zu Missbräuchen, da in der Einziehung eine Einnahmequelle erkannt wurde.[17] Deswegen wurde die Konfiskation in der *Constitutio Criminalis Carolina* (Peinliche Halsgerichtsordnung Karls V. von 1532) eingeschränkt.[18] Die stillschweigenden Konfiskationen als Folge der Todesstrafe wurden in Art. 218 CCC verboten.[19] Darüber hinaus übernahm die *Carolina* die römischen Regelungen bezüglich der Spezialkonfiskation – die Einziehung der Gewinne und Entgelte aus dem Verbrechen für den Fiskus.[20]

Im Allgemeinen Landrecht für Preußische Staaten von 1794 (ALR) war die Vermögenskonfiskation, mit Ausnahme der stillschweigenden Begleitstrafe, noch weit verbreitet. In der Partikulargesetzgebung des 19. Jahrhunderts verlagerte sich der Schwerpunkt zugunsten der Spezialeinziehung. Die Nachteile der Vermögenskonfiskation, wie Mitbestrafung der Angehörigen, ungleiche Schwere der Strafe je nach Vermögensverhältnissen des Täters und Missbrauchsgefahr, sprachen dafür, dass diese abgeschafft werden bzw. nur in einzelnen Fällen noch zulässig sein sollte.[21] Argumente gegen die generelle Vermögenskonfiskation wurden zwar schon

---

12 *Lehmann*, Vermögensstrafen des römischen Rechts, S. 102.

13 Vgl. *Eser*, Sanktionen gegen das Eigentum, S. 18; *Schnieders*, Geschichte der Vermögensstrafe, S. 91 ff.

14 *Schnieders*, Geschichte der Vermögensstrafe, S. 58 ff.

15 Ebenda, S. 77 ff.

16 *Conrad*, Deutsche Rechtsgeschichte, S. 51 f.

17 Vgl. *Eser*, Sanktionen gegen das Eigentum, S. 18 f.; *Schnieders*, Geschichte der Vermögensstrafe, S. 98 f.; *Schröder/Künßberg*, Lehrbuch der deutschen Rechtsgeschichte, S. 578.

18 *Arnold*, Verfall, Einziehung und Unbrauchbarmachung, S. 11 m.w.N.

19 Vgl. *Eser*, Sanktionen gegen das Eigentum, S. 19; *Schnieders*, Geschichte der Vermögensstrafe, S. 322.

20 *Sotiriadis*, Gewinnabschöpfung und Geldwäsche, S. 56.

21 Vermögenskonfiskation wurde in den Verfassungen des Königreichs Bayern 1808, des Großherzogtums Baden 1818, des Königreichs Württemberg 1819 und des Großher-

zuvor erhoben, aber erst in der Verfassungsbewegung der Aufklärung umgesetzt.[22] Die Einschränkung der Vermögenskonfiskation führte zum Ausbau der Einzeleinziehung. Davor war die Einzeleinziehung mit eindeutig repressivem Charakter nur in speziellen Normen geregelt. Praktisch bedeutete sie eine vielfache Zahlung des illegalen Gewinnes (Vorteils) an die Staatskasse, verhängt als einzige Sanktion oder als Nebenstrafe.[23] Die Einziehung hatte auch einen präventiven Charakter i.S.d. negativen General- und Spezialprävention. Negative Prävention dominierte beispielsweise im ALR.[24]

In einem anderen wichtigen Gesetzeswerk des 19. Jahrhunderts, dem Bayerischen Strafgesetzbuch von 1813, gab es noch keine generelle Regelung der Einziehung.[25] Obwohl das Gesetz eine generelle Systematik und Präzisierung der Begriffe in das Strafrecht einführte, war die Vermögensabschöpfung nur im Besonderen Teil explizit geregelt. Einziehung konnte als Haupt- oder Nebenstrafe verhängt werden. Praktisch bedeutete sie eine Zahlung des mehrfachen kriminellen Gewinnes an den Staat; aus heutiger Sicht könnte sie eher als eine quasi-Geldstrafe bezeichnet werden.[26] Der Besondere Teil des Bayerischen Strafgesetzbuches enthielt auch das Verbot der Vermögenskonfiskation.[27]

2. Preußisches Strafgesetzbuch von 1851

In der Entwicklung des Vermögensabschöpfungsrechts kommt dem Preußischen Strafgesetzbuch von 1851 (PreußStGB) eine besondere Bedeutung zu, weil das heute geltende Strafrecht auf dieses Gesetz zurückgeht. Das PreußStGB war die Grundlage für den Entwurf des späteren Strafgesetzbuchs des Norddeutschen Bundes, das wiederum 1871 zum Reichsstrafgesetzbuch erweitert wurde.[28] Der Entstehung des Preußischen Strafgesetzbuchs gingen wiederholt langjährige Revisionsarbeiten voraus, die mit der Annahme des Entwurfes von 1850 durch den preußischen Landtag endeten.[29]

---

zogtums Hessen 1820 abgeschafft. Vgl. *Eser*, Sanktionen gegen das Eigentum, S. 21 f.; *Schnieders*, Geschichte der Vermögensstrafe, S. 448 ff.

22 *Schnieders*, Geschichte der Vermögensstrafe, S. 445 f.

23 Ebenda, S. 57 f.

24 Ebenda, S. 58.

25 Zu einem Versuch der Generalisierung siehe *Arnold*, Verfall, Einziehung und Unbrauchbarmachung, S. 15.

26 *Sotiriadis*, Gewinnabschöpfung und Geldwäsche, S. 60.

27 Art. 33 des Bayerischen Strafgesetzbuchs; dazu *Arnold*, Verfall, Einziehung und Unbrauchbarmachung, S. 14 f.

28 Siehe *Arnold*, Verfall, Einziehung und Unbrauchbarmachung, S. 18 ff.; *Schnieders*, Geschichte der Vermögensstrafe, S. 452; *Vormbaum*, Einführung in die moderne Strafrechtsgeschichte, S. 77.

29 Ausführlich auch zur Reform des preußischen Rechts *Arnold*, Verfall, Einziehung und Unbrauchbarmachung, S. 18 ff.; *Schnieders*, Geschichte der Vermögensstrafe, S. 452 ff.; *Vormbaum*, Einführung in die moderne Strafrechtsgeschichte, S. 74 ff.

Das PreußStGB enthielt Sanktionen für drei Arten von Gesetzesverstößen: Verbrechen, Vergehen und Übertretungen. Die Geldbuße zählte im Strafsystem des Gesetzbuchs zu den Hauptstrafen und konnte sowohl als eine alleinige Sanktion als auch kumulativ, zusätzlich zu einer der Freiheitsstrafen (Zuchthausstrafe,[30] Einschließung, Gefängnisstrafe), verhängt werden. Konfiskation dagegen war eine der Nebenstrafen.[31] Darüber hinaus kannte das Gesetz die „Beschränkung der freien Verfügung über das Vermögen", entweder als Rechtsfolge der Verurteilung oder als ausdrücklich angeordnete Nebenstrafe.[32]

Die Geldstrafe regelten §§ 17 und 18 PreußStGB, sie wurde nach dem Gesamtsummensystem verhängt und hatte bei leichteren Gesetzesverstößen Vorrang vor der Freiheitsstrafe. Die kumulative Geldstrafe war nur bei Verbrechen und Vergehen vorgesehen und bei bestimmten Vermögensdelikten obligatorisch zu verhängen.[33] Ihre Höhe war aber nicht nach der Höhe des Schadens oder des erzielten Gewinns zu bemessen.

Konfiskation gemäß § 19 PreußStGB war grundsätzlich nur von einzelnen Gegenständen möglich.[34] Im Besonderen Teil des PreußStGB befanden sich jedoch Tatbestände, bei denen wegen des hohen verschuldeten Unrechts sogar das gesamte Vermögen konfisziert werden konnte.[35] Bei der Konfiskation einzelner Gegenstände handelte es sich um eine Sanktion für Verbrechen und Vergehen, nicht für Übertretungen. Bei Polizeivergehen konnte die Anwendung dieser Vorschrift zu unbilligen Härten führen,[36] deswegen sollte das Strafgesetz auf polizeiliche, präventive Konfiskation grundsätzlich keine Anwendung finden. Zur Vorbeugung „künftiger Mißbräuche" waren „die polizeilichen Maßregeln im Verwaltungswege" zulässig.[37] Dabei verzichtete man bei rein polizeilichen Maßregeln auf das Erfordernis des vorsätzlichen Handelns.[38]

Voraussetzung für die Konfiskation im PreußStGB war grundsätzlich ein Strafurteil gegen einen bestimmten Angeschuldigten.[39] Konfiskation konnte auch im

---

[30] Die Zuchthausstrafe hatte den Verlust der „bürgerlichen Ehre" zur Folge und somit auch die Beschränkung der Rechtsfähigkeit des Verurteilten bzgl. seines Vermögens. Siehe *Beseler*, Strafgesetzbuch für die Preußischen Staaten, S. 99 ff.

[31] Ebenda, S. 122.

[32] Ebenda, S. 86 f.

[33] Ebenda, S. 118.

[34] Zur Diskussion über generelle Vermögenskonfiskation siehe *Goltdammer*, Materialien zum Straf-Gesetzbuche, S. 121 ff.; *Schnieders*, Geschichte der Vermögensstrafe, S. 462 ff.

[35] Z. B. Vermögenskonfiskation wegen Hoch- und Landesverrats gem. § 73 PreußStGB; siehe *Beseler*, Strafgesetzbuch für die Preußischen Staaten, S. 239 ff.

[36] *Goltdammer*, Materialien zum Straf-Gesetzbuche, S. 196.

[37] Ebenda, S. 199.

[38] Ebenda, S. 196, 199.

[39] Vgl. *Arnold*, Verfall, Einziehung und Unbrauchbarmachung, S. 34 f.; *Beseler*, Strafgesetzbuch für die Preußischen Staaten, S. 122; *Goltdammer*, Materialien zum Straf-Gesetzbuche, S. 197.

Nachlass vollstreckt werden, selbst wenn zu Lebzeiten des Täters überhaupt noch kein Urteil gefällt worden war. Gegenstand der Konfiskation waren sowohl die aus Straftaten stammenden als auch die zur Tatbegehung bestimmten oder dazu verwendeten Gegenstände. Beide Arten der Gegenstände mussten dem Täter oder Teilnehmer gehört haben.[40] Konfiskation hatte einen repressiven strafrechtlichen Charakter und sollte das Eigentumsrecht Dritter nicht beeinträchtigen.[41] Anders verhielt es sich bei der Vernichtung verbotener Schriften, Abbildungen und Darstellungen, auch in § 19 PreußStGB geregelt; es war unbedeutend, ob diese einem unbeteiligten Dritten gehörten.[42]

Neben den genannten Einziehungsnormen regelten §§ 309, 310, 313 PreußStGB die Pflicht zur Herausgabe des Empfangenen oder dessen Werts an den Fiskus bei passiver Bestechung und Geschenkannahme durch Geschworene.[43] Bei diesen Vorschriften handelte sich jedoch nicht zwingend um eine Nebenstrafe, da die Sanktion nur das tatsächlich Erlangte umfasste.[44]

3. Reichsstrafgesetzbuch von 1871

Am 1. Januar 1871 trat das Strafgesetzbuch für den Norddeutschen Bund in Kraft, am 15. Mai wurde es mit einigen Änderungen als Strafgesetzbuch für das Deutsche Reich verkündet.[45] Das Reichsstrafgesetzbuch (RStGB) wurde nach dem Vorbild des Preußischen Strafgesetzbuchs verfasst und war am Gedanken des liberalen Rechtsstaates orientiert.[46] Neben Verbrechen und Vergehen regelte das Gesetzbuch die Verantwortlichkeit für Übertretungen. Übertretungen waren separat im letzten Abschnitt des Gesetzbuches geregelt.

Die Geldstrafe (§ 27 ff. RStGB) war eine der Hauptstrafen und für die drei Arten der Gesetzesverstöße in unterschiedlicher Höhe vorgesehen. Sie war nach dem Gesamtsummensystem geregelt. Es war demnach unzulässig, die Geldstrafe nur nach den wirtschaftlichen Verhältnissen des Täters zu bemessen, ohne den genauen Betrag zu nennen. Dadurch sollte der Täter vor einer tatsächlichen Vermögenskonfiskation geschützt werden, denn diese Sanktion war im RStGB nicht enthalten.[47] Gemäß § 28 RStGB konnte die Geldstrafe allein, aber auch neben einer Freiheitsstrafe verhängt

---

40 Vgl. *Beseler*, Strafgesetzbuch für die Preußischen Staaten, S. 121; *Goltdammer*, Materialien zum Straf-Gesetzbuche, S. 196.

41 *Goltdammer*, Materialien zum Straf-Gesetzbuche, S. 196.

42 *Arnold*, Verfall, Einziehung und Unbrauchbarmachung, S. 36.

43 *Beseler*, Strafgesetzbuch für die Preußischen Staaten, S. 550 ff.

44 *Sotiriadis*, Gewinnabschöpfung und Geldwäsche, S. 62.

45 Zur Entstehungsgeschichte des RStGB siehe *Arnold*, Verfall, Einziehung und Unbrauchbarmachung, S. 9 ff.; *Rüdorff*, Strafgesetzbuch für das Deutsche Reich, S. 3 ff.

46 *Eser*, Sanktionen gegen das Eigentum, S. 23.

47 Siehe *Oppenhoff*, Strafgesetzbuch für das Deutsche Reich, § 27 Anm. 3.

werden.[48] Zur Entlastung des Verurteilten konnte auch ein Dritter die Geldstrafe begleichen oder, bei Steuervergehen, mit Zahlung der Geldstrafe für ihn haften.[49]

Wie oben bereits erwähnt, befand sich im Reichsstrafgesetzbuch von 1871 keine Regelung zur Vermögensstrafe. Das Gesetz kannte nur die Einzeleinziehung und Unbrauchbarmachung, beide waren im Allgemeinen Teil geregelt (§§ 40 bis 42 RStGB). Einziehung war eine Nebenstrafe, die „zur Verhütung ferner strafbarer Handlungen dienen soll“.[50] Ihre Anordnung lag im Ermessen des Richters und hing davon ab, ob eine präventive Wirkung der Sanktion zu erwarten war.[51] Einziehung umfasste sowohl Gegenstände, die zur Begehung einer strafbaren Handlung gebraucht wurden oder dazu bestimmt waren,[52] als auch durch eine solche Handlung hervorgebrachte Gegenstände. Die Handlung musste dabei ein vorsätzliches Verbrechen oder Vergehen gewesen sein.[53] Die Tatobjekte, Gewinne oder sonstige durch die Tat erlangte Vorteile unterlagen dagegen nicht der Einziehung.[54]

Grundsätzlich konnten nur Gegenstände, die dem Täter oder Teilnehmer gehörten, eingezogen werden.[55] Im Ausschluss der Dritteinziehung kommt der Wille des Gesetzgebers zum Ausdruck, das Eigentum zu schützen und polizeiliche Sicherungseinziehungen zu präventiven Zwecken einzuschränken.[56] Eine Ausnahme statuierten die Vorschriften des Besonderen Teils des RStGB, die spezielle Fälle der Einziehung regelten, wie z. B. Einziehung von Falschgeld oder Einziehung beim Jagdvergehen.[57] Eine weitere Ausnahme war der Verfall des Empfangenen bei Bestechungsdelikten nach § 335 RStGB. Im Gegensatz zur Einziehung gemäß § 40 RStGB erstreckte sich die Verfallserklärung auf den Wert (den Wertersatz) des Erlangten und war obligatorisch.[58] Aus der Grundregel des § 40 RStGB lässt

---

[48] Ebenda, § 28 Anm. 1.

[49] Ebenda, § 28 Anm. 19 f.

[50] Ebenda, § 40 Anm. 5.

[51] Ebenda, § 40 Anm. 5.

[52] Die Tat musste dabei zumindest versucht worden sein; siehe *Oppenhoff*, Strafgesetzbuch für das Deutsche Reich, § 40 Anm. 11.

[53] Vgl. *Oppenhoff*, Strafgesetzbuch für das Deutsche Reich, § 40 Anm. 7; *Rüdorff/Stenglein*, Strafgesetzbuch für das Deutsche Reich, § 40 Anm. 1 f.

[54] Vgl. *Eser*, Sanktionen gegen das Eigentum, S. 24; *Rüdorff*, Strafgesetzbuch für das Deutsche Reich, § 40 Anm. 1. Der Lohn, durch den jemand einen anderen zur Begehung einer Straftat angestiftet hat, konnte eventuell als Tatwerkzeug eingezogen werden; vgl. *Oppenhoff*, Strafgesetzbuch für das Deutsche Reich, § 40 Anm. 9.

[55] Vgl. *Oppenhoff*, Strafgesetzbuch für das Deutsche Reich, § 40 Anm. 14; *Rüdorff*, Strafgesetzbuch für das Deutsche Reich, § 40 Anm. 4.

[56] *Sotiriadis*, Gewinnabschöpfung und Geldwäsche, S. 62 f.; siehe auch Kommentierung zu der polizeilichen Sicherungseinziehung nach dem PStGB. Bereits dort wurde der Standpunkt vertreten, die polizeiliche Einziehung sollte eingeschränkt werden. *Goltdammer*, Materialien zum Straf-Gesetzbuche, S. 196.

[57] Vgl. §§ 152, 292 RStGB. Sonderregelung der Einziehung bei Übertretungen: § 360 Abs. 2, § 367 Abs. 2, § 369 Abs. 2 RStGB.

[58] *Rüdorff*, Strafgesetzbuch für das Deutsche Reich, § 253 Anm. 1 ff.

sich zwar der Wille des Gesetzgebers zur Einschränkung der Einziehung ableiten, aber die Schaffung von Ausnahmen im Besonderen Teil hat es ermöglicht, Einziehungen auszuweiten.[59]

Die Unbrauchbarmachung von Schrifterzeugnissen gemäß § 41 RStGB war eine im Vergleich zur Einziehung verschärfte Regelung. Einerseits, weil sie nicht im richterlichen Ermessen stand, andererseits, weil sie sich auch gegen Dritte richten konnte.[60] Unbrauchbarmachung war auch eine Nebenstrafe mit einem überwiegend präventiven Charakter.[61] Die Regelung war eine „mildere Version" der Vernichtung verbotener Schriften und Abbildungen, die bereits das PreußStGB von 1851 kannte. Auch der Personenkreis, gegen den sich die Sanktion richten konnte, wurde im RStGB eingeschränkt.[62] Wie bei der Einziehung war für die Anordnung der Unbrauchbarmachung eine strafrechtliche Verurteilung die Voraussetzung.[63] An der Eindämmung der Unbrauchbarmachung im Vergleich zum PreußStGB ist auch die Zunahme der Bedeutung des Schutzes des Eigentums erkennbar. Unter dem Gesichtspunkt der Beweisführung stellte die Vorschrift geringere Anforderungen als § 40 RStGB: keine nachweislich strafbare Beziehung eines Täters zu der Schrift, auch kein Nachweis über die beabsichtigte Verwendung der Schrift.[64] Die Gegenstände mussten sich im Besitz eines bestimmten Personenkreises befinden, da der Besitz ein faktischer Zustand ist. Auch hier wurde im Vergleich zur Voraussetzung „dem Täter oder Teilnehmer gehören" die Beweislage erleichtert.

Die Regelung des § 42 RStGB kann als Vorläufer der heutigen *non-conviction-based confiscation* bezeichnet werden. Die Vorschrift ermöglichte die Anordnung der Einziehung von Vermögen oder der Unbrauchbarmachung von Schrifterzeugnissen, wenn eine bestimmte Person nicht verfolgt oder verurteilt werden konnte. § 42 war eine Ausdehnung des § 20 PreußStGB, der die Einziehung aus dem Nachlass nach dem Tode des Angeschuldigten selbst dann erlaubte, wenn zu seinen Lebzeiten noch kein Urteil ergangen war. Damit diese Vorschrift zur Anwendung kam, musste lediglich ein Täter, der bestraft werden konnte, existiert haben.[65] Nach § 42 RStGB war die Einziehung – außer im bereits erwähnten Todesfall – auch bei Abwesenheit des Angeschuldigten oder wenn der Tatverdächtige unbekannt war, nicht durchführbar. Die Einziehung nach § 42 RStGB diente der Vorbeugung wei-

---

[59] *Eser*, Sanktionen gegen das Eigentum, S. 26.

[60] Vgl. ebenda, S. 24; *Oppenhoff*, Strafgesetzbuch für das Deutsche Reich, § 41 Anm. 9; *Rüdorff*, Strafgesetzbuch für das Deutsche Reich, § 41 Anm. 3.

[61] Vgl. *Oppenhoff*, Strafgesetzbuch für das Deutsche Reich, § 41 Anm. 1; *Rüdorff*, Strafgesetzbuch für das Deutsche Reich, § 41 Anm. 1.

[62] § 41 RStGB spricht von Gegenständen, die im Besitz des Verfassers, Druckers, Herausgebers, Verlegers oder Buchhändlers sind.

[63] *Oppenhoff*, Strafgesetzbuch für das Deutsche Reich, § 41 Anm. 6.

[64] RGSt 22, 351, 352.

[65] Siehe *Oppenhoff*, Strafgesetzbuch für das Deutsche Reich, § 42 Anm. 5 ff.; *Rüdorff*, Strafgesetzbuch für das Deutsche Reich, § 42 Anm. 1.

terer Straftaten, sie wurde als eine polizeilich-präventive Maßregel bezeichnet.[66] Ihre Anordnung war fakultativ und lag im Ermessen der Staatsanwaltschaft.[67] Auch bezüglich der Unbrauchbarmachung von Schriften fand § 42 RStGB Anwendung, die Rechtswidrigkeit der Schrift war dafür ausreichend.[68]

4. Zeit bis zum Ersten Weltkrieg (1871–1914)

Bis Ende des 19. Jahrhunderts wurde das RStGB nur geringfügig geändert. Im Bereich der Vermögensabschöpfung hatte die Novelle vom 26. Februar 1876 eine spezielle Einziehungsvorschrift in den Besonderen Teil eingeführt.[69] So sollten von Ausländern, die unbefugt an deutschen Küstengewässern fischen, sowohl der Fang als auch die Fanggeräte eingezogen werden, unabhängig davon, wem sie gehörten (§ 296a RStGB). Dies war eine zusätzliche Ausnahme vom Dritteinziehungsverbot, sie wurde ohne weitere Begründung eingeführt.[70]

a) Diskussion über die rechtliche Natur der Einziehung

Die Rechtsnatur der Einziehung wurde in der damaligen Literatur kontrovers diskutiert.[71] Es wurden Argumente für die Einstufung der Einziehung als Strafe, als sichernde Maßnahme oder als ein Instrument mit zwiespältigem Charakter erhoben. Die Unbrauchbarmachung von Schriften wurde von den einen Rechtswissenschaftlern als eine präventive Maßregel, von den anderen als eine Nebenstrafe am Vermögen angesehen.[72] Dafür, dass diese Maßnahmen keine Nebenstrafen, sondern rein polizeiliche Präventivmaßregeln waren, sollte der betont präventive Zweck sprechen sowie die Tatsache, dass sie nicht den Täter, sondern einen Dritten treffen.[73] Gegen die Einstufung der Einziehung und Unbrauchbarmachung als Strafe sprach auch ihre Unvereinbarkeit mit den strafrechtlichen Grundsätzen: Zumessung der Strafe nach der Schuld des Täters und Verhältnismäßigkeit zur Schwere der

---

66 Vgl. *Oppenhoff*, Strafgesetzbuch für das Deutsche Reich, § 42 Anm. 1; *Rüdorff*, Strafgesetzbuch für das Deutsche Reich, § 42 Anm. 1.

67 *Rüdorff*, Strafgesetzbuch für das Deutsche Reich, § 42 Anm. 2.

68 *Oppenhoff*, Strafgesetzbuch für das Deutsche Reich, § 42 Anm. 8.

69 RGBl. I 1876, S. 25.

70 Ähnliches besagt eine Vorschrift in § 295 RStGB, gem. der das erlegte Wild nach wie vor nicht einziehbar sein sollte. Siehe *Eser*, Sanktionen gegen das Eigentum, S. 26.

71 Eine Übersicht über die vertretenen Standpunkte bei *Glücksmann*, Rechtskraft der strafprozessualen Entscheidung, S. 8 ff. Bzgl. der selbständigen Einziehung siehe *Rocholl*, Selbständige Einziehung des § 42 RStGB, S. 10 ff.

72 Der Streit über den Rechtscharakter ging auf die „Motive zum Strafgesetzbuch für den Norddeutschen Bund" und die Widersprüche zurück, die sich dort aus der Begründung des Gesetzes ergeben haben. Dazu siehe *Arnold*, Verfall, Einziehung und Unbrauchbarmachung, S. 47 f., 55.

73 *von Liszt*, Lehrbuch des Deutschen Strafrechts, S. 232.

Tat.[74] Es wurde auch der Standpunkt vertreten, Einziehung sei eine (Neben-)Strafe, Unbrauchbarmachung hingegen eine Präventivmaßregel oder – falls selbständig verhängt – eine Polizeimaßregel.[75] Nach einer anderen Ansicht waren beide Maßnahmen Nebenstrafen, wenn sie zusätzlich zu anderen Strafen verhängt wurden. Nach § 42 RStGB angeordnet, verloren sie jedoch ihren Strafcharakter und wurden zu Präventivmaßregeln.[76] Die Rechtsnatur der Einziehung wurde auch an der Person des Betroffenen festgemacht: gegen Schuldige wurde sie als Strafe, gegen Unschuldige als Polizeimaßregel gewertet. Polizeimaßregeln waren auch die gemäß § 42 angewendeten Maßnahmen, obwohl sie Folgen strafbarer Handlungen waren.[77]

Zu der Rechtsnatur beider Vermögensabschöpfungsmaßnahmen äußerte sich auch das Reichsgericht. Die Einziehung nach § 40 RStGB wurde in der Rechtsprechung als eine Strafe eingestuft, da es sich hier um eine „nachteilige Folge einer Straftat, welche als ein selbstverschuldetes Übel empfunden werden soll", handelte.[78] Der präventive Zweck, den die Maßnahme zu erfüllen hatte, nämlich die Verhinderung weiterer Straftaten, sprach ebenso für ihren Strafcharakter. Das Gleiche galt für die Einziehung nach den Vorschriften des Besonderen Teils des RStGB. Die Strafnatur der Einziehung war weniger ersichtlich, wenn auch Gegenstände Dritter, selbst Unbeteiligter, eingezogen werden konnten. Sie war jedoch nicht völlig zu verneinen.[79] Auch die Auslegung der Sanktion als Zahlung des Geldäquivalentes, beispielsweise bei Bestechungsdelikten gemäß § 335 RStGB, widersprach nicht dem präventiven Zweck der Strafe (nämlich der Begehung weiterer Straftaten vorzubeugen).[80]

An das hier abgelehnte Unterscheidungskriterium zwischen Nebenstrafe und polizeilicher Präventivmaßregel – das Kriterium des Eigentums an den Vermögensgegenständen – knüpfte aber das Reichsgericht in einer späteren Entscheidung an: Einziehung sei eine Strafe, weil die Gegenstände dem Täter oder Teilnehmer gehören müssten.[81] Des Weiteren komme es, so das Reichsgericht, nicht darauf an, wie der Betroffene die Sanktion im Einzelfall empfinde. Für die Frage nach der Rechtsnatur war es also unbedeutend, ob die Einziehung als Strafe empfunden wurde, und trotzdem konnte die Unbrauchbarmachung als Strafe wahrgenommen

---

74 Siehe *Köbner*, Die Massregel der Einziehung, S. 4 ff. m.w.N.

75 Siehe *Olshausen*, Kommentar zum Strafgesetzbuch, § 42 Anm. 2, § 41 Anm. 1.

76 Siehe *Oppenhoff*, Strafgesetzbuch für das Deutsche Reich, § 40 Anm. 1, § 41 Anm. 1, § 42 Anm. 1.

77 *Binding*, Handbuch des Strafrechts, S. 496 f.

78 RGSt 7, 311, 312. Die Argumentation für den Strafcharakter der Einziehung zusammengefasst auch bei *Glücksmann*, Rechtskraft der strafprozessualen Entscheidung, S. 8 ff.; *Tolkiemit*, Die Einziehung nach § 40 des Reichsstrafgesetzbuches, S. 5 ff.

79 RGSt 7, 311, 312.

80 RGSt 7, 311, 312 f.

81 RGSt 14, 161, 162.

werden. Der „maßgebende Gesichtspunkt der Verhängung“[82] war im Einzelfall zu entscheiden.

Die Einziehung von Falschgeld gemäß § 152 RStGB war nach Ansicht des Reichsgerichts eine polizeiliche Präventivmaßregel.[83] Die Sanktion war bei Herstellung von Falschgeld schließlich auch dann obligatorisch, wenn weder die Verurteilung noch die Verfolgung des Täters erfolgte. Sie war nicht an eine strafbare Handlung geknüpft; eine Prüfung des Vorsatzes war nicht notwendig.[84] Die Einziehung stellte in diesem Fall auch kein Strafübel dar, u.a. weil das eingezogene Geld keinen objektiven Wert hatte.

In Bezug auf § 41 RStGB hat das Reichsgericht gegen den Strafcharakter und für die Einstufung als polizeiliche Maßregel damit argumentiert, dass die Unbrauchbarmachung von Schriftzeugnissen auch gegen Unbeteiligte ausgesprochen werden könne. Dadurch verliere die Unbrauchbarmachung „vollständig den Charakter eines Strafübels“.[85] In der Literatur wurde diese Meinung teils mit der Begründung abgelehnt, dass nur eine Person strafbar sein könne, weswegen man vom strafbaren Inhalt einer Schrift nur dann reden könne, wenn sich jemand durch die Schrift „einer strafbaren Handlung schuldig gemacht“ habe.[86] Einer anderen Ansicht nach sollte aus der präventiven Zielsetzung der Einziehung, als Maßnahme gegen eine Sache und nicht gegen eine Person, ihr Charakter als Präventivmaßregel abgeleitet werden: Es gehe bei dieser Maßnahme nicht um Vernichtung einer rechtsgefährdenden Situation und das zugefügte Übel sei „kein gewollter Zweck, sondern nur eine sekundäre Folge“.[87]

b) Reformentwürfe des RStGB

Mit der Gründung eines wissenschaftlichen Komitees im Jahr 1902 fingen die Arbeiten an der Reform des Strafgesetzbuches an. Das Komitee hatte die Aufgabe, eine rechtsvergleichende Darstellung auszuarbeiten, die als Arbeitsgrundlage für die Reform dienen sollte.[88] In der „Vergleichenden Darstellung“ forderte *Goldschmidt*, die Unbrauchbarmachung als polizeiliche Maßnahme aus dem Straf-

---

82 RGSt 14, 161, 162 f.

83 RGSt 14, 161, 163 f. Falschgeld wird darin als gemeingefährlich (S. 162) bezeichnet. Ähnlich bei der Entscheidung über die Rechtsnatur der Einziehung von „schlecht konstruierten Feuerwaffen“. Diese Maßnahme gem. § 9 des Gesetzes v. 19.05.1891 (RGBl. S. 109) ist „auf Schutz des Publikums“ gerichtet. Da es sich hier nicht um eine Strafe handelt, greift der Grundsatz *ne bis in idem* nicht. Siehe RGSt 27, 352, 355.

84 RGSt 14, 161,163 f.

85 RGSt 17, 311, 312.

86 *Glücksmann*, Rechtskraft der strafprozessualen Entscheidung, S. 11.

87 *Rocholl*, Selbständige Einziehung des § 42 RStGB, S. 12.

88 Ausführlich dazu *Arnold*, Verfall, Einziehung und Unbrauchbarmachung, S. 56 f. m.w.N.

gesetzbuch in das Presserecht auszugliedern. Dafür sprachen nicht nur dogmatische Argumente, sondern auch die Praxis. Als Voraussetzung für die Unbrauchbarmachung genügte der objektive Tatbestand einer strafbaren Handlung. Dies lag daran, dass § 41 RStGB ein Pressedelikt voraussetzte.[89]

Das Wesen und der Zweck der Einziehung war dagegen die Rechtsverwirkung, als Präventivmaßregel war sie keine Strafe.[90] Rechtsverwirkung bedeutete, die Rechtsordnung konnte nicht zulassen, dass dem Täter die Tatwerkzeuge und die aus der Tat hervorgebrachten Gegenstände überlassen werden. Eine Präventivmaßregel war Einziehung dann, wenn sie wegen Gefährlichkeit der Gegenstände angeordnet wurde.[91] Aus dem dualen Charakter der Einziehung ergab sich, nach *Goldschmidts* Ansicht, der Bedarf, beide Arten der Einziehung, nämlich der Tatwerkzeuge und Tatprodukte, separat zu regeln.[92]

Obwohl die gesetzgeberischen Reformarbeiten gleich nach der Veröffentlichung der „Vergleichenden Darstellung“ angefangen hatten,[93] wurden sie jedoch wegen des Ausbruchs des Ersten Weltkrieges eingestellt. Drei Entwürfe für das Strafgesetzbuch sind dennoch in dieser Zeit entstanden. Der erste war der Vorentwurf zu einem deutschen Strafgesetzbuch von 1909.[94] Entgegen dem Vorschlag *Goldschmidts* wurden in dem Vorentwurf nicht zwei gesonderte Einziehungsvorschriften eingeführt. Die Einziehung wurde dahingehend konkretisiert, dass sie auf Gegenstände anwendbar sei, die dem Täter oder Teilnehmer zum Zeitpunkt der Tatbegehung gehörten.[95] Die Anwendung der allgemeinen Regeln der Einziehung auf die Sonderbestimmungen des Besonderen Teils des RStGB wurde auch in den Gesetzestext aufgenommen. Der Einziehungsumfang wurde um die durch die Tat[96] erlangten Gegenstände erweitert. Die Regelung der Unbrauchbarmachung wurde nicht aus dem Strafgesetzbuch entfernt. Die selbständige Anordnung der Einziehung sollte gemäß § 56 des Vorentwurfs unabhängig von der Art des (tatsächlichen oder rechtlichen) Hinderungsgrundes und auch auf Übertretungen Anwendung finden. Im Jahre 1911 entstand ein Gegenentwurf zum Vorentwurf des deutschen Strafgesetzbuches.[97] Dieser Gegenentwurf unterschied zwischen zwei Arten der

---

[89] Siehe *Goldschmidt*, in: Heimberger/Goldschmidt (Hrsg.), Vergleichende Darstellung, S. 443 ff.

[90] Ebenda, S. 445 f.

[91] Siehe ebenda, S. 446.

[92] Ebenda, S. 445.

[93] Ausführlich zu den Reformarbeiten siehe *Arnold*, Verfall, Einziehung und Unbrauchbarmachung, S. 60 ff.

[94] Abgedruckt in *Vormbaum/Rentrop*, Reform des Strafgesetzbuchs, S. 1 ff.

[95] Dies war in § 40 RStGB nicht klar und die Praxis hat sich für den Zeitpunkt des Urteils entschieden. Siehe *Arnold*, Verfall, Einziehung und Unbrauchbarmachung, S. 61.

[96] In § 40 RStGB: Gegenstände, die „durch ein vorsätzliches Verbrechen oder Vergehen hervorgebracht“ waren – also Tatprodukte, nicht Gewinne aus der Tat, konnten eingezogen werden.

[97] *Arnold*, Verfall, Einziehung und Unbrauchbarmachung, S. 65.

Einziehung von Tatprodukten: solche mit dem Zweck der Rechtsverwirkung und solche zur präventiven Sicherung. Die letzte Form der Einziehung sollte stets obligatorisch sein, auch gegen Dritte. Im Jahre 1913, vor dem Ausbruch des Krieges, wurde durch eine auf Anraten des Reichskanzlers berufene Kommission ein dritter Strafgesetzentwurf erarbeitet.[98] Die Einziehung wurde dort um fahrlässige Handlungen erweitert, jedoch nur, soweit das Gesetz es ausdrücklich vorsah. Die selbständige Einziehung war sowohl bei rechtlichen als auch bei tatsächlichen Hindernissen möglich.

5. Reformentwürfe zur Zeit der Weimarer Republik

Nach dem Ende des Ersten Weltkrieges wurden die Reformarbeiten von 1913 fortgesetzt. Die reformierte Einziehung sollte, wenn das Gesetz dies ausdrücklich vorsah, auch Gegenstände Dritter umfassen. Da es im Besonderen Teil des RStGB eine derartige Regelung bereits vor der Reform gab, sollten durch die Gesetzesänderung die Regelung des Besonderen und des Allgemeinen Teils aufeinander abgestimmt werden. Darüber hinaus sollte der Anwendungsbereich der selbständigen Einziehung erweitert werden. Die Unklarheiten bezüglich der Rechtsnatur der Einziehung wurden nicht beseitigt.[99]

In dem 1922 entstandenen Gesetzentwurf (auch *Radbruch*'scher Entwurf genannt) war Einziehung im Kapitel „Maßregeln der Besserung und Sicherung" geregelt. Gänzlich verworfen wurden die Nebenstrafen. Die sichernden Maßnahmen unterschieden sich von Strafen dadurch, dass ihre Anordnung nicht von der Begehung einer Straftat abhing. Sie dienten dem Zweck, die öffentliche Sicherheit zu schützen.[100] In dem 1924 durch das Justizministerium angenommenen amtlichen Entwurf wurde argumentiert, bei Einziehung und Unbrauchbarmachung handele es sich um sichernde Maßnahmen gegen gefährliche Sachen, nicht gegen Personen. Einziehung sollte nur zulässig sein, wenn die Gegenstände an sich oder in den Händen des Täters eine Gefahr für die öffentliche Sicherheit darstellten.[101] Veröffentlicht wurde der Gesetzentwurf im Jahre 1925. Die Einstufung der Einziehung als sichernde Maßnahme führte zu Kontroversen. Gegen diese Lösung wurde argumentiert, dass sich der Gesetzgeber vom Strafcharakter der Einziehung nicht genug distanziere, weil die Einziehung gegen unbeteiligte Dritte nur in gesetzlich ausdrücklich vorgesehenen Fällen angeordnet werden konnte.[102] Der Gefährlichkeit der Gegenstände als Einziehungskriterium wurde entgegengesetzt, ein Gegenstand

---

[98] Näheres siehe *Arnold*, Verfall, Einziehung und Unbrauchbarmachung, S. 68 ff.

[99] *Arnold*, Verfall, Einziehung und Unbrauchbarmachung, S. 81 ff.

[100] Ebenda, S. 84 m.w.N.

[101] *Schubert/Regge*, Quellen zur Reform des Straf- und Strafprozeßrechts, Bd. 1, S. 287.

[102] Zu der Diskussion siehe *Arnold*, Verfall, Einziehung und Unbrauchbarmachung, S. 89 f.; *Lang*, Einziehung nach § 40 des Reichsstrafgesetzbuches, S. 42.

an sich sei nicht gefährlich. In einer konkreten Situation, durch einen bestimmten Gebrauch könne er erst gefährlich werden. Eine Gefahr gehe also von der Person des Verbrechers aus.[103] Ein weiteres Argument für den Strafcharakter der Einziehung wurde auch aus den Vorschriften des Besonderen Teils abgeleitet. Diese legten fest, von der Einziehung abzusehen, wenn der Dritteigentümer unverschuldet die deliktische Verwendung der Sache nicht verhinderte.[104] Die Einziehung sei, so die Begründung, schließlich eine Nebenstrafe am Vermögen, da der Eigentümer keine Entschädigung für den Verlust der Sache erhalte.[105]

Als der Entwurf 1926 im Reichsrat beraten wurde, wurden Einziehung und Unbrauchbarmachung wieder unter der Überschrift „Nebenstrafen und Nebenfolgen" aufgenommen. Der Anwendungsbereich der Einziehung wurde dabei auf „sonstige Vermögenswerte" erweitert. Diese Änderungen wurden nicht begründet.[106] In dem neu gefassten Entwurf von 1927 wurde auch die Regelung über die Einziehung des Wertersatzes eingeführt.[107] Die Rechtsnatur der Einziehung wurde erneut unterschiedlich gegen den Täter – als Nebenstrafe – und gegen Dritte – als Maßnahme mit Strafzweck, aber ohne Strafcharakter – bezeichnet.[108] Diskutiert wurde dabei, wann und unter welchen Voraussetzungen eine Dritteinziehung zulässig sein sollte.[109] Dies war auch der Fall bei den Beratungen über den neuen Entwurf von 1930 (Entwurf *Kahl*). Für die Dritteinziehung wurden wirtschaftliche Argumente aus dem Bereich des Zollschutzes eingebracht, wobei es um die Einziehung von Schmuggelware, die selten dem Täter selbst gehört, ging. Da die Hintermänner, die vom Schmuggel profitieren, meist ausgesprochen schwer strafrechtlich zu belangen sind, sollte die Dritteinziehung hier als gerechtes Mittel eingesetzt werden, um Beweisschwierigkeiten auszugleichen.[110]

---

103 *Lang*, Einziehung nach § 40 des Reichsstrafgesetzbuches, S. 46.

104 Ebenda, S. 42.

105 *Arnold*, Verfall, Einziehung und Unbrauchbarmachung, S. 90 m.w.N.

106 Ebenda, S. 91. Ebenso auch der Entwurf von 1927; zum Verlauf der Reformarbeiten *Arnold*, Verfall, Einziehung und Unbrauchbarmachung, S. 94 ff. Im Rahmen der Beratungen über die Reform wurde mehrmals der Antrag gestellt, diese Erweiterung wegen Missbrauchsgefahr zu streichen. Siehe *Arnold*, Verfall, Einziehung und Unbrauchbarmachung, S. 97 ff.

107 *Arnold*, Verfall, Einziehung und Unbrauchbarmachung, S. 101; *Schubert/Regge*, Quellen zur Reform des Straf- und Strafprozessrechts, Bd. 3 Teil 4, S. 217.

108 *Arnold*, Verfall, Einziehung und Unbrauchbarmachung, S. 96.

109 Ebenda, S. 100 f.

110 Mit einem Beispiel der Beweisschwierigkeiten bzgl. der Hintermänner beim Uhrenschmuggel siehe *Arnold*, Verfall, Einziehung und Unbrauchbarmachung, S. 106; *Schubert/Regge*, Quellen zur Reform des Straf- und Strafprozessrechts, Bd. 3 Teil 4, Drucksache Nr. 58. Zum Schutz der Wirtschaft durch die Gewinnabschöpfungsvorschriften im Nebenstrafrecht und zur Diskussion über die Rechtsnatur dieser Vorschriften siehe *Sotiriadis*, Gewinnabschöpfung und Geldwäsche, S. 65 f.

Eine Reform der Geldstrafe, die den Akzent auf Spezialprävention legte, wurde 1923 eingeführt.[111] Das Gericht sollte bei der Bestimmung der Höhe der Geldstrafe die wirtschaftlichen Verhältnisse des Täters berücksichtigen, daneben aber auch das Entgelt, das er für die Tat erhalten hatte. Die Geldstrafe durfte auch das gesetzliche Höchstmaß übersteigen und somit als ein Instrument zur Vermögensabschöpfung dienen.[112]

Eine umfassende Reform des Strafrechts wurde in der Weimarer Republik jedoch nicht durchgeführt. Die Reformarbeiten stagnierten; nach dem Tod *Kahls*, der sie für den letzten Entwurf geleitet hatte, kam das Gesetzesvorhaben zum Erliegen.[113] Die einzige durchgeführte „Reform" der Einziehung war die Notverordnung von 1931, die in den Besonderen Teil des RStGB die Einziehung von Gegenständen unterschiedslos als Strafe für die Begehung von Hochverrat einführte.[114]

6. Zeit des Nationalsozialismus

Nachdem die Nationalsozialisten die Macht erlangt hatten, wandelte sich das Strafrecht von liberal zu autoritär. Das deutsche Volk, die „volkstumsbewusste Volksgemeinschaft", wurde als oberstes Rechtsgut deklariert und sein Schutz zur primären Aufgabe des Strafrechts. Deshalb unterschied das nationalsozialistische Strafrecht nach Volks- und Rassenzugehörigkeit des Täters.[115] Auch Vermögenssanktionen wurden als Mittel zur Erreichung dieses Zwecks eingesetzt. Diese Veränderungen zeichneten sich bereits in der programmatischen Schrift des preußischen Justizministeriums von 1933 ab, die die Einziehung des gesamten Vermögens oder von Vermögensteilen als Nebenstrafe vorsah.[116] Bis zum Ende des Nationalsozialismus gab es jedoch keine umfassende Regelung der Vermögenseinziehung, diese wurde in höchst unterschiedlichen Gesetzen und Verordnungen geregelt.[117] Die Fragen nach der Bestimmung des einzuziehenden Vermögens, nach der Berücksichtigung von Drittbelangen, der Durchführung der Einziehung und viele andere fanden in der Rechtswissenschaft und -praxis so gut wie keine Beachtung.[118] Im Vorder-

---

[111] RGBl. I 1923, S. 254 ff.

[112] *Sotiriadis*, Gewinnabschöpfung und Geldwäsche, S. 68.

[113] *Arnold*, Verfall, Einziehung und Unbrauchbarmachung, S. 108.

[114] RGBl. I 1931, S. 566.

[115] *Arnold*, Verfall, Einziehung und Unbrauchbarmachung, S. 112; *Schnieders*, Geschichte der Vermögensstrafe, S. 480; *Kerrl*, Nationalsozialistisches Strafrecht, S. 6 ff. Ausführlich zum nationalsozialistischen Strafrecht siehe *Vormbaum*, Einführung in die moderne Strafrechtsgeschichte, S. 184 ff.

[116] U.a. für Hochverrat und Angriffe auf Leib und Leben der Staatsorgane. Siehe *Schnieders*, Geschichte der Vermögensstrafe, S. 481. Zur Begründung der Vermögenseinziehung im nationalsozialistischen Strafrecht siehe *Kerrl*, Nationalsozialistisches Strafrecht, S. 142.

[117] *Schnieders*, Geschichte der Vermögensstrafe, S. 482 ff.

[118] Ebenda, S. 491 ff.

grund stand die Abschreckungswirkung der Vermögensabschöpfung, die erhöht werden sollte, um bestimmten Personen, die als Gefahr angesehen wurden, die wirtschaftliche Grundlage zu entziehen und sie dadurch zu bekämpfen.[119]

Eine große Rolle spielte die Vermögenseinziehung auf dem Verwaltungswege. Güterkonfiskationen auf dem Verwaltungswege richteten sich gegen „Staats- und Volksfeinde“. Weder eine strafbare Handlung noch ein Gerichtsurteil war hierfür nötig.[120] Darüber hinaus wurden die Möglichkeiten für die Anwendung der Vermögenseinziehung auf dem Verwaltungswege in der Praxis durch eine extensive Interpretation noch erweitert.[121] Als Beispiele für den präventiven Einsatz der Vermögenseinziehung sind das „Gesetz über die Einziehung kommunistischen Vermögens“ vom 26. Mai 1933[122] und das „Gesetz über die Einziehung volks- und staatsfeindlichen Vermögens“ vom 14. Juli 1933[123] zu nennen. Der Grund für die verhältnismäßig seltene Anwendung der Vermögensstrafe wurde gerade darin gesehen, dass die politischen Ziele der nationalsozialistischen Machthaber hauptsächlich mit Instrumenten aus dem Verwaltungsrecht verfolgt wurden.[124]

B. Entwicklung ab Mitte des 20. Jahrhunderts

1. Reformen des Strafrechts nach dem Zweiten Weltkrieg

Nach dem Ende des Zweiten Weltkrieges hoben die Besatzungsmächte diejenigen Bestimmungen des Strafgesetzbuchs auf, die bis 1945 die Funktion hatten, das nationalsozialistische Regime zu sichern und den Krieg zu führen. Die Vorschriften über die Vermögenseinziehung waren davon jedoch nicht betroffen. Diese wurden vielmehr gegen ehemalige Nationalsozialisten eingesetzt.[125]

Die Neuorientierung des Strafrechts gab das Grundgesetz für die Bundesrepublik Deutschland vom 23. Mai 1949 vor.[126] Zu Beginn der fünfziger Jahre begannen die Arbeiten an der Strafrechtsreform. Das 1. StÄG vom 30. August 1951[127] führte die Vermögenseinziehung für den Bereich der Staatsschutzdelikte ein. Dies galt sowohl für das Tatentgelt, die Tatwerkzeuge und Tatprodukte als auch für die Sur-

---

119 Ebenda, S. 516 ff.; *Werle*, Justiz-Strafrecht und polizeiliche Verbrechensbekämpfung, S. 681 ff.

120 *Schnieders*, Geschichte der Vermögensstrafe, S. 512.

121 Ebenda, S. 513.

122 RGBl. I 1933, S. 293.

123 Ebenda, S. 479 f.

124 *Schnieders*, Geschichte der Vermögensstrafe, S. 512.

125 Vgl. *Arnold*, Verfall, Einziehung und Unbrauchbarmachung, S. 142; *Schnieders*, Geschichte der Vermögensstrafe, S. 520.

126 *Eser*, Sanktionen gegen das Eigentum, S. 29.

127 BGBl. I 1951, S. 739.

rogate der beiden Letztgenannten. Die Einziehung wurde nach Ermessen des Richters verhängt. Als Ausgleich für die Dritteinziehung wurde die Entschädigung aus der Staatskasse eingeführt.[128] Diese Neuerungen sowie auch zwei weitere waren jedoch keine Reformen des gesamten Strafrechts. Sie sollten nur die aus der Zeit des Nationalsozialismus stammenden Bestimmungen modifizieren oder abschaffen.

Eine Gesamtreform begann 1954 mit der Bildung der Großen Strafrechtskommission beim Justizminister.[129] Zur Vorbereitung der Reform beschäftigte sich die Kommission zuerst mit den Grundsatzfragen, u.a. auch mit den Fragen nach der Gestaltung der Geldstrafe und dem Umgang mit dem vom Täter erzielten Gewinn.[130] Neben dem Vorschlag, die Geldstrafe in Tagesbußen (Tagessätzen) zu verhängen, wurde die künftige Art und Weise der Gewinnabschöpfung diskutiert. Diese sollte entweder durch die Geldstrafe – durch eine Überschreitung des Höchstmaßes der Tagessätze – oder durch Einziehung oder Verfallserklärung erfolgen.[131] Der angestrebte Gewinn sollte bei der Festsetzung der Tagessätze strafschärfend berücksichtigt werden. Für diese Lösung sprach sich die Kommission aus.[132]

Bei den Reformarbeiten der Kommission stelte sich die Frage nach der Rechtsnatur der Vermögensabschöpfung erneut. Diese galt als ein sowohl repressiv wie präventiv einzusetzendes Instrument: Gegen den Täter oder Teilnehmer einer Straftat verhängt, war sie eine Nebenstrafe, ohne Rücksicht auf das Eigentum angeordnet jedoch eine Maßregel.[133] Wegen dieser Differenz wurde zwischen Verfall als Nebenstrafe und Einziehung als Maßregel unterschieden.[134] Im Vergleich zu § 40 RStGB war der Verfall ein weitergehendes Instrument und sollte auch Gegenstände, die zur Vorbereitung der Tat gebraucht wurden oder bestimmt waren, umfassen. Darüber hinaus sollten außer Sachen auch Rechte dem Verfall unterliegen.[135] Die Einziehung mit ihrem präventiven Charakter diente dem Schutz der Allgemeinheit oder der Vorbeugung weiterer rechtswidriger Taten.[136] Für ihre Anordnung war das Vorliegen einer rechtswidrigen Tat ausreichend. Die Einziehung sollte eine obligatorische Maßnahme, ohne Rücksicht auf das Eigentum, sein.[137] Der Unterschied

---

128 Siehe *Arnold*, Verfall, Einziehung und Unbrauchbarmachung, S. 143; *Eser*, Sanktionen gegen das Eigentum, S. 29.

129 *Arnold*, Verfall, Einziehung und Unbrauchbarmachung, S. 144 f.

130 Große Strafrechtskommission, Niederschriften 1956, S. 172 ff.

131 Ebenda, S. 175.

132 Ebenda, S. 385.

133 *Arnold*, Verfall, Einziehung und Unbrauchbarmachung, S. 150 m.w.N.

134 Große Strafrechtskommission, Niederschriften 1958, Anhang Nr. 31, Umdruck J 24, S. 403.

135 Ebenda, S. 403 ff.

136 Vgl. Große Strafrechtskommission, Niederschriften 1958, Anhang Nr. 31, Umdruck J 24, § d. Eine „an sich" bestehende Gefährlichkeit der Gegenstände sollte kein Grund für die Einziehung sein.

137 Ebenda, S. 403 ff.

zwischen der Einziehung (bzw. Unbrauchbarmachung von Schriften und Abbildungen) als Maßregel und dem Verfall als Nebenstrafe kam auch darin zum Ausdruck, dass eine selbständige Anordnung des Verfalls gar nicht möglich war.[138]

a) Entwürfe von 1960 und 1962

Das Ergebnis der Kommissionsarbeiten war der 1960 in den Bundestag eingebrachte Entwurf eines Strafgesetzbuches.[139] Er enthielt eine Novellierung der Geldstrafe, die jetzt nach dem Tagessatzsystem zu verhängen war.[140] Die Bemessungsgrundlage war dabei das Nettoeinkommen des Verurteilten. Folglich konnte das Vermögen mittels Geldstrafe nur eingeschränkt abgeschöpft werden. Auf die Höhe der Geldstrafe konnte zwar das Gewinnstreben des Täters Einfluss haben, aber nicht das tatsächlich illegal erlangte Vermögen. Diese Lösung hielt die Kommission unter Berücksichtigung der kriminalpolitischen Gegebenheiten für gerecht.[141] Die dadurch entstandene Regelungslücke sollte mit der Einführung des „Verfalls" in das StGB geschlossen werden. Der Verfall (§ 109 StGB), der für alle Straftaten verhängt werden konnte, war eine Ergänzung des Tagessatzsystems.[142] Ihm unterlagen sowohl die Gewinne als auch die Entgelte für eine Straftat. Wegen des obligatorischen Charakters des Verfalls wurde eine Härtefallvorschrift in den Entwurf aufgenommen, um zu vermeiden, dass die Sanktion zu unbilligen Entscheidungen führt. Auch die zivilrechtlichen Ansprüche des Tatgeschädigten waren bei der Verfallsanordnung zu berücksichtigen. Abschöpfungsvoraussetzung war eine schuldhaft begangene Tat. Der Verfall konnte aber auch gegen Dritte angeordnet werden. Im Fall der Unmöglichkeit der Abschöpfung sah der Gesetzentwurf den Verfall des Wertersatzes vor. In der Ausdehnung des Verfalls auf Ersatzgegenstände zeichnet sich sein präventiver Zweck ab.[143]

Die Frage nach der Rechtsnatur des Verfalls wurde in der Entwurfsbegründung thematisiert, entschieden wurde sie jedoch nicht.[144] Dafür, dass der Verfall zwar eine der Strafe ähnliche Maßnahme, jedoch keine echte Nebenstrafe war, spricht die Möglichkeit selbständiger, also schuldunabhängiger Anordnung.[145] Die Einziehung des Eigentums von Dritten (§ 113 ff.) wurde in dem Entwurf eingeschränkt, um so der Eigentumsgarantie des Art. 14 GG gerecht zu werden.

---

138 Ebenda, S. 403.

139 Zum Entwurf 1960 siehe *Arnold*, Verfall, Einziehung und Unbrauchbarmachung, S. 195 ff.; *Sotiriadis*, Gewinnabschöpfung und Geldwäsche, S. 70 ff.

140 Zum Tagessatzsystem siehe *Albrecht*, Strafzumessung und Vollstreckung bei Geldstrafen, S. 195 ff.

141 BR-Drs. 270/60, S. 228 f.

142 *Sotiriadis*, Gewinnabschöpfung und Geldwäsche, S. 71.

143 Ebenda, S. 73.

144 BR-Drs. 270/60, S. 288 ff.

145 Siehe *Sotiriadis*, Gewinnabschöpfung und Geldwäsche, S. 72 f.

Grundsätzlich sollte sie gegenüber einem gutgläubigen Dritten nicht mehr angeordnet werden.[146] Darüber hinaus enthielt der Entwurf ein umfassendes Entschädigungskonzept. Als entschädigungsberechtigt wurden sowohl der Dritteigentümer als auch derjenige, dem beschränkte dingliche Rechte am Einziehungsobjekt zustanden, anerkannt. Die Entschädigung war bei einem quasi-schuldhaften Verhalten allerdings ausgeschlossen.[147]

Der Entwurf wurde wegen des Grundsatzes der parlamentarischen Diskontinuität nicht zu geltendem Recht. Sein Nachfolger, der Entwurf von 1962, wurde gleichfalls nie Gesetz, weil das Ausmaß seiner Reformvorschläge vielfach Kritik auslöste.[148]

In dem Entwurf von 1962 wurde der Umfang des Drittverfalls erheblich erweitert, indem der Drittverfall nun nicht nur das Vertretungsverhältnis, sondern jede Form des Handelns für einen anderen umfasste. Dem Dritten musste dadurch ein Vermögenszuwachs entstehen. Des Weiteren wurde die Reichweite des Verfalls in Bezug auf seinen Gegenstand um die Früchte und Erträge einer Sache oder eines Rechts erweitert.[149] Darüber hinaus ermöglichte eine Sonderregelung den Verfall der ersparten Zinsen, also Zinsen, die der Täter hätte aufwenden müssen, um an die von ihm verwendete Geldsumme in rechtmäßiger Weise zu kommen. Von dieser Vorschrift erhofften sich die Autoren des Gesetzentwurfs eine generalpräventive Wirkung, vor allem um Steuerehrlichkeit zu fördern.[150] Eine Neuregelung war auch die Anknüpfung des Verfalls an einen hypothetischen Zusammenhang zwischen der Straftat und dem erlangten Vermögensvorteil. Hier ist die Tendenz erkennbar, die Vermögensabschöpfungsvorschriften derart auszuweiten, dass dem Täter oder einem Dritten keine auf kriminelle Weise erworbenen Erträge belassen werden.[151] Die Erweiterung des Verfalls richtete sich gegen gewinnorientierte Kriminalität.

b) Alternativ-Entwurf

Neben dem Entwurf von 1962 wurde in den parlamentarischen Beratungen des Sonderausschusses für die Strafrechtsreform auch der von einer Gruppe bedeutender Strafrechtswissenschaftler erarbeitete Alternativ-Entwurf (AE) berücksich-

---

146 *Arnold*, Verfall, Einziehung und Unbrauchbarmachung, S. 199.

147 Ebenda, S. 201. Dies könnte ein Argument gegen den Strafcharakter der Einziehung sein. Vgl. *Rocholl*, Selbständige Einziehung des § 42 RStGB, S. 12; *Goldschmidt*, in: Heimberger/Goldschmidt (Hrsg.), Vergleichende Darstellung, S. 446.

148 *Sotiriadis*, Gewinnabschöpfung und Geldwäsche, S. 74.

149 Vgl. *Arnold*, Verfall, Einziehung und Unbrauchbarmachung, S. 202 f.; *Sotiriadis*, Gewinnabschöpfung und Geldwäsche, S. 75.

150 BR-Drs. 200/62, S. 243.

151 *Sotiriadis*, Gewinnabschöpfung und Geldwäsche, S. 77.

tigt.[152] Der AE knüpfte die Verfallsanordnung nicht an eine schuldhaft begangene, sondern an eine rechtswidrige Tat an. Diese Regelung war aus kriminalpolitischer Sicht dringend geboten, vor allem im Hinblick auf die Fälle, bei denen der Schuldnachweis nicht gelingt, obwohl starke Verdachtsgründe vorliegen. Damit war der Verfall auch eindeutig keine Nebenstrafe mehr. Sein Zweck bestand darin, die rechtswidrige Erlangung der Vermögensvorteile rückgängig zu machen.[153] Die Vorschrift sollte die Anwendung des Verfalls vereinfachen und dem Strafrichter „unnötige Mühe" ersparen.[154] Der Verfallsgegenstand wurde in § 83 AE als Vermögensvorteil bezeichnet,[155] um so den Interpretationsaufwand zu reduzieren und die Beweislage zu erleichtern. In Bezug auf den Verfall der Ersatzgegenstände verzichtete der AE auf eine genaue Aufzählung und führte stattdessen eine Kann-Vorschrift ein. Der Rückgriff auf Wertersatzverfall sollte dabei alternativ möglich sein.[156]

Die Einziehung war nach dem AE dagegen eine Sicherungsmaßregel und somit weder eine Strafe noch eine strafähnliche Maßnahme. Für die Einstufung der Einziehung als Maßregel sprach auch, dass sie mangels Abstufungsmöglichkeiten keine gerechte Strafe sein konnte.[157] Als eine präventiv ausgerichtete Sicherungsmaßnahme war sie jedoch ein aus kriminalpolitischer Sicht vertretbarer Eingriff in das Eigentumsrecht. Gestrichen werden sollte dabei die Einziehung des Wertersatzes, weil sie mit dem Sicherungscharakter nicht in Einklang zu bringen ist.[158]

c) Diskussion im Rahmen des Sonderausschusses – Rechtsnatur des Verfalls und der Einziehung. Erstes und Zweites Gesetz zur Reform des Strafrechts

Die Frage nach dem Zweck und der Rechtsnatur des Verfalls wurde im Rahmen des Sonderausschusses für die Strafrechtsreform diskutiert. Nach Ansicht der Mehrheit der Ausschussmitglieder sollte der Verfall der Gewinnabschöpfung dienen, sodass sich die Tat für den Täter nicht lohnt und er die Strafe nicht als kleineres Übel wahrnimmt. Bei einem Dritten sollte die Vorschrift nur in sein Eigentumsrecht eingreifen, wenn er sich durch die Tat bereichert hat.[159]

---

152 Vgl. *Arnold*, Verfall, Einziehung und Unbrauchbarmachung, S. 208 f.; *Sotiriadis*, Gewinnabschöpfung und Geldwäsche, S. 77.

153 Siehe *Baumann u.a.*, Alternativ-Entwurf eines Strafgesetzbuches, S. 157; *Arnold*, Verfall, Einziehung und Unbrauchbarmachung, S. 210; *Sotiriadis*, Gewinnabschöpfung und Geldwäsche, S. 79.

154 *Baumann u.a.*, Alternativ-Entwurf eines Strafgesetzbuches, S. 157.

155 Statt „Entgelt" und „Gewinn" in § 109 E 1962.

156 *Baumann u.a.*, Alternativ-Entwurf eines Strafgesetzbuches, S. 157.

157 Ebenda, S. 161.

158 Ebenda.

159 *Arnold*, Verfall, Einziehung und Unbrauchbarmachung, S. 213.

Die Diskussion über den Rechtscharakter des Verfalls beschäftigte sich auch mit der Frage, ob dieser bei allen rechtswidrigen Taten anzuordnen oder ausschließlich auf die schuldhaft begangene Tat zu begrenzen sei. Letzteres würde für seinen Charakter als Nebenstrafe sprechen. Der Sonderausschuss entschied, dass es konsequent wäre, den Verfall nicht auf schuldhaft begangene Taten einzuschränken, vor allem nicht dann, wenn Drittverfall gegen Unbeteiligte zulässig wäre. Somit habe der Verfall keinen Straf-, sondern einen Regulierungscharakter und diene der Gewinnabschöpfung.[160] Die Rechtsnatur des Verfalls wurde auch während der Beratungen über die Anrechnung der Freiheitsstrafe (bzw. der Untersuchungshaft) auf den Verfall thematisiert. Die Ausschussmitglieder sprachen sich gegen eine solche Lösung aus, da es sich hier um zwei funktionell unterschiedliche Maßnahmen handelt – der Verfall sei kein Ausgleich für die Tat.[161]

Um die Verfallsregelung zu vereinfachen, wurde vom AE auch der weit gefasste Begriff „Vermögensvorteil“ übernommen und mit den bestehenden Abgrenzungsschwierigkeiten zwischen „Entgelt“ und „Gewinn“ begründet. Dem Verfall sollte im Grundsatz nicht ein bestimmter Gegenstand, sondern der rechnerisch erfasste unmittelbare Vermögensvorteil unterliegen. Unmittelbarkeit bedeutet in diesem Zusammenhang, dass die Herkunft des Vermögens aus einer bestimmten Tat nachzuweisen ist.[162] Der mittelbare Gewinn sollte aber auch dem Verfall unterliegen; auf die Definition, was darunter zu verstehen ist, wurde verzichtet. Die Vorschrift war dadurch unbestimmt, aber flexibel. Die Beweisschwierigkeiten, die bei der Ermittlung der Surrogate aufkommen, sollten durch das richterliche Ermessen erleichtert werden. Eine weitere Erleichterung im AE für das Strafgericht war die Anordnung des Wertersatzverfalls, da es dabei nicht mehr nötig ist, zu ermitteln, welche Gegenstände durch welche ersetzt wurden.[163]

Im AE wurden auch der kriminalpolitische Zweck und die Rechtsnatur der Einziehung diskutiert. Es ging darum, ob die Einziehung der Gegenstände an ihrer Gefährlichkeit anknüpfen und somit zu einer reinen Sicherungsmaßnahme werden sollte.[164] Erneut stellte sich die Frage, ob die Gefährlichkeit vom Täter oder von der Sache ausgehe. Kriminalpolitische Gründe, insbesondere die Generalprävention, sprachen dagegen, Einziehung als reine Sicherungsmaßnahme auszugestalten. Als solche umfasste sie Fallkonstellationen, in denen die Sache an sich zwar keine nachweisliche Gefahr für die Allgemeinheit darstellt, aber dem Täter gehört, nicht. Eine solche Konstellation trifft zum Beispiel beim Schmuggel von ungefährlichen Gütern zu: Das Schmuggelgut hätte dann nicht eingezogen werden können.[165] Da-

---

160 Ebenda, S. 213 f.

161 Ebenda, S. 233.

162 *Arnold*, Verfall, Einziehung und Unbrauchbarmachung, S. 218.

163 Ebenda, S. 218 ff.

164 Ebenda, S. 244 ff.

165 Ebenda, S. 226.

her hat sich der Ausschuss dagegen entschieden, Einziehung als reine Sicherungsmaßnahme zu regeln. Einziehung zum Zweck der Sicherung wegen Gefährlichkeit der Gegenstände war bei lediglich rechtswidrigen Taten zulässig. Einziehung zulasten Dritter sollte ausschließlich in gesetzlich vorgesehenen Ausnahmefällen zulässig sein. Darüber hinaus sollte die Einziehung in bestimmten Fällen von ihrer Verhältnismäßigkeit abhängig sein. Der verfassungsrechtliche Grundsatz der Verhältnismäßigkeit wurde in das Strafgesetzbuch aufgenommen.[166] Die Einziehung des Wertersatzes wurde beibehalten, was auch dem Gedanken entsprach, dass Einziehung keine reine Sicherungsmaßnahme ist. Die selbständige Anordnung sollte auf tatsächliche Gründe eingeschränkt werden (die Verfolgung oder Verurteilung einer Person erfolgt nicht aus tatsächlichen Gründen).[167] Wegen der Eigentumsgarantie des Grundgesetzes wurde die Einführung einer Entschädigungsvorschrift diskutiert.

Ergebnis der Beratungen des Sonderausschusses waren zwei Strafrechtsreformgesetze,[168] die später als Erstes Gesetz zur Reform des Strafrechts (1. StrRG) vom 25. Juni 1969[169] und Zweites Gesetz zur Reform des Strafrechts (2. StrRG) vom 4. Juli 1969[170] verabschiedet wurden.

2. Trennung zwischen Ordnungswidrigkeiten und Straftaten

Im Rahmen der Reformen des Strafrechts erfolgte auch die Trennung von Straf- und Ordnungswidrigkeitenrecht. Im Hinblick darauf, dass bereits im 16. Jh. zwischen „Ordnung und Polizei" und Verfolgung von Straftaten unterschieden wurde,[171] kann diese Aufteilung als Ergebnis eines langen Prozesses gesehen werden.

a) Gesetz über Ordnungswidrigkeiten von 1952

Nach dem Zweiten Weltkrieg wurde im Westen Deutschlands zum ersten Mal eine materiell-rechtliche Trennung von Straftaten und Ordnungswidrigkeiten durch das Gesetz zur Vereinfachung des Wirtschaftsstrafrechts vom 26. Juli 1949[172] eingeführt. Ein formelles Unterscheidungskriterium führte später das Gesetz über die

---

[166] Ebenda, S. 232.

[167] Ebenda, S. 244 ff.

[168] Deutscher Bundestag, 5. Wahlperiode, BT-Drs. V/4094; Deutscher Bundestag, 5. Wahlperiode, BT-Drs. V/4095.

[169] BGBl. I 1969, S. 645.

[170] BGBl. I 1969, S. 717.

[171] Zur Entwicklung des Ordnungswidrigkeitenrechts siehe *Achenbach*, GA 2008, 1 ff. m.w.N.

[172] WiGBl. 1949, S. 193 (Gesetzblatt der Verwaltung des Vereinigten Wirtschaftsgebietes); siehe *Achenbach*, GA 2008, 3 f.

Ordnungswidrigkeiten vom 25. März 1952[173] ein. Gemäß § 1 Abs. 1 des Gesetzes ist eine Ordnungswidrigkeit eine ausschließlich mit Geldbuße bedrohte Handlung.

Unter dem Gesichtspunkt der Vermögensabschöpfung ist die Regelung zur Bestimmung der Höhe der Geldbuße von Bedeutung. Nach § 6 des Gesetzes hat diese das Entgelt für die Ordnungswidrigkeit oder den daraus gezogenen Gewinn zu übersteigen. Der Gesetzgeber wollte dadurch sicherstellen, dass der Täter keinen Vorteil aus der Ordnungswidrigkeit ziehen kann, und damit der Begehung weiterer Rechtsverstöße vorbeugen.[174] Im Gegensatz zum Strafrecht waren bei der Bemessung der Geldbuße die wirtschaftlichen Verhältnisse des Täters nicht zu berücksichtigen. Für diese Lösung sprach das Bedürfnis, die Bemessung der Geldbuße zu vereinfachen, weil bestimmte Ordnungsverstöße massenhaft begangen werden und typisch sind.[175] Auch die Natur der Ordnungswidrigkeiten, die in der Regel Fälle von „ethisch indifferentem Ungehorsam"[176] darstellen, war ein Argument für die Vereinfachung der Bemessung der Geldbuße. Diese Bemessungsregeln machten die Geldbuße im Vergleich zur Geldstrafe zu einem Vermögensabschöpfungsinstrument, mit weniger Spielraum für die Individualisierung.

Neben der Geldbuße sah das Gesetz ein weiteres Vermögensabschöpfungsinstrument vor: die Einziehung gemäß § 17 ff. Diese war zulässig, wenn sie im Tatbestand ausdrücklich vorgesehen war (§ 17 OWiG 1952). Der Einziehungsgegenstand umfasste Tatentgelt, Tatgewinn, Tatwerkzeuge und Tatmittel. Einziehung aus präventiven Gründen, zur Beseitigung einer Gefahr wegen wiederholter Verwendung des Gegenstandes zur Begehung weiterer Delikte, hat das Gesetz auch dann, wenn die Tat selbst nicht geahndet wurde (§ 18 Abs. 3 OWiG 1952) zugelassen. Dritteinziehung war nur dann zulässig, wenn der Eigentümer von der Zuwiderhandlung wusste, wissen musste oder aus der Tat einen Vorteil erlangt hat (§ 19 OWiG 1952). Die Vorschrift spiegelte den Grundsatz wider, dass nur die Gegenstände, die dem Täter gehören, eingezogen werden sollen.[177] Die Einziehung umfasste nur das Eigentum von Personen, die zwar formell keine Teilnehmer bei einer Straftat oder Ordnungswidrigkeit waren, bei denen jedoch davon ausgegangen werden konnte, dass sie von der Tat wussten oder davon profitierten.

Zur strittigen Rechtsnatur der Einziehung äußerte sich das Gesetz nicht. In der Einziehung der Gegenstände Dritter wurde eine Sicherungsmaßregel gesehen, weil sie weder an eine Schuldfeststellung noch an die Person des Täters gebunden

---

173 BGBl. I 1952, S. 177; siehe auch *Klesczewski*, Ordnungswidrigkeitenrecht, § 1 Rn. 67.

174 *Rotberg*, Gesetz über Ordnungswidrigkeiten, § 6 Rn. 2.

175 Ebenda, § 6 Rn. 4.

176 *Rotberg*, Gesetz über Ordnungswidrigkeiten, § 6 Rn. 5. Kritisch zum Verzicht auf Berücksichtigung der wirtschaftlichen Leistungsfähigkeit des Täters als einem Grundsatz allgemeiner Gerechtigkeit siehe ebenda, § 6 Rn. 6.

177 Ebenda, § 19 Rn. 1.

war.[178] Im Übrigen galt die Einziehung als Nebenstrafe, die jedoch auch der Sicherung diente.[179] Einziehung des Wertersatzes (Ersatzeinziehung gemäß § 20 OWiG 1952) und selbständige Einziehung (§ 21 OWiG 1952) kannte das Gesetz auch. Selbständige Einziehung war zulässig, wenn das Verfahren – auch wegen Geringfügigkeit (Strafrecht) oder Bedeutungslosigkeit (Ordnungswidrigkeitenrecht) – eingestellt wurde.[180]

b) Gesetz über Ordnungswidrigkeiten von 1968

Nachdem das Gesetz zur Reform des Strafrechts Übertretungstatbestände abgeschafft und das Gesetz vom 24. Mai 1968[181] das Recht der Ordnungswidrigkeiten endgültig vom Strafrecht gelöst hat, gilt das Ordnungswidrigkeitenrecht als eigenständiges Rechtsgebiet.[182]

Als einzige Sanktion, mit der eine Ordnungswidrigkeit zu ahnden war, statuierte das Gesetz die Geldbuße (§ 1 OWiG). Ihre Zumessung erfolgte – anders als im Strafrecht – nach dem Gesamtsummensystem. Wie im OWiG 1952 sollte die Höhe der Geldbuße gemäß § 13 Abs. 4 den wirtschaftlichen Vorteil aus der Tat übersteigen. Hierzu durfte auch das gesetzliche Höchstmaß überschritten werden.[183] Dabei war nicht nur der in Geld bestehende Gewinn, sondern auch ein sonstiger (unmittelbarer) Vorteil wirtschaftlicher Art zu berücksichtigen. Zweck dieser Ausgestaltung der Vorschrift über die Geldbuße war die Abschreckung vor Wiederholung gleicher Taten.[184] Aus dem Begriff des wirtschaftlichen Vorteils lässt sich auch eine Beweiserleichterung herauslesen, da eine genaue zahlenmäßige Berechnung des Gewinns nicht notwendig war.

Einziehung als Nebenfolge einer Ordnungswidrigkeit[185] regelte § 18 OWiG. Wegen geringen Unrechtsgehalts und geringer Gemeingefährlichkeit war die Einziehung von Gegenständen bei Ordnungswidrigkeiten grundsätzlich ausgeschlossen und nur zulässig, wenn dies das Gesetz ausdrücklich vorsah. Die einzuziehenden Gegenstände mussten ihrer Art nach im Einzelnen bezeichnet werden, dem Täter gehört haben, oder es musste eine Gefahr bestehen, dass diese der Begehung verbotener Handlungen dienen werden.[186] Die Dritteinziehung regelte § 19, sie

---

178 Ebenda, § 17 Rn. 3, § 19 Rn. 4.

179 Vgl. ebenda, § 17 Rn. 3.

180 Ebenda, § 21 Rn. 3.

181 BGBl. I 1968, S. 481.

182 *Klesczewski*, Ordnungswidrigkeitenrecht, § 1 Rn. 68.

183 *Rotberg/Kleinewefers*, Gesetz über Ordnungswidrigkeiten, § 13 Rn. 12 ff.

184 Ebenda, § 13 Rn. 12.

185 Auch eine selbständige Anordnung war gem. § 23 OWiG zulässig. Vgl. *Rotberg/Kleinewefers*, Gesetz über Ordnungswidrigkeiten, § 23 Rn. 1 ff.

186 Ebenda, § 18 Rn. 1.

konnte immer dann erfolgen, wenn dem Dritten bei Überlassung oder Erwerb der Gegenstände wenigstens Leichtfertigkeit oder Kenntnis der Umstände, die die Einziehung begründen, vorgeworfen werden konnte.[187] Das Gesetz kannte auch die Einziehung des Wertersatzes mit einer Schätzungsvorschrift zur Erleichterung der Beweislage (§ 21). Die Verhältnismäßigkeitsklausel wurde ebenfalls im Gesetzestext eingeführt (§ 20).

Bezüglich der Rechtsnatur der Einziehung liefert das OWiG 1968 keine eindeutige Antwort. Soweit Gegenstände eines unbeteiligten Dritten eingezogen werden, ist die Einziehung eine reine Sicherungsmaßnahme. Dem Täter gegenüber angeordnet, ist sie dagegen eine Ahndung.[188]

3. Zweites Gesetz zur Reform des Strafrechts – Geldstrafe nach Tagessatzsystem

Das Zweite Gesetz zur Reform des Strafrechts vom 4. Juli 1969[189] mit Wirkung vom 1. Januar 1975 hat die Bemessung der Geldstrafe nach dem Tagessatzsystem eingeführt (§§ 40 bis 43 2. StrRG).[190] Vorschläge für diese Änderung gab es sowohl im Entwurf 1962 (§§ 51 bis 55) als auch im AE (§§ 49 bis 54). Bei der Bemessung der Geldstrafe nach dem Tagessatzsystem wird nach dem Unrechts- und Schuldgehalt der Tat die Anzahl der Tagessätze bestimmt, die Höhe des Tagessatzes richtet sich aber nach den persönlichen und wirtschaftlichen Verhältnissen des Täters.[191] Somit wird die Geldstrafe zu einer individualisierbaren Sanktion, die schuldangemessen zu verhängen ist und den Täter unabhängig von seiner Vermögenssituation gleichermaßen treffen soll.[192]

4. Neufassung des OWiG und Zweites Gesetz zur Bekämpfung der Wirtschaftskriminalität

Mit dem Gesetz vom 2. Januar 1975[193] wurde das Ordnungswidrigkeitenrecht neu gefasst und so die Vorschriften mit denen des StGB in Einklang gebracht. Das Gesetz hat auch eine neue Regelung im Bereich der Vermögensabschöpfung einge-

---

[187] Ebenda, § 19 Rn. 1.

[188] Ebenda, § 18 Rn. 1.

[189] BGBl. I 1969, S. 717.

[190] Vgl. *Albrecht*, Strafzumessung und Vollstreckung bei Geldstrafen, S. 7 f.

[191] Jähnke u.a.-*Häger*, Leipziger Kommentar, Vor § 40 Rn. 8. Zu der Diskussion um das Tagessatzsystem siehe Jescheck u.a.-*Tröndle*, Leipziger Kommentar, Vor § 40 Rn. 11 ff.; vgl. auch *Albrecht*, Strafzumessung und Vollstreckung bei Geldstrafen, S. 195 ff.

[192] Vgl. *Albrecht*, Strafzumessung und Vollstreckung bei Geldstrafen, S. 7.

[193] BGBl. I 1975, S. 81; siehe auch *Drathjer*, Abschöpfung rechtswidrig erlangter Vorteile im Ordnungswidrigkeitenrecht, S. 7 ff.

führt. Die strafrechtliche Verfallsanordnung wurde ausgeschlossen, wenn gegen eine juristische Person bereits die Geldbuße gemäß § 30 OWiG verhängt worden war. Anzumerken ist, dass die Verfallsanordnung grundsätzlich keine Auswirkung auf die Geldstrafe hat. Dies liegt daran, dass die beiden Sanktionen von Grund auf unterschiedliche Zwecksetzungen haben. Die Geldbuße dagegen ähnelt mit ihrer Zwecksetzung dem Verfall.

Eine weitere, für den Bereich der Vermögensabschöpfung relevante Änderung kam mit dem Zweiten Gesetz zur Bekämpfung der Wirtschaftskriminalität (2. WiKG) vom 26. Mai 1985.[194] Das Gesetz hat § 29a, Verfall von Vermögen, in das Ordnungswidrigkeitenrecht eingeführt. Der Verfall kann angeordnet werden, wenn der Täter für die durch das Gesetz mit Geldbuße bedrohte Tat oder aus ihr selbst einen Vermögensvorteil erlangt hat. Die Höhe des erlangten Vermögensvorteils kann geschätzt werden. Die Vorschrift greift ein, wenn gegen den Täter keine Geldbuße festgesetzt wird. Somit deutet auch die Bestimmung des Anwendungsbereichs des Verfalls darauf hin, dass die Geldbuße ein Vermögensabschöpfungsinstrument ist.

5. Gesetz zur Bekämpfung des illegalen Rauschgifthandels und anderer Erscheinungsformen der Organisierten Kriminalität (OrgKG) – Einführung des erweiterten Verfalls und der Vermögensstrafe

a) Gesetz zur Änderung des Außenwirtschaftsgesetzes, des Strafgesetzbuches und anderer Gesetze

Das Gesetz zur Änderung des Außenwirtschaftsgesetzes, des Strafgesetzbuches und anderer Gesetze vom 28. Februar 1992[195] hat den Einziehungsgegenstand „Vermögensvorteil" durch das erlangte „Etwas" im Normtext ersetzt. Darüber hinaus wurde die Vermögensabschöpfung nach dem Bruttoprinzip festgelegt.

b) Gesetz zur Bekämpfung des illegalen Rauschgifthandels und anderer Erscheinungsformen der Organisierten Kriminalität (OrgKG)

Mit dem Gesetz zur Bekämpfung des illegalen Rauschgifthandels und anderer Erscheinungsformen der Organisierten Kriminalität vom 15. Juli 1992[196] wurden der erweiterte Verfall und die Vermögensstrafe in das Strafgesetzbuch eingeführt. Das Gesetz mit Schwerpunkt auf der Abschöpfung der Gewinne aus kriminellen Handlungen wurde stark durch die politische und mediale Debatte beeinflusst. Organisierte Kriminalität wurde in der öffentlichen Debatte als eine Bedrohung der

---

194 BGBl. I 1985, S. 721.

195 BGBl. I 1992, S. 372.

196 BGBl. I 1992, S. 1302.

Grundlagen der Gesellschaft dargestellt, die neue strafrechtliche Gegenmaßnahmen verlange. Dies ist auch der das Gesetz vorangehenden Berichterstattung zu entnehmen. [197] Außer neuen Sanktionen, die weiter unten besprochen werden, führte das Gesetz auch neue Ermittlungsinstrumente, Straftatbestände (die Geldwäsche) und Strafschärfungen ein.[198]

Die Forderungen, den Zugriff auf das Vermögen durch Beweiserleichterungen zu vereinfachen, gehen auf das Jahr 1989 zurück, in dem die Bundesregierung einen Gesetzentwurf zur Einführung der Vermögensstrafe vorgelegt hat.[199] Die Einführung des erweiterten Verfalls wurde zuerst von den Vertretern des Landes Baden-Württemberg und des Freistaats Bayern vorgeschlagen.[200] Mit der Begründung, dass gewinnorientierte Kriminalität sich nicht lohnen dürfe, sollte das Recht einen besseren Zugriff auf Gewinne aus kriminellen Handlungen ermöglichen. Diesem Gedanken folgte der am 11. November 1989 vorgelegte Referentenentwurf eines Strafrechtsänderungsgesetzes zum erweiterten Verfall.[201] Der erweiterte Verfall sollte sowohl für den Bereich der Betäubungsmittel- als auch für den der Organisierten Kriminalität eingeführt werden. Dieser Vorschlag, auf das Vermögen des Täters und auch des Teilnehmers dann zugreifen zu können, wenn „die Umstände, namentlich das Ausmaß der Tat, Gewinnerzielungsmöglichkeit, Beweggründe und Ziele des Täters, sein Vorleben sowie seine persönlichen und wirtschaftlichen Verhältnisse, die Annahme nahelegen“[202], dass das Vermögen aus rechtswidrigen Taten herrühren könnte, galt aus verfassungsrechtlichen Gründen von Anfang an als kontrovers.[203] Beanstandet wurde vor allem die fehlende Anknüpfung zwischen der Tat im prozessualen Sinne und dem abzuschöpfendem Gegenstand. Dies mache den erweiterten Verfall zu einer Verdachtssanktion, so die Kritik.[204]

Dem Referentenentwurf folgten weitere Gesetzesinitiativen zur Einführung des erweiterten Verfalls, deren Verfasser diese Regelung jedoch für angemessen und gerechtfertigt hielten.[205] Erweiterter Verfall wurde als eine strafrechtliche Maßnahme eigener Art mit kondiktionsähnlichem Charakter bezeichnet, die vor allem den Sicherungszwecken und der Korrektur der Vermögenszuordnungen dienen

---

197 Zur Entstehungsgeschichte des OrgKG *Caesar*, ZRP 1991, 241 ff.; *Körner*, NJW 1993, 233 ff.; *Sotiriadis*, Gewinnabschöpfung und Geldwäsche, S. 171 ff.

198 *Sotiriadis*, Gewinnabschöpfung und Geldwäsche, S. 174.

199 Deutscher Bundestag, 11. Wahlperiode, BT-Drs. 11/5461.

200 Vgl. *Arnold*, Verfall, Einziehung und Unbrauchbarmachung, S. 257 Fn. 422; *Sotiriadis*, Gewinnabschöpfung und Geldwäsche, S. 172.

201 Referentenentwurf eines Strafrechtsänderungsgesetzes – Erweiterter Verfall – vom 11. September 1989 – K I BtM – RS – Nr. 5/90.

202 Vgl. § 73b Abs. 2 StGB, den der Referentenentwurf einführen sollte.

203 *Arnold*, Verfall, Einziehung und Unbrauchbarmachung, S. 258 f.

204 *Schultehinrichs*, Gewinnabschöpfung bei Betäubungsmitteldelikten, S. 146 f.

205 Siehe *Arnold*, Verfall, Einziehung und Unbrauchbarmachung, S. 259 ff.

sollte.[206] Das Interesse an strafrechtlicher Prävention im Bereich der Betäubungsmittel- und der Organisierten Kriminalität überwog schließlich die verfassungsrechtlichen Bedenken.[207]

Der Entwurf des OrgKG vom 10. August 1990[208] fasste die verschiedenen Gesetzesentwürfe zusammen.[209] Den erweiterten Verfall regelte § 73d StGB, dessen Inhalt im Wesentlichen auch den früheren Reformvorschlägen entsprach. Beweiserleichterungen, die mit dem erweiterten Verfall eingeführt werden sollten, sollten durch das Verhältnismäßigkeitsprinzip eingeschränkt werden. Deswegen ist der erweiterte Verfall lediglich auf Betäubungsmittelkriminalität und sonstige Taten anzuwenden, die durch ein besonderes Gewinnstreben der Beteiligten oder hohe Gewinnträchtigkeit gekennzeichnet sind. Dafür sprachen insbesondere präventive Gründe, der Gesetzgeber befürchtete nämlich, dass bei diesen Delikten nicht abgeschöpfte Tatgewinne in kriminelle Tätigkeiten investiert würden.[210] Der erweiterte Verfall knüpfte an rechtwidriges und nicht an schuldhaftes Verhalten an. Darüber hinaus wurde für den gesamten Anwendungsbereich des Verfalls das Bruttoprinzip eingeführt.[211] Der Verfallsgegenstand wurde statt „der vom Täter erlangte Vermögensvorteil" als das von ihm erlangte „Etwas" bezeichnet (§ 73 Abs. 1 Satz 1 StGB).

Neben dem Entwurf vom 10. August 1990 in leicht veränderter Fassung wurden zur Regulierung des erweiterten Verfalls in der folgenden Wahlperiode auch weitere Gesetzesentwürfe in den Bundestag eingebracht. In der Diskussion über das neue Rechtsinstrument haben die Abgeordneten u.a. den fehlenden individuellen Schuldnachweis und die Unvereinbarkeit mit der Eigentumsgarantie des Grundgesetzes bemängelt.[212] Im Hinblick darauf, dass das Bruttoprinzip den Verfall zu einer Strafe machen würde, sollte dieser an schuldhaftes und nicht lediglich an rechtswidriges Handeln anknüpfen. Verfall ohne Nachweis des Zusammenhangs mit der unter Anklage stehenden Tat stünde auch im Widerspruch zur Unschuldsvermutung.[213] Die Sicherungsprävention werde zwar als ein legitimer Strafzweck anerkannt, aber dabei müsse man die Verhältnismäßigkeit beachten, was in den Gesetzesentwürfen nach Meinung der Abgeordneten nicht getan wurde. Es fehle sowohl die Anknüpfung an eine bestimmte Tat als auch die Gefährlichkeitsprognose. Somit verstoße der erweiterte Verfall gegen das Rechtsstaatsprinzip.[214]

---

206 Ebenda, S. 259.

207 Ebenda, S. 261.

208 Deutscher Bundestag, 11. Wahlperiode, BT-Drs. 11/7663.

209 Dazu *Arnold*, Verfall, Einziehung und Unbrauchbarmachung, S. 263.

210 *Hoyer*, GA 1993, 406, 411.

211 Deutscher Bundestag, 11. Wahlperiode, BT-Drs. 11/7663.

212 Siehe *Arnold*, Verfall, Einziehung und Unbrauchbarmachung, S. 265 f.

213 Siehe ebenda, S. 267.

214 Ebenda, S. 268.

Der Deutsche Richterbund hat sich gegen den erweiterten Verfall, aber für die Einführung des Bruttoprinzips ausgesprochen: Gegen den erweiterten Verfall spreche die Unvereinbarkeit mit der Aussagefreiheit des Angeschuldigten, der gemäß der neuen Regelung Aussagen zur Herkunft des Vermögens machen müsse, um so dem Verfall zu entkommen.[215] Der Deutsche Anwaltsverein (DAV) sah in der neuen Regelung ebenso einen Verstoß gegen den Schuldgrundsatz. Der DAV betrachtete den erweiterten Verfall als eine Strafe, die in einem gerechten Verhältnis zum Verschulden des Täters stehen müsse. Das Verschulden müsse dem Täter nachgewiesen werden.[216]

Trotz der von verschiedenen Seiten geäußerten Bedenken trat das Gesetz am 22. September 1992 in Kraft. Für die Einführung der neuen Rechtsinstrumente sprach laut dem Gesetzgeber die erhebliche Gefahr, die von der Organisierten Kriminalität ausgehe.[217] Bezüglich der Verfassungsmäßigkeit des erweiterten Verfalls wurde hervorgehoben, dass dieser aufgrund eines bloßen Verdachtes nicht zulässig sei. Vielmehr müsse für einen objektiven Betrachter eine rechtswidrige Herkunft des Vermögensgegenstandes offensichtlich sein. Ist dabei die Herkunft im Wege der Beweisführung nicht feststellbar, könne das Gericht vom Herkunftsnachweis absehen und annehmen, es handele sich um Gegenstände aus Straftaten. Dazu sei eine verfassungskonforme Betrachtung der gesamten Umstände durch das Gericht notwendig. Aus diesem Grunde sei die Regelung nicht verfassungswidrig. Eine Verletzung des Schuldgrundsatzes läge nicht vor, da der Verfall keine Strafe oder strafähnliche Maßnahme sei, die eine Schuldfeststellung voraussetze, so die Argumentation.[218]

Mit § 43a führte das Gesetz auch die Vermögensstrafe in das Strafgesetzbuch ein. Zielsetzung der Strafe war die Bekämpfung schwerer Drogendelikte, mit der Begründung, dass vor allem die Jugend durch Drogen zunehmend gefährdet sei. Dieser Gefährdung soll die Vermögensstrafe entgegenwirken: einerseits durch erhöhte Repression, andererseits durch einen präventiven Entzug der Vermögensgrundlage für die Begehung weiterer Straftaten. Somit vereinte die Vermögensstrafe den Abschreckungs- mit dem Sicherheitsgedanken in sich.[219] Ebenso wie der erweiterte Verfall diente die Vermögensstrafe der Gewinnabschöpfung. Sie konnte neben einer Freiheitsstrafe von mindestens zwei Jahren verhängt werden, wobei der Tatbestand auf die Vermögensstrafe verweisen musste. Neben Drogendelikten war die Vermögensstrafe bei einer Reihe von banden- und gewerbsmäßig begangenen Delikten vorgesehen. Ausgestaltet war die Vermögensstrafe als eine Geldsummenstrafe, die einen Zahlungsanspruch des Staates begründete. Der Unterschied zu

---

215 Siehe *Arnold*, Verfall, Einziehung und Unbrauchbarmachung, S. 267.

216 Ebenda, S. 269.

217 *Sotiriadis*, Gewinnabschöpfung und Geldwäsche, S. 174.

218 Siehe *Arnold*, Verfall, Einziehung und Unbrauchbarmachung, S. 270 f.

219 *Sotiriadis*, Gewinnabschöpfung und Geldwäsche, S. 175 f.

einer Geldstrafe lag darin, dass sich die Vermögensstrafe an dem Vermögen des Täters und nicht an dem Tagessatzsystem orientierte. Irrelevant war dabei, ob das Vermögen rechtmäßiger oder krimineller Herkunft war. Wie die anderen Strafen auch musste sie schuldangemessen sein.[220]

c) Diskussion und Kritik

Die durch das OrgKG eingeführten Änderungen regten in der Literatur eine lebhafte Diskussion an, auch die Rechtsprechung ging auf die neuen Rechtsinstrumente ein.

Der BGH entschied, dass die Voraussetzungen des erweiterten Verfalls verfassungskonform auszulegen seien, indem der Tatrichter in der Gerichtsverhandlung die uneingeschränkte Überzeugung gewinnen müsse, die dem Verfall unterliegenden Gegenstände stammten aus Straftaten. Wenn Gründe dafür vorlägen, an der deliktischen Herkunft des Vermögens zu zweifeln, stehe dies der Anordnung des erweiterten Verfalls entgegen. Damit aber der erweiterte Verfall ausscheide, müssten konkrete Tatsachen eine nicht nur theoretische Möglichkeit begründen, das Vermögen des Täters stamme aus rechtmäßigen Quellen.[221]

Der BVerfG hat sich auch für die Verfassungsmäßigkeit des erweiterten Verfalls gemäß § 73d StGB ausgesprochen.[222] Anlass dazu war die Verfassungsbeschwerde eines Verurteilten, der gegen den Beschluss des BGH klagte. Der Verurteilte argumentierte dabei, der erweiterte Verfall hätte den Charakter einer Strafe und somit verstoße die Vorschrift des § 73d gegen die Unschuldsvermutung und gegen die Eigentumsgarantie nach Art. 14 GG. Das BVerfG bestätigte jedoch die Auslegung der Vorschrift durch den BGH als einer verfassungskonformen Lösung. Das Gericht hat weder einen Verstoß gegen die Unschuldsvermutung noch gegen die Eigentumsgarantie erkannt.[223]

In der Literatur dominierten dagegen Bedenken wegen der Verfassungsmäßigkeit des erweiterten Verfalls. Die bereits vor der Reform gegen den Gesetzentwurf geäußerten Einwände wurden auch nach der Reform weiter vertreten, obwohl das Erfordernis der Zuordnung zu einer konkreten Tat und das Nettoprinzip als Wirksamkeitsdefizite des Verfallsrechts anerkannt wurden.[224] Die Verfassungsmäßigkeit des neuen Rechts wurde auch „angesichts erheblicher Gefahren der Organisierten Kriminalität"[225] nicht angenommen. Zum einen wurden Bedenken zur Vereinbar-

---

220 Ausführlich siehe bei *Sotiriadis*, Gewinnabschöpfung und Geldwäsche, S. 176 f.

221 Sog. BGH-Lösung – siehe BGHSt 40, 371, 371 ff.

222 BVerfGE 110, 1, 1 ff.

223 BVerfGE 110, 1, 13.

224 *Hoyer*, GA 1993, 408 ff.

225 Ebenda, 411 ff.

keit des erweiterten Verfalls mit der Eigentumsgarantie gemäß Art. 14 GG,[226] zum anderen hinsichtlich der Unschuldsvermutung[227] vorgebracht.

In der durch das Gesetz eingeführten Beweislastumkehr bezüglich. der Herkunft des Vermögens wurde ein Verstoß gegen die Eigentumsgarantie gesehen. Der erweiterte Verfall wird als „Aufhebung des Privateigentums auf staatlich vorgebrachten Verdacht"[228] bezeichnet, weil der Tatunrechtsbezug durch den Verdacht und die unterstellte Gefährlichkeit des Vermögens ersetzt wird. Der Argumentation, dass das Interesse des Gemeinwohls an wirksamer Kriminalitätsbekämpfung wegen der mit hoher Wahrscheinlichkeit illegalen Herkunft des Vermögens das Individualinteresse am Schutz des Eigentums überwiege, wurde nur bedingt zugestimmt. Die Abwägung zwischen potenziellem Gewinn für die Allgemeinheit und den Interessen des Einzelnen ist im Rahmen der Verhältnismäßigkeitsprüfung dann zulässig, wenn das Gericht ohne jeden Zweifel zur vollen Überzeugung gelangt, dass das Vermögen krimineller Herkunft ist.[229] Gleichzeitig muss aber die erhöhte Verfallsgefahr, die durch § 73d StGB für das rechtmäßig erworbene Vermögen entsteht, nicht als verfassungskonform hingenommen werden.[230]

In der Literatur wurden auch im Hinblick auf die Unschuldsvermutung und das Schuldprinzip Einwände gegen den erweiterten Verfall erhoben. Diese fanden eine Begründung in der Annahme, dass der erweiterte Verfall einen Strafcharakter habe. Durch das Bruttoprinzip erstrecke sich der erweiterte Verfall auch auf das legale Vermögen des Betroffenen und sei somit eher eine Strafe als eine quasi-konditionelle Ausgleichsmaßnahme.[231] Darüber hinaus sei die Anordnung des erweiterten Verfalls in einem Strafurteil unvereinbar mit der Unschuldsvermutung, da anzunehmen sei, dass der Betroffene weitere Straftaten begangen habe.[232]

Laut Rechtsprechung des BVerfG ist die Unschuldsvermutung auf eine Maßnahme dann anzuwenden, wenn sie mit dem Ziel auferlegt wird, die begangene Tat zu sühnen oder von weiteren Taten abzuschrecken. Dann hat die Maßnahme eine strafgleiche Wirkung und erzwingt den Schuldbeweis in einem ordnungsgemäß durchgeführten Prozess. Sie kann nicht ohne den Schuldbeweis gegen den Be-

---

226 Siehe nur *Hoyer*, GA 1993, 412 f.; *Krey/Dierlamm*, JR 1992, 358; *Perron*, JZ 1993, 919 f. Gegen den verdachtsgestützten Verfall siehe *Köhler/Beck*, JZ 1991, 799. Für die Vereinbarkeit mit Art. 14 GG siehe *Katholnigg*, JR 1994, 355.

227 Siehe nur *Hoyer*, GA 1993, 413 ff.; *Meyer*, ZRP 1990, 89; *Perron*, JZ 1993, 919; *Weßlau*, StV 1991, 230 f. Für die Vereinbarkeit mit der Unschuldsvermutung siehe *Katholnigg*, JR 1994, 355; *Krey/Dierlamm*, JR 1992, 358.

228 *Köhler/Beck*, JZ 1991, 799.

229 Siehe *Hoyer*, GA 1993, 422; *Perron*, JZ 1993, 920.

230 *Perron*, JZ 1993, 919.

231 Siehe *Perron*, JZ 1993, 919; *Weßlau*, StV 1991, 231; dagegen kein Strafcharakter der erweiterten Einziehung *Katholnigg*, JR 1994, 355; *Krey/Dierlamm*, JR 1992, 358.

232 *Perron*, JZ 1993, 919.

schuldigten verhängt werden.[233] Gegen eine strafgleiche Wirkung des Verfalls spreche auf den ersten Blick, dass die Maßnahme eine rechtswidrige und nicht eine schuldhafte Tat voraussetzt und lediglich die Vorteile aus einer Tat abschöpft.[234] Jedoch ist die dahinterstehende Argumentation, dass sich aus dem Gesetz, das keine Schuldfeststellung für den Verfall verlangt, die Unanwendbarkeit der Unschuldsvermutung ergibt, nicht überzeugend.[235] Die Argumentation sollte eigentlich genau umgekehrt verlaufen – aus der fehlenden Strafähnlichkeit des Verfalls ergibt sich die Zulässigkeit schuldunabhängiger Anordnung. Für die Strafähnlichkeit des Verfalls und somit für die Anwendung der Unschuldsvermutung spricht die Einführung des Bruttoprinzips. Das Vermögen des Täters unterliegt dem Verfall auch dann, wenn per Saldo aus der Tat kein Gewinn erzielt wurde. Zusammenfassend: Der Verfall nach dem Nettoprinzip war eine kondiktionsähnliche Maßnahme, nach dem Bruttoprinzip ist es aber eine strafähnliche.[236] Des Weiteren spreche auch die präventive Ausrichtung des Verfalls für seine Strafähnlichkeit. Nur wenn der Verfall eine strafähnliche Maßnahme ist, auf die die Unschuldsvermutung Anwendung findet, kann sowohl der spezial- als auch der generalpräventive Effekt erzielt werden.[237]

Ein Verstoß gegen das Schuldprinzip wurde auch hinsichtlich der Vermögensstrafe beanstandet.[238] Bei der Verhängung der Vermögensstrafe ist das Zumessungskriterium lediglich das Vermögen des Täters, weswegen die Strafe vermögende und unvermögende Täter ungleich schwer trifft. Die Schwere der Tat wird auch nicht berücksichtigt.[239] Des Weiteren steht der Schuldgrundsatz der Möglichkeit der Schätzung des Vermögens entgegen. Die Vermögensstrafe verstößt durch ihre zwingende Verhängung neben der Freiheitsstrafe auch gegen den Tatschuldgrundsatz (Art. 103 GG).[240] Es musste mit der Verhängung einer Vermögensstrafe die Freiheitsstrafe entsprechend gemindert werden, sodass die beiden Strafen zusammen das Schuldmaß nicht übersteigen. Nicht zu vereinbaren ist die Vermögensstrafe dagegen mit dem Grundsatz der Persönlichkeit von Schuld und Strafe wegen des Ausmaßes, in dem die unschuldigen Angehörigen des Täters davon betroffen werden.[241] Die Vermögensstrafe widerspricht auch dem Gedanken der

---

233 BVerfGE 74, 358, 371 f.

234 *Hoyer*, GA 1993, 413.

235 Vgl. *Hoyer*, GA 1993, 413; *Weßlau*, StV 1991, 231.

236 Vgl. *Hoyer*, GA 1993, 414; *Weßlau*, StV 1991, 232.

237 Vgl. *Hoyer*, GA 1993, 420 f; *Meyer, J.*, ZRP 1990, 89.

238 Vgl. *Bringewat*, NStZ 1993, 317; Dreher u.a.-*Dreher*, Strafgesetzbuch und Nebengesetze, § 46 Rn. 1 ff.; *Eser*, FS für Stree/Wessels, S. 833, 839 ff.; *Köhler/Beck*, JZ 1991, 798 ff.; *Lackner*, Strafgesetzbuch, § 43a Rn. 1 ff.; *Meyer, J.*, ZRP 1990, 88.

239 Siehe *Eser*, FS für Stree/Wessels, S. 833, 839 ff.; *Meyer, J.*, ZRP 1990, 88.

240 Siehe *Bringewat*, NStZ 1993, 317; *Eser*, FS für Stree/Wessels, S. 833, 839 f.; *Köhler/Beck*, JZ 1991, 800.

241 *Eser*, FS für Stree/Wessels, S. 833, 839; so auch *Meyer, J.*, ZRP 1990, 87.

Resozialisierung des Täters, die ein wichtiger Bestandteil des modernen Strafbegriffs ist. Dieses Argument ist auf die Aufklärungszeit zurückzuführen, in der ein uneingeschränkter Vermögenszugriff des Staates kritisiert wurde. Nun wird die Einschränkung wegen Annahme der Gefährlichkeit des Täters aufgehoben.[242]

Beanstandet wurde auch, dass der Zusammenhang zwischen dem abzuschöpfendem Vermögen und der Straftat durch einen Verdachtsmoment bezüglich der kriminellen Herkunft des Vermögens ersetzt wird.[243] Die Vermögensstrafe soll, laut Gesetzesbegründung, dazu beitragen, trotz Beweisschwierigkeiten der deliktischen Herkunft, die Gewinne aus Straftaten abzuschöpfen.[244] Sie soll das Ziel des Verfalls, die Gewinnabschöpfung, unter Umgehung des Beweisrechts erreichen. Aus diesem Grunde wurde die Vermögensstrafe als Verfallsanordnung für das gesamte Vermögen bezeichnet.[245]

Die Kritiker der Vermögensstrafe haben auch auf deren Nähe zur allgemeinen Vermögenskonfiskation hingewiesen, die nach herrschender Meinung verfassungswidrig ist.[246] Der Unterschied, dass der Täter sein Vermögen nicht unmittelbar verliert, sondern ihm eine Geldleistungspflicht auferlegt wird, sei lediglich formeller Art und deswegen unerheblich.[247] Durch die Vermögensstrafe werde auch gegen die Eigentumsgarantie verstoßen. Sie gelte zwar bei einem schuldhaften Missbrauch des Eigentums zur Begehung von Straftaten nicht, jedoch fehle bei der Verhängung der Vermögensstrafe die Feststellung des Zusammenhangs zwischen der Straftat und den Vermögensgegenständen. Aus diesem Grunde sei die Vermögensstrafe mit der Eigentumsgarantie des Art. 14 GG unvereinbar.[248]

aa) Beschluss des Bundesgerichtshofs über die Verfassungsmäßigkeit der Vermögensstrafe

Der BGH hat mit Beschluss vom 18. Mai 1994 entschieden, dass die Verhängung der Vermögensstrafe „keinen durchgreifenden verfassungsrechtlichen Bedenken“ begegnet.[249] Die Vorschrift des § 43a StGB ist so auszulegen, dass weder gegen die Eigentumsgarantie noch gegen das Schuldprinzip verstoßen wird.[250] Die gewinnabschöpfende Funktion der Vermögensstrafe hat der BGH abgelehnt: Der

242 *Köhler/Beck*, JZ 1991, 799 f.

243 Vgl. *Köhler/Beck*, JZ 1991, 799; *Meyer, J.*, ZRP 1990, 87; *Sotiriadis*, Gewinnabschöpfung und Geldwäsche, S. 178 f.

244 Vgl. *Eser*, FS für Stree/Wessels S. 842; *Meyer*, ZRP 1990, 87.

245 *Eser*, FS für Stree/Wessels, S. 842.

246 Vgl. *Eser*, FS für Stree/Wessels, S. 837 f.; *Köhler/Beck*, JZ 1991, 799; *Meyer, J.*, ZRP 1990, 87.

247 *Eser*, FS für Stree/Wessels, S. 837 f.

248 Vgl. *Eser*, FS für Stree/Wessels, S. 838; *Köhler/Beck*, JZ 1991, 799.

249 BGH NStZ 1994, 429, 429 ff.; siehe auch BGH JR 1995, 340, 340 ff.

250 BGH JR 1995, 340, 341.

Abschöpfung dienten der Verfall und der erweiterte Verfall, die Vermögensstrafe sei dagegen eine Geldsummenstrafe, die sich nach dem Vermögen des Täters bemisst. Bei der Verhängung und Bemessung der Vermögensstrafe kann berücksichtigt werden, ob der Täter aus Straftaten Gewinne erzielt. Dies muss jedoch nachgewiesen werden und im Zusammenhang mit der abzuurteilenden Tat stehen. Rückschlüsse auf die Gewinnsucht des Täters können aus anderen Straftaten nur dann gezogen werden, wenn diese Gewinnsucht bewiesen ist und im Zusammenhang mit dem Schuldvorwurf im laufenden Verfahren steht. Dabei geht der Verfall der Vermögensstrafe vor.[251]

Bei der Verhängung der Vermögensstrafe sind die allgemeinen Strafzumessungsgrundsätze zu berücksichtigen, insbesondere die Wirkung der Strafe auf den Täter. Da es bei der Vermögensstrafe nicht auf die kriminelle Herkunft des Vermögens ankommt, erweitert sie nicht den Strafrahmen, sondern das Spektrum der Reaktionsmittel bei bestimmten Delikten.[252] Über die Höhe der Ersatzfreiheitsstrafe sollen die Gerichte selbständig entscheiden und dabei insbesondere sich an der mit der Strafe erzielten Spezialprävention orientieren. Abgelehnt wurde die Auslegung, nach der die Vermögensstrafe einen „Totalentzug des Vermögens wegen des Verdachts seiner kriminellen Herkunft ermöglicht".[253] Die Entziehung des gesamten Vermögens ist ebenso ausgeschlossen, wenn dadurch „negative Folgen für das spätere Leben des Täters in der Gesellschaft zu befürchten sind".[254]

bb) Beschluss des Bundesverfassungsgerichts über die Verfassungsmäßigkeit des erweiterten Verfalls gemäß § 73d StGB

Im Beschluss vom 14. Januar 2004 hat auch das BVerfG entschieden, dass der erweiterte Verfall gemäß § 73d StGB mit dem Grundgesetz vereinbar ist.[255]

Der erweiterte Verfall sei, so der BVerfG, keine Strafe, sondern eine selbständige Maßnahme ohne Strafcharakter, die der Beseitigung deliktisch verursachter Vermögenslagen diene.[256] Als solche unterliege der Verfall nicht dem Schuldgrundsatz. Der Schuldgrundsatz gilt für Strafen und strafähnliche Maßnahmen. Strafe wird als Auferlegung eines Rechtsnachteils wegen einer schuldhaft begangenen Tat definiert. Sie gleicht einen schuldhaften Normverstoß aus.[257] Über den strafähnlichen Charakter einer Maßnahme entscheiden der Rechtsgrund der Anordnung und der vom Gesetzgeber verfolgte Zweck. Strafähnlich sind Maßnahmen,

---

251 BGH JR 1995, 340, 342.

252 BGH JR 1995, 340, 341 f.

253 BGH JR 1995, 340, 342.

254 BGH JR 1995, 340, 343.

255 BVerfGE 110, 1, 1 ff.

256 BVerfGE 110, 1, 1.

257 BVerfGE 110, 1, 13.

die neben anderen Zwecken auch die Sühne für begangenes Unrecht realisieren. Somit ist nicht jede Einbuße an Freiheit oder Vermögen zugleich eine strafähnliche Maßnahme. Der erweiterte Verfall, der keine Vergeltung für eine begangene Tat darstellt, ist jedenfalls keine. Die Regelung des § 73d StGB dient der Normstabilisierung. Auch spricht die systematische Auslegung der Vorschrift gegen ihren Strafcharakter. Der Verfall und die Strafen sind nämlich in unterschiedlichen Titeln des dritten Abschnitts des StGB geregelt. Der Verfall ist darüber hinaus zusammen mit präventiv ausgerichteten Maßnahmen geregelt.[258] Der Wille des Gesetzgebers, dass der erweiterte Verfall die Rechtsnatur des einfachen Verfalls teilt, ergibt sich auch aus der Gesetzesbegründung. Demnach dient die Gewinnabschöpfung nicht der Zufügung eines Übels, sondern der Beseitigung eines unrechtmäßigen Vorteils.[259] Der erweiterte Verfall ist also eine Maßnahme eigener Art mit kondiktionsähnlichem Charakter, mit der die Vermögenszuordnung korrigiert wird.

Der erweiterte Verfall dient der Gefahrenabwehr und stützt sich auf eine Gefahrenprognose. Der Verfall knüpft an ein in der Vergangenheit begangenes Unrecht an, ist aber insofern zukunftsgerichtet, indem er die Fortdauer der Störung der Rechtsordnung in der Zukunft verhindern soll. Somit hat der erweiterte Verfall einen präventiven Zweck zu realisieren.[260] Auch aus seiner strafergänzenden Funktion sind keine Rückschlüsse auf den Strafcharakter zu ziehen. Ebenso steht die Einführung des Bruttoprinzips nicht im Widerspruch zu dem kondiktionsähnlichen Charakter des erweiterten Verfalls. Das Bruttoprinzip ist der Risikozuweisung im Zivilrecht ähnlich.[261]

Die Verletzung der Unschuldsvermutung durch den erweiterten Verfall hat der BVerfG ebenso verneint.[262] Der erweiterte Verfall stelle keine strafgleiche Rechtsfolge dar, deswegen könne lediglich eine rechtswidrige Tat die Voraussetzung für dessen Anordnung sein.

Nicht beeinträchtigt wird auch die Eigentumsgarantie gemäß Art. 14 GG. Das Eigentumsrecht ist beim erweiterten Verfall nicht berührt, da der Verfallsgegenstand wegen des Verstoßes gegen strafrechtliche Vorschriften keine schutzfähige Position ist. Insbesondere trifft dies auf Gewinne aus illegalen Drogengeschäften zu, bei denen die Übertragung des Eigentums gemäß § 134 BGB schon zivilrechtlich unwirksam ist. Jedoch selbst, wenn der Eigentumserwerb zivilrechtlich wirksam war, gehört zu den Schranken des Eigentums i.S. des Art. 14 Abs. 1 Satz 2 sein Verlust infolge einer strafrechtlichen Verurteilung.[263] In diesem Sinne setzt § 73d StGB dem Eigentum Schranken.[264]

---

258 BVerfGE 110, 1, 14 f.
259 BVerfGE 110, 1, 16.
260 BVerfGE 110, 1, 17 f.
261 BVerfGE 110, 1, 21 f.
262 BVerfGE 110, 1, 23.
263 BVerfGE 110, 1, 23.
264 BVerfGE 110, 1, 25.

Das Bundesverfassungsgericht hat die BGH-Auslegung der Voraussetzungen für die Annahme deliktischer Herkunft des Vermögens bestätigt.[265] Der Tatrichter muss durch die Abschöpfung vorhandener Beweismittel zur Überzeugung gelangen, dass es sich um illegales Vermögen handelt.[266] Durch die einschränkende Auslegung wird der Verfall gemäß § 73d der Eigentumsgarantie gerecht. Dabei ist auch noch zu berücksichtigen, dass das Belassen des deliktisch erlangten Vermögens beim Täter das Vertrauen der Bevölkerung in die Gerechtigkeit der Rechtsordnung schwächen würde. Um dies zu vermeiden, ist ein milderes, aber gleichermaßen effektives Mittel nicht ersichtlich.[267]

cc) Urteil des Bundesverfassungsgerichts zur Verfassungswidrigkeit der Vermögensstrafe nach § 43a StGB

Die Frage der Verfassungsmäßigkeit der Vermögensstrafe wurde endgültig mit dem Urteil des BVerfG vom 20. März 2002 entschieden.[268] Wegen des Verstoßes gegen das Bestimmtheitsgebot gemäß Art. 103 Abs. 2 GG hat das BVerfG die Vermögensstrafe mit fünf zu drei Stimmen für verfassungswidrig erklärt. Auf die anderen gegen die Vermögensstrafe erhobenen Einwände ist das Gericht nicht eingegangen.

In der Urteilsbegründung stellt das BVerfG fest, dass § 43a StGB das Minimum an gesetzlicher Vorausbestimmung zur Auswahl und Bemessung der Strafe nicht erfüllt.[269] Tragweite und Anwendungsbereich der Strafnorm müssen nämlich für den Normadressaten bereits aus dem Gesetzestext erkennbar sein – und dies gilt auch für die Strafandrohung. Die Vermögensstrafe ist eine Strafe, obwohl sie im Gesetzgebungsverfahren als ein Instrument der Gewinnabschöpfung bezeichnet wurde. Nicht nur der Sanktionsname selbst, sondern auch die systematische, teleologische und historische Auslegung begründen diese Ansicht.[270] Der Grundrechtseingriff durch die Verhängung der Vermögensstrafe müsste wegen seiner Intensität den erhöhten Anforderungen an die Bestimmtheit genügen, was aber nicht geschehen ist. Ungenauigkeiten betreffen den gesamten Strafzumessungsvorgang. Der Strafrichter hat keine inhaltlichen Vorgaben, wann bei einer Verweisung auf § 43a StGB die Vermögensstrafe zu wählen ist. Somit ist die Entscheidung über die Angemessenheit der Vermögensstrafe allein dem Richter überlassen. Die Vorschrift bestimmt dazu den Strafrahmen nicht genau. Das Vermögen des Angeklagten als Strafrahmen ist keine ausreichend präzise Bestimmung, umso mehr in einem Fall, in dem der Richter dieses auch nicht genau beziffern kann. Die Schätzungsvor-

---

265 BVerfGE 110, 1, 25 f.

266 Vgl. BGHSt 40, 371, 371 ff.

267 BVerfGE 110, 1, 29.

268 Siehe BVerfGE 105, 135, 135 ff.

269 BVerfGE 105, 135, 152 f.

270 BVerfGE 105, 135, 158.

schrift verstärkt die Ungenauigkeit noch mehr.[271] Des Weiteren fehlen im Gesetz Vorgaben für die Bemessung der Vermögensstrafe oder für ihre Umrechnung in die Ersatzfreiheitsstrafe.[272]

6. Gesetz zur Stärkung der Rückgewinnungshilfe und der Vermögensabschöpfung bei Strafsachen

In der Praxis hatte sich die Regelung der Vermögensabschöpfung bewährt und eine grundlegende Umgestaltung des Vermögensabschöpfungsrechts wurde nicht mehr für nötig erachtet.[273] Bemängelt wurde jedoch die Regelung des Verhältnisses zwischen Verfall und Verletztenansprüchen, die in manchen Fällen dazu führte, dass dem Täter oder Teilnehmer ein aus einer Straftat erlangter Vermögensvorteil verblieben ist.[274] Um die Regelung in diesem Bereich zu verbessern, wurde am 30. Dezember 2005 durch die Bundesregierung ein „Entwurf eines Gesetzes zur Stärkung der Rückgewinnungshilfe bei Strafsachen" vorgelegt.[275] Das Gesetz ergänzte die häufig als „Totengräber des Verfalls" bezeichnete Rückgewinnungshilfe (§ 73 Abs. 1 Satz 2 StGB) um einen strafprozessualen Auffangsrechtserwerb des Staates, das heißt beim erweiterten Verfall (§ 73d StGB) sollten die Rechte Dritter mit Verweis auf § 73 Abs. 1 Satz 2 StGB stärker berücksichtigt werden. Die Vorschriften traten am 1. Januar 2007 in Kraft.

Am 13. April 2017 wurde eine Reform der strafrechtlichen Vermögensabschöpfung verabschiedet. Die Analyse der verabschiedeten Änderungen ist im nachfolgenden Teil über die gesetzlichen Regelungen enthalten.

II. Gesetzliche Regelungen

Im folgenden Kapitel werden die Regelungen der Vermögensabschöpfung im deutschen Straf- und Ordnungswidrigkeitenrecht untersucht. Der Ausgangspunkt ist dabei die Abgrenzung zwischen Vermögensabschöpfung und Geldstrafe.

A. Abgrenzung zwischen Vermögensabschöpfung und Geldstrafe

Die Geldstrafe ist eine der Hauptstrafen – die Hauptstrafe am Vermögen. Ihre Verhängung begründet die öffentlich-rechtliche Verpflichtung, einen festgesetzten

---

[271] BVerfGE 105, 135, 159.

[272] BVerfGE 105, 135, 159.

[273] Siehe *Arnold*, Verfall, Einziehung und Unbrauchbarmachung, S. 283 f.

[274] Ebenda, S. 283 m.w.N.

[275] BR-Drs. 940/05.

Geldbetrag an den Staat zu entrichten. Die Höhe des Betrages wird nach dem Tagessatzsystem bemessen. Das Nettoeinkommen des Täters stellt die Bemessungsgrundlage dar.[276] Obwohl die Geldstrafe, gleich wie die Einziehung des Wertersatzes, eine Zahlungspflicht des Betroffenen begründet, zählt sie nicht zu den Vermögensabschöpfungsmaßnahmen. Die Rechtsfolge ist zwar in beiden Fällen gleich, der entscheidende Unterschied ist jedoch der Zweck der Maßnahme und dieser ist bei der Geldstrafe eben nicht der Entzug bestimmter Vermögenswerte, sondern der zeitweise Zwang zum Verzicht auf Konsum oder zur Einschränkung desselben.[277] Der Verlust von Vermögen ist lediglich eine mittelbare Folge der Geldstrafe. Es wird auch gesagt, dass es bei der Geldstrafe um die Aberkennung der Rechtsfähigkeit gehe, weswegen sie mit der Freiheitsstrafe vergleichbar und ihrem Wesen nach von den Vermögensabschöpfungsinstrumenten zu unterscheiden sei.[278] Aus diesen Gründen kann die Geldstrafe nicht allein zum Zweck der Gewinnabschöpfung angeordnet werden und ist immer nach dem Unrechtsgehalt der Tat und dem Verschulden des Täters zu bemessen.[279] Der durch die Tat erlangte Vermögensvorteil kann allerdings im Rahmen der Strafzumessung, nämlich bei der Bestimmung der Anzahl der Tagessätze, berücksichtigt werden, wenn sich dadurch die wirtschaftliche Belastbarkeit des Täters erhöht hat.[280]

Diese Überlegungen gelten auch für die kumulative Geldstrafe, also diejenige, die zusätzlich zur Freiheitsstrafe verhängt wird. Sie kann verhängt werden, wenn sich der Täter durch die Tat bereichert hat. Er muss zumindest versucht haben, durch die Tat einen Vermögensvorteil zu erlangen.[281] Auf die Rechtmäßigkeit oder Rechtswidrigkeit der Bereicherung an sich kommt es nicht an, und auch ein mittelbarer Vorteil, das heißt, wenn eine Vermögensminderung verhindert wurde, ist ausreichend. Die kumulative Geldstrafe wird als „spiegelnde Strafe" bezeichnet, weil der Täter infolge ihrer Verhängung das verliert, was er erreichen wollte.[282] Insofern könnte sie als ein Vermögens- bzw. Gewinnabschöpfungsinstrument bezeichnet werden, sofern berücksichtigt wird, dass die Einziehung in erster Linie der Gewinnabschöpfung dient. Gegen den vermögensabschöpfenden Charakter der Geld-

---

[276] Siehe Kindhäuser u.a.-*Albrecht*, Strafgesetzbuch, § 40 Rn. 18 ff.; Jähnke u.a.-*Häger*, Leipziger Kommentar, Vor § 40 Rn. 9 ff.; Schönke/Schröder-*Kinzig*, StGB-Kommentar, § 40 Rn. 2 f.; Athing u.a.-*Radtke*, MüKo, § 40 Rn. 29 ff.

[277] Siehe Kindhäuser u.a.-*Albrecht*, Strafgesetzbuch, § 40 Rn. 7; Jähnke u.a.-*Häger*, Leipziger Kommentar, Vor § 40 Rn. 44; Athing u.a.-*Radtke*, MüKo, § 40 Rn. 12.

[278] Vgl. Kindhäuser u.a.-*Albrecht*, Strafgesetzbuch, § 40 Rn. 7 f.; *Klesczewski*, Ordnungswidrigkeitenrecht, § 1 Rn. 30.

[279] Vgl. Kindhäuser u.a.-*Albrecht*, Strafgesetzbuch, § 40 Rn. 8; Jähnke u.a.-*Häger*, Leipziger Kommentar, Vor § 40 Rn. 49; Athing u.a.-*Radtke*, MüKo, § 40 Rn. 11 f.

[280] Vgl. Jähnke u.a.-*Häger*, Leipziger Kommentar, Vor § 40 Rn. 49; Athing u.a.-*Radtke*, MüKo, § 40 Rn. 11 f.

[281] Vgl. Schönke/Schröder-*Kinzig*, StGB-Kommentar, § 41 Rn. 3.

[282] Athing u.a.-*Radtke*, MüKo, § 41 Rn. 7.

strafe spricht aber ihre Bindung an das Tagessatzsystem.[283] Darüber hinaus ist die Geldstrafe am Nettoeinkommen des Täters zu bemessen und durch dieses wiederum beschränkt.[284]

Anders als im Strafrecht stellt die Geldbuße im Ordnungswidrigkeitenrecht eine Vermögensabschöpfungsmaßnahme dar, mit der die Taterträge abgeschöpft werden.[285] Dies ergibt sich u.a. aus dem Wortlaut des § 29a Abs. 1 OWiG, der Einziehung des Wertersatzes von Taterträgen zulässt, wenn gegen den Täter keine Geldbuße verhängt wurde.[286]

B. Vermögensabschöpfung im Strafgesetzbuch

Die Regelung der Vermögensabschöpfung im Strafgesetzbuch wurde im April 2017 grundlegend reformiert. Die Kritik an der zu komplizierten und für die Praxis unbefriedigenden Rechtslage und die damit verbundenen Reformversuche gehen auf das Jahr 1998 zurück.[287] Der damals vorgelegte Gesetzentwurf hatte eine Vereinheitlichung der Terminologie zum Ziel. Da die diesbezüglichen Missverständnisse immer wieder zu Urteilsaufhebungen geführt hatten, sollte der Begriff „Verfall" durch „Einziehung des Erlangten" ersetzt werden. Die Einziehungsvoraussetzungen sollten sich nach der Art der Verbindung des Vermögensgegenstandes zur Straftat richten. Im Gegensatz zur heutigen Rechtslage haben die Verfasser des Entwurfes von 1998 der aus Gründen der Spezial- und Generalprävention angeordneten Einziehung Strafcharakter beigemessen, auch bei der Einziehung des Wertersatzes.[288] Darüber hinaus lockerte der Gesetzentwurf 1998 die Voraussetzungen für die Dritteinziehung sowohl bezüglich der Tatmittel als auch der Tatprodukte. Für die Einziehung der Vermögenswerte eines Dritten reichte dessen fahrlässiges Handeln aus. Die vorgeschlagenen Änderungen sollten einer besseren Bekämpfung der Organisierten Kriminalität dienen. Der Entwurf wurde im Bundestag beraten, unterfiel dann aber der Diskontinuität.

Die angestrebte Vereinheitlichung der Terminologie erbrachte dann das Gesetz zur Reform der strafrechtlichen Vermögensabschöpfung, das am 13. April 2017 verabschiedet wurde. Der Verfall wurde in „Einziehung von Taterträgen" umbenannt und somit auch der siebente Titel des dritten Abschnitts des StGB angepasst.

---

283 Athing u.a.-*Radtke*, MüKo, § 41 Rn. 9.

284 Siehe Kindhäuser u.a.-*Albrecht*, Strafgesetzbuch, § 41 Rn. 5; Jähnke u.a.-*Häger*, Leipziger Kommentar, § 41 Rn. 20; Athing u.a.-*Radtke*, MüKo, § 41 Rn. 14.

285 Mitsch-*Mitsch*, KK-OWiG, § 22 Rn. 1.

286 Göhler u.a.-*Gürtler*, OWiG, Vor § 22 Rn. 2 ff.

287 Entwurf eines Gesetzes zur verbesserten Abschöpfung von Vermögensvorteilen vom 3. Februar 1988, BT-Drs. 13/9742; dazu ausführlich *Arnold*, Verfall, Einziehung und Unbrauchbarmachung, S. 278 ff.

288 Vgl. Deutscher Bundestag, 13. Wahlperiode, BT-Drs. 13/9742, S. 17 f.

Das Ziel des Reformgesetzes war, außer das Recht zu vereinfachen, die nicht vertretbaren Lücken bei der Abschöpfung zu schließen. Die Gesetzesbegründung lautete: Ein großer Teil der Straftaten diene der Erzielung von Vermögensvorteilen, die Rechtslage sei unübersichtlich und es gebe keine ausreichenden Abschöpfungsmöglichkeiten für das aus Straftaten herrührende Vermögen unklarer Herkunft.[289] Dem oben genannten Ziel diente die Erweiterung des Anwendungsbereichs der Einziehung, sodass jede Straftat eine Anknüpfungstat für die Einziehung sein kann und ihre Anordnung zwingendes Recht ist.[290] Erweitert wurde auch der Anwendungsbereich der Dritteinziehung. Diese sollte die Vermögensverschiebungsfälle umfassen, die bisher dazu gedient hatten, den Verfall zu vereiteln. Das Gesetz schuf die Härtevorschrift des § 73c StGB ab. Die Entreicherung wird nach dem neuen Recht erst im Vollstreckungsverfahren berücksichtigt.[291] Im Rahmen der Reform wurde die Einziehung bei Tätern und Teilnehmern von der Dritteinziehung systematisch getrennt. Vor der Reform verlief die Unterscheidung nach dem Kriterium des betroffenen Einziehungsgegenstandes, was zur Unübersichtlichkeit der Rechtslage beigetragen hatte.

Das Ziel des Gesetzes kann mit dem Satz „Straftaten dürfen sich nicht lohnen" umschrieben werden. Die Reform 2017 soll das Vertrauen der Bevölkerung in die Unverbrüchlichkeit des Rechts stärken.[292] Aus dieser Zielsetzung ergibt sich auch die Rechtsnatur der Einziehung, die eine Maßnahme eigener Art darstellt und dazu dient, die strafrechtswidrigen Vermögenslagen zu beseitigen. Dabei hat sie weder einen Strafcharakter noch eine strafähnliche Wirkung.[293] Sie stellt einen Anspruch des Staates dar, der sich gegen Personen richtet, die sich strafrechtswidrig bereichern. Der staatliche Anspruch richtet sich primär auf das „erlangte Etwas", sekundär auf die Zahlung des Wertersatzes. Dieser Anspruch entsteht bereits mit dem strafrechtswidrigen Vermögenszufluss. Verfassungsrechtlich wird Vermögensabschöpfung als eine Inhalts- und Schrankenbestimmung des Eigentumsgrundrechts nach Art. 14 Abs. 1 Satz 2 GG bezeichnet.[294]

1. Tatgewinne

Abschöpfung aus der Tat stammender Vermögenswerte knüpft an die Begehung einer rechtswidrigen Tat an. Die Anknüpfungstat muss somit nicht schuldhaft begangen werden. Der Wert des erlangten „Etwas" wird gemäß § 73d nach dem Brut-

---

289 Vgl. BR-Drs. 418/16; Deutscher Bundestag, 18. Wahlperiode, BT-Drs. 18/9525.

290 Vgl. *Köhler*, NStZ 2017, 498.

291 Mit der Ausnahme der Entreicherung eines gutgläubigen Drittbegünstigten, die bereits im Erkenntnisverfahren berücksichtigt wird; siehe *Köhler*, NStZ 2017, 500; *Schilling/Corsten/Hübner*, StraFo 2017, 307.

292 *Köhler*, NStZ 2017, 498.

293 Ebenda.

294 Ebenda.

toprinzip bestimmt. Da die bisherige Rechtsprechung des BGH bezüglich des Bruttoprinzips zu unterschiedlichen Ergebnissen geführt hatte, wurde die Regelung im Zuge der letzten Reform geändert. Dabei soll verhindert werden, dass die Vermögensabschöpfung in bestimmten Fallkonstellationen strafrechtliche Wirkung zeigt.[295] Aus diesem Grunde erfolgt die Bestimmung des Erlangten nun in zwei Schritten: Zuerst anhand einer rein gegenständlichen Betrachtungsweise, erst danach werden die Aufwendungen berücksichtigt, wenn dies nach der Wertung des Strafgesetzes gerechtfertigt ist.[296] Das Erlangte versteht sich somit in dem ersten Schritt als alles, was dem Täter, Teilnehmer oder Drittbegünstigten in irgendeiner Phase des Tatablaufs zugeflossen ist.[297] Das zuvor geltende Verbot, die Aufwendungen abzuziehen, wurde in Anlehnung an § 817 Satz 2 BGB auf das, was der Täter oder Teilnehmer bewusst und willentlich für die Vorbereitung oder Begehung einer Straftat aufwendet oder einsetzt, eingeschränkt. Wenn das nicht der Fall ist, werden die Aufwendungen berücksichtigt. Fahrlässig getätigte Aufwendungen sind somit abzugsfähig.[298] Kurz gesagt, wenn eine Handlung oder ein Rechtsgeschäft an sich verboten ist, sind die Aufwendungen nicht abzugsfähig. Wenn dagegen nur die Art und Weise (die Ausführung des Rechtsgeschäfts) zu beanstanden ist, wird die Gegenleistung des Täters vom Erlangten abgezogen. Diese Prüfung erfolgt jedoch nur bei der Einziehung des Wertersatzes.[299]

Wird der ursprünglich erlangte Gegenstand eingezogen, findet keine Prüfung nach § 73d StGB statt. Dieser sollte als ein „inkriminierter Gegenstand" aus dem Verkehr gezogen werden mit Berufung auf den Opferschutz und die Naturalrestitution zur Beseitigung von strafrechtswidrigen Vermögenslagen – was sich gegenständlich als Bereicherung manifestiert, soll beseitigt werden.[300] Da sich die Einziehung in der Praxis überwiegend auf den Wertersatz bezieht, hat diese Unterscheidung keine große Bedeutung.[301]

Die Vorschrift beinhaltet auch eine Schätzungsregel. Sowohl die Aufwendungen des Täters und der Wert des Erlangten als auch der Umfang des Erlangten können geschätzt werden. Die Schätzung liegt im pflichtgemäßen Ermessen des Richters. Die Regelung hat einen beweiserleichternden Charakter und dient der Beseitigung der Schwierigkeiten, die bei der Feststellung der Art und des Umfangs des von der Einziehung betroffenen Vermögens aufkommen können.[302] Sie entspricht der Fas-

---

295 Ebenda.

296 Ebenda, 502.

297 Vgl. Deutscher Bundestag, 18. Wahlperiode, BT-Drs. 18/9525, S. 67.

298 Siehe ebenda, S. 68; *Köhler*, NStZ 2017, 502.

299 Vgl. *Köhler*, NStZ 2017, 502.

300 Siehe *Köhler*, NStZ 2017, 502.

301 Siehe *Rönnau/Begemeier*, GA 2017, 6 m.w.N.

302 Siehe Schönke/Schröder-*Eser/Schuster*, StGB-Kommentar, § 73d Rn. 8; Jähnke u.a.-*Schmidt*, Leipziger Kommentar, Bd. 3, § 73b Rn. 2.

sung des § 73b vor der Reform. Nach der Auffassung des BGH sollte die Schätzungsklausel das Gericht von der unmöglichen Aufgabe befreien, alle Einzelheiten zum Umfang und Wert des Erlangten aufklären zu müssen. Eine vollständige Sachaufklärung wird deswegen nicht verlangt.[303] Dabei dürfen die Unsicherheiten, die mit der Schätzung verbunden sind, nicht die Lage des Betroffenen verschlechtern. Deswegen ist bei Schätzung die Einziehung eines Mindestbetrags anzuordnen.[304]

a) Abschöpfung der Gegenstände

aa) Einziehung von Taterträgen bei Tätern und Teilnehmern nach § 73 StGB

Einziehung von Taterträgen bei Tätern und Teilnehmern regelt § 73 StGB. Der Gesetzgeber bezeichnet diese Vorschrift als eine grundlegende materielle Regelung des Rechts der Vermögensabschöpfung.[305] Die Einziehung ist obligatorisch, für ihre Anordnung ist die Begehung einer rechtswidrigen Tat notwendig, auf die Schuld des Täters kommt es nicht an.

Abschöpfungsgegenstand ist nach § 73 StGB sowohl das durch die Tat als auch das für diese erlangte „Etwas". Diese Bezeichnung wurde mit dem Gesetz zur Änderung des Außenwirtschaftsgesetzes vom 28. Februar 1992 eingeführt.[306] Das „erlangte Etwas" umfasst die Gesamtheit der wirtschaftlich messbaren Vorteile, die dem Täter durch oder für die Tat zugeflossen sind.[307] Somit unterliegen der Einziehung nicht nur Vermögensgegenstände, sondern auch Dienstleistungen oder Nutzungen als geldwerte Vorteile.[308] Erlangt ist ein Vermögensgegenstand dann, wenn er in irgendeiner Phase des Tatablaufs in die Verfügungsgewalt des Täters übergegangen ist. Die Einziehung eines durch die Tat erlangten Gegenstandes kann auch dann angeordnet werden, wenn dieser dem Täter nicht zusteht oder nicht gehört. Die entscheidende Rolle spielen dabei nicht die zivilrechtlichen Besitz- und Eigentumsverhältnisse,[309] sondern ob das, was aus der Tat erlangt wurde, einen wirtschaftlich messbaren Vorteil für den Täter darstellt.[310] Das tatsächlich erlangte

---

303 Siehe BGH NStZ 1989, 361.

304 Vgl. Athing u.a.-*Joecks*, MüKo, § 73b Rn. 8; *Hellmann*, GA 1997, 524; BGH wistra 2000, 307.

305 Deutscher Bundestag, 18. Wahlperiode, BT-Drs. 18/9525, S. 61.

306 BGBl. I 1992, S. 372 – zuvor als Vermögensvorteil bezeichnet.

307 Dies bezieht sich auch auf ersparte Aufwendungen oder hinterzogene Steuern – siehe Beispiele bei *Köhler*, NStZ 2017, 503; siehe auch Jähnke u.a.-*Schmidt*, Leipziger Kommentar, Bd. 3, § 73 Rn. 19.

308 Siehe *Köhler*, NStZ 2017, 498 f.; Schönke/Schröder-*Eser/Schuster*, StGB-Kommentar, § 73 Rn. 11.

309 Vgl. BGH NStZ 2009, 499, 500; BGH NStZ 2006, 570, 571; BGH NStZ-RR 2019, 22.

310 Deutscher Bundestag, 18. Wahlperiode, BT-Drs. 18/9525, S. 6 m.w.N.

Etwas ist auch die Obergrenze der Einziehung, mehr als das, was erlangt wurde, kann nicht abgeschöpft werden.[311]

Im Rahmen der Reform hat sich der Gesetzgeber für eine Erweiterung des Einziehungsgegenstandes entschieden und die Bezeichnung der Kausalbeziehung zwischen dem Gegenstand und der Tat geändert.[312] Gegenstand der Einziehung war zuvor das „aus der Tat" Erlangte, somit hatte die Einziehung einen engeren Anwendungsbereich. Dieser wurde mit der Begründung erweitert, dass die Kausalbeziehung zwischen der Tat und dem Erlangten sich nach den Grundsätzen des Bereicherungsrechts richten sollte.[313] In der neuen Rechtslage umfasst Einziehung auch Vermögensvorteile, die indirekt aus der Tat erlangt wurden. Der Gesetzgeber verweist dabei auf die RL 2014/42/EU.[314] Neben dem „durch" die Tat Erlangten wird das „für" die Tat Erlangte eingezogen: Gegenleistungen für die rechtswidrigen Handlungen des Täters.[315]

Der Einziehungsgegenstand erstreckt sich gemäß § 73 Abs. 2 und 3 StGB auch auf die Nutzungen aus dem Erlangten und auf die Surrogate. Jedoch wird nur das erste Surrogat rechtlich wie das ursprünglich Erlangte behandelt. Damit wird eine unendliche Kausalkette unterbrochen. Wenn das erste Surrogat nicht mehr vorhanden ist, findet die Wertersatzeinziehung Anwendung.[316]

bb) Erweiterte Einziehung von Taterträgen bei Tätern und Teilnehmern nach § 73a StGB

Die erweiterte Einziehung wurde durch das Gesetz zur Bekämpfung des illegalen Rauschgifthandels und anderer Erscheinungsformen der Organisierten Kriminalität vom 15. Juli 1992 in das Strafgesetzbuch eingeführt.[317] Sie sollte dazu dienen, der

---

311 Vgl. *Fischer*, Strafgesetzbuch mit Nebengesetzen, 66. Aufl., § 73 Rn. 26; *Köhler*, NStZ 2017, 504.

312 Der Kausalzusammenhang zwischen der Erwerbstat und dem einzuziehenden Gegenstand ist rein tatsächlich. Das bedeutet, die Begehung der Erwerbstat kann nicht hinweggedacht werden, ohne dass die Bereicherung entfiele. Im Falle einer unterlassenen pflichtgemäßen Handlung ist diese kausal für den Vermögenszuwachs, wenn sie nicht hinzugedacht werden kann, ohne dass dieser entfiele. Siehe *Köhler*, NStZ 2017, 503 f.

313 Deutscher Bundestag, 18. Wahlperiode, BT-Drs. 18/9525, S. 62; siehe *Hüls*, ZWH 2017, 243; *Köhler*, NStZ 2017, 503; *Schilling/Corsten/Hübner*, StraFo 2017, 306. Dadurch, dass das mittelbar und das unmittelbar Erlangte nicht voneinander abgegrenzt werden, können dogmatische Probleme mit der Unterscheidung des mittelbar Erlangten von Nutzungen und Surrogaten entstehen. Siehe *Hüls*, ZWH 2017, 243.

314 Deutscher Bundestag, 18. Wahlperiode, BT-Drs. 18/9525, S. 55 – insbesondere beruft sich der Gesetzgeber auf Art. 2 Nr. 1 und Art. 4 Abs. 1 der RL 2014/42/EU.

315 *Schilling/Corsten/Hübner*, StraFo 2017, 306.

316 *Köhler/Burkhard*, NStZ 2017, 665; vgl. BGH NJW 2018, 2142; BGH NStZ 2018, 654.

317 BGBl. I 1992, S. 1302.

Organisierten Kriminalität die finanzielle Basis zu entziehen.[318] Das Motiv, die Maßnahme einzuführen, lag insbesondere in der Ineffektivität des geltenden Rechts wegen zu hoher Beweisanforderungen.[319] Die erweiterte Einziehung umfasste die beim Täter oder Teilnehmer vorgefundenen Vermögensgegenstände, deren rechtmäßiger Erwerb sich nicht feststellen ließ. Auf den Nachweis, dass die Einziehungsgenstände aus einer konkreten, abgeurteilten Tat stammen müssen, wurde verzichtet.[320] Da gerade bei der Organisierten Kriminalität die Wahrscheinlichkeit, dass es sich um Vermögensgegenstände krimineller Herkunft handelt, hoch ist, ermöglichte der Gesetzgeber deren Einziehung, ohne dass die Strafverfolgungsbehörde einen Beweis hierfür erbringen muss.[321] Auch deswegen fand die erweiterte Einziehung ursprünglich nur auf bestimmte Delikte aus dem Bereich der Drogen- und Organisierten Kriminalität Anwendung.[322] Seit Einführung der Norm ist der Anwendungsbereich kontinuierlich um neue Tatbestände erweitert worden.[323] Die Einführung der erweiterten Einziehung hat die Zwecke, die die Maßnahme erfüllt, erweitert, u.a. die Gefahrenquelle in Form einer Vermögensmasse in Verfügungsgewalt einer kriminellen Organisation zu unterbinden.[324] Gerade dieser Perspektivenwechsel von vergangenheitsorientierter Sanktion auf eine zukunftsorientierte Gefahrenbändigung begünstigt die Einführung von Beweiserleichterungen.[325]

Erweiterte Einziehung kann gemäß § 73a Abs. 1 StGB gegen den Täter oder Teilnehmer angeordnet werden. Auf diese Norm verweist auch § 73b, der die Einziehung von unbeteiligten Dritten regelt. In diesen Fällen unterliegt die Einziehung zusätzlichen Einschränkungen. Nach der letzten Reform wird die erweiterte Einziehung bei jeder rechtswidrigen Tat obligatorisch angewendet, die Feststellung der Schuld ist nicht notwendig. Die Einziehung nach § 73a ist jedoch gegenüber der einfachen Einziehung subsidiär.[326]

---

318 Zu den Gefahren, die Organisierte Kriminalität für die Gesellschaft darstellt (volkswirtschaftliche Schäden und Gefahr der Korrumpierung staatlicher Institutionen) siehe *Krey/Dierlamm*, JR 1992, 353.

319 Zu den Rechtsproblemen vor der Gesetzeseinführung siehe *Hoyer*, GA 1993, 406 ff. (Subsidiarität gegenüber Privatrechtsansprüchen, Zuordnung zu einer konkreten Tat, Nettoprinzip); *Weßlau*, StV 1991, 227 f.

320 Deutscher Bundestag, 18. Wahlperiode, BT-Drs. 18/9525, S. 62.

321 *Rönnau/Begemeier*, NZWiSt 2016, 261.

322 Vgl. § 73d Abs. 1 StGB a.F: Ist eine rechtswidrige Tat nach einem Gesetz begangen worden, das auf diese Vorschrift verweist, so ordnet das Gericht den Verfall von Gegenständen des Täters oder Teilnehmers auch dann an, wenn die Umstände die Annahme rechtfertigen, daß diese Gegenstände für rechtswidrige Taten oder aus ihnen erlangt worden sind. Satz 1 ist auch anzuwenden, wenn ein Gegenstand dem Täter oder Teilnehmer nur deshalb nicht gehört oder zusteht, weil er den Gegenstand für eine rechtswidrige Tat oder aus ihr erlangt hat. § 73 Abs. 1 Satz 2, auch in Verbindung mit § 73b, und § 73 Abs. 2 gelten entsprechend.

323 *Schilling/Corsten/Hübner*, StraFo 2017, 308.

324 Siehe *Hetzer*, wistra 2000, 369; *Perron*, JZ 1993, 921.

325 Siehe *Hetzer*, wistra 2000, 369; *Heine*, JZ 1995, 653 ff.

326 *Pelz*, NZWiSt 2018, 251 m.w.N.

Der Abschöpfungsgegenstand sind die durch eine andere rechtswidrige Tat oder für sie erlangten Gegenstände. Anders als bei der Einziehung nach § 73 StGB, die den Abschöpfungsgegenstand als das erlangte „Etwas" bezeichnet, bezieht sich die Vorschrift nur auf Sachen und Rechte. Die ersparten Aufwendungen unterliegen somit nicht der erweiterten Einziehung.[327] Diese engere Fassung des Abschöpfungsgegenstandes ist durch die höhere Eingriffsintensität der erweiterten Einziehung begründet.[328] Die Einziehungsobjekte müssen gemäß § 73a StGB nicht aus einer Erwerbstat, für die bereits Anklage erhoben wurde, stammen.[329] Erweiterte Einziehung kann angeordnet werden, wenn die Begehung einer bestimmten rechtswidrigen Tat nachgewiesen wurde und die Vermögenswerte trotz Ausschöpfung der Ermittlungsmöglichkeiten keiner konkreten Tat zugeordnet werden können.[330] Jede rechtswidrige Tat kann Anlass für die Anordnung der erweiterten Einziehung sein. Das Gericht muss aber zur Überzeugung gelangen, dass die Vermögenswerte durch andere, nicht konkret feststellbare Delikte erlangt wurden.[331] Der Betroffene kann durch Nachweis einer rechtmäßigen Herkunft des einzuziehenden Gegenstandes die Einziehung verhindern.[332]

Die Erweiterung des Anwendungsbereichs der erweiterten Einziehung begründete der Gesetzgeber mit der Umsetzung des Art. 5 Abs. 1 RL 2014/42/EU. Die Richtlinie besagt, dass die erweiterte Einziehung für die in Art. 5 Abs. 2 genannten Kriminalitätsbereiche in das nationale Recht der Mitgliedstaaten eingeführt werden solle. In vielen dieser Bereiche gab es im deutschen Recht bereits vor der Reform die Möglichkeit, auf den damaligen § 73d StGB zurückzugreifen. Die Verweise beschränkten sich jedoch in vielen Fällen auf gewerbs- oder bandenmäßige Begehung von Straftaten. Da die EU-Richtlinie die Mindestvorgaben nicht auf solche Delikte einschränkte, bestand für die in Art. 5 Abs. 2 genannten Straftaten zwingender Umsetzungsbedarf.[333] Der Gesetzgeber hat sich aber entschieden, über diesen hinauszugehen.[334] Dabei beruft er sich auch den 20. Erwägungsgrund der Richtlinie, der zwar einen Zusammenhang zwischen erweiterter Einziehung und Organisierter Kriminalität oder gewinnorientierter Kriminalität unterstreicht, den Anwendungsbereich jedoch nicht auf diese Art von Straftaten einschränkt.[335] Nach

---

[327] Siehe *Fischer*, Strafgesetzbuch mit Nebengesetzen, 66. Aufl., § 73a Rn. 13; BGH wistra 2018, 471 f.

[328] BGH wistra 2018, 472.

[329] Vgl. *Hüls*, ZWH 2017, 248; *Pelz*, NZWiSt 2018, 251; *Fischer*, Strafgesetzbuch mit Nebengesetzen, 66. Aufl., § 73a Rn. 13.

[330] *Köhler/Burkhard*, NStZ 2017, 670.

[331] Siehe *Köhler/Burkhard*, NStZ 2017, 670; *Eser*, FS für Stree/Wessels, S. 845.

[332] *Pelz*, NZWiSt 2018, 252.

[333] Vgl. die Analyse des Umsetzungsbedarfs der RL 2014/42/EU in der Gesetzesbegründung – Deutscher Bundestag, 18. Wahlperiode, BT-Drs. 18/9525, S. 63 ff.

[334] Vgl. *Hüls*, ZWH 2017, 250; *Pelz*, NZWiSt 2018, 251; *Rönnau/Begemeier*, NZWiSt 2016, 263; *Schilling/Corsten/Hübner*, StraFo 2017, 308; *Trüg*, NJW 2017, 1915.

[335] Vgl. Deutscher Bundestag, 18. Wahlperiode, BT-Drs. 18/9525, S. 63; RL 2014/42/EU, Erwägungsgrund 20.

der letzten Reform des StGB 2017 überzeugt die ursprüngliche Begründung der erweiterten Einziehung – bei Begehung bestimmter Straftaten ist wegen ihres gewinnorientierten Charakters eine Schlussfolgerung auf kriminelle Herkunft sonstigen Vermögens legitimiert – nicht mehr. In der neuen Rechtslage kann die Strafverfolgung aus der Begehung jeder rechtswidrigen Tat auf eine kriminelle Herkunft des Vermögens schlussfolgern.

Die Erweiterung des Anwendungsbereichs auf alle Tatbestände wird mit dem „vermögensordnenden und normstabilisierenden" Zweck der Norm begründet.[336] Dies bedeutet, wenn im Rahmen einer Durchsuchung Vermögen unklarer Herkunft aufgefunden wird, sollte es unerheblich sein, wegen welcher Anlasstat die Durchsuchung stattgefunden hat. Die Einziehung eines solchen Vermögensgegenstandes sollte immer möglich sein, um die Normstabilisierung und das Vertrauen der Bevölkerung in die Gerechtigkeit zu gewährleisten.[337] Die Folge davon ist aber, dass bezüglich dieser Vermögensgegenstände kein Beweis der Begehung einer rechtswidrigen Erwerbstat notwendig ist. Es kann nur hinterfragt werden, wie das Gericht zu der Überzeugung gelangen kann, dass das Vermögen aus einer Tat stammt, die keines Nachweises bedarf. In der Praxis soll für die Anordnung der erweiterten Einziehung die richterliche Überzeugung über die kriminelle Herkunft des Einziehungsgegenstandes verlangt werden.[338] Das bedeutet, das Gericht muss nach derBeweiserhebung und -würdigung zu dem Schluss gelangen, dass es sich um nicht legales Vermögen handelt. Um die Anwendung dieses Beweisstandards zu sichern, wurde im Gesetzestext die frühere Beschreibung der Überzeugungsbildung – „wenn die Umstände die Annahme rechtfertigen" – gestrichen. Der Gesetzgeber ist somit auf die Rechtsprechung des BVerfG und des BGH eingegangen, die an die Überzeugungsbildung den gleichen Maßstab stellten wie an die Frage des Tatnachweises.[339]

cc) Einziehung von Taterträgen bei anderen nach § 73b StGB

Taterträge können auch von einer anderen Person als Täter und Teilnehmer eingezogen werden. Diese sogenannte Dritteinziehung regelt das Strafgesetz in § 73b StGB. Ihre Anordnung ist obligatorisch, sobald die in § 73b Abs. 1 festgelegten Voraussetzungen erfüllt sind. Diese beziehen sich auf die Person des Betroffenen und erfassen sowohl objektive als auch subjektive Umstände der Bereicherung durch die Tat, wobei sich die Einziehung, mit einer Ausnahme, überwiegend nach objektiven Kriterien richtet.

---

336 Siehe Deutscher Bundestag, 18. Wahlperiode, BT-Drs. 18/9525, S. 65.

337 Deutscher Bundestag, 18. Wahlperiode, BT-Drs. 18/9525, S. 65.

338 In der Rechtstheorie werden niedrigere Anforderungen an die Überzeugungsbildung bzgl. strafrechtswidriger Herkunft des einzuziehenden Gegenstandes gestellt, siehe *Köhler*, NStZ 2017, 497 ff.

339 Deutscher Bundestag, 18. Wahlperiode, BT-Drs. 18/9525, S. 66.

Die objektiven Umstände bei Dritteinziehung umfassen unterschiedliche Fallkonstellationen. Zur ersten Fallgruppe gehören sog. Vertretungsfälle, die dadurch gekennzeichnet sind, dass der Täter oder Teilnehmer faktisch für einen Dritten gehandelt hat.[340] Das aus der Erwerbstat Erlangte kommt in diesen Fällen direkt dem Dritten zu – er ist die Person, die durch die Tat einen wirtschaftlichen Vorteil erlangt hat. Einziehungsrelevant ist das objektive Erlangen, subjektive Umstände werden nicht berücksichtigt. Die zweite Fallgruppe stellen sogenannte Verschiebungsfälle dar: Das Erlangte wird dann auf einen Dritten unentgeltlich oder ohne rechtlichen Grund übertragen. Die Übertragung soll die Einziehung der Gegenstände von Täter oder Teilnehmer verhindern. Die einzuziehenden Gegenstände befinden sich im Herrschaftsbereich des Dritten. Bei unentgeltlicher Übertragung und Übertragung ohne rechtlichen Grund spielt die subjektive Komponente auch keine Rolle.[341] Gleichermaßen findet Einziehung ohne Rücksicht auf die subjektiven Umstände im Falle des Todes des Täters oder Teilnehmers statt. Der Dritte kann von der Einziehung als Erbe, Pflichtteilsberechtigter und Vermächtnisnehmer betroffen sein.[342] Diese Regelung wurde als Umsetzung der Rechtsprechung des BGH zur Zulässigkeit der Dritteinziehung bei Todesfällen in das Strafgesetzbuch eingeführt.[343] Darüber hinaus umfasst die Dritteinziehung noch Situationen, in denen die Übertragung der Taterträge auf einen Dritten zwar entgeltlich oder mit rechtlichem Grund stattgefunden hat, aber der Dritte erkannt hat oder hätte erkennen müssen, dass es sich beim Übertragenen um strafrechtswidriges Vermögen handelt.[344] In diesen Fällen ist die Einziehungsanordnung davon abhängig, ob der Dritte gut- oder bösgläubig gehandelt hat.[345]

Der Abschöpfungsgegenstand kann sowohl das durch die Tat als auch das für sie Erlangte sein. Die Einziehungsvoraussetzungen regelt dann § 73 StGB. Bei der Dritteinziehung werden auch die Surrogate und die gezogenen Nutzungen eingezogen. In Vertretungsfällen werden diese gemäß § 73b Abs. 1 Nr. 1 i.V.m. § 73 Abs. 2 oder Abs. 3 StGB eingezogen. Die Einziehung von Surrogaten und Nutzungen in Verschiebungsfällen regelt § 73b Abs. 2 und 3. Gegen Dritte kann auch die erweiterte Einziehung gemäß § 73a StGB unter den dort zusammengefassten Voraussetzungen angeordnet werden.[346]

---

340 *Köhler/Burkhard*, NStZ 2017, 666.

341 Ebenda.

342 Vgl. *Köhler*, NStZ 2017, 501; *Köhler/Burkhard*, NStZ 2017, 667. Vgl. auch die Kritik zur bisherigen Rechtslage bei *Rönnau*, Vermögensabschöpfung in der Praxis, Rn. 126; *Fischer*, Strafgesetzbuch mit Nebengesetzen, 64. Aufl., § 73 Rn. 32, 37; *Radtke*, FS für Schünemann, S. 927, 931 f.

343 Vgl. BGHSt 45, 235. Dazu auch *Köhler*, NStZ 2017, 501; *Schilling/Corsten/Hübner*, StraFo 2017, 308.

344 Vgl. Deutscher Bundestag, 18. Wahlperiode, BT-Drs. 18/9525, S. 66 f.; *Köhler*, NStZ 2017, 501; *Köhler/Burkhard*, NStZ 2017, 666.

345 Vgl. *Köhler/Burkhard*, NStZ 2017, 665; *Schilling/Corsten/Hübner*, StraFo 2017, 308; *Trüg*, NJW 2017, 1916.

346 *Köhler/Burkhard*, NStZ 2017, 666.

Dritteinziehung unterliegt keinen Einschränkungen in den Fällen, in denen der Täter für einen Dritten gehandelt hat. Für die Einziehung im Verschiebungsfall ist eine ununterbrochene Bereicherungskette nach § 73b Abs. 1 Satz 2 notwendig.[347] Dies bedeutet, wenn das Erlangte auf einen Dritten übertragen wurde, der nicht erkannt hat oder hätte nicht erkennen müssen, dass es sich um kriminelles Vermögen handelt, und die Übertragung entgeltlich und mit rechtlichem Grund stattgefunden hat, kann das aus der Straftat Erlangte nicht mehr eingezogen werden, selbst dann nicht, wenn danach noch auf einen Dritten übertragen wird, dem die kriminelle Herkunft des Vermögensgegenstandes bekannt ist.[348]

dd) Einziehung von Tatprodukten nach § 74 StGB

Tatprodukte sind Gegenstände, die ihre Entstehung oder gegenwärtige Beschaffenheit der Straftat verdanken.[349] Sie können sowohl Sachen als auch Rechte sein.[350] Entscheidend ist der unmittelbare, ursächliche Zusammenhang zwischen der Tat und dem Gegenstand. Als Tatprodukte gelten jedoch nicht die durch die Tat oder für sie erlangten Vermögenswerte.[351] Die Einziehung der Tatprodukte regelt § 74 Abs. 1 StGB; diese unterliegt denselben Voraussetzungen wie die Einziehung der Tatmittel. Im Unterschied zu anderen aus der Tat stammenden Vermögenswerten setzt die Einziehung der Tatprodukte die Begehung einer vorsätzlichen, also rechtswidrigen und schuldhaften Tat voraus.[352]

ee) Einziehung von Tatprodukten bei anderen nach § 74a StGB

Die Einziehung der Tatprodukte bei an der Erwerbstat unbeteiligten Dritten regelt § 74a StGB. Die Vorschrift kommt nur dann zur Anwendung, wenn das Gesetz

---

347 Ebenda, 668. Bei Verschiebungsketten (bzw. Bereicherungsketten) haften die Drittbegünstigten gesamtschuldnerisch. Anders ist es bei sog. „Handelsketten", z.B. bei Betäubungsmitteldelikten. Hier verwirklichen die weiteren Übertragungen (z.B. von Betäubungsmitteln durch Zwischenhändler) weitere Straftatbestände. Die Einziehung ist für jeden Tatbestand separat anzuordnen. Vgl. *Köhler/Burkhard*, NStZ 2017, 669.

348 Deutscher Bundestag, 18. Wahlperiode, BT-Drs. 18/9525, S. 67; vgl. auch BGHSt 45, 235. *Köhler/Burkhard*, NStZ 2017, 668.

349 Vgl. Schönke/Schröder-*Eser/Schuster*, StGB-Kommentar, § 74 Rn. 7; Athing u.a.-*Joecks*, MüKo, § 74 Rn. 11; Jähnke u.a.-*Schmidt*, Leipziger Kommentar, Bd. 3, § 74 Rn. 14.

350 Vgl. Schönke/Schröder-*Eser/Schuster*, StGB-Kommentar, § 74 Rn. 6; Athing u.a.-*Joecks*, MüKo, § 74 Rn. 9; Jähnke u.a.-*Schmidt*, Leipziger Kommentar, Bd. 3, § 74 Rn. 13.

351 Diese unterliegen der Einziehung gemäß § 73 Abs. 1 StGB und können auch mittelbar durch die Tat erlangt werden, dazu entfällt auch der Schuldnachweis. Zu der Unterscheidung zwischen Tatprodukten und Früchten der Tat siehe Athing u.a.-*Joecks*, MüKo, § 74 Rn. 12; Jähnke u.a.- *Schmidt*, Leipziger Kommentar, Bd. 3, § 74 Rn. 15.

352 Vgl. Schönke/Schröder-*Eser/Schuster*, StGB-Kommentar, § 74 Rn. 2; Athing u.a.-*Joecks*, MüKo, § 74 Rn. 7; Jähnke u.a.-*Schmidt*, Leipziger Kommentar, Bd. 3, § 74 Rn. 9.

auf sie verweist. Darüber hinaus hängt die Einziehung der Tatprodukte, die sich im Herrschaftsbereich des Dritten befinden, davon ab, wie er diese Gegenstände erworben hat. Die Einziehung ist dann zulässig, wenn der Dritte die Gegenstände in verwerflicher Weise erworben hat, also in Kenntnis der Umstände, die die Einziehung zugelassen hätten (§ 74a Nr. 2 StGB). Entscheidend ist hier die subjektive Komponente beim Betroffenen. Der Abschöpfungsgegenstand wird gleich wie bei der Einziehung vom Täter und Teilnehmer bestimmt.[353]

ff) Sicherungseinziehung (von Tatprodukten) nach §74b StGB

Tatprodukte, also durch eine vorsätzliche Tat hervorgebrachte Gegenstände, unterliegen der Sicherungseinziehung gemäß § 74b StGB unter den gleichen Voraussetzungen wie Tatmittel.[354] Sie können sowohl vom Täter, Teilnehmer als auch von Dritten eingezogen werden. Bei der Dritteinziehung wird dem Betroffenen eine Entschädigung vom Staat gewährt, es sei denn, er hat den Gegenstand in Kenntnis der Umstände erworben, die die Einziehung zulassen. Unter dieser Voraussetzung wäre auch die Dritteinziehung von Tatprodukten zulässig. Abschöpfungsgegenstand sind Tatprodukte gemäß § 74 Abs. 1 StGB. Sie müssen aufgrund ihrer Beschaffenheit die Gemeinschaft gefährden oder es muss eine Gefahr bestehen, dass sie zur Begehung rechtswidriger Taten verwendet werden.

gg) Selbständige Einziehung nach § 76a Abs. 1 bis 3 StGB

Die selbständige Einziehung ist keine selbständige Sanktion in dem Sinne, dass sie speziellen materiell-rechtlichen Voraussetzungen unterliegt. Die Vorschrift des § 76a StGB bestimmt nur die verfahrensrechtlichen Voraussetzungen – die Einziehung wird in einem selbständigen Verfahren angeordnet, das objektives Verfahren genannt wird.[355] In dem Verfahren wird über die Einziehung ohne Rücksicht darauf, ob der Täter persönlich verfolgt werden kann, entschieden. Die Regelung des § 76a Abs. 1 bis 3 kommt dann zur Anwendung, wenn ein subjektives Verfahren gegen den Täter nicht durchführbar ist.[356] Für die Einziehung selbst gelten weiterhin die üblichen materiell-rechtlichen Voraussetzungen. Der Abschöpfungsadressat wird durch die Einziehungsnorm bestimmt, die in Verbindung mit § 76a Abs. 1 bis 3 angewendet wird.

---

353 Vgl. Schönke/Schröder-*Eser/Schuster*, StGB-Kommentar, § 74 Rn. 7; Athing u.a.-*Joecks*, MüKo, § 74 Rn. 11; Jähnke u.a.-*Schmidt*, Leipziger Kommentar, Bd. 3, § 74 Rn. 14.

354 Siehe unten Teil 3.II.B.b)aa).ii).

355 *Köhler*, NStZ 2017, 499 f.; Schönke/Schröder-*Eser/Schuster*, StGB-Kommentar, § 76a Rn. 1.

356 *Köhler*, NStZ 2017, 499 f.

Die Regelung der selbständigen Einziehung in § 76a StGB entspricht weitgehend der bisher geltenden Vorschrift und erweitert sie noch zusätzlich. Die selbständige Einziehung ist in vier Fallkonstellationen zulässig: Wenn wegen der Straftat keine bestimmte Person verfolgt werden kann (Abs. 1), die Verfolgung der Straftat verjährt ist (Abs. 2),[357] das Gericht von Strafe absieht oder das Verfahren eingestellt wird (Abs. 3).[358]

Die Einziehung nach § 76a Abs. 2 StGB übernimmt den Regelungsgehalt des früheren § 76a.[359] Das Gleiche gilt für die selbständige Einziehung nach § 76a Abs. 3. Die erste der Einziehungsmöglichkeiten – wenn keine bestimmte Person verfolgt werden kann – wurde im Rahmen der StGB-Reform 2017 um rechtliche Hinderungsgründe erweitert.[360] Die Einziehung knüpft an den Nachweis einer rechtswidrigen Tat an.[361] Die Vorschrift setzt Art. 4 Abs. 2 der Richtlinie 2014/42/EU um, indem auch eine dauerhafte Verhandlungsunfähigkeit des Täters oder Teilnehmers die Möglichkeit selbständiger Einziehung eröffnet. Die Regelung im StGB geht aber über die in der Richtlinie genannten Mindestvoraussetzungen – selbständige Einziehung im Krankheitsfall oder Flucht des Verdächtigten oder Beschuldigten – hinaus. Bei den oben genannten Gründen handelt es sich um tatsächliche Verfahrenshindernisse, die bereits vor der Gesetzesreform von der selbständigen Einziehung erfasst wurden.[362] Darüber hinaus wird eine nachträgliche Vermögensabschöpfung bei Strafklageverbrauch ermöglicht. Eine nachträgliche Entscheidung kommt nur dann nicht infrage, wenn ein Gericht bereits zuvor die Einziehung unanfechtbar abgelehnt hat, ansonsten ist die Maßnahme „unter Gerechtigkeitsaspekten gerechtfertigt".[363]

---

357 Im Rahmen der Reform wurde die Verjährung der Vermögensabschöpfung von der Verjährung der Straftat entkoppelt. Siehe *Köhler/Burkhard*, NStZ 2017, 671.

358 Die Regelung in Abs. 4 stellt im Gegensatz zu den Abs. 1 bis 3 ein selbständiges Einziehungsinstrument dar. Siehe Deutscher Bundestag, 18. Wahlperiode, BT-Drs. 18/9525, S. 73.

359 Vgl. Deutscher Bundestag, 18. Wahlperiode, BT-Drs. 18/9525, S. 72; *Köhler*, NStZ 2017, 500.

360 Vor der Reform enthielt § 76a Abs. 1 StGB die Formulierung „aus tatsächlichen Gründen". Vgl. Deutscher Bundestag, 18. Wahlperiode, BT-Drs. 18/9525, S. 72; *Köhler/Burkhard*, NStZ 2017, 670.

361 Deutscher Bundestag, 18. Wahlperiode, BT-Drs. 18/9525, S. 72.

362 Siehe Schönke/Schröder-*Eser/Schuster*, StGB-Kommentar, § 76a Rn. 6; Athing u.a.-*Joecks*, MüKo, § 76a Rn. 5; Jähnke u.a.-*Schmidt*, Leipziger Kommentar, Bd. 3, § 76a Rn. 8.

363 Deutscher Bundestag, 18. Wahlperiode, BT-Drs. 18/9525, S. 72.

hh) Selbständige Einziehung nach § 76a Abs. 4 StGB *(non-conviction-based confiscation)*

Im Rahmen der Reform strafrechtlicher Vermögensabschöpfung wurde 2017 ein neues Abschöpfungsinstrument in das StGB eingeführt, welches die Einziehung von Vermögen unklarer Herkunft unabhängig vom Nachweis einer konkreten rechtswidrigen Tat ermöglichen sollte. Die in § 76a Abs. 4 StGB geregelte *non-conviction-based confiscation* hat die Bekämpfung von Terrorismus und Organisierter Kriminalität zum Ziel.[364] Sie findet nur auf die in Abs. 4 Nr. 1 bis 8 genannten Katalogtaten Anwendung. Die neu geschaffene Abschöpfungsmöglichkeit ist ein Zeichen der rechtspolitischen Neuausrichtung und eine Reaktion des Gesetzgebers auf die in der Fachdiskussion oft unterschätzte Einflussnahme mittels kriminell erlangten Vermögens auf Wirtschaft und Gesellschaft.[365] Selbständige Einziehung kommt dann zur Anwendung, wenn der Vermögensinhaber eindeutig in kriminelle Tätigkeiten verstrickt ist, aber entweder nicht verfolgt oder nicht verurteilt werden kann. Auch in den Fällen, in denen das Vermögen sichergestellt wurde, der Täter aber unbekannt bleibt, kann nach § 76a Abs. 4 StGB Einziehung angeordnet werden.[366] Als Vorbild für die selbständige Einziehung dienten dem deutschen Gesetzgeber das zivilrechtlich-restitutive *non-conviction-based forfeiture* aus dem US-amerikanischen und die präventive Vermögensabschöpfung aus dem italienischen Recht.[367]

Die Einziehung nach § 76a Abs. 4 StGB wird im selbständigen, objektiven Verfahren angeordnet. Es wird keine bestimmte Person wegen einer Straftat verfolgt. Der Gegenstand des Verfahrens ist eine rechtswidrige Vermögenslage.[368] Der Sache nach wird die Regelung als selbständige Form der erweiterten Einziehung gesehen,[369] oder aber als „Geldwäschetatbestand" für die Vermögensabschöpfung bezeichnet.[370] Die Vorschrift setzt die Richtlinie 2014/42/EU um und geht dabei über die Mindestanforderungen hinaus. Die Richtlinie verlangt eine Einziehungsanordnung in Abwesenheit des Betroffenen bei Flucht oder Erkrankung.[371]

---

364 Deutscher Bundestag, 18. Wahlperiode, BT-Drs. 18/9525, S. 73.

365 Dazu siehe *Meyer*, StV 2017, 343; *Krey/Dierlamm*, JR 1992, 354 ff.

366 *Meyer*, StV 2017, 344.

367 Deutscher Bundestag, 18. Wahlperiode, BT-Drs. 18/9525, S. 73.

368 *Meyer*, StV 2017, 344; siehe auch *Rui/Sieber*, in: Rui/Sieber (Hrsg.), Non-Conviction-Based Confiscation, S. 245 Gerade aus dem Grund, dass die Vorschrift im Gegensatz zu den Regelungen in § 76a Abs. 1 bis 3 nicht nur eine verfahrensrechtliche Abweichung ist, würde eine separate Regelung zur Klarheit des Gesetzestextes beitragen.

369 Vgl. *Köhler*, NStZ 2017, 499; *Köhler/Burkhard*, NStZ 2017, 671; *Schilling/Hübner*, StV 2018, 50.

370 Vgl. *Hüls*, ZWH 2017, 251; *Köhler/Burkhard*, NStZ 2017, 672; *Schilling/Hübner*, StV 2018, 49.

371 RL 2014/42/EU, Art. 4 Abs. 2 und Erwägungsgrund 15; siehe auch *Schilling/Hübner*, StV 2018, 53.

Den Abschöpfungsadressaten bezeichnet die Vorschrift des § 76a Abs. 4 StGB als Betroffenen und nicht als Täter, weil es für die Einziehungsentscheidung keiner Anknüpfungstat bedarf, sondern lediglich eines Anknüpfungsverfahrens. Die Maßnahme richtet sich jedoch gegen den Tatbeteiligten, was sich aus der Formulierung „wenn der Betroffene nicht wegen der Tat verfolgt oder verurteilt werden kann" ergibt. Die Einziehung soll trotz Verfolgungshindernissen möglich sein. Ein unbeteiligter Dritter wird nicht wegen der Tat verfolgt. Dennoch können infolge selbständiger Einziehung Rechte Dritter verletzt werden. Sie können ihre Rechte gemäß § 438 StPO als Nebenbetroffene am Strafverfahren geltend machen.[372] Die Voraussetzung dafür ist, dass der Gegenstand dem Dritten gehört oder er am Gegenstand ein sonstiges Recht hat, dessen Erlöschen angeordnet werden könnte.

Die Verbindung zwischen dem Vermögensgegenstand und einer Straftat wurde – in Anlehnung an den Geldwäschetatbestand – als „aus einer rechtswidrigen Tat herrühren(d)" bezeichnet.[373] Für die Auslegung des Merkmals „herrühren" ist der für den Tatbestand der Geldwäsche entwickelte Maßstab anzuwenden:[374] Es muss bei wirtschaftlicher Betrachtungsweise ein Kausalzusammenhang zwischen dem Vermögensgegenstand und der Tat bestehen. Das Gericht sollte davon überzeugt sein, dass der Gegenstand aus einer rechtswidrigen Tat herrührt. Die für die richterliche Überzeugung relevanten Umstände nennt (nicht abschließend) § 437 StPO.[375] Nach dieser Vorschrift kann das Gericht zu der Überzeugung, dass ein Vermögensgegenstand aus rechtswidriger Tat herrührt, durch die Feststellung eines groben Missverhältnisses zwischen dem Wert des Gegenstandes und den rechtmäßigen Einkünften des Betroffenen gelangen. Darüber hinaus sind auch die Umstände zu berücksichtigen, unter denen der Gegenstand aufgefunden wurde.[376] Die Überzeugungsbildung nach § 437 StPO sollte die vom BVerfG bestätigte verfassungskonforme Auslegung der Regelung zum früheren erweiterten Verfall nach § 73d StGB a.F. folgen.[377] An die richterliche Überzeugung sollten bei der Anwendung der Maßnahme, so der Gesetzgeber, keine „überspannten Anforderungen gestellt werden".[378] Die Einziehung bedarf keiner konkreten Anknüpfungstat, sondern eines Anknüpfungsverfahrens wegen eines der Katalogdelikte,[379] was als mittelbare Be-

---

372 Verfahrensbeteiligung ist in der StPO auch für Dritte, gegen die sich die Einziehungsentscheidung richtet, vorgesehen. Vgl. §§ 424 ff. StPO.

373 *Köhler/Burkhard*, NStZ 2017, 671.

374 Deutscher Bundestag, 18. Wahlperiode, BT-Drs. 18/9525, S. 73; siehe auch *Köhler/Burkhard*, NStZ 2017, 671; kritisch zu dem Merkmal „herrühren" *Rönnau/Begemeier*, JZ 2018, 444 f.

375 Deutscher Bundestag, 18. Wahlperiode, BT-Drs. 18/9525, S. 58, 73.

376 Vgl. *Greeve*, ZWH 2017, 279; *Schilling/Hübner*, StV 2018, 50.

377 Meyer-Goßner/Schmitt-*Köhler*, Strafprozessordnung, § 437 Rn. 2.

378 Deutscher Bundestag, 18. Wahlperiode, BT-Drs. 18/9525, S. 66; siehe auch *Schilling/Hübner*, StV 2018, 50.

379 Vgl. *Köhler/Burkhard*, NStZ 2017, 671; *Meyer*, StV 2017, 344; *Schilling/Corsten/Hübner*, StraFo 2017, 310.

weisführung bezeichnet wird.[380] Die Vereinbarkeit mittelbarer Beweisführung mit der richterlichen Überzeugungsbildung gemäß § 261 StPO wird im Schrifttum bestritten.[381] Der Konflikt entsteht wegen des im Strafprozess geltenden Grundsatzes der Erforschung materieller Wahrheit, mit dem sich eine lediglich auf Wahrscheinlichkeitsabwägung beruhende Entscheidung nicht vereinbaren lässt.[382] *Frank Meyer* weist darauf hin, dass es konsequent wäre, das Beweisverfahren an das Legitimitätskonzept anzupassen und für die selbständige Einziehung Zivil- oder Verwaltungsverfahren anzuwenden, wenn die selbständige Einziehung eine vermögensordnende Maßnahme *in rem* darstellt. Dann würde der Konflikt mit dem Beweisstandard des § 261 StPO nicht auftreten und der Eingriff in das Eigentumsrecht wäre an Verhältnismäßigkeitseinschränkungen zu messen.[383] Sonst, so *Frank Meyer*, gelte für die selbständige Einziehung – dadurch, dass die Maßnahme in den Strafprozess eingebaut wurde – der strafprozessuale Beweisstandard: die volle Überzeugung des Gerichts nach freier Beweiswürdigung.[384] Die im Rahmen der Reform 2017 verabschiedete Fassung des § 437 StPO beinhaltet zwar im Gegensatz zum Gesetzentwurf der Bundesregierung keinen Verweis auf § 261, was aber daran liegt, dass ein solcher Verweis rein deklaratorischer Art für überflüssig gehalten wurde.[385] Die in § 437 StPO genannten Umstände bieten dabei dem Gericht eine Orientierung bei der Frage, was bei der Überzeugungsbildung eine Rolle spielen kann. Ein besonderer Beweiswert kommt dabei einem groben Missverhältnis zwischen dem Wert des sichergestellten Gegenstandes und den rechtmäßigen Einkünften des Betroffenen zu.[386]

Unter Einziehungsgegenstand versteht man aus rechtswidrigen Taten herrührende Gegenstände, deren Herkunft jedoch nicht nachgewiesen werden muss. Die Voraussetzung der Einziehung ist die Sicherstellung der Gegenstände im Strafverfahren wegen des Verdachts, dass sie aus einer der Katalogtaten stammen.[387] Für die

---

380 *Meyer*, StV 2017, 349.

381 *Rönnau/Begemeier*, NZWiSt 2016, 262; für die Vereinbarkeit mit § 261 StPO siehe *Korte*, wistra 2018, 9.

382 Vgl. *Meyer*, StV 2017, 348 f. Die umgesetzte Richtlinie 2014/42/EU nennt zwar auch die Wahrscheinlichkeitsabwägung als Beweismaß, jedoch in Bezug auf die erweiterte Einziehung, die auf einer strafrechtlichen Verurteilung beruht. Vgl. RL 2014/42/EU, Erwägungsgrund 21.

383 *Meyer*, StV 2017, 348 f.

384 Siehe ebenda, 344 ff.; Meyer-Goßner/Schmitt-*Köhler*, Strafprozessordnung, § 437 Rn. 2; vgl. auch Deutscher Bundestag, 18. Wahlperiode, BT-Drs. 18/9525, S. 58.

385 Deutscher Bundestag, 18. Wahlperiode, BT-Drs. 18/11640, S. 89.

386 Meyer-Goßner/Schmitt-*Köhler*, Strafprozessordnung, § 437 Rn. 2.

387 Vgl. *Marstaller/Zimmermann*, Non-conviction-based confiscation in Deutschland? S. 39; der Einziehungsgegenstand muss nicht zwingend aus einer der Katalogtaten herrühren – siehe *Hinderer/Blechschmitt*, NZWiSt 2018, 181; *Schilling/Hübner*, StV 2018, 50; in der Regel handle es sich aber um Vermögen aus Katalogtaten – siehe *Meyer*, NZWiSt 2018, 247 f.

Sicherstellung ist ein Anfangsverdacht ausreichend.[388] Laut Gesetzesbegründung sollen durch die Regelung die Abschöpfungslücken, insbesondere bei der Abschöpfung der bei polizeilichen Flughafen- oder Verkehrskontrollen sichergestellten Bargeldbeträge, geschlossen werden.[389] In der Gesetzesbegründung wird argumentiert, die konkrete Herkunft des Geldes lasse sich in diesen Fällen, oft wegen Auslandsbezugs der Tat, aus der sie (mutmaßlich) stammen, nicht aufklären.[390] Nach dem bisher geltenden Recht fehlte eine Rechtsgrundlage für die Einziehung des sichergestellten Geldes, weshalb es dem letzten Gewahrsamsinhaber zurückgegeben werden musste.[391] Die Regelung des § 76a Abs. 4 StGB umfasst aber nicht alle im Zuge der polizeilichen Kontrolle sichergestellten Geldbeträge. Die Sicherstellung muss im Rahmen des Strafverfahrens wegen einer der in § 76a Abs. 4 Satz 3 StGB genannten Delikte erfolgen. Der Katalog umfasst, neben Organisierter Kriminalität und Terrorismus u.a. auch Drogendelikte, Steuerhinterziehung und Verleitung zur missbräuchlichen Asylantragstellung.[392] Die Abhängigkeit der Einziehung vom Anlassermittlungsverfahren kann dazu führen, dass die Maßnahme auf die durch die Polizei beschlagnahmten Zufallsfunde keine Anwendung findet.[393] Dies gilt dann, wenn es nicht zur Verfahrenseröffnung gekommen ist.

Über die genannten Bedenken hinaus wird an der selbständigen Einziehung kritisiert, dass eine Vermischung von Vermögen aus legalen und illegalen Quellen wie bei der Geldwäsche behandelt wird: Gegenstände, die zum Teil durch Taterträge, zum Teil aus legalen Quellen finanziert wurden, werden eingezogen.[394] Dies ergibt sich aus der Gesetzesbegründung, die für die Auslegung des Begriffes „herrühren" auf die Rechtsprechung zur Geldwäschetatbestand verweist.[395] Eine Vermischung von Vermögen aus legalen und illegalen Quellen soll aber nicht dazu führen, dass

---

388 Siehe *Köhler/Burkhard*, NStZ 2017, 671; *Meyer*, NZWiSt 2018, 247; *Marstaller/Zimmermann*, Non-conviction-based confiscation in Deutschland? S. 40.

389 Siehe Deutscher Bundestag, 18. Wahlperiode, BT-Drs. 18/9525, S. 48; vgl. *Meyer*, NZWiSt 2018, 247 Es geht um die Fälle, aus denen sich die Praxis präventiver Gewinnabschöpfung entwickelt hat, die durch die Rechtsprechung aufgehoben wurde. Vgl. z.B. OVG Bremen StV 2015, 625; *Hunsicker*, Kriminalistik 2013, 396.

390 Deutscher Bundestag, 18. Wahlperiode, BT-Drs. 18/9525, S. 48.

391 Wegen fehlender Rechtsgrundlage hat auch die präventive Gewinnabschöpfung die richterliche Überprüfung nicht überstanden, nicht einmal in den Fällen, in denen allen Umständen nach kein vernünftiger Zweifel daran bestand, dass das sichergestellte Geld aus irgendeiner Straftat stammte. Vgl. OVG Bremen StV 2015, 625; Deutscher Bundestag, 18. Wahlperiode, BT-Drs. 18/9525, S. 48.

392 Zu den Auswahlkriterien der Katalogtaten siehe *Meyer*, StV 2017, 345.

393 *Meyer*, StV 2017, 344.

394 *Rönnau/Begemeier*, JZ 2018, 445.

395 Deutscher Bundestag, 18. Wahlperiode, BT-Drs. 18/9525, S. 73; nach dem Sinn der Gesetzesbegründung ist die Lehre von der Totalkontamination gemeint. Zum Unterschied zwischen der Lehre von der Teilkontamination und der Totalkontamination mit dem Hinweis auf die Verwendung des falschen Begriffes durch den Gesetzgeber siehe *Rönnau/Begemeier*, JZ 2018, 445.

mehr abgeschöpft wird, als erlangt wurde, sonst entspricht die selbständige Einziehung wieder dem präventiv-polizeilichen Modell, das ja, wie bereits beschrieben, abgelehnt wurde.[396] Dieser Eingriff in das Eigentumsrecht wird nicht durch das Bruttoprinzip gerechtfertigt, sodass sich die Frage stellt, wie er denn überhaupt zu rechtfertigen ist.[397] Die Anwendung von § 76a Abs. 4 StGB als Soll-Vorschrift, wenn die Voraussetzungen der Einziehung erfüllt sind, wird zusammen mit dem Umfang der Einziehung kritisch bewertet.[398]

ii) Formlose außergerichtliche Einziehung

Die Bezeichnung „formlose außergerichtliche Einziehung" bezieht sich auf eine informelle Absprache zwischen dem Beschuldigten und den Justizbehörden. Diese betrifft die beim Beschuldigten sichergestellten Gegenstände und erfolgt ohne förmliche Einziehungsentscheidung des Gerichts.[399] Diese Praxis hat auch der Gesetzgeber anerkannt und in der Gesetzesbegründung ausdrücklich erklärt, dass die Neufassung der Einziehungsvorschriften die formlose Einziehung nicht einschränken soll.[400] Durch die Streichung des früheren zweiten Satzes in § 73 Abs. 2 StGB, der die Rückgewinnungshilfe regelte, sollten die rechtlichen Schwierigkeiten, die sich bei der formlosen Einziehung ergeben konnten, beseitigt werden.[401] Die Praxis der formlosen Einziehung durch Absprachen findet in einer 2007 veröffentlichten empirischen Studie, die sich mit Wirtschaftsstrafverfahren befasst hat, eine Bestätigung:[402] In der Studie gaben 80 % der befragten Strafverteidiger, 48 % der Richter und 55 % der Staatsanwälte an, sich über Vermögensabschöpfungsmaßnahmen mit dem Beschuldigten verständigt zu haben. Dabei spielten Verständigungen im Vorfeld einer gerichtlichen Entscheidung eine wichtige Rolle. Der formlose Verzicht auf potenziell einziehbare Vermögensgegenstände ist insbesondere im Bereich der Betäubungsmitteldelikte eine bevorzugte Abschöpfungsmöglichkeit.[403]

---

396 *Meyer*, StV 2017. 345; siehe auch Deutscher Bundestag, 18. Wahlperiode, BT-Drs. 18/9525, S. 73 f.; kritisch *Rönnau/Begemeier*, JZ 2018, 444 f.

397 *Rönnau/Begemeier*, JZ 2018, 444.

398 Ebenda, 445.

399 Siehe *Brauch*, NStZ 2013, 503; *Rönnau*, Vermögensabschöpfung in der Praxis, Rn. 422.

400 Vgl. Anmerkungen zu § 73 StGB-E, Deutscher Bundestag, 18. Wahlperiode, BT-Drs. 18/9525, S. 61.

401 Vgl. § 73 Abs. 1 Satz 2 a.F.: Ist eine rechtswidrige Tat begangen worden und hat der Täter oder Teilnehmer für die Tat oder aus ihr etwas erlangt, so ordnet das Gericht dessen Verfall an. Dies gilt nicht, soweit dem Verletzten aus der Tat ein Anspruch erwachsen ist, dessen Erfüllung dem Täter oder Teilnehmer den Wert des aus der Tat Erlangten entziehen würde.

402 *Altenhain u.a.*, Absprachen in Wirtschaftsstrafverfahren, S. 140.

403 In diesem Kriminalitätsbereich überwog im Jahr 2000 in Baden-Württemberg die formlose Abschöpfung. Siehe *Kaiser*, wistra 2000, 124.

Der Abschöpfungsadressat ist der Beschuldigte. Er gibt im Rahmen einer informellen Absprache mit der Justizbehörde eine Erklärung ab, in der er auf die sichergestellten Vermögensgegenstände verzichtet.[404] Der Beschuldigte muss dabei erklären, dass die abzutretenden Vermögensgegenstände ihm gehören und nicht bereits anderweitig abgetreten wurden.[405] Die Erklärung wird auch im bereits laufenden Ermittlungsverfahren abgegeben und protokolliert. In der gerichtlichen Entscheidung des Falles wird sie jedoch nicht mehr erwähnt.[406] Ab dem Zeitpunkt des Rechtsübergangs an den Staat trägt der Betroffene nicht mehr das Risiko des Wertverlustes des beschlagnahmten Einziehungsgegenstandes.[407] Das Eingezogene wird durch die Justizbehörden verwertet.[408]

Gegenstand der formlosen Einziehung sind die beim Beschuldigten sichergestellten Vermögensgegenstände.[409] Wie diese in die Tat verwickelt waren, ist nur insoweit relevant, als dass die künftige Einziehbarkeit für die Beschlagnahme des Gegenstandes annehmbar sein muss. Mit der formlosen Einziehung entfällt somit für die Strafverfolgung ein erheblicher Beweisaufwand.[410] Der Einziehungsgegenstand muss lediglich die Voraussetzungen des § 111b StPO für die Beschlagnahme zur Sicherung der Einziehung erfüllen – die Annahme, dass die Voraussetzungen für eine Einziehung vorliegen, muss aber begründet sein. Für eine förmliche Einziehungsanordnung müsste das Gericht dagegen zu der Überzeugung gelangen, der Vermögensgegenstand sei als Tatmittel oder Tatertrag einziehbar.[411] Durch die formlose Einziehung ist es möglich, das Vermögen abzuschöpfen, das im regulären Verfahren der Einziehung gar nicht unterliegen würde.[412]

Die Praxis der formlosen Einziehung fand bereits in einer BGH-Entscheidung aus dem Jahre 1965 Akzeptanz,[413] seither verweisen die Revisionsgerichte auf diese Entscheidung.[414] Nach der Reform des Strafrechts von 2017 hat der BGH in einem Urteil zur Abschöpfung der Betäubungsmittelerlöse zur formlosen Einziehung erneut Stellung genommen.[415] In der Entscheidung heißt es, wenn der Angeklagte auf die Rückgabe bei ihm sichergestellter Taterlöse verzichtet hat, bedarf es keiner förmlichen Einziehung dieser Gegenstände. Dies ergebe sich aus der Aus-

---

404 *Rönnau*, Vermögensabschöpfung in der Praxis, Rn. 422.

405 Ebenda, Rn. 424.

406 *Thode*, NStZ 2000, 62.

407 *Rönnau*, Vermögensabschöpfung in der Praxis, Rn. 426.

408 *Thode*, NStZ 2000, 62.

409 *Rönnau*, Vermögensabschöpfung in der Praxis, Rn. 423 f.

410 Ebenda, Rn. 425.

411 Vgl. z.B. Gesetzesbegründung zur erweiterten Einziehung, Deutscher Bundestag, 18. Wahlperiode, BT-Drs. 18/9525, S. 65.

412 *Ordner*, wistra 2017, 55.

413 BGHSt 20, 253, 257.

414 *Ordner*, wistra 2017, 54.

415 BGH NJW 2018, 2278 f.; siehe auch *Deutscher*, StRR 3/2019, 4.

legung der neuen Fassung von § 73 StGB samt der Gesetzesmaterialien, so der BGH. Eine förmliche Einziehung der Gegenstände, auf die der Angeklagte bereits verzichtet hat, würde dem Ziel der Gesetzesreform – das Recht der Vermögensabschöpfung zu vereinfachen und die Justiz dabei zu entlasten – widersprechen.[416] Für die formlose Einziehung spricht darüber hinaus, dass sie dem Angeklagten die Möglichkeit gibt, sich von seiner Tat zu distanzieren und Reue zu zeigen.[417] In der BGH-Entscheidung wird jedoch vorausgesetzt, dass die Verzichterklärung in der Hauptverhandlung und nicht etwa in früheren Stadien des Strafverfahrens abgegeben wurde.[418] Der BGH thematisiert dabei einen wichtigen Kritikpunkt der Praxis der formlosen Einziehung nicht, nämlich, dass diese für den Angeklagten auch einen Rechtsmittelverzicht bedeutet.[419]

b) Zahlung eines Geldbetrages

aa) Einziehung des Wertes von Taterträgen nach § 73c StGB

Einziehung des Wertes von Taterträgen ist in § 73c StGB geregelt. Die Vorschrift hat den Regelungsgehalt des ehemaligen § 73a StGB a.F. übernommen.[420] Die Maßnahme kann sowohl gegen Täter oder Teilnehmer als auch gegen Dritte angeordnet werden. Dabei kann sich gemäß § 73e Abs. 2 StGB der gutgläubige Dritte auf Entreicherung berufen, wenn der Wert des Erlangten in seinem Vermögen nicht mehr vorhanden ist.[421] Damit ist ein Dritter gemeint, dem die Umstände, die die Einziehung gegen den Täter oder Teilnehmer zulassen würden, nicht bekannt waren, sofern diese Unkenntnis nicht auf seiner Leichtfertigkeit beruhte.

Die Einziehung des Wertes von Taterträgen kommt zur Anwendung, wenn die Einziehung eines Gegenstandes nicht möglich ist, was insbesondere bei seiner Nichtdurchführbarkeit vorkommt.[422] Ein Fall von Nichtdurchführbarkeit liegt zum Beispiel vor, wenn Gebrauchsvorteile oder ersparte Aufwendungen nur rechnerisch bestimmt werden können, der Vorteil also nicht in einer Sache oder einem Recht besteht. Auch die Nutzungen sind in der Regel nur durch die Einziehung des Wertersatzes erfassbar.[423] Außerdem kommt § 73c StGB zur Anwendung, wenn das Erlangte zum Zeitpunkt der richterlichen Entscheidung einem unbeteiligten Dritten gehört und die Dritteinziehung nicht angeordnet werden kann.[424] Die Maßnahme

---

416 BGH NJW 2018, 2278.

417 Ebenda, 2279.

418 Ebenda, 2278.

419 Siehe *Ordner*, wistra 2017, 54; *Thode*, NStZ 2000, 64.

420 Deutscher Bundestag, 18. Wahlperiode, BT-Drs. 18/9525, S. 67.

421 *Schilling/Corsten/Hübner*, StraFo 2017, 307.

422 *Köhler*, NStZ 2017, 499.

423 Schönke/Schröder-*Eser/Schuster*, StGB-Kommentar, § 73c Rn. 4.

424 Ebenda, § 73c Rn. 5 f.

greift auch dann ein, wenn der primäre Abschöpfungsgegenstand ersatzlos untergegangen ist.[425] Die Einziehung des Wertersatzes kann darüber hinaus neben der Einziehung des Gegenstandes angeordnet werden, sobald der Wert des Gegenstandes hinter dem Erlangten zurückbleibt.[426] Somit dient die Norm der Lückenschließung, damit die rechtswidrig erlangten Vermögensvorteile nicht dem Täter oder dem Drittbegünstigten belassen werden müssen.[427] Dabei hat die Einziehung eines Gegenstandes Vorrang vor der Einziehung des Wertersatzes, mit Ausnahme der Surrogate, bei denen die Wahl zwischen beiden Maßnahmen im Ermessen des Gerichts bleibt.[428] Sind die Voraussetzungen der Maßnahme erfüllt, wird obligatorisch die Einziehung eines Geldbetrages angeordnet.[429]

bb) Einziehung des Wertes von Tatprodukten bei Tätern und Teilnehmern nach § 74c StGB

Der Wert von Tatprodukten kann gemäß § 74c StGB vom Täter oder Teilnehmer eingezogen werden. Die Norm entspricht inhaltlich dem bisherigen § 74c Abs. 1 bis 3 StGB.[430] Für die Einziehung des Wertersatzes gilt die Voraussetzung der vorsätzlichen Tatbegehung gemäß § 74 Abs. 1. Die Anwendungsvoraussetzung ist die Unmöglichkeit der primären Einziehung. Die Unmöglichkeit im Sinne des § 74c ist dann gegeben, wenn der Betroffene selbst die Einziehung vereitelt hat, z.B. dadurch, dass er die Gegenstände veräußert oder verbraucht hat.[431] Somit muss der Unmöglichkeit eine Handlung des Betroffenen zugrunde liegen, die vom Willen getragen war, die Einziehung zu verhindern. Die Anordnung ist auch dann möglich, wenn der Einziehungsgegenstand mit dem Recht eines Dritten belastet wurde, der im Falle der Einziehung entschädigt werden müsste.[432] Der Abschöpfungsgegenstand ist der Wert des Tatproduktes. Das Gericht ordnet die Zahlung eines Geldbetrages an. Hierfür gelten die Anmerkungen zur Einziehung des Wertersatzes von Taterträgen gemäß § 73c StGB.[433]

cc) Nachträgliche Anordnung der Einziehung des Wertersatzes nach § 76 StGB

Die Regelung der nachträglichen Anordnung der Einziehung des Wertersatzes nach § 76 StGB wurde im Rahmen der Reform nicht geändert. Die Einziehung

---

425 Ebenda, § 73c Rn. 9.

426 *Köhler*, NStZ 2017, 499.

427 Schönke/Schröder-*Eser/Schuster*, StGB-Kommentar, § 73c Rn. 1.

428 Ebenda, § 73c Rn. 6.

429 Ebenda, § 73c Rn. 1.

430 Deutscher Bundestag, 18. Wahlperiode, BT-Drs. 18/9525, S. 70.

431 Siehe Athing u.a.-*Joecks*, MüKo, § 74c Rn. 6 ff.

432 Ebenda, § 74c Rn. 12.

433 Siehe oben Teil 4.II.B.1.b)aa).

kann nachträglich unter den Voraussetzungen der §§ 73c und 74c StGB angeordnet werden. Somit ist der Abschöpfungsadressat grundsätzlich Täter oder Teilnehmer, kann aber nach § 73c auch eine andere Person sein.

Die Vorschrift ermächtigt das Gericht, den Wertersatz der Taterträge und Tatmittel einzuziehen, wenn sich die primäre Einziehung nachträglich als nicht durchführbar herausstellt.[434] Nachträgliche Nichtdurchführbarkeit der Einziehung bedeutet, dass diese zu dem Zeitpunkt, zu dem die Einziehungsanordnung im ordentlichen Verfahren nicht mehr möglich war, aufgetreten oder bekannt geworden ist.[435] Die nachträgliche Einziehungsentscheidung durchbricht die Rechtskraft der ursprünglichen Entscheidung, da sie erst dann in Betracht kommt, wenn eine vollstreckungsfähige Entscheidung bereits vorliegt.[436] Jedoch ist die nachträgliche Anordnung kein Fall der Doppelbestrafung i.S. des Art. 103 Abs. 3 GG, da der Wertersatz in der ursprünglichen Einziehungsanordnung bereits miteingeschlossen ist.[437] Die zweite in § 76 StGB vorgesehene Möglichkeit der nachträglichen Einziehungsanordnung betrifft vor allem die Fälle, in denen der Einziehungsgegenstand mit Rechten Dritter, die bei der Einziehung entschädigt werden müssten, belastet wurde.[438] Praktisch hat die nachträgliche Anordnung bei Diebstählen oder in Betrugsfällen Bedeutung, wenn das strafrechtswidrig Erlangte nicht bereits im Ermittlungsverfahren beschlagnahmt wurde.[439]

c) Zwischenbilanz

Die Einziehung der Tatgewinne ist im deutschen Recht umfangreich geregelt. Unter die Kategorie des Tatgewinns als Abschöpfungsgegenstand fallen einerseits Gegenstände, die durch oder für eine rechtswidrige Tat erlangt wurden (Taterträge), anderseits solche, die durch eine vorsätzliche Tat hervorgebracht wurden (Tatprodukte). Beide Kategorien hat der deutsche Gesetzgeber separat geregelt.

Die zentrale Norm zur Abschöpfung der Taterträge stellt § 73 StGB dar, der die Voraussetzungen der (einfachen) Einziehung von Tätern und Teilnehmern regelt. Diese Abschöpfungsgrundlage wird durch § 73a StGB ergänzt, der die erweiterte

---

434 Vgl. Schönke/Schröder-*Eser/Schuster*, StGB-Kommentar, § 76 Rn. 1;*Fischer*, Strafgesetzbuch mit Nebengesetzen, 66. Aufl., § 76 a Rn. 2 f.; Athing u.a.-*Joecks*, MüKo, § 76 Rn. 3 ff.; *Köhler*, NStZ 2017, 501; Jähnke u.a.-*Schmidt*, Leipziger Kommentar, Bd. 3, § 76 Rn. 1.

435 Vgl. Schönke/Schröder-*Eser/Schuster*, StGB-Kommentar, § 76 Rn. 6; *Köhler*, NStZ 2017, 501.

436 Vgl. Schönke/Schröder-*Eser/Schuster*, StGB-Kommentar, § 76 Rn. 2; *Köhler*, NStZ 2017, 501; Jähnke u.a.-*Schmidt*, Leipziger Kommentar, Bd. 3, § 76 Rn. 1.

437 Vgl. Schönke/Schröder-*Eser/Schuster*, StGB-Kommentar, § 76 Rn. 3; Jähnke u.a.-*Schmidt*, Leipziger Kommentar, Bd. 3, § 76 Rn. 7.

438 Vgl. Schönke/Schröder-*Eser/Schuster*, StGB-Kommentar, § 76 Rn. 5; Jähnke u.a.-*Schmidt*, Leipziger Kommentar, Bd. 3, § 76 Rn. 5.

439 *Köhler*, NStZ 2017, 501.

Einziehung beinhaltet, die es ermöglicht, Erträge aus anderen rechtswidrigen Taten als nur der abgeurteilten einzuziehen. Sowohl die einfache als auch die erweiterte Einziehung können gemäß § 73b StGB auf eine andere Person als den Täter oder Teilnehmer Anwendung finden. Die Abschöpfung von einem Dritten ist jedoch nur dann zulässig, wenn die in § 73b StGB geregelten Voraussetzungen vorliegen. Ist die Einziehung der Taterträge nicht möglich, wird nach § 73c StGB die Einziehung eines Geldbetrages, der ihrem Wert entspricht, angeordnet. Das gilt für die einfache und die erweiterte Einziehung von Tätern, Teilnehmern und anderen Personen.

Abschöpfung der Tatprodukte ist in § 74 StGB geregelt. Auch Tatprodukte können von anderen Personen als dem Täter oder Teilnehmer eingezogen werden (§ 74a StGB). Die Einziehung des Wertes von Tatprodukten beschränkt sich aber gemäß § 74c StGB auf bestimmte Fälle, bei denen die Einziehung des Gegenstandes nicht möglich ist (etwa, weil der Gegenstand veräußert oder verbraucht wurde). Tatprodukte unterliegen der Sicherungseinziehung nach § 74b StGB.

Die Taterträge und Tatprodukte können nach Maßgabe des § 76a StGB auch selbständig, das heißt unabhängig von der Verurteilung des Täters, eingezogen werden. Gemäß § 76a Abs. 1–3 gilt die selbständige Einziehung, wenn keine bestimmte Person wegen der Straftat verfolgt oder verurteilt werden kann, wenn die Verfolgung der Straftat verjährt ist (allerdings nur für die Einziehung der Taterträge) oder wenn das Gericht von der Strafe absieht oder das Verfahren eingestellt wird. In den genannten Fällen müssen die übrigen Voraussetzungen der anzuwendenden Abschöpfungsmaßnahme vorliegen. Anders ist es bei der selbständigen Einziehung nach § 76a Abs. 4 StGB, welche auch *non-conviction-based confiscation* genannt wird. Die Anwendung dieser Norm knüpft an eine Sicherstellung eines Gegenstandes und eine spätere Unmöglichkeit der Verurteilung oder Verfolgung des Täters an. Somit stellt die Norm eine selbständige Abschöpfungsgrundlage dar, die gerade wegen des Verzichts auf das Vorliegen der übrigen Einziehungsvoraussetzungen kritisiert wird. Die Anwendung der selbständigen Einziehung nach § 76a Abs. 4 StGB ist nur auf bestimmte Katalogstraftaten eingeschränkt.

2. Tatmittel

Die zweite Gruppe der in dieser Arbeit behandelten Maßnahmen betrifft Vermögensgegenstände, bei denen nicht ihre Herkunft, sondern ihre Verwendung abschöpfungsrelevant ist. Strafrechtliche Vermögensabschöpfung umfasst neben den aus der Straftat stammenden Vermögensgegenständen auch Gegenstände, die zur Tatbegehung verwendet wurden (Tatmittel). Die Abschöpfung der zur Tatbegehung verwendeten Gegenstände setzt die Begehung einer vorsätzlichen Tat voraus. Somit ist der Anwendungsbereich im Vergleich zur Abschöpfung der aus der Tat stammenden Vermögenswerte enger gefasst. Der staatliche Zugriff auf die Tatmittel ist bei einer durch Notwehr oder Notstand gerechtfertigten Tat und bei Vorliegen der Entschuldigungsgründe gemäß §§ 17 und 20 StGB – Verbotsirrtum, Schuldunfähigkeit bei seelischen Störungen – ausgeschlossen. Bei Fahrlässigkeitsdelikten ist die Abschöpfung nur dann möglich, wenn eine spezielle Norm auf die Vorschrift im Allgemeinen Teil des StGB verweist.[440]

a) Abschöpfung der Gegenstände

aa) Einziehung von Tatmitteln bei Tätern und Teilnehmern nach § 74 StGB

Die Einziehung von Tatmitteln bei Tätern und Teilnehmern nach § 74 StGB entspricht der alten Gesetzesfassung vor der Reform. Die Maßnahme verlangt zumindest einen strafbaren Versuch, es ist eine Kann-Regelung. Tatmittel sind Gegenstände, die zur Begehung der Tat oder zu ihrer Vorbereitung gebraucht oder dazu bestimmt wurden.[441] Gegenstände, die sowohl in der Vorbereitungsphase der Tat verwendet[442] als auch zur Beendigung der Tat eingesetzt wurden, wie zum Beispiel ein Fahrzeug zur Flucht vom Tatort, können somit eingezogen werden.[443] Die tatbestandliche Anknüpfung wird durch die Merkmale „gebraucht“ und „bestimmt“ bezeichnet. Bei dem Merkmal „zur Tatbegehung bestimmt“ muss eine tatsächliche Bestimmung zur Begehung einer (logischerweise) vorsätzlichen Tat erfolgen. Eine „gedankliche Bereitstellung“ ist nicht ausreichend.[444] Die Einziehung der zur Tatbegehung bestimmten Gegenstände setzt Anklage und Tatfeststellung voraus.[445] Gegenstände können wegen des Gebrauchs zur Tatbegehung dann eingezogen werden, wenn es zumindest zu einem strafbaren Versuch der Tat, für die die Sache bestimmt war, gekommen ist.[446] Der Einziehung unterliegen Gegenstände, die die Tatbegehung in irgendeiner Phase auch mittelbar gefördert haben.[447] Die Reform hat die Einziehung nicht auf unmittelbare Tatmittel eingeschränkt, weswegen die Grenzziehung in der Praxis weiterhin notwendig bleibt, damit die Maßnahme im Vergleich zur begangenen Tat nicht unverhältnismäßig ausfällt.[448] Eine theoretische Möglichkeit der Einschränkung besteht darin, dass die deliktische Absicht bereits bei der Benutzung dieser Gegenstände vorliegen muss.[449]

---

[440] Vgl. Schönke/Schröder-*Eser/Schuster*, StGB-Kommentar, § 74 Rn. 2; Athing u.a.-*Joecks*, MüKo, § 74 Rn. 7; Jähnke u.a.-*Schmidt*, Leipziger Kommentar, Bd. 3, § 74 Rn. 9.

[441] Vgl. Schönke/Schröder-*Eser/Schuster*, StGB-Kommentar, § 74 Rn. 8 ff.; Athing u.a.-*Joecks*, MüKo, § 74 Rn. 13.

[442] Athing u.a.-*Joecks*, MüKo, § 74 Rn. 13 mit Beispielen aus der Rechtsprechung.

[443] Ebenda, § 74 Rn. 17.

[444] Schönke/Schröder-*Eser/Schuster*, StGB-Kommentar, § 74 Rn. 9; anders BGHSt 8, 205, 212 f. – „gedankliche Bereitstellung“ bereits für die Einziehung ausreichend.

[445] Athing u.a.-*Joecks*, MüKo, § 74 Rn. 13.

[446] Vgl. Schönke/Schröder-*Eser/Schuster*, StGB-Kommentar, § 74 Rn. 9; Athing u.a.-*Joecks*, MüKo, § 74 Rn. 13.

[447] Vgl. Schönke/Schröder-*Eser/Schuster*, StGB-Kommentar, § 74 Rn. 11 f.

[448] Zur Einziehung Gegenstände, die die Tat mittelbar gefördert haben Schönke/Schröder-*Eser/Schuster*, StGB-Kommentar, § 74 Rn. 12.

[449] Schönke/Schröder-*Eser/Schuster*, StGB-Kommentar, § 74 Rn. 12.

Zum Abschöpfungsgegenstand gehören sowohl Sachen als Rechte.[450] Somit umfasst die Einziehung gemäß § 74 Abs 1 StGB beispielsweise Bankguthaben, Hypotheken oder Miteigentumsanteile.[451] Die Einziehung unbeweglicher Sachen, die als Tatmittel gedient haben, ist nicht ausgeschlossen,[452] sollte aber unter Berücksichtigung des Grundsatzes der Verhältnismäßigkeit angewendet werden.[453] Die Maßnahme setzt voraus, dass diese Gegenstände dem Täter oder Teilnehmer zum Zeitpunkt der Entscheidung gehören oder zustehen (Abs. 3).[454] Die Voraussetzung gilt auch, wenn die Einziehung nach einer Sondervorschrift erfolgt. „Gehören" und „zustehen" umfassen die dinglichen Herrschaftsrechte am Gegenstand und quasidingliche Inhaberschaft von Rechten.[455]

bb) Einziehung von Tatmitteln bei anderen nach § 74a StGB

Die Fassung des § 74a StGB nach der Reform entspricht der bislang geltenden. Die Vorschrift regelt die Einziehung von Tatmitteln bei anderen Personen als Täter und Teilnehmer. Sie stellt eine Ausnahme von der in § 74 Abs. 3 StGB enthaltenen Regel dar, dass nur Täter oder Teilnehmer Abschöpfungsadressat sein können. Die Einziehung ist aber nur dann zulässig, wenn der Tatbestand auf die Ausnahmeregelung verweist.[456] Der staatliche Eingriff in das Eigentumsrecht wird damit begründet, dass der Eigentümer mit seinem Eigentum quasi-schuldhaft[457] umgegangen ist und mindestens durch sein leichtfertiges Verhalten die Tat unterstützt hat. [458] Nach § 74a Nr. 2 kann der Dritte auch dann Abschöpfungsadressat sein, wenn er den Gegenstand in Kenntnis der Umstände, die die Einziehung begründen, in verwerflicher Weise erworben, also bösgläubig gehandelt hat. Die Rechtsprechung bezeichnet den Grund der Einziehung als eine von der Rechtsordnung missbilligte Beziehung des

---

450 Vgl. Schönke/Schröder-*Eser/Schuster*, StGB-Kommentar, § 74 Rn. 6; Athing u.a.-*Joecks*, MüKo, § 74 Rn. 9; Jähnke u.a.-*Schmidt*, Leipziger Kommentar, Bd. 3, § 74 Rn. 13.

451 Dabei ist die Einziehungsfähigkeit der letzten umstritten, sie seien mit dem Zweck der Einziehung - tatverstrickte Gegenstände aus dem Verkehr zu ziehen - nicht zu vereinbaren. Siehe Athing u.a.-*Joecks*, MüKo, § 74 Rn. 9 m.w.N.

452 Schönke/Schröder-*Eser/Schuster*, StGB-Kommentar, § 74 Rn. 6.

453 Athing u.a.-*Joecks*, MüKo, § 74 Rn. 10.

454 Abs. 3 übernimmt den Regelungsgehalt des früheren Abs. 2 Nr. 1 und Abs. 3 Satz 2.

455 Vgl. Schönke/Schröder-*Eser/Schuster*, StGB-Kommentar, § 74 Rn. 20; Athing u.a.-*Joecks*, MüKo, § 74 Rn. 30 f. Bei Miteigentum ist die Einziehung des Gegenstandes dann zulässig, wenn alle Miteigentümer an der Tat beteiligt waren, d.h. zumindest von der Verstrickung des Gegenstandes wussten und dies billigten. Sonst kommt die Einziehung des Miteigentumsanteils in Betracht. Siehe Schönke/Schröder-*Eser/Schuster*, StGB-Kommentar, § 74 Rn. 21; Athing u.a.-*Joecks*, MüKo, § 74 Rn. 37 m.w.N.

456 Vgl. Schönke/Schröder-*Eser/Schuster*, StGB-Kommentar, § 74a Rn. 1; Athing u.a.-*Joecks*, MüKo, § 74a Rn. 5.

457 Athing u.a.-*Joecks*, MüKo, § 74a Rn. 5.

458 Jähnke u.a.-*Schmidt*, Leipziger Kommentar, Bd. 3, § 74a Rn. 1a.

Tatunbeteiligten zur Tat.[459] Im Übrigen müssen für den Abschöpfungsgegenstand, die Anknüpfung zwischen dem Gegenstand und der Tat, die gleichen Voraussetzungen vorliegen wie bei der Abschöpfung von Täter und Teilnehmer.[460]

cc) Sicherungseinziehung (von Tatmitteln) nach § 74b StGB

Tatmittel können auch im Rahmen der Sicherungseinziehung nach § 74b StGB abgeschöpft werden. Abschöpfungsadressat kann der Täter oder Teilnehmer sein, selbst wenn diese ohne Schuld gehandelt haben.[461] Die Maßnahme kann sich aber auch gegen andere, unbeteiligte Personen richten. Der unbeteiligte Dritte wird grundsätzlich nach § 74b Abs. 2 für die Einziehung entschädigt,[462] es sei denn, er hat zumindest leichtfertig dazu beigetragen, dass der Gegenstand als Tatmittel verwendet wurde, oder diesen in Kenntnis der Umstände, die die Einziehung zulassen, erworben. Dies sind auch die Voraussetzungen, unter denen die Dritteinziehung von Tatmitteln nach § 74a zulässig ist. Zum Schutz von Dritten vor unverhältnismäßigen Eingriffen in das Eigentumsrecht dient die Härteklausel (§ 74b Abs. 2 *in fine*). Die Vorschrift ist keine neue Regelung im StGB, sondern eine Systematisierung einer bereits bestehenden.[463]

Die Regelung bezieht sich auf die Gegenstände, bei denen die Gefahr besteht, dass sie der Begehung rechtswidriger Taten dienen werden (§ 74b Abs. 1 StGB). Darüber hinaus sind aber auch Gegenstände von der Einziehung umfasst, die „nach ihrer Art und nach den Umständen“ die Allgemeinheit gefährden, also unabhängig von ihrer Verwicklung in eine Straftat sind. Dazu zählen sowohl nach ihrer Beschaffenheit abstrakt gefährliche Gegenstände als auch solche, die unter besonderen Umständen, wie ihre Verbindung mit anderen Tatmitteln, eine Gefahr darstellen.[464] Die Verstrickung des Einziehungsgegenstandes in eine Straftat ist gemäß § 74b StGB zukunftsgerichtet. Die Vorschrift schafft eine Einziehungsgrundlage anhand einer negativen Prognose bezüglich der künftigen Verwendung der Gegen-

---

459 BGHSt 2, 311, 312 f.; BGHSt 6, 11, 13; BGHSt 19, 123, 125 f.; BGHSt 21, 66, 67 f.

460 Siehe oben Teil 4.II.B.2.a)aa).

461 Vgl. *Fischer*, Strafgesetzbuch mit Nebengesetzen, 66. Aufl., § 74b Rn. 2 ff.; Athing u.a.-*Joecks*, MüKo, § 74 Rn. 50.

462 Siehe Schönke/Schröder-*Eser/Schuster*, StGB-Kommentar, § 74 Rn. 10 ff.; *Fischer*, Strafgesetzbuch mit Nebengesetzen, 66. Aufl., § 74b Rn. 1 ff.

463 Vgl. Deutscher Bundestag, 18. Wahlperiode, BT-Drs. 18/9525, S. 70. § 74b Abs. 1 ersetzt die Regelung des § 74 (Voraussetzungen der Einziehung) Abs. 2 Nr. 2 und Abs. 3. § 74b Abs. 2 und 3 überführen die Entschädigungsvorschrift des § 74f (Entschädigung) in § 74b.

464 Abstrakt bzw. generell gefährliche Gegenstände gefährden Rechtsgüter nicht individuell bestimmten Personen. Individuell gefährlich sind Gegenstände, die durch Hinzutreten besonderer Umstände eine konkrete Gefahr darstellen. Siehe Schönke/Schröder-*Eser/Schuster*, StGB-Kommentar, § 74b Rn. 3 ff.; *Fischer*, Strafgesetzbuch mit Nebengesetzen, 66. Aufl., § 74b Rn. 11 f.

stände. Jedoch sind für die Sicherungseinziehung Anhaltspunkte notwendig, dass der Gegenstand zur Begehung konkreter strafbedrohter Handlungen dienen wird.[465] Die Einziehung dient der Gefahrenabwehr, der Prävention im polizeirechtlichen Sinne. Dadurch, dass eine künftige Gefährdung vorausgesetzt wird, erweitert sich mit § 74b der Umfang der Einziehung im Vergleich zu den §§ 74 und 74a StGB.

dd) Selbständige Einziehung nach § 76a Abs. 1 und 3 StGB

In den Fällen, in denen wegen der Straftat keine bestimmte Person verfolgt oder verurteilt werden kann (§ 76a Abs. 1 StGB) und in denen das Gericht von der Strafe absieht oder das Verfahren eingestellt wird (§ 76a Abs. 3), können zur Tatbegehung verwendete Gegenstände selbständig eingezogen werden. Die üblichen Einziehungsvoraussetzungen müssen im Übrigen vorliegen. Die selbständige Einziehung kann sich gegen den Täter, den Teilnehmer und den unbeteiligten Dritten richten. Die selbständige Einziehung von einem anderen als dem Täter oder Teilnehmer ist auch von dessen Handlung abhängig und nach der Maßgabe des § 74a anzuordnen. Bei selbständiger Sicherungseinziehung von einem Dritten wird ebenso grundsätzlich die Entschädigung gewährt, es sei denn, die Voraussetzungen des § 74b Abs. 3 sind erfüllt.[466]

Die selbständige Einziehung bezieht sich auf die in den jeweiligen Abschöpfungsnormen bestimmten Gegenstände. Als Tatmittel können Gegenstände eingezogen werden, die zur Tatbegehung oder Vorbereitung gebraucht wurden oder bestimmt waren. Die Anknüpfungstat muss eine vorsätzliche und zumindest ein strafbarer Versuch sein.[467]

b) Zahlung eines Geldbetrages

aa) Einziehung des Wertes von Tatmitteln bei Tätern und Teilnehmern nach § 74c StGB

Die Wertersatzeinziehung gemäß § 74c StGB nach der Reform entspricht der alten Fassung des § 74 Abs. 1 bis 3. Das Gericht kann bei Unmöglichkeit der Einziehung bestimmter Gegenstände auf den Täter oder Teilnehmer Zahlung einer Geldsumme auferlegen (Abs. 1). Neben oder statt der Einziehung findet die Vorschrift Anwendung, wenn der Einziehungsgegenstand mit dem Recht eines Dritten belastet ist (Abs. 2). Gegen Dritte kann die Einziehung des Wertersatzes für Tatmittel nicht angeordnet werden.[468] Die Einziehung nach § 74c StGB sollte die

---

465 Vgl. Schönke/Schröder-*Eser/Schuster*, StGB-Kommentar, § 74b Rn. 6; Athing u.a.-*Joecks*, MüKo, § 74 Rn. 42.

466 Siehe oben Teil 4.II.B.1.a)gg).

467 Siehe oben Teil 4.II.B.1.a)gg).

468 Athing u.a.-*Joecks*, MüKo, § 74c Rn. 5.

Lücken bei der Abschöpfung der Tatmittel schließen.[469] Die Wertersatzeinziehung wird bei einem unfreiwilligen Verlust des Gegenstandes grundsätzlich abgelehnt. Der Verlust des Gegenstandes muss dem Tatbeteiligten in irgendeiner Weise vorwerfbar sein.[470] Auf die Vorwerfbarkeit deutet § 74c Abs. 1 StGB selbst durch die Formulierung „oder Einziehung auf andere Weise vereitelt hat". Dabei muss dem Tatbeteiligten die Vereitelung der Originaleinziehung nachgewiesen werden, das heißt der Täter oder Teilnehmer muss die Einziehung rechtlich oder faktisch unmöglich gemacht haben.[471]

Die Vorschrift enthält eine Schätzungsregelung. Geschätzt werden kann sowohl der Wert des Einziehungsgegenstandes als auch der Wert von Rechten eines Dritten, die den Einziehungsgegenstand belasten (Abs. 3). Die Schätzungsvorschrift entbindet das Gericht von den Anforderungen des Strengbeweises und erlaubt die Annahme eines vermutlichen Wertes.[472] Im Zweifelsfall gilt der niedrigste geschätzte Wert, da die Schätzungsunsicherheiten nicht zulasten des Betroffenen gehen dürfen.[473] Darüber hinaus ist die Einziehung des Wertersatzes gemäß § 74c eine Kann-Vorschrift, und was den Ermessensspielraum betrifft, gelten die Grundsätze der Tat- und Schuldangemessenheit.[474]

bb) Nachträgliche Anordnung der Einziehung des Wertersatzes nach § 76 StGB

Die Einziehung des Wertes der Tatmittel kann auch gemäß § 76 StGB nachträglich angeordnet werden, wenn sich die primäre Einziehung als unzureichend oder unausführbar herausgestellt hat. Der Abschöpfungsadressat ist Täter oder Teilnehmer. Der Gegenstand der Abschöpfung ist der Wert der Tatmittel, deren Einziehung nach Maßgabe des § 74c StGB nicht möglich ist, bzw. wenn eine Entschädigungszahlung an einen Dritten dabei notwendig wäre.[475]

c) Zwischenbilanz

Abschöpfung der Tatmittel regeln im deutschen Strafrecht §§ 74 bis74c StGB. Unter Tatmitteln versteht der Gesetzgeber Gegenstände, die zur Begehung oder

---

[469] Vgl. Schönke/Schröder-*Eser/Schuster*, StGB-Kommentar, § 73c Rn. 1; Jähnke u.a.-*Schmidt*, Leipziger Kommentar, Bd. 3, § 74c Rn. 1.

[470] Vgl. Schönke/Schröder-*Eser/Schuster*, StGB-Kommentar, § 73c Rn. 5 f.; Athing u.a.-*Joecks*, MüKo, § 74c Rn. 8 ff.

[471] Vgl. Schönke/Schröder-*Eser/Schuster*, StGB-Kommentar, § 73c Rn. 5 f.; Athing u.a.-*Joecks*, MüKo, § 74c Rn. 6 f.

[472] Athing u.a.-*Joecks*, MüKo, § 73b Rn. 8.

[473] BGH wistra 2000, 307; Athing u.a.-*Joecks*, MüKo, § 74c Rn. 14; Jähnke u.a.-*Schmidt*, Leipziger Kommentar, Bd. 3, § 74c Rn. 18.

[474] Schönke/Schröder-*Eser/Schuster*, StGB-Kommentar, § 73c Rn. 8 f.

[475] Dazu siehe oben Teil 4.II.B.1.b)cc).

Vorbereitung einer vorsätzlichen Tat gebraucht wurden oder bestimmt waren. Sie können nach § 74 von einem Täter oder Teilnehmer eingezogen werden. Unter den einschränkenden Voraussetzungen des § 74a kann die Einziehung auch gegen eine andere Person angeordnet werden. Wenn die Abschöpfung eines Gegenstandes nicht möglich ist, greift gemäß § 74c die Einziehung seines Wertes, allerdings nur von einem Täter oder Teilnehmer und nur wenn dieser die Einziehung vereitelt hat. Tatmittel unterliegen darüber hinaus der Sicherungseinziehung nach § 74b StGB.

Tatmittel können auch selbständig, unabhängig von der Verurteilung des Täters, eingezogen werden. Die selbständige Einziehung regelt § 76a Abs. 1 und 3 StGB. Sie kann dann angeordnet werden, wenn wegen der Straftat keine bestimmte Person verfolgt oder verurteilt werden kann, wenn das Gericht von der Strafe absieht oder das Verfahren eingestellt wird.

C. Vermögensabschöpfung im Ordnungswidrigkeitengesetz

Vermögensabschöpfungsmaßnahmen sind auch dem deutschen Ordnungswidrigkeitenrecht bekannt, die Regelung unterscheidet sich aber in einigen Aspekten von der im Strafrecht. Erstens ist Einziehung im Ordnungswidrigkeitenrecht Nebenfolge einer Ordnungswidrigkeit und kann als solche grundsätzlich nur neben der Hauptfolge, also neben der Geldbuße, angeordnet werden.[476] Dazu kommt, dass die Geldbuße im Ordnungswidrigkeitenrecht neben der Ahndung auch der Abschöpfung des aus der Tat erlangten Vermögensvorteils dient. Das ergibt sich aus § 17 Abs. 4 OWiG, der besagt, dass die Geldbuße den aus der Tat erlangten wirtschaftlichen Vorteil übersteigen sollte. Ein weiterer Unterschied des Ordnungswidrigkeitenrechts zum Strafrecht besteht darin, dass der Einheitstäterbegriff gilt und als Täter alle Tatbeteiligten – Mittäter, Anstifter oder Gehilfe – ebenso wie der tatbestandsmäßig Handelnde von der Einziehung betroffen sein können.[477]

1. Tatgewinne

a) Abschöpfung der Gegenstände

aa) Einziehung von Gegenständen (Tatprodukten) nach § 22 Abs. 2 Nr. 1 OWiG

Einziehung der Gegenstände gemäß § 22 Abs. 2 Nr. 1 OWiG setzt die Begehung einer tatbestandsmäßigen und rechtswidrigen Tat voraus. Dies ergibt sich daraus, dass Einziehung als Nebenfolge einer Ordnungswidrigkeit zur Geldbuße als Hauptfolge einer Ordnungswidrigkeit akzessorisch ist. Grundsätzlich kann Einziehung nur bei Handlungen, die als Ordnungswidrigkeit geahndet werden, angeordnet

---

476 Mitsch-*Mitsch*, KK-OWiG, § 22 Rn. 8.

477 Ebenda, § 22 Rn. 13.

werden.[478] Abschöpfungsadressat ist nach § 22 Abs. 2 Nr. 1 OWiG der Täter, die einzuziehenden Gegenstände müssen ihm zum Zeitpunkt der Entscheidung gehören. Miteigentum eines Tatunbeteiligten verhindert die Einziehung der Gegenstände.[479]

Das Gesetz spricht allgemein von Einziehung der Gegenstände, ohne nach der Art ihrer Verstrickung in die Ordnungswidrigkeit zu unterscheiden.[480] Einziehung der Gegenstände nach § 22 Abs. 1 OWiG ermöglicht u.a. den Zugriff auf Tatprodukte.[481] Damit sind Gegenstände gemeint, die durch die Ordnungswidrigkeit entstanden und durch diese in ihren gegenwärtigen Zustand gebracht worden sind.[482] Dabei können sowohl Sachen als auch Rechte eingezogen werden.[483] Maßgeblich ist, dass sie zum Zeitpunkt der Entscheidung dem Täter[484] gehören.[485] Die Einziehung der Tatprodukte muss aber ausdrücklich durch eine Spezialnorm zugelassen sein.[486]

bb) Sicherungseinziehung nach § 22 Abs. 2 Nr. 2 OWiG

Sicherungseinziehung nach § 22 Abs. 2 Nr. 2 OWiG kann sich sowohl gegen den Täter als auch gegen eine an der Tat unbeteiligte Person richten. Die Eigentumsverhältnisse sind bei Anwendung dieser Maßnahme irrelevant. Die Einziehbarkeit der Gegenstände beruht auf der Gefährdung der Allgemeinheit durch diese.[487] Gemäß § 22 Abs. 3 OWiG ist die Begehung einer rechtswidrigen Handlung für die Sicherungseinziehung ausreichend. Wenn sich die Einziehung gegen den Täter richten soll, kommt es zur Kumulation der Abschöpfungsgrundlagen. Während bei Einziehung nach § 22 Abs. 2 Nr. 1 OWiG die Vorwerfbarkeit der Handlung als Obergrenze entsprechen muss, ist bei der Sicherungseinziehung die Verhältnismäßigkeit nach § 24 OWiG zu berücksichtigen.[488] Der tatneutrale Betroffene wird für die Einziehung gemäß § 28 OWiG entschädigt.

---

478 Ebenda, § 22 Rn. 8.

479 Göhler u.a.-*Gürtler*, OWiG, § 22 Rn. 11, 15 f.

480 Zu Einziehungsgegenständen siehe Mitsch-*Mitsch*, KK-OWiG, § 22 Rn. 10.

481 Vgl. Göhler u.a.-*Gürtler*, OWiG, Vor § 22 Rn. 16; Mitsch-*Mitsch*, KK-OWiG, § 22 Rn. 10.

482 Mitsch-*Mitsch*, KK-OWiG, § 22 Rn. 10.

483 Siehe Göhler u.a.-*Gürtler*, OWiG, § 22 Rn. 2; Mitsch-*Mitsch*, KK-OWiG, § 22 Rn. 9.

484 Täter ist gem. § 14 OWiG derjenige, der sich an der Ordnungswidrigkeit beteiligt, also gehören auch Mittäter, Anstifter und Gehilfe dazu. Vgl. Göhler u.a.-*Gürtler*, OWiG, § 22 Rn. 7.

485 Vgl. die entsprechende Norm des StGB – § 74 Abs. 3. Anders aber, da auf den Zeitpunkt der Tatbegehung abstellend Mitsch-*Mitsch*, KK-OWiG, § 22 Rn. 11.

486 Siehe Göhler u.a.-*Gürtler*, OWiG, § 22 Rn. 1; Mitsch-*Mitsch*, KK-OWiG, § 22 Rn. 1.

487 Mitsch-*Mitsch*, KK-OWiG, § 22 Rn. 30, 33.

488 Ebenda, § 22 Rn. 31.

Das Gesetz bestimmt nicht genauer, welche Verbindung zwischen dem Gegenstand und einer mit Geldbuße bedrohten Handlung bestehen sollte.[489] Aus einer Ordnungswidrigkeit stammende Gegenstände können eingezogen werden, wenn sie zum Zeitpunkt der Entscheidung eine Gefährdung für die Allgemeinheit darstellen.[490] Für die Einziehung relevant ist allerdings nur die überindividuelle und konkrete Gefahrenlage. Eine abstrakte Gefährdung der Allgemeinheit reicht nicht aus. Da aber bei zu strenger Auslegung des Begriffes „Gefährdung" die Vorschrift ins Leere laufen würde, wird eine gemäßigt-konkrete Gefährdung verlangt, die den (abstrakt-konkreten) Eignungsdelikten im Strafrecht entspricht. Allgemeinheit hingegen bedeutet, dass grundsätzlich jedermann von dieser Gefährdung betroffen sein kann.[491]

cc) Erweiterte Voraussetzungen der Einziehung nach § 23 Nr. 2 OWiG

Das Ordnungswidrigkeitengesetz regelt in § 23 die Voraussetzungen für die Einziehung der Gegenstände, die nicht dem Täter gehören. Auch diese Norm ist keine generelle Ermächtigungsgrundlage, ein spezieller Verweis im Tatbestand ist notwendig. Das Gesetz regelt in § 23 Nr. 2 die Anforderungen an das Verhalten des Betroffenen, welches die Einziehung von Tatprodukten rechtfertigt. Einziehungsvoraussetzung ist, nach § 22 Abs. 1 OWiG, die Begehung einer rechtswidrigen und vorwerfbaren Handlung durch den Täter.[492] Darüber hinaus muss der Betroffene den Einziehungsgegenstand in Kenntnis der Umstände, welche die Einziehung zulassen würden, in verwerflicher Weise erworben haben. Die Kenntnis muss die konkreten Umstände umfassen, die die Handlung zu einer Ordnungswidrigkeit qualifizieren.[493] Diese Einschränkungen rechtfertigen im Licht des Art. 14 GG einen Eingriff in das Eigentum des Nichttäters und sind deswegen zusammen mit dem Verweis im Tatbestand restriktiv auszulegen.[494] Bei dem Erwerb der Gegenstände muss der Dritte tätig gewesen sein, da die Einziehung an sein vorwerfbares Handeln anknüpft. Deswegen ist sie beim Erwerb kraft Erbrechts ausgeschlossen.[495] Der einziehungsbegründende Erwerb muss dazu verwerflich sein im Sinne einer sozialwidrigen Handlung des Dritten, was normalerweise durch den Erwerb in Kenntnis der Umstände gegeben ist.[496] Die Norm richtet sich vor allem gegen das Zusammenwir-

---

489 Ebenda, § 22 Rn. 37; *Eser*, Sanktionen gegen das Eigentum, S. 260.

490 Mitsch-*Mitsch*, KK-OWiG, § 22 Rn. 32 ff.

491 Ebenda, § 22 Rn. 34 f.

492 Ebenda, § 23 Rn. 4.

493 Vgl. Göhler u.a.-*Gürtler*, OWiG, § 23 Rn. 10; Mitsch-*Mitsch*, KK-OWiG, § 23 Rn. 24.

494 Mitsch-*Mitsch*, KK-OWiG, § 23 Rn. 2.

495 Göhler u.a.-*Gürtler*, OWiG, § 23 Rn. 11. Anders als bei Dritteinziehung von Taterträgen im Strafrecht. Vgl. § 73b Abs. 1 Nr. 3 StGB.

496 Vgl. Göhler u.a.-*Gürtler*, OWiG, § 23 Rn. 12; Mitsch-*Mitsch*, KK-OWiG, § 23 Rn. 27.

ken des Betroffenen und des Täters, um die Einziehung unmöglich zu machen; diese Norm ist jedoch keine zwingende Voraussetzung der Einziehung.[497]

Abschöpfungsgegenstand sind nach § 23 Nr. 2 OWiG Gegenstände, die der Dritte vom Täter erworben hat. Unter dieser Kategorie können Tatprodukte – Gegenstände, die durch die Ordnungswidrigkeit entstanden sind oder durch sie ihren gegenwärtigen Zustand erreicht haben – eingezogen werden.[498] Es handelt sich um Gegenstände, die unmittelbar aus der rechtswidrigen Handlung stammen. Die frühere Einziehbarkeit vom Täter – vor der Veräußerung – ist die Voraussetzung der Einziehung von einem Dritten.[499]

dd) Selbständige Anordnung (der Einziehung) nach § 27 Abs. 1 und Abs. 3 OWiG

Selbständige Einziehung nach § 27 OWiG ist eine Verfahrensvorschrift. Sie normiert die Voraussetzungen, unter denen die Einziehung selbständig, also ohne eine Entscheidung über eine Verhängung einer Geldbuße, angeordnet werden kann.[500] Bezüglich der Einziehung der Tatprodukte findet § 27 Abs. 1 OWiG Anwendung, welcher die Einziehungsanordnung bei Vorliegen tatsächlicher Verfahrenshindernisse ermöglicht.[501] Die Maßnahme ist zulässig, wenn keine bestimmte Person verfolgt oder eine Geldbuße gegen eine bestimmte Person nicht festgesetzt werden kann. In dem ersten Fall kommt es nicht zur Verfolgung des Täters der Ordnungswidrigkeit, in dem zweiten wird das Verfahren zunächst eingeleitet, jedoch kann die Geldbuße nicht verhängt werden. Bei Einstellung des Verfahrens liegt es im Ermessen der Verwaltungsbehörde, die Einziehung nach Abs. 3 selbständig anzuordnen. Im Übrigen müssen die Voraussetzungen der anzuwendenden Einziehungsgrundlage vorliegen – gegen den Täter in § 22 Abs. 2 Nr. 1, gegen einen Dritten in § 23 Nr. 2 OWiG geregelt.

Der Abschöpfungsgegenstand wird durch die in Verbindung mit § 27 OWiG angewendete Abschöpfungsgrundlage definiert. Nach § 22 Abs. 2 Nr. 1 und § 23 Nr. 2 sind es Tatprodukte, das heißt Gegenstände, die durch die Ordnungswidrigkeit entstanden sind oder durch sie ihren gegenwärtigen Zustand erreicht haben.[502] Die selbständig angeordnete Einziehung knüpft an die Begehung einer Ordnungswidrigkeit an, auch wenn die Verfolgung des Täters nicht möglich ist. Auf das Erfordernis der Anknüpfungstat, die nachgewiesen werden muss, hat der Gesetzgeber nicht verzichtet.[503]

---

497 Vgl. Göhler u.a.-*Gürtler*, OWiG, § 23 Rn 9; Mitsch-*Mitsch*, KK-OWiG, § 23 Rn. 20.

498 Mitsch-*Mitsch*, KK-OWiG, § 23 Rn. 10.

499 Ebenda, § 23 Rn. 20 f.

500 Mitsch-*Mitsch*, KK-OWiG, § 27 Rn. 1.

501 Zur Unterscheidung zwischen tatsächlichen und rechtlichen Hindernissen siehe Mitsch-*Mitsch*, KK-OWiG, § 27 Rn. 5.

502 Ebenda, § 22 Rn. 10.

503 Ebenda, § 27 Rn. 6.

b) Zahlung eines Geldbetrages

aa) Geldbuße nach § 17 OWiG

Eine Geldbuße ist eine Sanktion *sui generis*, die neben dem repressiven und präventiven Zweck auch der Gewinnabschöpfung dient.[504] Die Abschöpfungsfunktion steht zwar nicht an erster Stelle, trotzdem sollte die verhängte Geldbuße gemäß § 17 Abs. 4 OWiG den wirtschaftlichen Vorteil übersteigen, den der Täter aus der Ordnungswidrigkeit gezogen hat.[505] Zu diesem Zweck kann auch das gesetzliche Höchstmaß überschritten werden. Die Geldbuße wird nicht nach Tagessatzsystem verhängt und kann deswegen die Abschöpfungsfunktion erfüllen.[506] Der Zweck der Geldbuße ist es, einen rechtswidrigen Zustand zu beseitigen. Sie hat einen quasi-konditionellen, nicht pönalen, sondern präventiv-ordnenden Charakter. Auch die durch das 2. WiKG eingeführte Verfallsregelung[507] bestätigt den gewinnabschöpfenden Charakter der Geldbuße. So ist gemäß § 29a Abs. 1 OWiG die Einziehung des Wertes der Taterträge nicht anzuwenden, wenn für die Tat bereits eine Geldbuße festgesetzt wurde. Durch die Gewinnabschöpfung mittels Geldbuße soll die Rechtsanwendung vereinfacht werden.[508]

Abschöpfungsadressat ist bei der Geldbuße der Täter. Voraussetzung der Ahndung einer Tat mit Geldbuße ist die Begehung einer tatbestandsmäßigen, rechtswidrigen und vorwerfbaren Handlung.[509] Dies ergibt sich aus dem Rechtsstaatsprinzip und Art. 103 Abs. 2 GG. Der Staat kann nur für ein tatbestandsmäßig bestimmtes, vorwerfbares Verhalten, das im Widerspruch zur Rechtsordnung steht, strafen. Dies gilt auch für strafähnliche Sanktionen wie die Geldbuße.[510] Vermögensabschöpfung mittels Geldbuße ist sowohl bei vorsätzlichen als auch bei fahrlässigen Taten zulässig. Das Ziel der Regelung ist, dass es sich für den Täter nicht lohnt, Delikte zu begehen.[511]

Eine Geldbuße wird in der Regel unter Berücksichtigung des erlangten wirtschaftlichen Vorteils verhängt. Dieser kann aber aus besonderen Gründen bei der Zumessung nicht einbezogen werden.[512] Zu den besonderen Gründen zählen die

---

504 Siehe *Schroth*, wistra 1986, 160.

505 Vgl. Göhler u.a.-*Gürtler*, OWiG, § 17 Rn. 37; Mitsch-*Mitsch*, KK-OWiG, § 17 Rn. 10.

506 Mitsch-*Mitsch*, KK-OWiG, § 17 Rn. 12.

507 Nach der Reform vom 13.04.2017 – Einziehungsregelung.

508 Göhler u.a.-*Gürtler*, OWiG, § 17 Rn. 37 f.

509 Vgl. Göhler u.a.-*Gürtler*, OWiG, Vor § 1 Rn. 10 ff.; Mitsch-*Rogall*, KK-OWiG, § 1 Rn. 3 ff.

510 Vgl. Göhler u.a.-*Gürtler*, OWiG, Vor § 1 Rn. 10; Mitsch-*Mitsch*, KK-OWiG, § 17 Rn. 4.

511 Mitsch-*Mitsch*, KK-OWiG, § 17 Rn. 112 f.

512 Ebenda, § 17 Rn. 115.

Fälle, in denen die Bedeutung der Tat und der Vorwurf gegen den Täter gering sind und die finanzielle Einbuße unter Berücksichtigung des wirtschaftlichen Vorteils unverhältnismäßig wäre.[513] Als Beispiel hierfür wäre vorschriftswidriges Bauen ohne Baugenehmigung zu nennen, da aber die Genehmigungsvoraussetzungen gegeben sind, liegt somit kein Verstoß gegen materielles Recht vor.[514]

Abschöpfungsgegenstand ist der Geldwert für den wirtschaftlichen Vorteil, den der Täter aus der Ordnungswidrigkeit erlangt hat. Die Geldbuße sollte den Wert dieses Vorteils übersteigen. Damit ist der tatsächlich eingetretene wirtschaftliche Vorteil gemeint, der zum Zeitpunkt der Entscheidung vorliegen muss.[515] Dabei ist der Begriff des wirtschaftlichen Vorteils umfassender zu verstehen als der des Vermögensvorteils nach § 29a OWiG a.F.: So gehören zum Beispiel die Erlangung einer verbesserten Marktposition, Gebrauchsvorteile, die auf sichere künftige Gewinne schließen lassen, oder die Ersparnis von zwingenden Aufwendungen dazu.[516] Der Vorteil muss sich aber immer auf die wirtschaftlichen Verhältnisse des Täters beziehen.[517] Abschöpfungsfähig ist sowohl der unmittelbare als auch der mittelbare Gewinn, aber auch die Nutzungen und Surrogate, weil durch sie der Täter besser gestellt wird.[518]

Der wirtschaftliche Vorteil wird grundsätzlich berechnet, kann aber in Anlehnung an § 29a Abs. 4 OWiG auch geschätzt werden.[519] Er muss aus der Tat stammen, die Gegenstand des Verfahrens ist und für die die Geldbuße verhängt wird. Unter dem wirtschaftlichen Vorteil wird nach h.M. das aus der Begehung einer konkreten Tat resultierende Habensaldo für den Täter selbst verstanden.[520] Die Entscheidung über den abzuschöpfenden Vorteil erfolgt nach wirtschaftlichen Gesichtspunkten. Berechnet wird er nach dem Nettoprinzip, wobei die getätigten Aufwendungen berücksichtigt werden.[521] Bis zu der letzten Reform der Vermögensabschöpfung erfolgte die Berechnung bei der Einziehung des Wertes von Taterträgen (nach a.F. Verfall) gemäß § 29a OWiG, ohne die Aufwendungen des Täters zu berücksichtigen. Die Rechtslage führte zu Wertungswidersprüchen, da

---

513 OLG Hamm MDR 1979, 870; OLG Karlsruhe NJW 1974, 1883; OLG Köln GA 1960, 187; Mitsch-*Mitsch*, KK-OWiG, § 17 Rn. 116.

514 OLG Hamm GewArch 1993, 245.

515 OLG Karlsruhe NJW 1975, 793; Mitsch-*Mitsch*, KK-OWiG, § 17 Rn. 114, 117.

516 Vgl. Mitsch-*Mitsch*, KK-OWiG, § 17 Rn. 114, 120; OLG Düsseldorf wistra 1995, 75 f.

517 Mitsch-*Mitsch*, KK-OWiG, § 17 Rn. 119.

518 Ebenda, § 17 Rn. 120.

519 Vgl. OLG Hamburg GA 1968, 125; Mitsch-*Mitsch*, KK-OWiG, § 17 Rn. 123, 124; a.A. *Drathjer*, Abschöpfung rechtswidrig erlangter Vorteile im Ordnungswidrigkeitenrecht, S. 114 f.

520 Vgl. BayObLG NJW 1998, 2461, 2462; *Brenner*, NStZ 1998, 557; *Drathjer*, Abschöpfung rechtswidrig erlangter Vorteile im Ordnungswidrigkeitenrecht, S. 62.

521 Vgl. OLG Hamburg NJW 1971, 1000, 1003; *Claus*, Gewinnabschöpfung und Steuer, S. 37.

der abzuschöpfende Geldbetrag unterschiedlich berechnet wurde, je nachdem, welche Maßnahme angewendet wurde. Zum Teil wurde deswegen die Anwendung des Bruttoprinzips auch bei Abschöpfung mit Geldbuße empfohlen.[522] Die Reform hat aber auch das Verständnis des Bruttoprinzips im Ordnungswidrigkeitenrecht gleichermaßen wie im Strafrecht geändert. Nach § 29a Abs. 3 OWiG werden auch hier die Aufwendungen des Täters von dem erlangten Vorteil abgezogen, soweit sie nicht für die Begehung der Tat oder ihre Vorbereitung eingesetzt wurden.

bb) Einziehung des Wertersatzes (der Tatprodukte beim Täter) nach § 25 OWiG

Gegen den Täter kann die Einziehung des Wertersatzes der erlangten Gegenstände nach § 25 Abs. 1 oder 2 OWiG angeordnet werden. Diese ist nach Abs. 1 zulässig, wenn die primäre Einziehung des Gegenstandes nicht möglich ist. Abs. 2 ermöglicht Wertersatzeinziehung auch dann, wenn die Einziehung des Gegenstandes wirtschaftlich sinnlos wäre, weil er mit dem Recht eines Dritten belastet ist. Somit handelt es sich um einen Ersatz für die unmöglich gewordene Primäreinziehung,[523] welche die Begehung einer Ordnungswidrigkeit voraussetzt. Der Umstand, der die Einziehung des Wertersatzes rechtfertigt, muss durch den Täter selbst herbeigeführt worden sein bzw. durch einen Dritten, dessen Handlung dem Täter zuzurechnen ist.[524] Ob die Handlung vorwerfbar sein muss, ist umstritten.[525]

Die Unmöglichkeit der primären Einziehung kann sowohl tatsächlicher als auch rechtlicher Natur sein. Tatsächlich unmöglich ist die Einziehung dem Täter gegenüber, wenn der Gegenstand nicht mehr existiert, nicht mehr auffindbar oder wirtschaftlich entwertet worden ist.[526] Rechtliche Unmöglichkeit bedeutet, dass zum Zeitpunkt der Entscheidung der Täter nicht mehr der Gegenstandsinhaber ist und deswegen die Einziehung nach § 22 Abs. 2 Nr. 1 OWiG ausscheidet. Dabei ist entscheidend, dass der Ahndungszweck der Einziehung gegenüber dem Täter nicht mehr erfüllt werden kann.[527]

Abschöpfungsgegenstand bei der Einziehung nach § 25 Abs. 1 und 2 OWiG ist eine Geldsumme, die dem Wert des primären Abschöpfungsgegenstandes entspricht. Dieser kann gemäß § 25 Abs. 3 geschätzt werden.[528] Die Einziehung des Wertersatzes setzt voraus, dass es zwischen dem primären Abschöpfungsgegenstand und einer Ordnungswidrigkeit eine unmittelbare Verknüpfung gegeben hat. Zwischen dem einzuziehenden Geldbetrag und der Tat besteht keine Verbindung.

---

522 Vgl. Mitsch-*Mitsch*, KK-OWiG, § 17 Rn. 119; Göhler u.a.-*Gürtler*, OWiG, § 17 Rn. 38a.

523 Mitsch-*Mitsch*, KK-OWiG, § 25 Rn. 1.

524 Ebenda, § 25 Rn. 22.

525 Ebenda, § 25 Rn. 22.

526 Ebenda, § 25 Rn. 21.

527 Ebenda, § 25 Rn. 17.

528 Ebenda, § 25 Rn. 46.

cc) Einziehung des Wertes von Taterträgen nach § 29a Abs. 1 OWiG

Abschöpfung des Wertes deliktisch erlangter Gewinne nach § 29a Abs. 1 OWiG richtet sich gegen den Täter.[529] Die Maßnahme findet Anwendung, soweit wegen der Handlung keine Geldbuße verhängt wird.[530] Aus dem Gesetzestext ergibt sich auch der Vorrang der Geldbuße als Abschöpfungsinstrument.[531] Die Einziehung dient der Lückenschließung, wenn die Vermögensabschöpfung mittels Geldbuße nicht möglich ist.[532] Schwerpunkt des Anwendungsbereichs von § 29a sind die Tatbestände des Wirtschaftsrechts, in denen sich die Einziehung nach dem Opportunitätsprinzip zur Abschöpfung der Gewinne in bedeutsamen Fällen richten kann.[533] Die Anknüpfungstat ist eine mit Geldbuße bedrohte Handlung; somit knüpft die Einziehung nur an die Tatbestandsmäßigkeit und Rechtswidrigkeit der Tat an. Einziehung ist, wie im Strafrecht, eine präventiv-ordnende, kondiktionsähnliche Maßnahme ohne pönalen Charakter.[534]

Einziehungsgegenstand ist der Geldwert für das durch oder für eine mit Geldbuße bedrohte Handlung erlangte Etwas.[535] Das Erlangte umfasst auch Vermögensgegenstände, die dem Täter tatsächlich zur Verfügung stehen und die er wirtschaftlich vorteilhaft nutzen kann.[536] Somit werden von der Einziehung unmittelbar erlangte Vorteile erfasst. Zwischen dem Erlangten und der Tat muss eine Kausalbeziehung bestehen.[537] Mittelbare Vorteile wie Nutzungen und Surrogate werden im Ordnungswidrigkeitenrecht nicht abgeschöpft.[538] Die Abschöpfung umfasst aber durch die Begehung der verbotenen Handlung ersparte Aufwendungen[539] und den Vermögenszuwachs infolge der Tat.[540] Die Voraussetzung der Unmittelbarkeit verhindert die „uferlose Ausdehnung" der Einziehung, das Erlangte muss bezifferbar sein.[541] Der Einziehungsumfang im Ordnungswidrigkeitenrecht steht nicht

---

529 Mitsch-*Mitsch*, KK-OWiG, § 29a Rn. 1.

530 Auch wenn von der Verhängung der Geldbuße nach § 47 OWiG abgesehen wird. Siehe Göhler u.a.-*Gürtler*, OWiG, Vor § 29a Rn. 18.

531 Die Abschöpfung der Tatgewinne mittels Geldbuße wurde durch das 2. WiKG eingeführt. Siehe Göhler u.a.-*Gürtler*, OWiG, Vor § 29a Rn. 1.

532 Ebenda, Vor § 29a Rn. 21.

533 Ebenda, Vor § 29a Rn. 3 f.

534 Vgl. BVerfGE 110, 1; siehe auch Göhler u.a.-*Gürtler*, OWiG, Vor § 29a Rn. 1; Mitsch-*Mitsch*, KK-OWiG, § 29a Rn. 11 f.

535 Bei der Geldbuße ist es gem. § 17 Abs. 4 „der wirtschaftliche Vorteil". Siehe Mitsch-*Mitsch*, KK-OWiG, § 29a Rn. 27 f.

536 Ebenda, § 29a Rn. 32.

537 Vgl. Göhler u.a.-*Gürtler*, OWiG, § 29a Rn. 8 ff.; Mitsch-*Mitsch*, KK-OWiG, § 29a Rn. 33.

538 Im StGB regelt § 73 Abs. 2 und 3 die Abschöpfung von Nutzungen und Surrogaten.

539 Vgl. Göhler u.a.-*Gürtler*, OWiG, § 29a Rn. 11; Mitsch-*Mitsch*, KK-OWiG, § 29a Rn. 31.

540 Göhler u.a.-*Gürtler*, OWiG, § 29a Rn. 16.

541 Vgl. ebenda, § 29a Rn. 10; Mitsch-*Mitsch*, KK-OWiG, § 29a Rn. 30.

mehr mit dem Einziehungsumfang im Strafrecht in Einklang, da dort nach der Reform auch mittelbare Vorteile eingezogen werden.[542] Durch die Reform wurde aber die Bemessung des Einziehungsumfangs im Ordnungswidrigkeitenrecht, gleich wie im Strafrecht, geändert.[543] Die neue Fassung der Vorschrift regelt die Bestimmung des Erlangten in § 29a Abs. 3 OWiG so, dass bei der Einziehung die Aufwendungen des Täters abzuziehen sind, jedoch nicht die für die Begehung oder Vorbereitung der Tat getätigten.[544] Somit ist der bisher wichtigste Kritikpunkt an der Einziehung, die Umgehung des Nettoprinzips,[545] welches bei der Bestimmung des wirtschaftlichen Vorteils bei der Geldbuße gilt, entkräftet. Durch die Gesetzesänderung wurde auch die unbillige Härte des Bruttoprinzips[546] korrigiert.

dd) Einziehung des Wertes von Taterträgen (bei anderen) nach § 29a Abs. 2 OWiG

Die Anordnung der Einziehung des Wertes der Taterträge kann auch andere Personen treffen, die nicht mit dem Täter identisch sind Im Rahmen der Reform strafrechtlicher Vermögensabschöpfung wurden die Voraussetzungen für den Zugriff auf Vermögen Dritter erweitert. Dabei entspricht die neue Fassung des OWiG der Norm der Dritteinziehung im Strafrecht nach § 73b StGB.[547] Die bisherige Regelung des § 29a Abs. 2 OWiG bleibt unter Abs. 2 Nr. 1 weiterhin bestehen. Die Anknüpfungstat ist, wie bei der Einziehung vom Täter, eine mit Geldbuße bedrohte Handlung. Die Einziehungsanordnung setzt die Rechtswidrigkeit der Tat voraus. Darüber hinaus ist sie an die Umstände geknüpft, die sich auf das Rechtsgeschäft beziehen, infolge dessen das Erlangte auf den Dritten übertragen wurde.

Das Gesetz nennt fünf Fälle, in denen Einziehung gegen einen anderen als den Täter angeordnet werden kann. Der erste, auch in der alten Fassung des Gesetzes vorgesehene Fall ist die Handlung des Täters für einen anderen, der durch die Handlung ebenso etwas erlangt hat. Die Handlung für einen anderen gehört zu den in § 9 OWiG genannten „Vertretungsfällen“, aber die Einziehung ist nicht auf diese beschränkt. Einziehung kann auch angeordnet werden, wenn der Täter faktisch im Interesse des anderen tätig geworden ist.[548] Der Vorteil für den Dritten muss durch die Tat entstanden sein; die Einziehungsvoraussetzung ist ein Bereicherungszusammenhang zwischen der Tat und dem Erlangten.[549] Der zweite Fall, in dem

---

542 Vgl. die Formulierung „durch eine rechtswidrige Tat“ in § 73 Abs. 1 StGB.

543 Vgl. § 73d Abs. 1 StGB.

544 Kritisch zu dieser Regelung, als inkonsistent im Hinblick auf die Parallelvorschrift des StGB siehe *Gebauer*, ZRP 2016, 103 f.

545 Göhler u.a.-*Gürtler*, OWiG, § 29a Rn. 1; vgl. auch ebenda, § 17 Rn. 38 f.

546 Ebenda, § 29a Rn. 13.

547 Somit gilt auch für § 29a OWiG entsprechend die Gesetzesbegründung zum § 73b StGB.

548 Göhler u.a.-*Gürtler*, OWiG, § 29a Rn. 21.

549 Vgl. ebenda, § 29a Rn. 22.

Einziehung vom Dritten angeordnet werden kann, ist der in § 29a Abs. 2 Satz 1 Nr. 2 Buchstabe a geregelte „Verschiebungsfall“. Hier wird das Erlangte ohne rechtlichen Grund oder unentgeltlich auf den Dritten übertragen. Bevor die Vermögensverschiebung ausdrücklich im Gesetzestext reguliert wurde,[550] wurden diese Fälle als faktische Vertretung interpretiert, um so die Einziehung überhaupt zu ermöglichen.[551] Einziehung kann sich darüber hinaus nach § 29a Abs. 2 Satz 1 Nr. 2 Buchstabe b OWiG gegen einen Dritten richten, wenn dieser erkannt hat oder hätte erkennen müssen, dass es sich um einen Vermögensgegenstand illegaler Herkunft handelt. In § 29a Abs. 3 OWiG ist die Einziehungsgrundlage, wenn das Erlangte nach den Vorschriften des Erbrechts auf den Dritten überging. Wie bei der strafrechtlichen Einziehung auch ist die Einziehungsanordnung nach § 29a Abs. 2 Satz 2 OWiG ausgeschlossen, wenn der Gegenstand zuvor durch einen Dritten gutgläubig, entgeltlich und mit rechtlichem Grund erworben wurde.

Einziehungsgegenstand ist gemäß § 29a Abs. 2 OWiG, wie bei der Einziehung vom Täter, ein Geldbetrag, der dem Wert des unmittelbar Erlangten entspricht.[552]

ee) Selbständige Anordnung (der Einziehung) nach § 29a Abs. 5 OWiG

Die Regelung der selbständigen Anordnung der Einziehung wurde aus dem § 29a Abs. 4 OWiG a.F. übernommen. Grundsätzlich wird die Einziehung in einem Bußgeldverfahren gegen den Täter angeordnet, genauso wie die Dritteinziehung.[553] Nach § 29a Abs. 5 OWiG kann die Maßnahme auch dann angewendet werden, wenn gegen den Täter aus faktischen oder rechtlichen Gründen kein Verfahren eingeleitet wird bzw. dieses eingestellt wurde.[554] Im selbständigen Verfahren kann die Einziehung des Wertes des Erlangten sowohl vom Täter als auch vom Dritten angeordnet werden.[555] Es müssen im Übrigen die Einziehungsvoraussetzungen nach § 29a Abs. 1 oder 2 OWiG vorliegen. Die Anknüpfungstat ist auch hier eine mit Geldbuße bedrohte Handlung.

Einziehungsgegenstand ist gemäß § 29a Abs. 5 OWiG ein Geldbetrag, der dem Wert des unmittelbar Erlangten entspricht.[556]

---

[550] Vgl. die Begründung zu § 73b Abs. 2 und 3, Deutscher Bundestag, 18. Wahlperiode, BT-Drs. 18/9525.

[551] Siehe BGHSt 45, 235; Göhler u.a.-*Gürtler*, OWiG, § 29a Rn. 21; Mitsch-*Mitsch*, KK-OWiG, § 29a Rn. 40.

[552] Vgl. Göhler u.a.-*Gürtler*, OWiG, § 29a Rn. 10; Mitsch-*Mitsch*, KK-OWiG, § 29a Rn. 30.

[553] Göhler u.a.-*Gürtler*, OWiG, § 29a Rn. 28.

[554] Vgl. ebenda, § 29a Rn. 29; Mitsch-*Mitsch*, KK-OWiG, § 29a Rn. 54.

[555] Siehe Göhler u.a.-*Gürtler*, OWiG, § 29a Rn. 29.

[556] Vgl. ebenda, § 29a Rn. 10; Mitsch-*Mitsch*, KK-OWiG, § 29a Rn. 30.

c) Zwischenbilanz

Im Ordnungswidrigkeitenrecht gelten als Tatgewinne das aus oder für die Tat Erlangte (Taterträge) und Gegenstände, die durch die Tat hervorgebracht werden (Tatprodukte), wobei diese Begriffe im Gesetzestext nicht verwendet werden. Das zentrale Instrument zur Abschöpfung der Taterträge ist die Geldbuße, die gemäß § 17 Abs. 4 OWiG den aus der Ordnungswidrigkeit erlangten wirtschaftlichen Vorteil übersteigen soll. Wenn keine Geldbuße festgesetzt wird, wird nach § 29a OWiG der Wert des Erlangten eingezogen. Die Einziehung kann sich unter bestimmten, in § 29a Abs. 2 OWiG genannten Voraussetzungen auch gegen eine andere Person als den Täter richten. Abschöpfung der Tatprodukte muss nach § 22 OWiG durch das Gesetz ausdrücklich vorgesehen sein. Unter einschränkenden Voraussetzungen können die Tatprodukte auch von einem Dritten eingezogen werden. Bei der Einziehung von Gegenständen ist gemäß § 24 OWiG der Grundsatz der Verhältnismäßigkeit anzuwenden. Nach Maßgabe von § 27 OWiG kann der Wert der Gegenstände vom Täter eingezogen werden. Gegenstände unterliegen darüber hinaus der Sicherungseinziehung nach § 22 Abs. 2 Nr. 2 OWiG.

Einziehung der Tatgewinne kann im Ordnungswidrigkeitenrecht auch selbständig angeordnet werden. Taterträge können, nach § 29a Abs. 5 OWiG, selbständig eingezogen werden, wenn gegen den Täter kein Bußgeldverfahren eingeleitet oder dieses eingestellt worden ist. Tatprodukte werden gemäß § 27 OWiG dann selbständig eingezogen, wenn wegen der Ordnungswidrigkeit aus tatsächlichen Gründen keine bestimmte Person verfolgt oder eine Geldbuße gegen eine bestimmte Person nicht festgesetzt werden kann oder – allerdings nur bei Sicherungseinziehung – wenn die Verfolgung verjährt ist oder aus rechtlichen Gründen keine bestimmte Person verfolgt werden kann. Bei der selbständigen Einziehung müssen immer auch die übrigen Voraussetzungen der Maßnahme vorliegen.

2. Tatmittel

a) Abschöpfung der Gegenstände

aa) Einziehung von Gegenständen (Tatmitteln) nach § 22 Abs. 1 OWiG

Einziehung der Gegenstände gemäß § 22 Abs. 1 OWiG ist eine Nebenfolge einer Ordnungswidrigkeit und darf angeordnet werden, wenn das Gesetz sie ausdrücklich vorsieht.[557] Als Nebenfolge kann die Einziehung nur neben der Geldbuße als Hauptfolge angeordnet werden.[558] Als Nebenfolge einer vorwerfbaren Handlung ist die Einziehung repressiv, hat Ahndungscharakter und ihre Anordnung ist deswegen

---

557 Siehe Göhler u.a.-*Gürtler*, OWiG, § 22 Rn. 1; Mitsch-*Mitsch*, KK-OWiG, § 22 Rn. 1.

558 Ausnahme ist die selbständige Anordnung gem. § 27 Abs. 3. Siehe Mitsch-*Mitsch*, KK-OWiG, § 22 Rn. 8.

bei Verhängung der Geldbuße zu berücksichtigen.[559] Die Gesamtbelastung des Täters durch Einziehung und Geldbuße muss der Vorwerfbarkeit entsprechen.[560] Anknüpfungstat für die Einziehung ist eine rechtswidrige und vorwerfbare Handlung.[561] Der von der Einziehung Betroffene ist nach § 22 der Täter,[562] dem die Gegenstände zum Zeitpunkt der Entscheidung gehören müssen (vgl. Abs. 2 Nr. 1). Miteigentum eines nicht an der Tat beteiligten verhindert die Einziehung gemäß § 22 Abs. 1.[563]

In § 22 OWiG ist neben Einziehung der Tatprodukte (siehe oben) auch Einziehung von Tatmitteln geregelt. Im Gesetz wird nicht nach dieser Kategorie der Verwicklung eines Gegenstandes in deliktisches Handeln unterschieden, sondern die Einziehung der Gegenstände wird nicht weiter differenziert. Als Gegenstände gelten dabei sowohl körperliche Sachen als auch Rechte, was sich aus der gesetzlichen Formulierung „dem Täter gehören oder zustehen" ergibt.[564] Die Einziehung setzt voraus, dass zwischen der Ordnungswidrigkeit und dem Einziehungsgegenstand eine unmittelbare Beziehung festgestellt werden kann.[565]

Nach dem Verhältnismäßigkeitsgrundsatz gemäß § 24 Abs. 1 OWiG wird der Täter vor der Gefährdung bzw. Vernichtung seiner wirtschaftlichen Existenz durch die Einziehung geschützt.[566] Bei der Prüfung der Verhältnismäßigkeit wird auf die Bedeutung der Ordnungswidrigkeit und den Grad des Vorwurfs abgestellt.[567] Die Unverhältnismäßigkeit der Einziehung kann allein durch die Schwere des Vorwurfs gegeben sein.[568] Die Verhältnismäßigkeitsklausel ist keine Strafzumessungsregel, sondern eine Begrenzung des richterlichen Ermessens zum Schutz der Verhältnismäßigkeit zwischen der Wirkung der Einziehung und der Schwere der Handlung.[569] Einziehung kann auch unter Vorbehalt angeordnet und dem Betroffenen

---

559 Siehe *Eser*, Sanktionen gegen das Eigentum, S. 112; Mitsch-*Mitsch*, KK-OWiG, § 22 Rn. 6 m.w.N. Anders – Zweck der Einziehung ist, den Gegenstand aus dem Verkehr zu ziehen – siehe Göhler u.a.-*Gürtler*, OWiG, § 22 Rn. 4 f.

560 Mitsch-*Mitsch*, KK-OWiG, § 22 Rn. 6.

561 Vgl. *Eser*, Sanktionen gegen das Eigentum, S. 280; Göhler u.a.-*Gürtler*, OWiG, § 22 Rn. 3; Mitsch-*Mitsch*, KK-OWiG, § 22 Rn. 8.

562 Täter ist gem. § 14 OWiG derjenige, der sich an Ordnungswidrigkeit beteiligt, also auch Mittäter, Anstifter und Gehilfe. Vgl. Göhler u.a.-*Gürtler*, OWiG, § 22 Rn. 7.

563 Göhler u.a.-*Gürtler*, OWiG, § 22 Rn. 11, 15 f.; anders – auf den Zeitpunkt der Tatbegehung abstellend - siehe Mitsch-*Mitsch*, KK-OWiG, § 22 Rn. 11.

564 Siehe Göhler u.a.-*Gürtler*, OWiG, § 22 Rn. 2; Mitsch-*Mitsch*, KK-OWiG, § 22 Rn. 9.

565 Göhler u.a.-*Gürtler*, OWiG, Vor § 22 Rn. 10 ff.

566 Siehe ebenda, § 24 Rn. 1; Mitsch-*Mitsch*, KK-OWiG, § 24 Rn. 4 ff.

567 Mitsch-*Mitsch*, KK-OWiG, § 24 Rn. 6 f., 11 f.

568 Göhler u.a.-*Gürtler*, OWiG, § 24 Rn. 3.

569 Ebenda, § 24 Rn. 4.

eine der in Abs. 2 genannten Anweisungen, als weniger einschneidende Maßnahme, erteilt werden.[570]

bb) Erweiterte Voraussetzungen der Einziehung nach § 23 Nr. 1 OWiG

Nach § 23 OWiG können bei einer vorwerfbaren Mitwirkung an der Tat Gegenstände auch von einer anderen Person als dem Täter eingezogen werden.[571] Die Regelung findet nur dann Anwendung, wenn im Tatbestand auf sie verwiesen wird. Einziehung des Gegenstandes von einem Dritten hat Vorrang vor Einziehung des Wertersatzes vom Täter.[572] Vor der Dritteinziehung gemäß § 23 kommt die Sicherungseinziehung nach § 22 Abs. 2 Nr. 2 in Betracht.[573]

Die Dritteinziehung nach § 23 Nr. 1 OWiG knüpft an ein verwerfliches Verhalten des Betroffenen an. Die Voraussetzungen für die Einziehung von Tatmitteln regelt § 23 Abs. 1 OWiG. Der Betroffene muss zumindest leichtfertig dazu beigetragen haben, dass seine Sachen oder Rechte Mittel oder Gegenstand der Tat geworden sind.[574] Wegen dieser Anknüpfung an ein quasi-vorwerfbares Verhalten des Dritten wird der Einziehung ein ahndungsähnlicher Charakter zugeschrieben.[575] Dabei wird auf einen gesteigerten Grad der Fahrlässigkeit abgestellt: Der Dritte wusste von der Begehung der Ordnungswidrigkeit oder hätte es bei Beachtung der einfachsten Sorgfaltspflichten wissen können.[576] Das (potenzielle) Wissen muss sich auf ein konkretes Delikt beziehen, das zumindest in groben Umrissen vorausgesehen werden könnte.[577] Dabei ist das Wissen über die Unrecht begründenden Verhaltensmerkmale im konkreten Fall nicht notwendig. Die Kognition ist kein Bestandteil des Leichtfertigkeitsbegriffs, vielmehr bedeutet Leichtfertigkeit: „jedem vernünftigen Menschen müsste sich der Gedanke aufdrängen".[578] Die Leichtfertigkeit bezieht sich auf die Verstrickung des Gegenstandes in die verbotene Handlung.[579]

---

570 Ausführlich Göhler u.a.-*Gürtler*, OWiG, § 24 Rn. 6 ff.; Mitsch-*Mitsch*, KK-OWiG, § 24 Rn. 22 ff.

571 Mitsch-*Mitsch*, KK-OWiG, § 23 Rn. 1.

572 Göhler u.a.-*Gürtler*, OWiG, § 23 Rn. 15.

573 Ebenda, § 23 Rn. 16.

574 Mitsch-*Mitsch*, KK-OWiG, § 23 Rn. 1.

575 Vgl. *Eser*, Sanktionen gegen das Eigentum, S. 230; Mitsch-*Mitsch*, KK-OWiG, § 22 Rn. 7.

576 Vgl. Göhler u.a.-*Gürtler*, OWiG, § 23 Rn. 4; Mitsch-*Mitsch*, KK-OWiG, § 23 Rn. 16 ff.

577 Göhler u.a.-*Gürtler*, OWiG, § 23 Rn. 4.

578 Mitsch-*Mitsch*, KK-OWiG, § 23 Rn. 17.

579 Vgl. Göhler u.a.-*Gürtler*, OWiG, § 23 Rn. 5; Mitsch-*Mitsch*, KK-OWiG, § 23 Rn. 17.

Die Einziehung nach § 23 Nr. 1 OWiG umfasst Sachen und Rechte Dritter, die wegen dessen leichtfertiger Handlung als Tatmittel vom Täter verwendet wurden. Ein Kausalzusammenhang zwischen dem Einziehungsgegenstand und der Verwirklichung der Ordnungswidrigkeit ist nicht notwendig, jedoch muss die Begehung der Tat durch den Beitrag des Dritten gefördert worden sein.[580] Der Dritte wird, wie der Täter, vor der Gefährdung seiner Existenzgrundlage durch die Verhältnismäßigkeitsprüfung gemäß § 24 Abs. 1 geschützt. Zur Prüfung wird die Bedeutung der Handlung eines Dritten herangezogen.[581] Die Schwere der Ordnungswidrigkeit bleibt aber nicht außer Betracht, weil der Dritte nicht schwerer als der Täter belastet werden sollte.[582] Somit wird die Einziehung bei einer Ordnungswidrigkeit von geringer Bedeutung eingeschränkt. Für den Grad des Vorwurfs ist auch die eigene Handlung maßgebend.[583] Die Unverhältnismäßigkeit der Einziehung kann allein durch die Schwere des Vorwurfs gegeben sein, auch wenn die Bedeutung der Tat dagegen sprechen würde.[584] Auch gegen einen Dritten kann die Einziehung unter Vorbehalt angeordnet und dem Betroffenen eine der in Abs. 2 genannten Anweisungen, als weniger einschneidende Maßnahme, erteilt werden.[585]

cc) Sicherungseinziehung nach § 22 Abs. 2 Nr. 2 und Abs. 3 OWiG

Wie das Strafgesetzbuch kennt auch das Gesetz über Ordnungswidrigkeiten Sicherungseinziehung aus präventiven Gründen.[586] Sie ist in § 22 Abs. 2 Nr. 2 und Abs. 3 OWiG geregelt. Diese Norm entspricht der Sicherungseinziehung nach § 74b Abs. 1 StGB. Die Maßnahme kann gegen den Täter oder gegen einen vorwerfbar – bzw. auch nicht vorwerfbar – handelnden Dritten verhängt werden. Die Anordnung der Sicherungseinziehung knüpft ebenso wie die Einziehung der Gegenstände an eine tatbestandsmäßige und rechtswidrige Handlung an.[587] Die Anforderungen an die Anknüpfungstat sind jedoch im Vergleich zur Einziehung nach Abs. 1 niedriger, da der Täter gemäß Abs. 3 nicht vorwerfbar gehandelt haben muss. Sicherungseinziehung muss, im Gegensatz zu anderen Fällen der Einziehung von Gegenständen, der Vorwerfbarkeit nicht angemessen sein.[588] Der Schutz des

---

580 Vgl. Göhler u.a.-*Gürtler*, OWiG, § 23 Rn. 8; Mitsch-*Mitsch*, KK-OWiG, § 23 Rn. 14.

581 Mitsch-*Mitsch*, KK-OWiG, § 24 Rn. 9; anders – Bedeutung der Ordnungswidrigkeit und nicht der Handlung eines Dritten – siehe Göhler u.a.-*Gürtler*, OWiG, § 24 Rn. 3.

582 Mitsch-*Mitsch*, KK-OWiG, § 24 Rn. 9.

583 Ebenda, § 24 Rn. 11, 13.

584 Göhler u.a.-*Gürtler*, OWiG, § 24 Rn. 3.

585 Vgl. ebenda, § 24 Rn. 6 ff.; Mitsch-*Mitsch*, KK-OWiG, § 24 Rn. 22 ff.

586 Mitsch-*Mitsch*, KK-OWiG, § 22 Rn. 5.

587 Vgl. *Eser*, Sanktionen gegen das Eigentum, S. 280; Mitsch-*Mitsch*, KK-OWiG, § 22 Rn. 8.

588 Mitsch-*Mitsch*, KK-OWiG, § 22 Rn. 6.

Betroffenen durch die Anwendung des Verhältnismäßigkeitsgrundsatzes gemäß § 24 Abs. 1 OWiG gilt bei der Sicherungseinziehung nicht.

Die Einziehungsgegenstände werden durch die Gefährdung, die von ihnen ausgeht, in zweierlei Hinsicht definiert. Zum einen sind Gegenstände einzuziehen, die nach ihrer Art und den Umständen eine Gefährdung für die Allgemeinheit darstellen. Die Gefahr muss soweit konkretisiert sein, dass ohne Einziehung die Verletzung von Rechtsgütern wahrscheinlich ist. Der Begriff der Allgemeinheit wird weit ausgelegt, sodass eine Gefährdung von Individualinteressen auch diese Voraussetzung erfüllen kann, soweit der Schutz dieser Individualinteressen zu Belangen der Allgemeinheit gehört.[589] Die Gefährlichkeit der Einziehungsgegenstände kann sich bereits aus ihrer Beschaffenheit ergeben. Es können aber auch „an sich ungefährliche" Gegenstände eingezogen werden.[590] Zum anderen kann die Sicherungseinziehung erfolgen, weil die Gefahr besteht, dass der Gegenstand zur Begehung von Straftaten oder Ordnungswidrigkeiten dienen wird. Die Gefahrenprognose darf dabei nicht auf bloßen Vermutungen beruhen, für die Verwirklichung verbotener Handlungen müssen konkrete Anhaltspunkte vorliegen. Die Gefahr künftiger Verwendung für verbotene Handlungen ermöglicht die Einziehungsanordnung für die (künftigen) Tatmittel.[591] Eine Einziehungsentscheidung bei einer nicht vorwerfbaren Handlung des Täters wird in der Regel im selbständigen Verfahren angeordnet.[592]

Einem unbeteiligten Dritten, dem keine vorwerfbare Handlung nachgewiesen wird, steht nach § 28 OWiG eine Entschädigung für die Einziehung zu.[593] Die Entschädigungspflicht gilt auch, wenn das Gericht das Erlöschen seiner Rechte am Einziehungsgegenstand gemäß § 26 Abs. 2 anordnet. Die Entschädigung stellt einen Ausgleich für die Beeinträchtigung des Eigentumsrechts dar und dient der Gewähr der Eigentumsgarantie nach Art. 14 GG.[594]

dd) Selbständige Anordnung (der Einziehung) nach § 27 Abs. 1 und Abs. 3 OWiG

Einziehung kann im Ordnungswidrigkeitenrecht nach § 27 OWiG auch selbständig angeordnet werden. Dies betrifft Einziehung der Gegenstände nach § 22 Abs. 2 Nr. 1, Einziehung unter erweiterten Voraussetzungen nach § 23 Nr. 1 und Sicherungseinziehung nach § 22 Abs. 2 Nr. 2 und 3 OWiG. Die selbständige Anordnung ist dann möglich, wenn die Voraussetzungen, unter denen die Maßnahme zugelassen ist, vorliegen. Das Gleiche gilt für den Abschöpfungsadressaten – je nachdem,

---

589 Göhler u.a.-*Gürtler*, OWiG, § 22 Rn. 23a m.w.N.

590 Ebenda, § 22 Rn. 23; siehe auch BGH NStZ 1985, 262.

591 Göhler u.a.-*Gürtler*, OWiG, § 22 Rn. 24.

592 Ebenda, § 22 Rn. 26.

593 Ebenda, § 28 Rn. 7. Zu Personen, die an sich entschädigungsberechtigt sind, aber vorwerfbar gehandelt haben, siehe ebenda, § 28 Rn. 13 ff.

594 Ebenda, § 28 Rn. 2 ff.

gegen wen sich die selbständig angeordnete Maßnahme richtet, kann das sowohl der Täter als auch ein an der Tat unbeteiligter Dritter sein.[595]

Einziehung kann im selbständigen Verfahren angeordnet werden, wenn aus tatsächlichen Gründen keine bestimmte Person verfolgt oder keine Geldbuße festgesetzt werden kann.[596] Zu den tatsächlichen Hindernissen zählen unbekannter Aufenthaltsort des Täters und ein unbekannter oder flüchtiger Täter.[597] Sicherungseinziehung kann darüber hinaus gemäß § 27 Abs. 2 OWiG selbständig auch dann angeordnet werden, wenn die Verfolgung verjährt ist oder aus rechtlichen Gründen keine bestimmte Person verfolgt werden kann.[598] Selbständige Anordnung kann auch dann erfolgen, wenn von der Verfolgung der Ordnungswidrigkeit abgesehen oder das Verfahren eingestellt wird (§ 27 Abs. 3). Somit wird der Ermessensspielraum der Verfolgungsbehörde für die Wahl der Rechtsfolge erweitert, die Einziehungsvoraussetzungen müssen aber vorliegen.[599]

b) Zahlung eines Geldbetrages

aa) Einziehung des Wertersatzes (der Tatmittel beim Täter) nach § 25 OWiG

Einziehung des Wertersatzes als ein funktionelles Surrogat der Einziehung der Gegenstände kommt in Betracht, wenn die primäre Einziehung unmöglich oder vereitelt worden ist. Somit ist die Einziehung des Wertersatzes eine Reaktion auf die mögliche Einflussnahme des Täters auf die Einziehung, auch durch Belastung des Einziehungsgegenstandes mit einem Recht eines Dritten.[600] Einziehung des Wertersatzes ist nur gegen den Täter zulässig. Sie hat Ahndungscharakter. Wenn die Ahndung mittels Geldbuße ausreichend ist, kann trotzdem aus generalpräventiven Gründen die Einziehung angeordnet werden.[601]

Einziehung des Wertersatzes findet statt, wenn die primäre Einziehung nicht möglich ist. Der primäre Einziehungsgegenstand muss dem Täter zum Zeitpunkt der Tatbegehung gehört haben, zum Zeitpunkt der richterlichen Entscheidung aber nicht mehr.[602] Bei der Bestimmung des primären Einziehungsobjektes ist der Verhältnismäßigkeitsgrundsatz nach § 24 OWiG zu berücksichtigen.[603] Die primäre Einziehung ist dann nicht möglich, wenn diese aus tatsächlichen oder rechtlichen

---

595 Ebenda, § 27 Rn. 5.
596 Ebenda, § 27 Rn. 2.
597 Ebenda, § 27 Rn. 4.
598 Siehe ebenda, § 27 Rn. 6; Mitsch-*Mitsch*, KK-OWiG, § 27 Rn. 11 ff.
599 Mitsch-*Mitsch*, KK-OWiG, § 27 Rn. 18 ff.
600 Vgl. Göhler u.a.-*Gürtler*, OWiG, § 25 Rn. 1; Mitsch-*Mitsch*, KK-OWiG, § 25 Rn. 1.
601 Göhler u.a.-*Gürtler*, OWiG, § 25 Rn. 16.
602 Ebenda, § 25 Rn. 2.
603 Vgl. ebenda, Vor § 22 Rn. 3; Mitsch-*Mitsch*, KK-OWiG, § 25 Rn. 15.

Gründen nicht ausführbar ist oder auf erhebliche Schwierigkeiten stößt.[604] Das Gesetz nennt als wichtigste Gründe für die Unmöglichkeit primärer Einziehung: Der Gegenstand wurde verwertet oder vereitelt. Unter „verwertet" werden Fälle subsumiert, in denen der Täter über die ihm zustehende zivilrechtliche Förderung verfügt oder die Sache verarbeitet.[605] „Vereiteln" bedeutet, die Einziehung auf eine vorwerfbare Art zu verhindern, indem der Täter beispielsweise den Gegenstand zerstört oder verschenkt.[606] Der Wertersatz kann nach § 25 Abs. 2 OWiG auch dann eingezogen werden, wenn der primäre Einziehungsgegenstand mit einem Recht eines Dritten belastet wurde und dieser im Fall der Einziehung des Gegenstandes entschädigt werden müsste.[607] Dann kann der Wertersatz neben der Einziehung des Gegenstandes angeordnet werden. Somit muss der Täter die wirtschaftliche Last der Entschädigung tragen.

In den Fällen, in denen die Einziehung nicht durchführbar oder unzureichend wäre, kann die Einziehung des Wertersatzes gemäß § 25 Abs. 4 OWiG auch nachträglich angeordnet werden.[608] Dies ist nicht möglich, wenn der Gegenstand nicht mehr vorhanden ist oder einem Dritten gehört, der ihn gutgläubig erworben hat. Irrelevant ist dabei, ob dieser Zustand bereits bei der Anordnung oder erst später eingetreten ist.[609] Da gemäß § 26 Abs. 2 die Rechte Dritter am Einziehungsgegenstand grundsätzlich bestehen bleiben, kann die Einziehung vom Täter auch unzureichend sein. Das Erlöschen der Rechte Dritter kann nur bei Sicherungseinziehung nach § 22 Abs. 2 Nr. 2 angeordnet werden. In anderen Fällen gilt bei Belastung mit einem Recht durch Dritte oder beim gutgläubigen Erwerb eines Rechts durch diesen, die Einziehung des Wertersatzes vom Täter anzuordnen.[610] Wenn der primäre Einziehungsgegenstand nachträglich mit einem Recht belastet wurde, kann das Gericht zwischen primärer und Einziehung des Wertersatzes wählen.[611]

Der Wert des primären Einziehungsgegenstandes kann geschätzt werden (Abs. 3). Dabei ist der Verkehrswert zur Zeit der Entscheidung maßgebend.[612] Dies gilt nicht nur für die Fälle, in denen der Wert nicht ermittelt werden kann. Dieser ist jedoch zu ermitteln, wenn dies ohne Schwierigkeiten möglich ist.[613] Daraus ergibt sich,

---

604 Ebenda, Vor § 22 Rn. 3.

605 Vgl. ebenda, § 25 Rn. 5a; Mitsch-*Mitsch*, KK-OWiG, § 25 Rn. 25 ff.

606 Vgl. Göhler u.a.-*Gürtler*, OWiG, § 25 Rn. 5b; Mitsch-*Mitsch*, KK-OWiG, § 25 Rn. 16 ff.

607 Göhler u.a.-*Gürtler*, OWiG, § 25 Rn. 7.

608 Die Vorschrift entspricht dem § 76 StGB, der ebenso eine nachträgliche Anordnung des Wertersatzes ermöglicht; dieser erstreckt sich auch auf den Wertersatz von Taterträgen.

609 Göhler u.a.-*Gürtler*, OWiG, § 25 Rn. 19.

610 Vgl. ebenda, § 25 Rn. 20; Mitsch-*Mitsch*, KK-OWiG, § 25 Rn. 51 ff.

611 Vgl. Göhler u.a.-*Gürtler*, OWiG, § 25 Rn. 8; Mitsch-*Mitsch*, KK-OWiG, § 25 Rn. 54.

612 BGHSt 28, 369; siehe Göhler u.a.-*Gürtler*, OWiG, § 25 Rn. 10 ff.

613 Göhler u.a.-*Gürtler* OWiG, § 25 Rn. 16.

dass die Schätzungsklausel es ermöglichen soll, eine Entscheidung über die Einziehung zu treffen, jedoch nicht als Beweiserleichterung verwendet werden soll. Vor der Einziehung des Wertersatzes hat die primäre Einziehung des Gegenstandes nach § 22 Abs. 2 Nr. 2 oder § 23 OWiG Vorrang.[614]

c) Zwischenbilanz

Die Abschöpfung der Tatmittel als Nebenfolge einer Ordnungswidrigkeit kann gemäß § 22 OWiG dann angeordnet werden, wenn das Gesetz dies ausdrücklich vorsieht. Sie kann sich nach den Voraussetzungen des § 23 OWiG auch gegen eine andere Person als den Täter richten. Wenn die Tatmittel nicht eingezogen werden können und der Täter ihre Einziehung vereitelt hat, kann von ihm gemäß § 25 OWiG der Wert dieser Gegenstände eingezogen werden. Tatmittel können nach Maßgabe des § 22 Abs. 2 Nr. 2 auch der Sicherungseinziehung unterliegen.

Tatmittel können gemäß § 27 OWiG selbständig eingezogen werden. Bei der selbständigen Einziehung müssen die übrigen Voraussetzungen der Maßnahme vorliegen. Sie kann angeordnet werden, wenn wegen der Ordnungswidrigkeit keine bestimmte Person verfolgt oder eine Geldbuße gegen eine bestimmte Person nicht festgesetzt werden kann oder – allerdings nur bei Sicherungseinziehung – wenn die Verfolgung verjährt ist oder aus rechtlichen Gründen keine bestimmte Person verfolgt werden kann.

III. Grenzen der Vermögensabschöpfung

Die geschilderte Regelung der Vermögensabschöpfung führt zur Frage nach den Grenzen dieser Maßnahmen. Im ersten Schritt wird ein Überblick über die zu behandelnden Aspekte gegeben (A.), dann wird die Frage nach deren Grenzen in zweierlei Hinsicht untersucht: zuerst unter dem Gesichtspunkt der strafrechtlichen Garantien (B.), anschließend unter Anwendung des Verhältnismäßigkeitsgrundsatzes als einer übergreifenden verfassungsrechtlichen Grenze für die Eingriffsmaßnahmen (C.).

A. Überblick

Die strafrechtlichen Vermögensabschöpfungsmaßnahmen werden vom Gesetzgeber als quasi-kondiktionelle Ausgleichsmaßnahmen bezeichnet, die einen ordnenden Charakter haben und dazu dienen, die strafrechtswidrigen Vermögenslagen zu beseitigen. Deswegen stellen die Vermögensabschöpfungsmaßnahmen – laut

---

[614] Ebenda, § 25 Rn. 3a.

Gesetzgeber – kein Strafübel dar.[615] Dieses Verständnis der Rechtsnatur von Vermögensabschöpfung wird in der strafrechtlichen Literatur hinterfragt. Die eindeutige Feststellung des Gesetzgebers zur Rechtsnatur der Vermögensabschöpfung ohne weitere Argumentation wird kritisiert, insbesondere, weil für das Vorliegen eines Strafübels die Perspektive des Betroffenen nicht mitherangezogen werde:[616] Die Bedeutung der Rechtsnatur bestehe darin, dass daran die Anwendbarkeit der strafrechtlichen Garantien auf bestimmte Sanktionen gekoppelt sei, insbesondere des Schuldgrundsatzes und der Unschuldsvermutung.[617] Die Anwendung dieser Garantien würde den Handlungsspielraum des Gesetzgebers bei der Gestaltung der Vermögensabschöpfung beeinträchtigen. Bezieht man dagegen den Standpunkt, diese Maßnahmen seien präventiv ausgerichtet und hätten keinen Strafcharakter, kann sich der Betroffene nicht auf den Schuldgrundsatz und die Unschuldsvermutung berufen.

Trotz der Auseinandersetzung in Wissenschaft und Rechtsprechung über die Rechtsnatur der Vermögensabschöpfung bleibt die Frage nach den Einschränkungen der Vermögensabschöpfungsmaßnahmen bestehen. Aus diesem Grunde wird zu ihrer Lösung ein anderer Ansatz vorgestellt, bei dem die Frage nach der Rechtsnatur nicht die zentrale Rolle spielt, und zwar die Einschränkung der Eingriffsmaßnahmen durch den Verhältnismäßigkeitsgrundsatz. Somit unternimmt die vorliegende Arbeit den Versuch einer konstruktiven grundrechtsdogmatischen Argumentation zur Bestimmung der Grenzen der Vermögensabschöpfung.[618] Auch wenn dieser Versuch Nachteile und Schwächen haben mag, führt der gewählte Ansatz möglicherweise die festgefahrene Forschungsdiskussion in eine neue Richtung. Dies könnte der Fortentwicklung des Rechts zum Vorteil gereichen.

Die Frage nach den Grenzen der Vermögensabschöpfung wird insbesondere im Hinblick auf die selbständige,[619] die erweiterte Einziehung[620] und die Anwendung des Bruttoprinzips zur Bestimmung des Erlangten gestellt.[621] Die nachfolgende Untersuchung der Anwendung von strafrechtlichen Garantien betrifft somit die

---

615 Vgl. Deutscher Bundestag, 18. Wahlperiode, BT-Drs. 18/9525, S. 65; siehe auch *Saliger*, ZStW 2017, 1001.

616 *Schilling/Hübner*, StV 2018, 51.

617 Ebenda. Befürworter der strafrechtlichen Natur der Vermögensabschöpfung melden auch Verstöße gegen strafprozessuale Prinzipien, wie die Selbstbelastungsfreiheit und das Schweigerecht des Angeschuldigten – dazu siehe *Schilling/Hübner*, StV 2018, 56 f. Diese Arbeit beschränkt sich aber auf die Analyse des materiellen Rechts; die strafprozessualen Einwände werden hier nicht näher erläutert.

618 Kritisch über den Diskurs in der strafrechtlichen Literatur siehe *Meyer*, StV 2017, 350 f. Verhältnismäßigkeit als Prüfmaßstab für zivilrechtliche Vermögensabschöpfung – siehe *Meyer*, StV 2017, 351 f.

619 Siehe oben Teil 4.II.B.1.a)hh).

620 Siehe oben Teil 4.II.B.1.a)bb).

621 Letzteres wurde zum Teil durch die Gesetzesreform vom 13. April 2017 gelöst. Siehe oben Teil 4.II.B.1.

Abschöpfung der Tatgewinne. Vor allem in diesem Bereich der Vermögensabschöpfung wurden die Abschöpfungsmaßnahmen ausgebaut und dabei die Verbindung zwischen dem Erlangten und der Anknüpfungstat wegen der praktischen Beweisschwierigkeiten gelockert. Bei der Prüfung der Verhältnismäßigkeit der Abschöpfung zur Schwere des begangenen Unrechts und zum Verschulden des Betroffenen werden auch Maßnahmen zur Abschöpfung der Tatmittel berücksichtigt. In beiden Ansätzen zur Bestimmung von Grenzen der Vermögensabschöpfung ist der Zweck der jeweiligen Maßnahme eine gemeinsame Komponente bei der Entscheidung über die Verhältnismäßigkeit. Einerseits wird er bei der Prüfung der Rechtsnatur der Maßnahme herangezogen, die wiederum für die Anwendbarkeit strafrechtlicher Garantien entscheidend ist. Andererseits fließt der Zweck in die Verhältnismäßigkeitsprüfung mit ein und spielt dort bei der Entscheidung über die Verhältnismäßigkeit einer Maßnahme eine wichtige Rolle – die Verhältnismäßigkeit kann nur in Bezug auf einen bestimmten Zweck geprüft werden.[622]

B. Grenzen aus der Rechtsnatur der Maßnahme

Die Frage nach der Rechtsnatur der Vermögensabschöpfung, die seit Jahrzehnten umstritten ist, wurde in der Literatur bereits Ende des 19. Jahrhunderts diskutiert, nachdem die Vermögensstrafe durch andere Abschöpfungsinstrumente ersetzt worden war.[623] Damals schon wurden Überlegungen angestellt, inwieweit sich diese Maßnahmen von der Vermögensstrafe dermaßen unterscheiden, dass sie keinen Strafcharakter mehr haben: Bei der Vermögensabschöpfung handle es sich doch auch um die Folgen einer Straftat. Ihre Anordnung setze eine Schuldfeststellung zwar nicht zwingend voraus, doch werde das Bestehen eines Zusammenhangs zwischen dem Vermögensgegenstand und einer rechtswidrigen Tat grundsätzlich verlangt. Aus diesen Gründen könne zumindest der strafähnliche Charakter der Maßnahmen bejaht werden, so der Gedankengang.[624] Auch heute wird versucht, anhand diverser Kriterien die Rechtsnatur der Vermögensabschöpfung zu bestimmen.[625] Aktuell wird dabei argumentiert, dass Vermögensabschöpfungsmaßnahmen durch die schuldbezogenen Verfassungsgarantien – das Schuldprinzip und die Unschuldsvermutung – einzuschränken seien, wenn ihnen ein strafähnlicher Charakter beigemessen werde.[626]

---

622 Vgl. *Poscher*, Grundrechte als Abwehrrechte, S. 326.

623 Siehe oben Teil 4. I.A.4.

624 Siehe *Tolkiemit*, Die Einziehung nach § 40 des Reichsstrafgesetzbuches, S. 5 ff.; *Glücksmann*, Rechtskraft der strafprozessualen Entscheidung, S. 8 ff.; *von Seeler*, Die Einziehung nach dem Reichsstrafgesetzbuch, S. 5 ff.; *Stalbohm*, Die Dritteinziehung, S. 9; anders *Rocholl*, Selbständige Einziehung des § 42 RStGB, S. 15 ff.

625 Siehe *Heckmann*, ZRP 1995, 2; *Belusa*, Das Übermaßverbot, S. 4 ff.; *Geiger*, Die Rechtsnatur der Sanktion, S. 193 ff.

626 *Berg*, Beweiserleichterungen bei der Gewinnabschöpfung, S. 129; *Feigen*, Beweislastumkehr im Strafrecht, S. 76; *Saliger*; ZStW 2017, 1003; zur Notwendigkeit des

1. Strafrechtliche Verfassungsgarantien

a) Schuldprinzip

Die Schuld erfüllt im Strafrecht eine strafbegründende und eine strafbegrenzende Funktion:[627] Der Täter darf nur dann bestraft werden, wenn ihm die Tat persönlich zum Vorwurf gemacht werden kann; die Strafe darf dabei das Schuldmaß nicht übersteigen. Das Schuldprinzip ist im GG nicht ausdrücklich genannt, es ergibt sich aus dem Rechtsstaatsprinzip nach Art. 20 Abs. 3 GG und ist in der Menschenwürdegarantie gemäß Art. 1 Abs. 1 GG verankert.[628] Es wird davon ausgegangen, dass eine Strafe, die das Schuldmaß übersteigt, gegen die Menschenwürde verstößt.[629]

Die Schuldangemessenheit als Kriterium für die Einschränkung der Höhe der Strafe entspricht dem Gerechtigkeitsgefühl der Gesellschaft (niemand darf härter bestraft werden, als er es verdient hat) und dient somit der Stabilisierung des Rechtsbewusstseins.[630] Das Schuldprinzip stellt dabei auch die Grenze für das Präventionsinteresse der Allgemeinheit dar, weil es keinen Eingriff in die Rechte und Freiheiten des Täters erlaubt, der das Schuldmaß übersteigen würde.[631] Es schränkt die staatliche Eingriffsgewalt stärker ein als das Verhältnismäßigkeitsprinzip, welches präventive Eingriffe ohne Bezug zur Schuld des Täters erlaubt.[632] Und es schützt auch mittelbar den Beschuldigten dadurch, dass es den Nachweis der Tat fordert. Vom Schuldprinzip aus wird die Notwendigkeit der Erforschung materieller Wahrheit erschlossen.[633] Das Prinzip findet auf alle Straftaten und alle Sanktionen mit Strafcharakter Anwendung, unabhängig von ihrer Bezeichnung im Gesetz. Es fungiert somit als eine Grenze auch für diejenigen Maßnahmen, die nicht in §§ 38 ff. StGB als Strafen genannt werden, sobald sie ihrer Rechtsnatur nach Strafen oder strafgleiche Sanktionen darstellen.[634]

Schuldnachweises für die Verhängung von Strafen und strafähnlichen Maßnahmen BVerfGE 19, 342, 347; BVerfGE 22, 254, 265; BVerfGE 35, 311, 320; zu den anderen strafrechtlichen Garantien bei Vermögensabschöpfung siehe *Eser*, Sanktionen gegen das Eigentum, S. 58 ff.

627 Siehe *Roxin*, Strafrecht AT I, S. 91 f.; *Berg*, Beweiserleichterungen bei der Gewinnabschöpfung, S. 95 ff.

628 BVerfGE 20, 323, 331; BVerfG, 15.12.2015 – 2 BvR 2735/14; siehe auch *Feigen*, Beweislastumkehr im Strafrecht, S. 74; *Hohn*, Die Zulässigkeit, S. 68 ff.

629 Siehe *Roxin*, Strafrecht AT I, S. 92.

630 Ebenda, S. 93.

631 Siehe ebenda, S. 93 f.; *Berg*, Beweiserleichterungen bei der Gewinnabschöpfung, S. 99; *Feigen*, Beweislastumkehr im Strafrecht, S. 77.

632 *Roxin*, Strafrecht AT I, S. 94; ausführlich zum Verhältnis zwischen Schuldprinzip und Verhältnismäßigkeitsprinzip *Lagodny*, Strafrecht vor den Schranken der Grundrechte, S. 371 ff.

633 *Feigen*, Beweislastumkehr im Strafrecht, S. 78 f.

634 *Berg*, Beweiserleichterungen bei der Gewinnabschöpfung, S. 99.

b) Unschuldsvermutung

Die Unschuldsvermutung schützt den Beschuldigten vor Nachteilen, die einer Strafe gleichkommen, und ergänzt das Schuldprinzip auf prozessualer Seite.[635] Inhaltlich entspricht ihr Art. 6 Abs. 2 EMRK in der Rechtsprechung des BVerfG: Das Strafübel kann nur einen Täter, dessen Schuld im Strafprozess festgestellt wurde, treffen.[636] Die Strafverfolgung muss dem Beschuldigten die Schuld nachweisen, und aus dem Schweigen des Beschuldigten dürfen ihm keine negativen Konsequenzen entstehen.[637] Die Unschuldsvermutung kann als eine Absicherung des Schuldprinzips im Strafverfahren bezeichnet werden, indem sie garantiert, dass die materiellen Voraussetzungen der Strafbarkeit im Strafverfahren positiv festgestellt werden müssen.[638] Dabei müssen die Mindestvoraussetzungen an das Strafverfahren den rechtsstaatlichen Grundsätzen genügen.[639] Die Unschuldsvermutung ist im GG nicht ausdrücklich geregelt und wird als eine Ausprägung des Rechtsstaatsprinzips gemäß Art. 20 Abs. 3 GG gesehen.[640] Das BVerfG leitet die Unschuldsvermutung auch über das Schuldprinzip aus der Menschenwürdegarantie des Art. 1 Abs. 1 GG ab.[641]

Inhaltlich wird bei der Unschuldsvermutung zwischen zwei Aspekten, den Anforderungen an die rechtliche Entscheidung und dem Verfahren selbst, unterschieden.[642] Aus der Unschuldsvermutung ergibt sich im Strafverfahren die Verteilung der Beweislast – der Beschuldigte ist bis zur Widerlegung dieser Vermutung von der Beweisführungslast befreit.[643] Auf das Ergebnis des Verfahrens bezieht sich das Verbot der Verdachtsstrafe.[644]

aa) Verbot der Verdachtsstrafe

Das Verbot der Verdachtsstrafe bedeutet, dass gesetzliche Regelungen, welche die Schuld des Betroffenen *a priori* annehmen, unzulässig sind.[645] In der Recht-

---

635 BVerfGE 28, 106, 115; siehe auch *Feigen*, Beweislastumkehr im Strafrecht, S. 87, 116.

636 Vgl. BVerfGE 35, 111, 320; BVerfGE 74, 358, 370; siehe *Berg*, Beweiserleichterungen bei der Gewinnabschöpfung, S. 107.

637 Siehe *Heckmann*, ZRP 1995, 2.

638 Vgl. BVerfGE 74, 358, 371; siehe auch *Berg*, Beweiserleichterungen bei der Gewinnabschöpfung, S. 102.

639 *Berg*, Beweiserleichterungen bei der Gewinnabschöpfung, S. 106.

640 Vgl. BVerfGE 19, 342, 347; BVerfGE 35, 41, 47; BVerfGE 39, 128, 143; siehe auch *Berg*, Beweiserleichterungen bei der Gewinnabschöpfung, S. 103; *Feigen*, Beweislastumkehr im Strafrecht, S. 112 ff.

641 BVerfGE74, 358, 371; siehe auch *Berg*, Beweiserleichterungen bei der Gewinnabschöpfung, S. 105 m.w.N.; *Feigen*, Beweislastumkehr im Strafrecht, S. 110 ff.

642 *Gropp*, JZ 1991, 806.

643 *Feigen*, Beweislastumkehr im Strafrecht, S. 116.

644 *Berg*, Beweiserleichterungen bei der Gewinnabschöpfung, S. 108.

645 Siehe *Berg*, Beweiserleichterungen bei der Gewinnabschöpfung, S. 109; *Hohn*, Die Zulässigkeit, S. 72 ff.

sprechung des BVerfG werden von diesem Grundsatz Ausnahmen zugelassen,[646] wobei die diesbezüglichen Entscheidungskriterien nicht präzisiert werden.[647] Widerlegbare Schuldvermutungen schließt auch der EGMR im Hinblick auf Art. 6 Abs. 2 EMRK nicht aus.[648] Die Möglichkeit, das Verbot der Verdachtsstrafe zu relativieren, trägt jedoch zur Rechtsunsicherheit bei, da die Kriterien der Verfassungsmäßigkeit einer solchen Entscheidung vage bleiben.[649] Neben der gesetzlichen Schuldvermutung können aber Beweiserleichterungen in das Strafgesetz eingeführt werden. Ohnehin stellt sich die Frage, ob diese Beweiserleichterungen nicht der Umgehung der Unschuldsvermutung dienen.[650] Nehmen die Beweiserleichterungen Bezug auf schuldrelevante Merkmale, sind sie als Umgehung vom Verbot der Verdachtsstrafe zu bewerten. In der vorliegenden Untersuchung betrifft die Zulässigkeitsfrage die Beweiserleichterungen bei den Vermögensabschöpfungsmaßnahmen, welche den Zusammenhang zwischen dem abzuschöpfenden Gegenstand und einer rechtswidrigen Tat betreffen. In einer Entscheidung zum erweiterten Verfall hat der BGH eine verfassungsmäßige Auslegung solcher Beweiserleichterungen davon abhängig gemacht, dass die volle richterliche Überzeugung von der deliktischen Herkunft des einzuziehenden Gegenstandes vorliegt.[651] Praktisch bedeutet diese Anforderung des BGH, dass die im Gesetz vorgesehene Beweiserleichterung entkräftet wurde.

bb) Verteilung der Beweislast und der Grundsatz *in dubio pro reo*

Der Strafprozess ist dadurch gekennzeichnet, dass die Verhängung der Strafe seine Rechtsfolge ist. Der Staat tritt dem Bürger verfolgend gegenüber.[652] Um den Schutz des Beschuldigten, welcher sich aus dem Schuldprinzip und der Unschuldsvermutung ergibt, zu gewährleisten, obliegt dem Staat im Strafprozess die Beweisführungslast. Nur der erfolgreich erbrachte gesetzlich geforderte Nachweis der Schuld rechtfertigt die Verhängung einer Strafe. Solange dieser Nachweis nicht erbracht wurde, gilt der Beschuldigte aufgrund der Unschuldsvermutung als unschuldig.[653] Der Grundsatz *in dubio pro reo* stellt eine objektive Beweislastregelung und eine Folge der Unschuldsvermutung dar.[654] Er wird auch als Kehrseite des

---

646 BVerfGE 9, 167, 169; BVerfG NStZ 1988, 21;

647 Siehe *Berg*, Beweiserleichterungen bei der Gewinnabschöpfung, S. 109.

648 Siehe EGMR v. 07.10.1988, Beschwerde-Nr. 10519/83 – *Salabiaku / Frankreich*; EGMR v. 25.09.1992, Beschwerde-Nr. 13191/87 – *Pham Hoang / Frankrecih*.

649 *Berg*, Beweiserleichterungen bei der Gewinnabschöpfung, S. 111 m.w.N.

650 Die Verfassungsmäßigkeit wird beispielsweise bei Beweiserleichterungen bejaht, die objektive Bedingungen der Strafbarkeit betreffen. Siehe *Berg*, Beweiserleichterungen bei der Gewinnabschöpfung, S. 111 ff.

651 BGHSt 40, 371 ff.

652 *Feigen*, Beweislastumkehr im Strafrecht, S. 86.

653 Ebenda, S. 124.

654 Siehe ebenda, S. 124; anders *Gropp*, JZ 1991, 806.

Schuldprinzips bezeichnet.[655] Der Grundsatz gilt als eine Entscheidungsregel, die nach einer abgeschlossenen Beweiswürdigung im Strafprozess greift.[656] Er verpflichtet das Gericht, zugunsten des Angeklagten zu entscheiden, auch wenn trotz abgeschlossener Beweisaufnahme weiter Zweifel an bestimmten entscheidungsrelevanten Umständen bestehen bleiben. Umstritten bleibt, ob der Grundsatz lediglich die richterliche Entscheidungsfindung oder aber auch die Gesetzgebung betrifft.[657]

Diese ursprüngliche Verteilung der Beweislast im Strafverfahren wird durch Beweiserleichterungen und Beweislastumkehr zugunsten des Staates als beweisbelasteter Partei verändert.[658] Bei der Vermögensabschöpfung stellt sich somit die Frage, ob die Beweiserleichterungen die Verteilung der Beweislast, die sich aus der Unschuldsvermutung ergibt, auf eine verfassungswidrige Art beeinträchtigen. Um diese Frage zu beantworten, muss zuerst geklärt werden, ob die Vermögensabschöpfungsinstrumente sich als Strafen oder strafähnliche Maßnahmen im Geltungsbereich des Schuldprinzips und der Unschuldsvermutung befinden.

2. Abgrenzung zwischen strafrechtlicher und nicht-strafrechtlicher Natur der Sanktion

In diesem Abschnitt wird ein Überblick über die Ansätze zur Bestimmung der Rechtsnatur der Sanktion für die Anwendbarkeit des Schuldprinzips und der Unschuldsvermutung gegeben (a)). Anschließend werden die in Gesetzgebung, Rechtsprechung und Literatur herangezogenen Kriterien zur Bestimmung der Rechtsnatur der Vermögensabschöpfung analysiert und bewertet (b)).

a) Ansätze zur Abgrenzung zwischen strafrechtlicher und nicht-strafrechtlicher Natur der Sanktion

Die Anwendung der oben erörterten spezifisch strafrechtlichen Verfassungsgarantien auf die Vermögensabschöpfungsmaßnahmen hängt von ihrer Rechtsnatur ab, also davon, ob sie als Maßnahmen mit Strafcharakter (strafähnliche Maßnahmen) gesehen werden oder nicht.[659] Die Entscheidungskriterien können als Merkmale der Strafe bezeichnet werden. Es gibt unterschiedliche Ansätze, anhand welcher Kriterien die Frage der Rechtsnatur zu entscheiden ist. Nachfolgend wird die Rechtsprechung des BVerfG und des BGH dargestellt (aa)). Da es in der vor-

---

[655] *Feigen*, Beweislastumkehr im Strafrecht, S. 78 m.w.N.

[656] Meyer-Goßner/Schmitt-*Schmitt*, Strafprozessordnung, § 261 Rn. 26 m.w.N.

[657] Auf die Gesetzgebung bezogen würde der Grundsatz verbieten, im Tatbestand die Strafe an Indizien zu knüpfen, was inhaltlich dem Verbot der Verdachtsstrafe gleichkäme. Dazu siehe *Berg*, Beweiserleichterungen bei der Gewinnabschöpfung, S. 116.

[658] *Feigen*, Beweislastumkehr im Strafrecht, S. 85.

[659] Vgl. *Berg*, Beweiserleichterungen bei der Gewinnabschöpfung, S. 129.

liegenden Untersuchung um die Bestimmung der Merkmale einer Strafe für die Anwendbarkeit der verfassungsrechtlichen Garantien – des Schuldprinzips und der Unschuldsvermutung – geht, liegt der Schwerpunkt auf der Rechtsprechung des BVerfG. Anschließend werden die Ansätze aus der Literatur erläutert (bb)). Die Entscheidung, ob eine Sanktion strafrechtlicher Natur ist, hängt eng mit der Straftheorie zusammen. Dies gilt insbesondere dann, wenn zur Bestimmung der Rechtsnatur der Zweck der Maßnahme herangezogen wird. Die Erläuterungen zu den Straftheorien befinden sich bereits im Teil 3 und werden deswegen hier nicht wiederholt.[660]

aa) Rechtsprechung des BVerfG und BGH

In der Rechtsprechung des BVerfG werden die Merkmale der Strafe unterschiedlich gewichtet, je nachdem, welche spezifisch strafrechtlichen Garantien die Entscheidung betrifft.[661] Für die Anwendung unterschiedlicher Garantien werden unterschiedliche Merkmale als entscheidende Kriterien hervorgehoben. Der in der Literatur häufig als Unterscheidungsmerkmal der Strafe genannte sozial-ethische Schuldvorwurf wird in der BVerfG-Rechtsprechung zum Richtervorbehalt nach Art. 92 GG als Merkmal der Kriminalstrafe genannt.[662] Durch dieses Merkmal unterscheidet sich eine Strafe von einer Geldbuße, bei der gerade der sozial-ethische Vorwurf fehlt.[663] Der für diese Untersuchung relevante Bedeutungsgehalt der Strafe wird aber vom Schuldprinzip und der Unschuldsvermutung bestimmt, und ist in der BVerfG-Rechtsprechung weiter gefasst als der Bedeutungsgehalt nach Art. 92 GG.[664] Somit ist das Fehlen eines sozial-ethischen Vorwurfs noch kein Kriterium, die Maßnahme aus dem Anwendungsbereich des Schuldprinzips und der Unschuldsvermutung als Nicht-Strafe auszuschließen.

In der BVerfG-Rechtsprechung wird die Strafe als ein Übel, das wegen einer rechtswidrigen Tat verhängt wird, bezeichnet.[665] An anderer Stelle wird die Strafe als eine „missbilligende, hoheitliche Reaktion auf schuldhaftes Verhalten" definiert.[666] Das Wesen der Strafe ist die Ahndung des begangenen Unrechts.[667] Dabei ist es wichtig, dass die Strafe wegen eines in der Vergangenheit liegenden Verhal-

---

660 Siehe oben Teil 3.III.

661 Siehe dazu *Berg*, Beweiserleichterungen bei der Gewinnabschöpfung, S. 141.

662 BVerfGE 22, 49, 81; BVerfGE 22, 125, 123 f.; siehe *Sieber*, in: Dyson/Vogel (Hrsg.), Limits of Criminal Law, S. 322 f.

663 BVerfGE 22, 49, 79; BVerfGE 27, 18, 33.

664 Das Gleiche betrifft die Rechtsprechung des BVerfG zu Art. 103 Abs. 3 GG *(ne bis in idem)*. Vgl. *Berg*, Beweiserleichterungen bei der Gewinnabschöpfung, S. 141 f., 157; *Hoyer*, GA 1993, 416 f.

665 BVerfGE 9, 137, 144.

666 BVerfGE 26, 186, 204; BVerfGE 42, 261, 262.

667 BVerfGE 20, 323, 332; BVerfGE 80, 109, 120.

tens verhängt wird. Für den Strafcharakter ist dabei der Zusammenhang zwischen der Sanktion und diesem in der Vergangenheit geschehenen Unrecht entscheidend.[668]

In einer Entscheidung zur Untersuchungshaft hat das BVerfG ein anderes Merkmal der Strafe hervorgehoben, nämlich ihre Wirkung: Es sei mit der Unschuldsvermutung unvereinbar, gegen den Beschuldigten Maßnahmen zu verhängen, die ihrer Wirkung nach einer Strafe gleichkommen.[669] Die Wirkung der Strafe kann als ein materieller Rechtsnachteil bezeichnet werden.[670] In der Konsequenz ist die Übelswirkung der Untersuchungshaft derart einzuschränken, dass die Maßnahme allein dem Zweck der Aufklärung der Tat und einer schnellen Bestrafung des Täters dient.[671] Die materielle Übelswirkung ist aber in der BVerfG-Rechtsprechung kein Abgrenzungskriterium, sondern ein untergeordnetes Merkmal einer Strafe,[672] das zur Abgrenzung strafähnlicher Maßnahmen von anderen Sanktionen herangezogen wird.[673]

Ein Indiz für den Strafcharakter einer Maßnahme ist, laut Rechtsprechung des BVerfG, ihre Anordnung im Strafverfahren.[674] Die Anordnung im Strafverfahren, zusammen mit Tatbestandsmäßigkeit, Rechtswidrigkeit und Schuld, begründet den Strafcharakter einer Maßnahme. Gleichzeitig bietet das Fehlen dieses Merkmals – wie zum Beispiel bei einer Geldbuße – kein ausreichendes Kriterium, um zu entscheiden, ob die Maßnahme eine Strafe ist.[675] Dieses Kriterium schränkt den Geltungsbereich der Unschuldsvermutung ein. Das BVerfG schreibt demnach einer Schuldfeststellung im Strafverfahren einen Strafcharakter zu.[676]

Den Zweck der Maßnahme betreffend, wird die Anordnung von Ordnungsgeld nach § 890 Abs. 1 ZPO durch das BVerfG als eine strafgleiche Maßnahme eingestuft.[677] Die Sanktion wird bei einem Verstoß des Schuldners gegen seine Rechtspflicht verhängt und dient gleichzeitig dem präventiven Zweck, spätere Gesetzesverstöße zu verhindern, wobei dieser Zweck in den Sanktionsvoraussetzungen nicht enthalten ist. Hier kommt die Anordnung des Ordnungsgeldes der Verhängung einer Strafe gleich, bei der ebenso der präventive Zweck nicht die Vorausset-

---

668 BVerfG NJW 1996, 2566.

669 BVerfGE 19, 342, 347.

670 *Berg*, Beweiserleichterungen bei der Gewinnabschöpfung, S. 151.

671 BVerfGE 19, 342, 348.

672 BVerfGE 9, 167, 170 f.; BVerfGE 20, 323, 331 ff.; BVerfGE 74, 359, 373 f.; BVerfGE 80, 109, 102 f; 91, 1, 27;

673 BVerfGE 21, 378, 386; BVerfGE 22, 125, 131; BVerfG NJW 1996, 2566.

674 Siehe BVerfGE 27, 36 ff.

675 BVerfGE 9, 167, 170; siehe auch *Berg*, Beweiserleichterungen bei der Gewinnabschöpfung, S. 166.

676 BVerfGE 82, 106, 117.

677 BVerfGE 20, 323 ff.; BVerfGE 58, 159 ff.; BVerfGE 84, 82, 87.

zung der Anordnung ist.[678] Somit bestätigt die BVerfG-Rechtsprechung eine in der Literatur vertretene Auffassung, dass die Strafe neben Repression auch präventive Zwecke erfüllt, die jedoch nicht zu den Anordnungsvoraussetzungen gehören.

In der BGH-Rechtsprechung wird die Strafe als eine staatliche Reaktion auf eine tatbestandsmäßige, rechtswidrige, schuldhafte Handlung gesehen. In einem Urteil aus dem Jahre 1951 zur Dritteinziehung argumentierte der BGH, die Maßnahme sei keine Strafe, weil das Verhalten des Dritten keine strafbare Handlung darstelle.[679] Nach dieser Argumentation ist jede Sanktion, die nicht die Verwirklichung eines Tatbestandes voraussetzt, mit den strafrechtlich spezifischen Garantien zu vereinbaren. Wie *Berg* zu Recht ausführt, verwechselt diese Argumentation Inhalt und Geltungsbereich der strafrechtlichen Garantien. Deswegen sei dies kein Unterscheidungskriterium zwischen Strafen und Nicht-Strafen.[680] Die Anknüpfung an eine tatbestandsmäßige, rechtswidrige und schuldhafte Handlung bedeutet zwar, dass eine Sanktion eine Strafe ist, aus dem Fehlen einer solchen Anknüpfung kann jedoch nicht die gegenteilige Schlussfolgerung gezogen werden.

In der Rechtsprechung des BGH werden Spezial- und Generalprävention als Zwecke der Strafe anerkannt, die schuldangemessen zu berücksichtigen sind.[681] Jedoch sind Spezial- und Generalprävention kein Unterscheidungskriterium einer Strafe, da beispielsweise auch die Maßnahmen der Sicherung und Besserung diesen Zwecken dienen. Der Unterschied besteht nach der BVerfG-Rechtsprechung und der in der Literatur vertretenen Auffassung darin, dass die Prävention bei Strafen keine Anwendungsvoraussetzung ist.[682]

bb) Literatur

In der Literatur wird bei der Bestimmung der Rechtsnatur für die Anwendbarkeit des Schuldprinzips und der Unschuldsvermutung auf unterschiedliche Merkmale der Strafe Bezug genommen. *Berg* stellt in seiner ausführlichen Untersuchung der Strafmerkmale fest, dass die Bestimmung der Rechtsnatur der Strafe eine Wertungsentscheidung ist, die sich anhand fester Kriterien nicht eindeutig bestimmen lässt.[683] Als Mindestvoraussetzung der Strafe stellt er die Verbindung zum vergangenen Verhalten heraus.[684] Dies ist jedoch kein geeignetes Abgrenzungskriterium, da sich auch andere Sanktionen auf vergangenes Verhalten beziehen können. Es

---

678 Siehe *Berg*, Beweiserleichterungen bei der Gewinnabschöpfung, S. 181 f. m.w.N.

679 BGHSt 1, 351, 353.

680 *Berg*, Beweiserleichterungen bei der Gewinnabschöpfung, S. 149 f; siehe auch *Eser*, Sanktionen gegen das Eigentum, S. 231; *Hoyer*, GA 1993, 414.

681 BGHSt 20, 264, 267; 41, 20, 24 f.

682 Siehe oben Teil 4.III.B.2.a)aa) und cc).

683 *Berg*, Beweiserleichterungen bei der Gewinnabschöpfung, S. 143 ff.

684 Ebenda, S. 184; so auch *Rui/Sieber*, in: Rui/Sieber (Hrsg.), Non-Conviction-Based Confiscation, S. 250 f.; vgl. BVerfGE 80, 109, 120;

kann lediglich gesagt werden, dass eine Strafe nur wegen eines vergangenen Verhaltens verhängt werden darf.[685] Als andere entscheidungsrelevante Merkmale werden die Form der Sanktion, der Grund der Anordnung, ihr Inhalt (insbesondere den sozial-ethischen Unwerturteil) und ihre Wirkung, das Verfahren, in dem sie angeordnet wird, und ihr Zweck genannt.[686] Einen ähnlichen Katalog von Merkmalen nennt *Geiger* zur Abgrenzung zwischen einer Strafe und einer Geldauflage.[687] Anhand des Zwecks der Maßnahme führt *Rui/Sieber* eine Differenzierung von zivilrechtlichen, öffentlich-rechtlich-präventiven und strafrechtlichen Abschöpfungsmaßnahmen durch, wobei sich eine strafrechtliche Maßnahme von den anderen durch den repressiven Zweck unterscheidet.[688] Strafe wird im Hinblick auf ihren Zweck als eine repressive, vergangenheitsbezogene Sanktion, die zugleich der Spezial- und Generalprävention dient, bezeichnet.[689] Eine Sanktion mit zivilrechtlicher Natur dient dagegen der Wiederherstellung der rechtmäßigen Lage und geht über diesen Zweck nicht hinaus.[690] Die präventiv-polizeiliche Sanktion ist darauf gerichtet, die Gefahr, dass eine Straftat begangen wird, zu verhindern.[691] Anhand des Zweckkriteriums spricht auch *Eser* von Einziehung mit Strafcharakter, wenn die Maßnahme den Täter treffen will, von Einziehung mit Sicherungscharakter, wenn der Zweck die Sicherung vor künftigen Gefahren ist, und von Einziehung als quasi-konditioneller Ausgleichsmaßnahme, wenn ein Reparationszweck im Vordergrund steht.[692]

Was den Zweck als Unterscheidungsmerkmal betrifft, wird in der Literatur darauf hingewiesen, dass sowohl Strafen als auch Maßregeln der Besserung und Sicherung des Schutzes der Gesellschaft vor künftigen Straftaten dienen und darin ihre Legitimation finden. Die Maßregeln unterscheiden sich jedoch von Strafen dadurch, dass der Sicherungsaspekt eine Voraussetzung ihrer Anwendung darstellt.[693] Bei der Anordnung der Maßregeln tritt die Spezialprävention in den Vordergrund, während sich die Generalprävention auf die faktische Wirkung der Maß-

---

[685] *Berg*, Beweiserleichterungen bei der Gewinnabschöpfung, S. 150; vgl. *Rui/Sieber*, in: Rui/Sieber (Hrsg.), Non-Conviction-Based Confiscation, S. 250.

[686] Siehe *Berg*, Beweiserleichterungen bei der Gewinnabschöpfung, S. 143 ff.

[687] *Geiger*, Die Rechtsnatur der Sanktion, S. 75 f.

[688] Siehe *Rui/Sieber*, in: Rui/Sieber (Hrsg.), Non-Conviction-Based Confiscation, S. 249 ff. – auf diese Differenzierung wird ausführlich in Teil 7.I. Bezug genommen. Vgl. *Saliger*, ZStW 2017, 1000 ff.; *Vogel*, in: Rui/Sieber (Hrsg.), Non-Conviction-Based Confiscation, S. 226 ff.; *Esser*, in: Rui/Sieber (Hrsg.), Non-Conviction-Based Confiscation, S. 78 f.; *Meyer*, ZStW 2015, 243 ff.

[689] *Rui/Sieber*, in: Rui/Sieber (Hrsg.), Non-Conviction-Based Confiscation, S. 251; vgl. *Saliger*, ZStW 2017, 1002.

[690] *Rui/Sieber*, in: Rui/Sieber (Hrsg.), Non-Conviction-Based Confiscation, S. 252; vgl. *Saliger*, ZStW 2017, 1002.

[691] *Rui/Sieber*, in: Rui/Sieber (Hrsg.), Non-Conviction-Based Confiscation, S. 254; vgl. *Saliger*, ZStW 2017, 1002 f.

[692] *Eser*, Sanktionen gegen das Eigentum, S. 90 ff.

[693] Vgl. Jähnke u.a.-*Hanack*, Leipziger Kommentar, Vor § 61 ff. Rn. 27; *Frisch*, ZStW 1990, 356 ff.; *Eser*, Sanktionen gegen das Eigentum, S. 89 f.

nahme beschränkt.[694] Bei den Strafen dagegen werden die präventiven Zwecke nicht als Voraussetzungen für deren Verhängung genannt.[695] Die Notwendigkeit der Bestrafung zu präventiven Zwecken ergibt sich aber in der Regel aus einer rechtswidrigen und schuldhaften Begehung einer Straftat.[696] Deswegen wird dieser Umstand bei der Überprüfung der Entschuldigungs- und Strafausschließungsgründe mitberücksichtigt.[697] Der Stellenwert der Prävention ist jedoch bei den Strafen anders als bei den Sicherungsmaßnahmen. Die Verhängung einer Strafe braucht nicht die positive Feststellung, dass sie aus präventiven Gründen geboten ist.[698] Präventive Zwecke sind somit keine gesetzlichen Sanktionsvoraussetzungen und Merkmale der Strafe, worin sich der repressive Charakter der Strafe spiegelt. Die präventiven Zwecke legitimieren aber die staatliche Gewalt an sich und somit auch die Strafen auf der abstrakten Ebene.[699] Die Prävention wird dagegen bei der Strafzumessung stark berücksichtigt. Das betrifft sowohl die Spezial- als auch die Generalprävention, welche nachrangig als Leitgesichtspunkte der Strafzumessung fungieren.[700] Die Entscheidung über die Rechtsnatur der Maßnahme anhand des Zweckkriteriums wird aber auch kritisch gesehen, weil sich die Zwecke, denen eine Maßnahme dient, aus ihrer Zuordnung zu einer bestimmten Kategorie der Maßnahmen durch den Gesetzgeber ergeben. Somit eignet sich der Zweck nur eingeschränkt als Prüfungskriterium für die Anwendung des Schuldprinzips und der Unschuldsvermutung.[701]

Als eines der wichtigen Merkmale einer Strafe wird auch die materielle Übelswirkung genannt.[702] Die Übelswirkung wird auch als Wesen der Strafe bezeichnet.[703] Damit wird gemeint, dass sie ein unverzichtbares Merkmal der Strafe, aber kein Unterscheidungskriterium ist. Wenn die Übelswirkung das Unterscheidungskriterium wäre, müsste, in Bezug auf die BVerfG-Entscheidung zu der Unter-

---

694 Vgl. *Frisch*, ZStW 1990, 358; *Wolters*, Die Neufassung, S. 59 f.; *Roxin*, Strafrecht AT I, S. 97.

695 *Berg*, Beweiserleichterungen bei der Gewinnabschöpfung, S. 172 m.w.N.

696 *Roxin*, Strafrecht AT I, S. 852 f.; siehe auch *Rui/Sieber*, in: Rui/Sieber (Hrsg.), Non-Conviction-Based Confiscation, S. 251.

697 *Roxin*, Strafrecht AT I, S. 854.

698 Vgl. *Berg*, Beweiserleichterungen bei der Gewinnabschöpfung, S. 174; *Eser*, Sanktionen gegen das Eigentum, S. 90.

699 Siehe *Berg*, Beweiserleichterungen bei der Gewinnabschöpfung, S. 175.

700 Siehe *Jescheck/Weigend*, Strafrecht AT, S. 877; Athing u.a.-*Miebach/Maier*, MüKo, § 46 Rn. 45 ff.

701 *Berg*, Beweiserleichterungen bei der Gewinnabschöpfung, S. 177.

702 Vgl. *Jescheck/Weigend*, Strafrecht AT, S. 65; *Geiger*, Die Rechtsnatur der Sanktion, S. 75; *Saliger*, ZStW 2017, 1002. Materielle Übelswirkung spielt eine entscheidende Rolle bei der Bestimmung der Rechtsnatur des erweiterten Verfalls (erweiterter Einziehung), dessen Umfang nach dem Bruttoprinzip bestimmt wurde. Siehe unten Teil 4 III.B.2.b)bb)i).

703 Vgl. *Jescheck/Weigend*, Strafrecht AT, S. 65; *Wolters*, Die Neufassung, S. 58; *Eser*, Sanktionen gegen das Eigentum, S. 90.

suchungshaft,[704] nicht nur diese, sondern auch die Sicherungsverwahrung als Strafe gelten.[705] In diesem Sinne wird Strafe als ein Übel, das weitere Merkmale nachweist, definiert, unter welchen das sozial-ethische Unwerturteil,[706] aber auch der Zweck der Maßnahme genannt werden.[707] Die Bedeutung der Übelswirkung als Wesen der Strafe wird in der Literatur aber auch kritisiert. Es wird argumentiert, dass eine Strafe auch ohne Übelswirkung möglich sei, nämlich durch die Möglichkeit des Absehens von der Strafe. In diesem Fall ist allein der Schuldspruch eine Sanktion mit Strafcharakter.[708] Gleichzeitig können Maßregeln der Besserung und Sicherung, die keine Strafen sind, im Einzelfall eine einer Strafe gleiche Übelswirkung haben.[709]

Die Anwendung des Schuldprinzips und der Unschuldsvermutung betreffend, wird auch darauf hingewiesen, dass ihre Anwendung – und somit die strafähnliche Rechtsnatur der Maßnahme – nicht allein dadurch ausgeschlossen werden kann, dass die Anordnung einer Maßnahme nicht die Schuld voraussetzt.[710] Dies würde zu einem Zirkelschluss führen: Wenn die Schuld keine Sanktionsvoraussetzung ist, ist das Schuldprinzip nicht einschlägig, und weil das Schuldprinzip nicht einschlägig ist, wird die Schuld nicht vorausgesetzt. Schuld kann nicht zugleich ein Merkmal der Strafe und eine Rechtsfolge der Einstufung einer Maßnahme als Strafe sein.[711] Das Gleiche gilt für die Rechtswidrigkeit und Tatbestandsmäßigkeit der Handlung.[712]

cc) Fazit

Aus den dargestellten Ansätzen zur Abgrenzung zwischen strafrechtlicher und nicht-strafrechtlicher Rechtsnatur einer Maßnahme ergibt sich, dass diese eine Wertungsentscheidung ist. Die Rechtsnatur lässt sich nicht anhand fester Kriterien eindeutig bestimmen. Als Mindestvoraussetzung der Strafe, aber nicht als Abgrenzungskriterium, kann der Bezug zu vergangenem (Fehl-)Verhalten genannt werden.[713] In der BVerfG-Rechtsprechung wird die Notwendigkeit eines Zusammen-

---

[704] BVerfGE 19, 342.

[705] *Kühl*, Unschuldsvermutung, S. 12 ff.

[706] Vgl. *Frister*, Schuldprinzip, S. 16; *Kühl*, Unschuldsvermutung, S. 14 ff; siehe auch *Jescheck/Weigend*, Strafrecht AT, S. 65; *Geiger*, Die Rechtsnatur der Sanktion, S. 75 ff.

[707] *Berg*, Beweiserleichterungen bei der Gewinnabschöpfung, S. 156.

[708] *Kühl*, Unschuldsvermutung, S. 14 ff.; *Lagodny*, Strafrecht vor den Schranken der Grundrechte, S. 96 ff; so auch *Berg*, Beweiserleichterungen bei der Gewinnabschöpfung, S. 153 f.

[709] Jähnke u.a.-*Hanack*, Leipziger Kommentar, Vor § 61 ff. Rn. 27.; vgl. auch *Saliger*, ZStW 2017, 1005.

[710] *Eser*, FS für Stree/Wessels, S. 845.

[711] *Berg*, Beweiserleichterungen bei der Gewinnabschöpfung, S. 147.

[712] Ebenda, S. 148 f.

[713] So auch ebenda, S. 184.

hangs zwischen der Strafe und diesem Verhalten hervorgehoben.[714] Ebenso als wichtige Merkmale der Strafe, aber nicht als Abgrenzungskriterien der Rechtsnatur, haben sich die Wirkung der Sanktion, ihre Anordnung im Strafverfahren und ihr Zweck erwiesen.[715]Für die Bestimmung der Rechtsnatur den Vermögensabschöpfungsmaßnahmen im folgenden Kapitel werden insbesondere diese Merkmale als Entscheidungskriterien herangezogen. Darüber hinaus wird bei der selbständigen Einziehung ihre Anordnung im Strafverfahren berücksichtigt.

b) Argumente zur Bestimmung der Rechtsnatur von Vermögensabschöpfungsmaßnahmen

Die Einführung des Bruttoprinzips durch das OrgKG im Jahr 1992 regte in der Literatur erneut eine Diskussion über die Rechtsnatur der Vermögensabschöpfung an.[716] Nach einer verbreiteten Ansicht hätten die Abschöpfungsmaßnahmen durch diese Reform einen strafähnlichen Charakter erhalten.[717] Kritisch wurden der Ausbau des Anwendungsbereichs der erweiterten Einziehung, die Beweiserleichterungen und die Einführung selbständiger Einziehung in § 76a Abs. 4 StGB bewertet. In der Begründung der Reform der strafrechtlichen Vermögensabschöpfung von 2017 bezeichnete der Gesetzgeber die strafrechtliche Vermögensabschöpfung wiederum als eine quasi-kondiktionelle Ausgleichsmaßnahme. Sie sei ein vermögensordnender staatlicher Eingriff auf das Eigentum des Betroffenen und gehöre zur Inhalt- und Schrankenbestimmung des Eigentums gemäß Art. 14 GG. Als eine Maßnahme mit einem ordnenden und ohne Strafcharakter sei Vermögensabschöpfung nicht am Schuldgrundsatz zu messen.[718] In der Begründung der Reform hat der Gesetzgeber zum Teil auf die Argumentation des BVerfG und des BGH zurückgegriffen.

In diesem Abschnitt werden die Argumente für und gegen die strafrechtliche Natur der umstrittenen Vermögensabschöpfungsmaßnahmen – der Gewinnabschöpfung nach dem Bruttoprinzip (aa)), der erweiterten Einziehung (bb)), der selbständigen Einziehung (cc)) und der formlosen außergerichtlichen Einziehung (dd)) – dargestellt.

---

714 Siehe oben Teil 4.III.B.2.a)aa).

715 Siehe oben Teil 4.III.B.2.a)aa) und cc).

716 Siehe oben Teil 4.I.A.4.a).

717 Dies bezieht sich allerdings auf die Maßnahmen zur Abschöpfung von aus der Tat stammendem Vermögen, da nur bei diesem das Bruttoprinzip zur Bestimmung des Erlangten angewendet wird.

718 Deutscher Bundestag, 18. Wahlperiode, BT-Drs. 18/9525, S. 55.

aa) Gewinnabschöpfung nach dem Bruttoprinzip

i) Wirkung für den Betroffenen

Die Wirkung der Gewinnabschöpfung nach dem Bruttoprinzip[719] wurde in der BGH-Rechtsprechung ausführlich behandelt. Auf die Auslegung des Bruttoprinzips durch den BGH hat sich auch der Gesetzgeber in der Begründung der Reform von 2017 berufen.[720] Die Bestimmung des erlangten „Etwas" war in den Jahren vor der Reform nämlich zum Streitpunkt zwischen den einzelnen BGH-Strafsenaten geworden.[721] Dabei befürworteten der 5. und 3. Senat eine restriktive Auslegung, der 1. Senat sprach sich dagegen für einen weiten Lösungsansatz aus. Nach der Auffassung des 5. Strafsenats in seiner Entscheidung 2005 zum sogenannten *Kölner Müllskandal* umfasst das Erlangte nach dem Bruttoprinzip nicht den vereinbarten Preis, sondern den wirtschaftlichen Wert des Vertrags zum Zeitpunkt des Vertragsschlusses.[722] Wenn lediglich die Art und Weise des Vertragsschlusses, aber nicht seine Ausführung strafrechtswidrig sei, seien die aus der Ausführung des Vertrages erlangten Vorteile nicht abschöpfungsfähig.[723] Entgegen dieser Auffassung entschied der 1. Senat in der „Werbepost"-Entscheidung 2008, dass bei Bestimmung des Erlangten sowohl das Verpflichtungs- als auch das Verfügungsgeschäft einbezogen werden sollen, selbst wenn allein die Art und Weise des Vertragsschlusses strafrechtswidrig gewesen war.[724] Der 1. Senat vertrat den Standpunkt, dass das Bruttoprinzip umfassend zu verstehen sei, sodass die Gesamtheit der Vermögenswerte, die dem Täter oder Drittbegünstigten in irgendeiner Phase des Tatablaufs zugeflossen sind, abzuschöpfen seien.[725] Die unterschiedliche Auslegung des Bruttoprinzips führte zu Unsicherheiten, die im Rahmen der Reform durch die Konkretisierung des Bruttoprinzips beseitigt werden sollten. Mit der Konkretisierung des Bruttoprinzips meint der Gesetzgeber seine stärkere Anlehnung an das zivilrechtliche Konzept des Bereicherungsrechts.[726] Das, was in ein verbotenes Geschäft investiert wurde, ist nach der reformierten Fassung des Bruttoprinzips nicht abzugsfähig. Die Aufwendungen für nicht zu beanstandende Leistungen werden aber berücksichtigt, selbst wenn sie aus demselben tatsächlichen Verhältnis wie die Straftat stammen.[727] Der kondiktionsähnliche Charakter der Vermögensabschöpfung wird dadurch gestärkt.

---

719 Zum Bruttoprinzip siehe oben Teil 4.II.B.1.

720 Deutscher Bundestag, 18. Wahlperiode, BT-Drs. 18/9525, S. 46 f.

721 Rechtsprechungsüberblick siehe *Schlösser*, NStZ 2011, 121.

722 BGHSt 50, 299, 309 – *Kölner Müllskandal.*

723 BGHSt 50, 299, 310 – *Kölner Müllskandal.*

724 BGHSt 52, 227, 249 – *Werbepost-Entscheidung.*

725 Deutscher Bundestag, 18. Wahlperiode, BT-Drs. 18/9525, S. 47.

726 Deutscher Bundestag, 18. Wahlperiode, BT-Drs. 18/9525, S. 55.

727 Deutscher Bundestag, 18. Wahlperiode, BT-Drs. 18/9525, S. 55.

In der Literatur wird auf die Wirkung der Abschöpfung für den Betroffenen als entscheidendes Kriterium für den strafähnlichen Charakter der Maßnahme hingewiesen. Durch die Bemessung des Erlangten nach dem Bruttoprinzip wird Einziehung als strafähnliche Maßnahme empfunden.[728] Gerade wegen seiner Wirkung wird die Gewinnabschöpfung nach dem Bruttoprinzip zum Teil als Umgehung eines gerechten Schuldausgleichs bewertet.[729] Nach der herrschenden Meinung entspricht die Bezeichnung „quasi-kondiktionelle Ausgleichmaßnahme" nach der Umstellung vom Netto- zum Bruttoprinzip nicht der Rechtsnatur der Einziehung: Bei der Einziehung nach dem Bruttoprinzip handle es sich um ein gegen den Täter gerichtetes Strafübel, das unter Berücksichtigung des Schuldgrundsatzes verhängt werden solle.[730] Die Voraussetzung der Einziehung nach dem Bruttoprinzip solle somit eine schuldhaft begangene und nicht eine rechtswidrige Tat sein.[731] Der Strafcharakter ergebe sich dabei daraus, dass der Betroffene nicht nur mit einem Gewinnverlust, sondern auch mit dem Verlust seiner Aufwendungen für die Tat rechnen müsse.

Die Einziehung nach dem Bruttoprinzip kann auch nach der Reform von 2017 zu einem Minus im Vermögen des Täters führen. Dies liegt daran, dass die Aufwendungen bei der Bestimmung des Erlangten nur unter bestimmten Voraussetzungen berücksichtigt werden. Aus diesem Grund wird der Einziehung weiterhin ein strafender Charakter zugeschrieben.[732] Kritisiert wird dabei die Anlehnung des Bruttoprinzips an das Bereicherungsrecht. Anders als bei der Einziehung haftet im Bereicherungsrecht nach §§ 812 ff. BGB der Bereicherte bei Wegfall der Bereicherung nur nach allgemeinen Vorschriften und nicht mehr bereicherungsrechtlich, es sei denn, er hat die Entreicherung schuldhaft verursacht.[733] Darüber hinaus, anders als bei den zivilrechtlichen Ansprüchen, handelt es sich bei der Einziehung um einen staatlichen, hoheitlichen Zugriff auf das Vermögen.[734]

---

[728] Siehe *Feigen*, Beweislastumkehr im Strafrecht, S. 162 f.

[729] Siehe *Rönnau/Begemeier*, JZ 2018, 449; *Keusch*, Probleme des Verfalls im Strafrecht, S. 171; *Schultehinrichs*, Gewinnabschöpfung bei Betäubungsmitteldelikten, S. 154 f.; *Groth*, Verdeckte Ermittlung und Gewinnabschöpfung, S. 148 ff.; *Feigen*, Beweislastumkehr im Strafrecht, S. 162 f.

[730] Siehe *Rönnau/Begemeier*, JZ 2018, 448; *Berg*, Beweiserleichterungen bei der Gewinnabschöpfung, S. 24; Schönke/Schröder-*Eser/Schuster*, StGB-Kommentar, Vor §§ 73 ff. Rn. 15 ff.; *Hellmann*, GA 1997, 521; *Sotiriadis*, Gewinnabschöpfung und Geldwäsche, S. 195 f.; *Geiger*, Die Rechtsnatur der Sanktion, S. 307. Dagegen wird argumentiert, die Zufügung eines Übels allein reiche nicht aus, um eine Maßnahme als Strafe zu bezeichnen. Die Maßnahme müsse an ein Unwerturteil geknüpft sein, was bei Vermögensabschöpfung aber nicht der Fall sei. Siehe Athing u.a.-*Joecks*, MüKo, § 73 Rn. 15.

[731] *Gebauer*, ZRP 2016, 103; siehe auch *Rönnau/Begemeier*, JZ 2018, 449.

[732] Siehe *Gebauer*, ZRP 2016, 102; *Rönnau/Begemeier*, JZ 2018, 449; *Boucht*, The Limits of Asset Confiscation, S. 99.

[733] *Hoyer*, GA 1993, 414 ff.; vgl. § 818 Abs. 3 und 4 BGB; siehe auch *Rönnau/Begemeier*, JZ 2018, 449.

[734] *Saliger*, ZStW 2017, 1007.

Als eine Alternative zur Vermögensabschöpfung, die einen gerechten Schuldausgleich gewährleisten würde, wird die Geldstrafe vorgeschlagen.[735] Das gesetzliche Strafmaß bei der Geldstrafe solle, so die Forderung, bei Delikten aus dem Bereich der Organisierten Kriminalität entsprechend angepasst werden, sodass die Vermögensabschöpfung durch die Geldstrafe erfolgen könne. Eine erweiterte Geldstrafe wäre beim Vermögensmissbrauch anzuordnen. Die Geldstrafe könne dann das Maß des Nettoeinkommens übersteigen, um so den Zugriff auf das Vermögen des Täters zu ermöglichen. Dazu sei das Vermögen des Täters als Zumessungsgrundlage für die Geldstrafe mitzuberücksichtigen. Vermögensabschöpfung mittels Geldstrafe würde den Strafzumessungsregeln unterliegen.[736]

ii) Zweck der Maßnahme

Nach der Einführung des Bruttoprinzips durch das OrgKG hat das BVerfG zu dem kondiktionsähnlichen Charakter der Einziehung im Hinblick auf den Zweck der Maßnahme Stellung genommen.[737] Das Gericht sah in der Einführung des Bruttoprinzips eine Bestätigung des kondiktionsähnlichen Charakters der Einziehung: Die Einziehung (nach a.F. der Verfall) orientiere sich in Wortlaut und Gesetzessystematik an den §§ 812 ff. BGB.[738] Wie im Zivilrecht nach § 818 Abs. 3 BGB, sei im Strafrecht nach dem Bruttoprinzip allein der gutgläubige Bereicherungsschuldner vor einer Vermögenseinbuße geschützt, so das BVerfG. Das Recht der strafrechtlichen Vermögensabschöpfung dient dazu, die irregulären – also strafrechtswidrigen – Vermögenszuordnungen zu beseitigen.[739] Der Bösgläubige sollte die Risiken des Verlustes seines Vermögens tragen. Die Abschöpfung sollte sich aus diesen Gründen nicht auf die noch vorhandenen Vermögenswerte beschränken.[740] Das Vermögensabschöpfungsrecht ist nach der Risikozuweisung nach dem Bereicherungsrecht auszurichten. Gemäß § 817 Satz 2 BGB soll das in ein strafrechtswidriges Geschäft Investierte verlorengehen.[741] Dem Betroffenen wird in einem solchen Fall der Rechtsschutz verweigert, also eine rechtliche Begünstigung versagt.[742] Im Hinblick darauf ist die Gewinnabschöpfung nach dem Bruttoprinzip – auch die erweiterte – keine pönale Reaktion auf ein früheres normwidriges Verhalten des Betroffenen. Sie stellt vielmehr eine Antwort auf eine gegenwärtige Störung der Vermögensordnung dar. Der Eingriff auf das Eigentumsrecht hat einen

---

[735] *Köhler/Beck*, JZ 1991, 801 ff.

[736] Ebenda, 801.

[737] Das Gesetz zur Bekämpfung des illegalen Rauschgifthandels und anderer Erscheinungsformen der Organisierten Kriminalität vom 15. Juli 1992, BGBl. I 1992, S. 1302.

[738] Siehe nur BVerfGE 110, 1, 21.

[739] Siehe Deutscher Bundestag, 18. Wahlperiode, BT-Drs. 18/9525, S. 58.

[740] BVerfGE 110, 1, 21.

[741] BVerfGE 110, 1, 21 f.

[742] BVerfGE 110, 1, 22.

korrigierenden und normbekräftigenden Charakter und ist mit der Unschuldsvermutung vereinbar.[743] Zum Zweck der Gewinnabschöpfung nach dem Bruttoprinzip äußerte sich auch der 1. Senat des BGH und bezog dabei den Standpunkt, dass die Bruttoeinziehung einem präventiven Zweck diene.[744] Da es sich nicht um strafähnliche Maßnahmen handele, unterliege Vermögensabschöpfung nicht dem Schuldgrundsatz.[745]

Auf den Zweck der Abschöpfung nach dem Bruttoprinzip wird auch in der Literatur Bezug genommen.[746] Bei der Vermögensabschöpfung werden ihr präventiver Zweck und ihre warnende Funktion hervorgehoben.[747] Sie dienen weitgehend der Vorbeugung weiterer Straftaten und sollten der Allgemeinheit signalisieren, dass Straftaten sich nicht lohnen. Verwiesen wird auch auf den Sicherungsaspekt der Spezialprävention – also der Entziehung des Kapitals für spätere Straftaten.[748] Die Ermittlung von Zwecken auf einer abstrakten Ebene trägt aber wenig zur Bestimmung des Strafcharakters einer Sanktion bei, weil der Zweck von Strafen und Maßnahmen ohne Strafcharakter weitgehend deckungsgleich sein kann. Darüber hinaus spielen bei der Zweckbestimmung subjektive Wertungen eine wichtige Rolle.[749] Trotzdem wird häufig gerade der Zweck der Maßnahme als Argument für ihren strafähnlichen Charakter angeführt.

iii) Zwischenbilanz

Die Kontroversen zur Gewinnabschöpfung nach dem Bruttoprinzip ergeben sich daraus, dass die Regelung zur Bestimmung des erlangten Etwas es ermöglicht, mehr abzuschöpfen als tatsächlich aus einer rechtswidrigen Tat erlangt wurde. Dadurch wird der quasi-konditionelle Ausgleichscharakter der Maßnahme infrage gestellt. Diese Überlegung lag der restriktiven Auslegung des Bruttoprinzips durch den 3. und 5. Senat des BGH vor der Reform von 2017 zugrunde. Nach der Reform

---

743 BVerfGE 110, 1, 22 f.; siehe auch *Marstaller/Zimmermann*, Non-conviction-based confiscation in Deutschland? S. 71 ff.

744 Vgl. BGHSt 47, 369, 369 ff.; BGHSt 51, 65, 67; BGH NStZ 2011, 83, 85; BGH wistra 2003, 424, 425.

745 BGHSt 47, 369, 375.

746 Laut der EGMR-Rechtsprechung ist für die Rechtsnatur der Maßnahme der damit verfolgte Zweck entscheidend. Dieser ist bei der Einziehung primär restitutiv und nicht punitiv. Die Vermögensabschöpfungsmaßnahmen werden als nicht-strafrechtliche eingestuft. Deswegen wird die Grundrechtskonformität dieser Maßnahmen anerkannt. Siehe EGMR v. 01.03.2007, Beschwerde-Nr. 30810/03 – *Geerings / Niederlande*; EGMR v. 23.09.2008, Beschwerde-Nr. 19955/05 u. 15085/06, *Grayson u. Bernham / Vereinigtes Königreich*; EGMR v. 02.02.1994, Beschwerde-Nr. 12954/87 – *Raimondo / Italien*.

747 Siehe nur Deutscher Bundestag, 18. Wahlperiode, BT-Drs. 18/9525, S. 46 f.; *Schultehinrichs*, Gewinnabschöpfung bei Betäubungsmitteldelikten, S. 150 ff.

748 *Berg*, Beweiserleichterungen bei der Gewinnabschöpfung, S. 178 f.

749 Ebenda, S. 182 f.

wurde das Bruttoprinzip in Anlehnung an die BGH-Rechtsprechung durch die Möglichkeit entschärft, die Aufwendungen zu berücksichtigen. Die neue Fassung kann als ein Versuch gesehen werden, zwischen der Kritik an der vorherigen Fassung des Bruttoprinzips und der rechtspolitischen Forderung „Verbrechen darf sich nicht lohnen" einen Ausgleich zu schaffen. Da die Aufwendungen für die Vorbereitung und Begehung der Tat nicht abzugsfähig sind, ist die Konstellation, dass mehr abgeschöpft wird als erlangt wurde, jedoch auch nach der geltenden Fassung des § 73d Abs. 1 StGB nicht ausgeschlossen. Somit ist die Kritik an einer strafähnlichen Übelswirkung des Bruttoprinzips zumindest zum Teil weiterhin berechtigt. Dabei ist auch anzumerken, dass nicht nur das in eine Straftat Investierte eingezogen wird, da die Vorbereitung selbst in der Regel keine strafbare Handlung darstellt. Je intensiver die Abschöpfung von Tatgewinnen auf das Vermögen des Betroffenen zugreift, desto mehr nimmt die Maßnahme einen strafrechtlichen Charakter an.[750] Wie aber oben bereits ausgeführt wurde, ist die Wirkung einer Maßnahme allein kein Entscheidungskriterium zu ihrer Rechtsnatur.[751] Das BVerfG ist in seiner Rechtsprechung auf ein weiteres Merkmal einer Strafe – den Zweck – eingegangen. Das Gericht sah in der Gewinnabschöpfung nach dem Bruttoprinzip eine Konsequenz aus der an dem Bereicherungsrecht orientierten Risikozuweisung – wer in Verbotenes investiert, muss den Verlust seines Vermögens in Kauf nehmen. Der Zweck der Maßnahme sei, so das BVerfG, die Beseitigung einer rechtswidrigen Rechtslage. Wie aber bereits gezeigt wurde, geht die Gewinnabschöpfung nach dem Bruttoprinzip zumindest teilweise über diesen Zweck hinaus und wird in diesem Umfang nicht vom Zweck legitimiert.[752]

bb) Erweiterte Einziehung

i) Wirkung für den Betroffenen

Wegen Zufügung eines Übels, welches einer Strafe gleich sei, wird der strafähnliche Charakter der erweiterten Einziehung[753] befürwortet.[754] Nach dem Bruttoprinzip angewendet hat die Maßnahme eine faktische Wirkung, die stärker ins Gewicht fällt als bei der einfachen Einziehung und als Strafübel gesehen werden kann.[755] Dies liegt daran, dass die Einziehung von Teilen des rechtmäßig erlangten

---

750 *Saliger*, ZStW 2017, 1007; vgl. *Rui/Sieber*, in: Rui/Sieber (Hrsg.), Non-Conviction-Based Confiscation, S. 253, 264; *Hoyer*, GA 1993, 417 ff.; anders *Meyer*, StV 2017, 351.

751 Siehe oben Teil 4.III.B.2.a).

752 Dazu siehe unten Teil 7.

753 Siehe oben Teil 4.II.B.1.a)bb).

754 *Kühl/Heger*, Strafgesetzbuch, S. 14 ff.; siehe auch BVerfGE 74, 358, 371; *Dannert*, Zulässigkeit von Eigentumsentziehungen, S. 64 f.; *Geiger*, Rechtsnatur der Sanktion, S. 320 ff.; *Hoyer*, GA 1993, 406 ff.

755 *Weßlau*, StV 1991, 232.

Vermögens möglich und diese Folge durch den Gesetzgeber gebilligt ist.[756] Zur Anwendung des Bruttoprinzips für die Bestimmung des Abschöpfungsgegenstandes wird die Meinung vertreten, dass sie dem durch den Gesetzgeber befürworteten Ausgleichscharakter dieser Maßnahme widerspreche und es sich um eine Maßnahme handle, die Strafzwecke verfolge, aber ohne Schuldfeststellung angeordnet werde.[757] Als solche kann sie nicht durch ein überwiegendes Interesse der Allgemeinheit legitimiert werden, sondern ist nach einer Schuldfeststellung und unter Berücksichtigung der Strafzumessungsregeln anzuwenden.[758] Die erweiterte Einziehung ohne Tatzusammenhang und ohne Nachweis der Schuld stellt somit einen Verstoß gegen die Unschuldsvermutung dar. Die Überzeugungsbildung durch Beweis der entscheidungsrelevanten Tatsachen ist unentbehrlich und Beweiserleichterungen seien unzulässig.[759] In der Literatur wird deswegen die Maßnahme als ein unzulässiger Vermögenszugriff auf Verdacht kritisiert.[760]

Was die Verbindung zwischen dem abzuschöpfenden Gegenstand und der rechtswidrigen Tat betrifft, bedeutet die erweiterte Einziehung zumindest eine Zuordnungserleichterung.[761] Die Feststellung einer konkreten Tat ist dabei nicht notwendig. Wenn die Maßnahme jedoch keinen Strafcharakter hätte, würde das BVerfG die Anwendung der spezifisch strafrechtlichen Grundsätze – des Schuldprinzips und der Unschuldsvermutung – in seiner Rechtsprechung verneinen.[762] Statt dessen hat sich aber das BVerfG der BGH-Rechtsprechung angeschlossen und die Abschöpfung für eine verfassungsmäßige Maßnahme erklärt, sofern das Gericht nach Ausschöpfung der vorhandenen Beweismittel von der unrechtmäßigen Herkunft des Vermögens überzeugt ist.[763] Es wird die Auffassung vertreten, dass zur Abschöpfung von aus Straftaten stammendem Vermögen die einfache Einziehung ausreichend sei. Bei dieser Maßnahme wird – im Gegensatz zur erweiterten Einziehung – der Bezug zwischen der Tat und dem Vermögen nachgewiesen. Deswegen ist das rechtmäßig Erlangte nicht vom Verlust bedroht.[764]

Gegen die Strafähnlichkeit der erweiterten Einziehung wird vorgebracht, dass diese nicht eine schuldhafte, sondern lediglich eine rechtswidrige Tat voraussetze.

---

756 *Perron*, JZ 1993, 919.

757 *Weßlau*, StV 1991, 231; vgl. zu der strafähnlichen Wirkung der selbständigen Einziehung *Rönnau/Begemeier*, JZ 2018, 448 f.

758 Vgl. *Weßlau*, StV 1991, 231; *Eser*, FS für Stree/Wessels, S. 845 f.; *Hoyer*, GA 1993, 422.

759 Siehe *Weßlau*, StV 1991, 232; *Eser*, FS für Stree/Wessels, S. 845 f.; *Dannert*, Zulässigkeit von Eigentumsentziehungen, S. 74.

760 *Köhler/Beck*, JZ 1991, 799; *Weigend*, FS Triffterer, S. 704.

761 *Saliger*, ZStW 2017, 1015.

762 Ebenda, 1016.

763 BVerfGE 110, 1, 25 ff.; BGHSt 40, 371, 371 ff.

764 Vgl. *Hoyer*, GA 1993, 414; *Köhler/Beck*, JZ 1991, 799; siehe auch BVerfGE 19, 342, 347.

Darüber hinaus werden hier dem Betroffenen keine Nachteile zugefügt, da es sich um die Abschöpfung der Vorteile aus einer rechtswidrigen Tat handelt. Somit hat die erweiterte Einziehung keine strafgleiche Wirkung.[765]

ii) Zweck der Maßnahme

In der Literatur wird die Ansicht vertreten, dass die erweiterte Einziehung ihrem Zweck nach eine strafähnliche Maßnahme sei. Die erweiterte Einziehung soll der Wiederherstellung der verletzten Rechtsordnung dienen. Durch diesen Zweck sei sie nur bei einem tatsächlichen Zusammenhang zwischen dem Vermögen und der Tat gerechtfertigt, weil nur dann die Vermögenslage eine Verletzung der Rechtsordnung darstelle.[766] Wenn aber die Verstrickung in eine Straftat nicht nachgewiesen und das Vermögen trotzdem eingezogen werde, verfehle die Maßnahme ihren Zweck. Abschöpfung von rechtmäßig erworbenem Vermögen sei durch den Zweck der Maßnahme nicht legitimiert. Dies spreche dafür, die Maßnahme nur dann anzuwenden, wenn der Richter von der strafrechtswidrigen Herkunft des Vermögensgegenstandes überzeugt sei.[767] Die Schwierigkeiten, den Zusammenhang zwischen dem Vermögen und einer Straftat zu beweisen, könnten nicht dadurch gelöst werden, dass der Nachweis des Zusammenhangs ausbleibe.[768] Aber auch der präventive Effekt könne nur dann erzielt werden, wenn die Maßnahme einen Schuldigen treffe. Werde eine Person zu Unrecht davon betroffen, sei der Effekt gerade umgekehrt.[769]

Zugleich wird der präventive Zweck der erweiterten Einziehung, im Sinne der Abwehr von künftigen Gefahren,[770] hinterfragt.[771] In der Literatur wird darauf hingewiesen, dass die Vermögensabschöpfung vom Erlös aus einer Straftat eine vergangenheitsbezogene Folge der Tat sei. Hätte sie einen präventiven Charakter, müsste ihre Anwendung an eine fortbestehende Gefahr des Eigentumsmissbrauchs geknüpft sein. Sie müsse eine vorübergehende Maßnahme sein, die – wie beispielsweise der präventive Freiheitsentzug – nicht länger aufrechtzuerhalten sei als die Gefahr bestehe, dass Straftaten begangen würden.[772] Anders ist der Fall zu bewerten, wenn das Vermögen wegen seiner illegalen Verwendung eingezogen wird. In dem Fall dient die Abschöpfungsmaßnahme dem Sicherungszweck und hat ei-

765 Siehe *Hoyer*, GA 1993, 413.

766 *Heckmann*, ZRP 1995, 3.

767 Siehe *Weßlau*, StV 1991, 233; *Pelz*, NZWiSt 2018, 252.

768 *Meyer*, ZRP 1990, 87.

769 *Hoyer*, GA 1993, 420 f.

770 Beispielsweise durch die Einflussnahme auf die Wirtschaft mittels kriminell erlangter Vermögen.

771 Deutscher Bundestag, 18. Wahlperiode, BT-Drs. 18/9525, S. 58. Wobei diesen Zweck insbesondere die selbständige Einziehung nach § 76a Abs. 4 StGB zu erfüllen hat.

772 *Weßlau*, StV 1991, 233.

nen präventiven, zukunftsgerichteten Charakter.[773] Aber auch hier kann die Tauglichkeit der Prognose über die zukünftige Verwendung des Vermögens hinterfragt werden. Die Legitimation der Maßnahme zur Gefahrenabwehr betreffend, scheint nur die Einziehung von Gegenständen, die an sich verboten sind, wie illegale Waffen oder Drogen, unproblematisch zu sein. Handelt es sich dagegen um Gegenstände, die eine legitime Verwendung haben können, muss eine überzeugende und plausible Prognose ihre unrechtmäßige Verwendung vorliegen. In der Literatur wird aber darauf hingewiesen, dass solche Prognosen sich auf die Bewertung der Persönlichkeit des Betroffenen stützen.[774]

Der 1. Senat des BGH vertritt dagegen die Auffassung, dass die Einziehung (a.F. Verfall) weder eine Strafe noch eine Strafmaßnahme sei, sondern eine Maßnahme eigener Art. Für eine nicht-strafrechtliche Natur sprächen darüber hinaus der Wille des Gesetzgebers, die systematische Stellung und der Wortlaut des Gesetzes.[775] Aus diesen Gründen unterliege die Vermögensabschöpfung nicht dem Schuldgrundsatz.[776] Unberührt bleibt aber die Eigentumsgarantie nach Art. 14 GG. Bei den Vermögensabschöpfungsmaßnahmen handelt es sich aber zum Teil um nicht schutzfähige Rechtspositionen, wenn zum Beispiel das Rechtsgeschäft nach § 134 BGB nichtig ist, wie etwa bei Gewinnen aus Drogengeschäften.[777] Wenn aber das strafrechtswidrige Geschäft zivilrechtlich doch wirksam ist, gilt die Vermögensabschöpfung als eine Inhalts- und Schrankenbestimmung des Eigentums i.S.d. Art. 14 Abs. 1 Satz 2 GG, die verfassungsrechtliche Anforderungen erfüllt.[778] Dies gilt sowohl für die einfache als auch für die erweiterte Einziehung.[779] Das BVerfG teilt die Ansicht des BGH zur erweiterten Einziehung, dass die Annahme deliktischer Herkunft des Vermögensgegenstandes nur dann gerechtfertigt sei, „wenn sich der Tatrichter nach Abschöpfung vorhandener Beweismittel von ihr überzeugt hat".[780] Wenn die nachgewiesenen Anlasstaten zur Überzeugung des Gerichts führten, dass das Vermögen deliktischer Herkunft sei, könne auf den Nachweis einer konkreten Herkunftstat verzichtet werden, ohne dass die verfassungsrechtliche Eigentumsgewährleistung verletzt werde.[781] Die Frage der Vereinbarkeit der erweiterten Einziehung mit der Eigentumsgarantie nach Art. 14 GG wird durch das Konzept der Grundrechtsverwirkung gelöst.[782] Die Verwendung eines Vermögens für

---

773 *Heckmann*, ZRP 1995, 3.

774 Ebenda.

775 BGHSt 47, 369, 373.

776 BGHSt 47, 369, 375.

777 BVerfGE 110, 1, 23 f.

778 BVerfGE 110, 1, 23; siehe auch BVerfGE 22, 387, 422; BGH StV 2004, 409, 410.

779 BVerfGE 110, 1, 25.

780 BVerfGE 110, 1, 25 f.; siehe auch BGHSt 40, 371, 371 ff.

781 BVerfGE 110, 1, 27.

782 *Eser*, Sanktionen gegen das Eigentum, S. 170 ff.; zust. *Krey/Dierlamm*, JR 1992, 358.

kriminelle Zwecke resultiert in der Verwirkung des Eigentumsgrundrechts. Der Grundsatz könnte auch auf die erweiterte Einziehung bei Organisierter Kriminalität Anwendung finden, auch wenn hier der Nachweis einer Verbindung zwischen der Tat und dem Einziehungsgegenstand fehlt. Diese Erweiterung ergibt sich aus der Natur der Organisierten Kriminalität und den hierfür typischen Beweisschwierigkeiten, auf die die Strafverfolgung stößt. Ohne diese Erweiterung ist eine effektive Bekämpfung der Organisierten Kriminalität nicht möglich. Gerade die freiheitlich demokratische Grundordnung verlangt hier einen effektiven Ansatz. Dabei ist aber der Anwendungsbereich der erweiterten Einziehung einzuschränken, sodass die Norm nur auf schwere Delikte der Organisierten Kriminalität Anwendung findet.[783] Die Argumentation bezieht sich allerdings auf die frühere Rechtslage, in der die erweiterte Einziehung nur für bestimmte Delikte aus dem Bereich der Organisierten Kriminalität und für die Abschöpfung nach dem Nettoprinzip galten.[784] Der Gesetzgeber benutzt die Argumentation auch heute noch, obwohl sie sich jetzt auf Einziehung als eine Maßnahme, die auf jede Straftat Anwendung findet, bezieht.[785]

In der Literatur wird der strafrechtlichen Natur der erweiterten Einziehung teils widersprochen. Die systematische Auslegung des Gesetzes und *ratio legis* der Maßnahme spräche gerade dafür, dass die Einziehung keinen Strafcharakter habe. Auch der primär präventive Zweck der Einziehung spricht gegen ihre Einordnung als Kriminalstrafe oder strafähnliche Maßnahme.[786] Die Frage der Vereinbarkeit der erweiterten Einziehung mit dem Schuldgrundsatz und der Unschuldsvermutung kommt nicht auf, da sich hier um eine Maßnahme der Verbrechensprävention handelt.[787]

iii) Zwischenbilanz

Die Rechtsnatur der erweiterten Einziehung ist deswegen umstritten, weil der Abschöpfungsgegenstand nicht dem entspricht, was aus der abgeurteilten Tat erlangt wurde. Vielmehr werden Gewinne aus anderen (unbekannten) rechtswidrigen Taten eingezogen.[788] Durch eine solche Bestimmung des Abschöpfungsgegenstandes entstehen Zweifel daran, wie die Verbindung zwischen dem Abschöpfungsgegenstand und einer rechtswidrigen Tat in Strafverfahren festzulegen ist. Diese Verbindung ist aber für den kondiktionsähnlichen Charakter der Maßnahme unerlässlich. Die Zweifel sind umso wichtiger, da die Maßnahme gerade durch die Bestimmung des Abschöpfungsgegenstandes und ihren Anwendungsbereich – der

783 *Krey/Dierlamm*, JR 1992, 358.

784 Die Anordnung der erweiterten Einziehung musste im Tatbestand vorgesehen sein.

785 Deutscher Bundestag, 18. Wahlperiode, BT-Drs. 18/9525, S. 46 f.

786 *Krey/Dierlamm*, JR 1992, 358.

787 Ebenda; vgl. Deutscher Bundestag, 18. Wahlperiode, BT-Drs. 18/9525, S. 46 f.

788 Vgl. *Saliger*, ZStW 2017, 1016.

nach der Reform von 2017 jede rechtswidrige Tat umfasst – einen weitgehenden Zugriff auf das Vermögen des Betroffenen ermöglicht. Der Beweiserleichterung für die Verbindung zwischen dem Vermögen und einer Straftat fehlt der notwendige Legitimationszusammenhang, da die Beweiserleichterung jetzt neben den profitorientierten Delikten alle anderen umfasst.[789] Aus den genannten Gründen ist die Wirkung der erweiterten Einziehung ein Argument für ihren strafähnlichen Charakter. Sie wird zusätzlich durch die Bestimmung des Abschöpfungsumfangs nach dem Bruttoprinzip verstärkt. Der Abschöpfungsumfang wird durch den Zweck der erweiterten Einziehung als Maßnahme zur Wiederherstellung der rechtmäßigen Vermögenslage nicht legitimiert. Eine Feststellung des tatsächlichen Zusammenhangs zwischen dem Vermögen und einer rechtswidrigen Tat ist unerlässlich. Aus diesem Grunde wird die Rechtsprechung des BVerfG und des BGH die Auslegung vertreten, dass die Annahme deliktischer Herkunft des Vermögensgegenstandes nur dann gerechtfertigt sei, „wenn sich der Tatrichter nach Abschöpfung vorhandener Beweismittel von ihr überzeugt hat".[790] Die Anforderung der vollen richterlichen Überzeugung entschärft aber gerade die Beweiserleichterung der erweiterten Einziehung und führt dazu, dass die Maßnahme der einfachen Einziehung ähnlich wird.

cc) Selbständige Einziehung

i) Zweck der Maßnahme

Die selbständige Einziehung[791] nach § 76a Abs. 4 StGB wird als eine an einem zivilrechtlichen Restitutionskonzept orientierte Maßnahme bezeichnet. Sie sei präventiv ausgerichtet und zukunftsorientiert, so der Gesetzgeber.[792] Der Verfahrensgegenstand ist nicht die zugrundeliegende Tat, sondern eine rechtswidrige Vermögenslage.[793] Der Zweck der selbständigen Einziehung ist die Beseitigung dieser rechtswidrigen Vermögenslage. Aus diesem Grunde wird für eine verfahrensrechtliche Trennung der Maßnahme plädiert. So könnte der Vorwurf, die selbständige Einziehung verstoße gegen strafrechtliche Standards, vermieden werden.[794] Die Feststellung der Einziehungsvoraussetzungen sei nicht an § 261 StPO zu messen. Dieser gelte für die Feststellung der Schuld des Angeklagten. Einziehung sei eine quasi-kondiktionelle Ausgleichsmaßnahme, deren Anordnung von der Schuld des Täters unabhängig sei.[795] Im Hinblick darauf wird das Festhalten

---

789 Vgl. ebenda, 1020.

790 BVerfGE 110, 1, 25 f.; siehe auch BGHSt 40, 371, 371 ff.

791 Siehe oben Teil 4.II.B.1.a)hh).

792 Deutscher Bundestag, 18. Wahlperiode, BT-Drs. 18/9525, S. 58; siehe auch *Hinderer/Blechschmitt*, NZWiSt 2018, 181; anders *Schilling/Hübner*, StV 2018, 51 f.

793 *Meyer*, StV 2017, 344; siehe auch Deutscher Bundestag, 18. Wahlperiode, BT-Drs. 18/9525, S. 58; siehe auch *Hinderer/Blechschmitt*, NZWiSt 2018, 181.

794 Für die selbständige Einziehung in einem zivil- bzw. verwaltungsrechtlichen Verfahren siehe *Meyer*, StV 2017, 345 ff.

795 Ebenda, 348.

des Gesetzgebers an der vollen richterlichen Überzeugung als Beweismaß als nicht zielführend kritisiert.[796] Es ist umso weniger zielführend, als dass sich aus Art. 14 GG nicht direkt ergibt, dass die Einziehung nur auf eine Verurteilung gestützt sein kann. Auch verhält es sich so, dass „strafrechtsfremde" Beweisstandards bereits im Strafverfahren, zum Beispiel im Adhäsionsverfahren, funktionieren.[797] Es wird argumentiert, dass das Beweisverfahren und der Beweisstandard sich an der Rechtsnatur der Maßnahme ausrichten sollten. Da die Einziehung keinen Strafcharakter habe, sei das an Eigentumsschutz einzuhaltende Maß auch nicht anhand des § 261 StPO zu prüfen. Dabei könne die Verhältnismäßigkeit einer solchen Maßnahme auch ohne Zuziehung strafrechtlicher Prinzipien geprüft werden.[798] Bei der Kontrolle kann dann natürlich auf zivil- oder verwaltungsrechtliche Maßstäbe abgestellt werden, je nachdem, wie man Vermögensabschöpfung anordnet. Wegen des hoheitlichen Charakters der Maßnahme scheint jedoch dem Verwaltungsverfahren der Vorzug zu geben zu sein. Ein hoher Grad der Wahrscheinlichkeit, dass die Voraussetzungen erfüllt sind, würde dann für die Anordnung der Maßnahme ausreichen.[799]

ii) Anordnung im Strafverfahren

Die Anordnung einer Sanktion im Strafverfahren ist kein scharfes Kriterium, das eine eindeutige Feststellung der Rechtsnatur der Vermögensabschöpfung ermöglicht,[800] kann jedoch ein Indiz für den Strafcharakter der Maßnahme sein.[801] Dieses Argument wird insbesondere zur selbständigen Einziehung nach § 76a Abs. 4 StGB vorgebracht. Sie wird im Strafverfahren angeordnet, laut Gesetzesbegründung jedoch nicht gegen eine Person, sondern gegen eine Sache *(ad rem)*.[802] Die Vorgaben für die Beweisanforderungen sind in § 437 StPO enthalten. Die selbständige Einziehung kann bei einem Missverhältnis zwischen dem Wert des aus einer Straftat stammenden Gegenstandes und den rechtmäßigen Einkünften des Betroffenen angeordnet werden. Dies wird als ein nicht offen dargelegter Beweis des ersten Anscheins kritisiert, da die Überzeugungsbildung durch den Ausschluss rechtmäßiger Herkunftsquellen geschieht.[803] Gegen den Beweis des ersten Anscheins, der

---

[796] Ebenda, 348 f.

[797] Ebenda, 348 f.

[798] Deutscher Bundestag, 18. Wahlperiode, BT-Drs. 18/9525, S. 47 f.; *Meyer*, StV 2017, 349.

[799] *Meyer*, StV 2017, 349.

[800] *Berg*, Beweiserleichterungen bei der Gewinnabschöpfung, S. 162 f.

[801] Mit Verweisen auf die Rechtsprechung *Berg*, Beweiserleichterungen bei der Gewinnabschöpfung, S. 165 f.

[802] Deutscher Bundestag, 18. Wahlperiode, BT-Drs. 18/9525, S. 92; vgl. *Saliger*, ZStW 2017, 1022.

[803] Vgl. *Schilling/Hübner*, StV 2018, 51; *Gebauer*, ZRP 2016, 104; *Pelz*, NZWiSt 2018, 252 f.; *Saliger*, ZStW 2017, 1028 ff. Darüber hinaus wird diese Regelung als ein Verstoß

nicht mehr die volle richterliche Überzeugung erfordert, hat sich auch der BGH ausgesprochen.[804] Darüber hinaus beruht der zivilrechtliche Beweis des ersten Anscheins auf der Typizität eines Kausalzusammenhangs zwischen Tatsachen.[805] Die in § 437 StPO genannten Zusammenhänge sind aber nicht durch die Typizität – „Regelmäßigkeit, Gewohnheit und Häufigkeit ihres Ablaufs" – geprägt.[806]

Da die neue Regelung in den Fällen anzuwenden ist, in denen der Betroffene zwar in kriminelle Tätigkeit verstrickt war, ihm aber keine konkrete Tat nachgewiesen werden kann,[807] wird die selbständige Einziehung als eine strafrechtliche Sanktion gesehen, für die auch die strafrechtlichen Prinzipien gelten sollen.[808] Der Einstufung der selbständigen Einziehung als einer *ad rem*-Maßnahme wird widersprochen. Die Anordnungsgrundlage – die Anknüpfung an ein Strafverfahren, in dessen Verlauf der Vermögensgegenstand sichergestellt wurde – spricht für die strafrechtliche Natur der Einziehung als einer *ad personam*-Maßnahme, selbst wenn sie keiner mit Vollbeweis nachgewiesenen Anlasstat bedarf.[809] Dabei wird auch der weit gefasste Katalog der Anlasstaten kritisiert, bei denen die selbständige Einziehung angeordnet werden kann. Der Katalog umfasst beispielsweise die Geldwäsche mit ihren zahlreichen Vortaten. Dazu wird die Beziehung zwischen einer Straftat und dem Vermögensgegenstand durch das Merkmal „herrühren" bezeichnet, womit für die Einziehung ein Kausalzusammenhang aus wirtschaftlicher Betrachtungsweise ausreichend ist.[810]

iii) Zwischenbilanz

Die selbständige Einziehung nach § 76a Abs. 4 StGB wird wegen der Art der Bestimmung des Bezugs zwischen dem Abschöpfungsgegenstand und einer rechtswidrigen Tat kritisiert.[811] Die Vorschrift verlangt einerseits, dass der Abschöpfungsgegenstand aus einer rechtswidrigen Tat stammt, andererseits enthält § 437 StPO besondere Regelungen für die Bildung der Überzeugung des Gerichts von der deliktischen Herkunft des Vermögens bei selbständiger Einziehung. Gerade diese Regelung wird einer Kritik unterzogen. Dabei handelt es sich bei § 437

---

gegen freie Beweiswürdigung kritisiert. Siehe *Schilling/Hübner*, StV 2018, 51; anders *Barreto da Rosa*, NZWiSt 2018, 217; *Marstaller/Zimmermann*, Non-conviction-based confiscation in Deutschland? S. 118 ff.

804 Vgl. BGH NStZ-RR 2007, 86, 87; BGH StraFo 2003, 381.

805 Zum Beweis des ersten Anscheins im Zivilrecht siehe *Schilling/Hübner*, StV 2018, 51.

806 Siehe BRAK–Stellungnahme Nr. 15/2016, S. 7; *Schilling/Hübner*, StV 2018, 56.

807 Deutscher Bundestag, 18. Wahlperiode, BT-Drs. 18/9525, S. 92.

808 *Schilling/Hübner*, StV 2018, 51; *Rönnau/Begemeier*, JZ 2018, 449; *Saliger*, ZStW 2017, 1024 ff.; anders *Meyer*, StV 2017, 354.

809 *Schilling/Hübner*, StV 2018, 54.

810 Ebenda, 52; siehe auch *Rönnau/Begemeier*, JZ 2018, 446.

811 Siehe *Saliger*, ZStW 2017, 1024 f.

StPO um eine unvollständige Aufzählung der für die richterliche Überzeugung relevanten Umstände.[812] Im Unterschied zu der einfachen Einziehung ergibt sich aber diese Überzeugung nicht aus der Aufklärung der Tat im Hauptverfahren. Der Abschöpfungsgegenstand wird deswegen, sowohl durch den Gesetzgeber als auch in der Literatur, als Vermögen unklarer Herkunft bezeichnet. Nach dem geltenden Recht genügt es, wenn der Betroffene wegen der Anknüpfungstat, nicht wegen der Herkunftstat verfolgt wird.[813] Die Maßnahme bedarf deswegen, ähnlich wie die erweiterte Einziehung, einer Einschränkung des Abschöpfungsumfangs. Es soll zumindest präzisiert werden, dass die abzuschöpfenden Gegenstände aus der Katalogdelikten stammen müssen und nicht aus irgendeiner anderen rechtswidrigen Tat.[814] Auch der Katalog der Delikte, bei denen die Maßnahme zur Anwendung kommt, bedarf kritischer Überprüfung.[815]

dd) Formlose außergerichtliche Einziehung

i) Wirkung für den Betroffenen

Die Frage nach einer strafgleichen Wirkung stellt sich auch bei der formlosen außergerichtlichen Einziehung.[816] Sie wird als ein privatrechtlicher bzw. öffentlichrechtlicher Vertrag gesehen, durch den es zur Eigentumsübertragung nach § 929 BGB kommt.[817] Wegen der Situation des Beschuldigten könne, nach Meinung von *Ordner*, die formlose Einziehung aber eher mit einer strafrechtlichen Maßnahme als mit einem gewöhnlichen Vertrag verglichen werden. Er weist darauf hin, dass die formlose Einziehung den Vorschriften des BGB über die Wirksamkeit eines Vertrags unterliege und schon deswegen scheitern sollte. Das Rechtsgeschäft wird dabei als unwirksam oder sogar als nichtig gesehen: Für die Unwirksamkeit spreche das Fehlen einer Gestaltungs- und Verfügungsmacht über die Abschöpfungsgegenstände. Diese seien Verfahrensgegenstände und eine Disposition über sie sei nur im Rahmen des Verfahrens möglich.[818] Darüber hinaus hat man im Strafprozess nicht mit einer Verhandlungssituation zwischen zwei gleichen Vertragsparteien zu tun, sondern mit staatlicher Machtausübung, die – mit Ausnahme des Opportunitätsprinzips – keine Dispositionsbefugnis über den Verfahrensgegenstand kennt. Wie *Ordner* ausführt, kommt auch die Nichtigkeit einer solchen Verfügung nach § 138 BGB wegen einer strukturellen Unterlegenheit des Verzichtenden

---

812 Siehe oben Teil 4.II.B.1.a)hh).

813 Vgl. *Saliger*, ZStW 2017, 1022.

814 Dazu siehe oben Teil 4.II.B.1.a)hh); vgl. *Saliger*, ZStW 2017, 1025.

815 Vgl. *Meyer*, StV 2017, 345.

816 Siehe oben Teil 4.II.B.1.a)ii).

817 *Ordner*, wistra 2017, 55.

818 Siehe *Ordner*, wistra 2017, 55; *Weßlau*, StraFo 2007, 5.

infrage.[819] Das Strafverfahren ist ein Zwangssystem, und die Vermögensgegenstände, auf die verzichtet wird, sind bereits durch die Beschlagnahme im Besitz der Ermittlungsbehörde. Für den Betroffenen, der den Verzicht verweigert, erfolgt dann die Abschöpfung seiner Vermögensgegenstände. Im Falle des Verzichtes hingegen steht eine Strafmilderung im Raum. Obwohl auch in Alltagssituationen viele Verträge „durch Momente der Nötigung" geprägt seien, bestehe, so die Ansicht von *Ordner*, unter den „normalen" Bedingungen zumindest die Möglichkeit, zwischen verschiedenen Alternativen zu wählen.[820] Diese Wahl habe der Beschuldigte nicht, weswegen unter Berücksichtigung seiner Verfahrensposition der Verzichtvertrag als Ausnutzung der Zwangslage im Sinne des § 138 Abs. 2 BGB gesehen werden könne. Dafür spreche auch die Tatsache, dass der Betroffene durch den Verzichtvertrag auch auf die Rechtsmittelbefugnis verzichte.[821] Gerade wegen der Wirkung der formlosen Einziehung wird die Verlagerung dieser Entscheidung in ein separates Verfahren befürwortet: Dieses solle nach der Tatschuld- und Strafzumessungsentscheidung stattfinden. Somit solle die Entscheidung über eine schuldhafte Tatbegehung die Voraussetzung der Vermögensabschöpfung sein. Ein maßloser Zugriff auf die Vermögenswerte könne auf diesem Wege verhindert werden.[822]

ii) Zwischenbilanz

Die formlose außergerichtliche Einziehung ist als eine Maßnahme, die gegen das Schuldprinzip und die Unschuldsvermutung verstößt, zu bewerten. Der Vertrag, welcher den Verzicht auf die Vermögensgegenstände zum Inhalt hat, wird vor der Aufklärung des Sachverhalts im Strafverfahren abgeschlossen. Somit beruht die Feststellung einer Verbindung zwischen dem abzuschöpfenden Gegenstand und einer rechtswidrigen Tat nur auf einer Vermutung seiner strafrechtswidrigen Herkunft. Zum Zeitpunkt des Verzichtes ist selbst die Begehung einer rechtswidrigen Tat durch das Gericht noch nicht festgestellt worden. Wie *Ordner* ausführt, sprechen die Umstände des Vertragsabschlusses gegen eine freie Willenserklärung des Betroffenen. Dadurch, dass die Maßnahme keiner Regelung unterliegt, kann der Betroffene auch kein Rechtsmittel gegen sie einlegen.

3. Fazit

Die Untersuchung hat ergeben, dass für die Bestimmung der Rechtsnatur einer Maßnahme und somit des Anwendungsbereichs des Schuldgrundsatzes und der Unschuldsvermutung Kriterien wie der Zweck der Maßnahme und ihre Wirkung eine wichtige Rolle spielen. Die Diskussion über die Rechtsnatur der Vermögens-

---

819 *Ordner*, wistra 2017, 55.

820 Ebenda, 56.

821 Ebenda.

822 Ebenda, 57.

abschöpfung konzentriert sich auf die Maßnahmen, die für den Betroffenen einen schweren Eingriff in seine Rechte bedeuten. Gerade diese Maßnahmen sollen aus Sicht des Gesetzgebers, der Strafverfolgung und zum Teil der Literatur eine Lösung praktischer Probleme der Abschöpfung sein und ihre Effektivität verbessern. Um die Frage nach der Verfassungsmäßigkeit dieser Maßnahmen zu beantworten – Ist die materielle Übelswirkung durch den Zweck der Maßnahme legitimiert? – , wurden ihr Zweck und ihre Wirkung zusammen berücksichtigt.[823] Die Analyse hat gezeigt, dass es geboten ist, die Abschöpfung nach dem Bruttoprinzip, die erweiterte sowie die selbständige Einziehung mittels Schuldprinzip und Unschuldsvermutung einzuschränken. Diese Vermögensabschöpfungsinstrumente sind in ihrem Umfang durch den restitutiven Zweck nicht legitimiert und entfalten somit eine strafähnliche Wirkung. Sowohl bei der erweiterten als auch bei der selbständigen Einziehung müssen Zweifel an der Rechtswidrigkeit der Vermögenslage bestehen, da die Voraussetzungen für die Bestimmung des Zusammenhangs mit dem begangenen Unrecht – die Bezugstat muss der Strafverfolgung nicht bekannt sein – die Rechtswidrigkeit nicht erkennen lassen. Die materielle Wirkung der Maßnahmen wird durch ihren quasi-konditionellen Ausgleichszweck (Beseitigung einer rechtswidrigen Vermögenslage) nicht gerechtfertigt, da gerade die Rechtswidrigkeit sich wegen fehlenden Bezugs zwischen dem abzuschöpfenden Gegenstand und einer rechtswidrigen Tat nicht feststellen lässt.[824] Insbesondere bei der erweiterten Einziehung, die den Wert der primären Abschöpfungsgegenstände umfasst, ist es nach dem Bruttoprinzip möglich, mehr abzuschöpfen als aus der oder für die Tat erlangt wurde. Das BVerfG und der BGH haben die hier behandelten Abschöpfungsmaßnahmen zwar nicht für verfassungswidrig erklärt, diese jedoch verfassungskonform ausgelegt und somit den Anwendungsumfang, der sich aus dem Gesetzeswortlaut ergibt, eingeschränkt. Dieser Umstand spricht dafür, dass die strafrechtliche Vermögensabschöpfung einer Einschränkung bedarf, um den strafrechtlichen Garantien Rechnung zu tragen.

Wie hier gezeigt wurde, besteht kein Konsens über die Rechtsnatur der Vermögensabschöpfungsmaßnahmen. Vielmehr werden genau die gleichen Aspekte dieser Instrumente, nämlich ihr Zweck, ihre Wirkung für den Betroffenen und ihre Anordnung im Strafverfahren, als Argumente sowohl für als auch gegen den Strafcharakter der Maßnahmen erhoben. Ob einer Vermögensabschöpfungsmaßnahme Strafcharakter zugeschrieben wird und sie infolgedessen der einschränkenden Wirkung des Schuldgrundsatzes und der Unschuldsvermutung unterliegt, ist eine wertende Entscheidung. Darüber hinaus, wie *Saliger* zurecht ausführt, handelt es sich bei der Unterscheidung zwischen der strafrechtlichen, zivilrechtlichen und präventiv-polizeilichen Vermögensabschöpfung um Idealtypen, die in der Rechtswirk-

---

823 Vgl. *Saliger*, ZStW 2017, 1003, 1006.

824 Zu der Legitimation durch den Zweck siehe *Geiger*, Die Rechtsnatur der Sanktion, S. 76 f.

lichkeit kaum zu finden sind.[825] Aus diesen Gründen überprüft die Arbeit im weiteren Verlauf die Einschränkung der Vermögensabschöpfung nach dem Verhältnismäßigkeitsgrundsatz.[826]

C. Übergreifende verfassungsrechtliche Grenzen – Verhältnismäßigkeit der Vermögensabschöpfung

Dieser Abschnitt befasst sich mit den übergreifenden, von der strafrechtlichen Natur der Vermögensabschöpfungsmaßnahmen unabhängigen Grenzen der Vermögensabschöpfungsmaßnahmen. Nach einem Überblick über die Entwicklung des Verhältnismäßigkeitsgrundsatzes (1) werden zunächst die Anwendbarkeit dieses Grundsatzes im Strafrecht (2) und anschließend die Verhältnismäßigkeit der Schlüssel-Eingriffsnormen, also der besonders schweren Eingriffsmaßnahmen, analysiert (3).[827]

1. Überblick

Der Verhältnismäßigkeitsgrundsatz wurde in der deutschen Verfassungsrechtsdogmatik nach dem Zweiten Weltkrieg als Prüfungsmaßstab für die Entscheidungen der vollziehenden und rechtsprechenden Gewalt im vorkonstitutionellen Recht entwickelt.[828] Heute wird Verhältnismäßigkeit um das Verhältnis des Einzelnen zu den drei Staatsgewalten (Legislative, Exekutive und Judikative) erweitert und dient der Kontrolle der praktischen Umsetzung der Grundrechtsbindung der staatlichen Gewalt.[829] Zur Entwicklung des Grundsatzes haben die Habilitationsschrift von *Lerche* von 1961 und die ein Jahr später erschienene Dissertation von *Häberle* wichtige Beiträge geleistet.[830] Während sich *Lerche* vor allem mit der Verhältnismäßigkeitsprüfung der individuell-konkreten Norm befasste, lag bei *Häberle* der

---

825 *Saliger*, ZStW 2017, 1003.

826 Die Frage, ob Einziehung eine strafähnliche Sanktion ist, bleibt ein wichtiges Problem auf der internationalen Ebene. Von der Antwort ist beispielsweise die Anwendung von Art. 6 EMRK abhängig. Siehe *Rui/Sieber*, in: Rui/Sieber (Hrsg.), Non-Conviction-Based Confiscation, S. 248.

827 Die Prüfung kann grundsätzlich auf zwei Ebenen erfolgen. Zum einen bezieht sie sich auf das Verhältnis Grundrechte – Gesetz, zum anderen auf das Verhältnis Grundrechte – Einzelakt. Vgl. *Poscher*, Grundrechte als Abwehrrechte, S. 325. Die vorliegende Untersuchung überprüft die abstrakten Anforderungen an die Abschöpfungsnormen. Dazu siehe *Poscher*, Grundrechte als Abwehrrechte, S. 330.

828 Vgl. BVerfGE 6, 32; BVerfGE 7, 198; BVerfGE 7, 377; BVerfGE 8, 71; BVerfGE 8, 274. Zur Entwicklung des Verhältnismäßigkeitsgrundsatzes siehe *Lepsius*, in: Jestaedt/Lepsius (Hrsg.), Verhältnismäßigkeit, S. 2 ff.

829 *Lepsius*, in: Jestaedt/Lepsius (Hrsg.), Verhältnismäßigkeit, S. 4.

830 Siehe *Lerche*, Übermaß und Verfassungsrecht, 1961; *Häberle*, Die Wesensgehaltgarantie, 1962.

Schwerpunkt auf den generell-abstrakten Aspekten der Verhältnismäßigkeit. Sein Ausbau der Grundrechte zur objektiven, materiellen Grundlage der pluralistischen Demokratie hat neue Anwendungsbereiche für den Verhältnismäßigkeitsgrundsatz eröffnet.[831] Neben dem subjektiven Abwehrrecht gegen individuelle Entscheidungen ist der Verhältnismäßigkeitsgrundsatz zum Prüfungsmaßstab für die Entscheidungen des Gesetzgebers geworden. Die weitere Rechtsentwicklung führte zur Verselbständigung des Grundsatzes in den 1970er Jahren. Der Verhältnismäßigkeitsgrundsatz ist zu einem selbständigen, im Rechtsstaatsprinzip verankerten Maßstab geworden.[832] Der heute gängige Prüfungsaufbau wurde 1985 von *Pieroth* und *Schlink* in ihrem Grundrechtslehrbuch ausgearbeitet.[833] Verhältnismäßigkeit wird in drei Stufen – Geeignetheit, Erforderlichkeit und Angemessenheit – geprüft.[834] Der Prüfung geht die Ermittlung eines legitimen Zwecks der Regelung voraus.[835] Ein großer Vorteil des Verhältnismäßigkeitsgrundsatzes ist seine universale Anwendbarkeit, welche eine Grundrechtsdogmatik ohne „unübersichtliche Kasuistik mit fallgruppenspezifischen Abgrenzungen" möglich macht.[836] Ein großer Nachteil, der in der Natur der Verhältnismäßigkeitsprüfung liegt, ist jedoch, dass sie nur retrospektiv durchgeführt werden kann. Die Verhältnismäßigkeit scheint demnach für eine zukunftsorientierte Prüfung noch nicht geltender Normen durch den Gesetzgeber kaum konkretisierbar zu sein.[837] In der Praxis wird deswegen die Verhältnismäßigkeit gesetzgeberischer Entscheidungen grundsätzlich angenommen, sie kann aber fallweise durch das Gericht verneint werden. Die Prüfung der gesetzlichen Normen berücksichtigt dabei die Ermessensspielräume,

---

831 *Lepsius*, in: Jestaedt/Lepsius (Hrsg.), Verhältnismäßigkeit, S. 7; zum Verhältnismäßigkeitsgrundsatz als Mittel zur Durchsetzung der Grundrechtsbindung des Gesetzgebers siehe *Poscher*, Grundrechte als Abwehrrechte, S. 46.

832 *Lepsius*, in: Jestaedt/Lepsius (Hrsg.), Verhältnismäßigkeit, S. 8, 14; siehe auch *Stern*, FS Lerche, S. 177 ff.; BVerfGE 92, 277 - DDR-Spione; zur Einschränkung der Einziehung durch den Verhältnismäßigkeitsgrundsatz siehe *Belusa*, Das Übermaßverbot, S. 8 ff.

833 *Pieroth/Schlink*, Grundrechte, Rn. 310 ff.

834 Während lange Zeit der Schwerpunkt dieser Prüfung auf der Angemessenheit lag, gewinnt angesichts der Entwicklung des Sicherheitsrechts die Kontrolle der Geeignetheit und Erforderlichkeit an Bedeutung. Vgl. BVerfGE 115, 118 – Luftsicherheit; siehe auch *Lepsius*, Rechtsstaat unter Bewährungsdruck, S. 48; *Heine*, JZ 1995, 653.

835 Siehe *Lepsius*, in: Jestaedt/Lepsius (Hrsg.), Verhältnismäßigkeit, S. 17; *Kaspar*, Verhältnismäßigkeit und Grundrechtsschutz, S. 114 ff.

836 *Lepsius*, in: Jestaedt/Lepsius (Hrsg.), Verhältnismäßigkeit, S. 4. Zur Rolle des Verhältnismäßigkeitsgrundsatzes siehe auch *Kaspar*, Verhältnismäßigkeit und Grundrechtsschutz, S. 75 ff.; *Poscher*, in: Korioth/Vesting (Hrsg.), Der Eigenwert des Verfassungsrechts, S. 253 f.; *Poscher*, FS für Würtenberger, S. 1043. Für die Entscheidungen aller drei Gewalten gilt das eine Prüfungsschema. In der Rechtsprechung des BVerfG verschwindet auch der Unterschied zwischen der individuell-konkreten und generell-abstrakten Prüfung, da die erste als objektive Vorentwicklung des Verfassungsrechts gesehen wird. Siehe *Lepsius*, in: Jestaedt/Lepsius (Hrsg.), Verhältnismäßigkeit, S. 12.

837 *Lepsius*, in: Jestaedt/Lepsius (Hrsg.), Verhältnismäßigkeit, S. 12.

Einschätzungen und Beurteilungsprärogativen des Gesetzgebers.[838] Wie weit diese Spielräume sind, wird von Fall zu Fall durch das BVerfG entschieden.[839]

2. Anwendbarkeit und Grenzen der Verhältnismäßigkeitsprüfung

Die Verhältnismäßigkeit als Prüfungsmaßstab im Strafrecht stößt an ihre Grenzen.[840] Die Frage nach der Verhältnismäßigkeit einer strafrechtlichen Maßnahme bedeutet, dass es um die Beurteilung geht, ob die Maßnahme ein geeignetes, erforderliches und angemessenes Mittel zur Erreichung der gewünschten generell- und spezialpräventiven Zwecke ist. Die Überlegung führt zu den nicht leicht zu beantwortenden Fragen nach den Zwecken des Strafgesetzes. Schwierigkeiten ergeben sich dabei aus der Tatsache, dass Gesetze ein Ergebnis politischer Kompromisse sind. Gerade deswegen ist eine eindeutige Zweckbestimmung von Gesetzen schwer, wenn nicht gar unmöglich.[841] Vielfach handelt es sich auch um Normen mit prognostischen Tatbeständen. Es fehlt daher an prüfungsrelevanten Tatsachen, weswegen die Angemessenheit nur hypothetisch geprüft werden kann. Letztendlich ist dann die Prüfung eine Diskussion über die rechtspolitische Zweckmäßigkeit der Maßnahme.[842] Dazu kommt die Schwierigkeit der Abwägung subjektiver Rechte gegen kollektive Sicherheitsinteressen, die normalerweise dem Recht des Einzelnen übergeordnet werden.[843] Das Problem ist mit dem Verhältnismäßigkeitsgrundsatz nicht zu lösen, wenn Grundrechte und Staatsaufgaben einander gegenübergestellt werden. Für die Verhältnismäßigkeitsprüfung braucht man konkrete Rechtspositionen, also abwägungsfähige Rechtsgüter.[844]

Die Überprüfung der Verhältnismäßigkeit der Strafrechtsnormen bedeutet, das Übermaßverbot auf die Einschränkungen der Freiheitsrechte, welche diese Normen darstellen, anzuwenden.[845] Die Angemessenheitskontrolle bezieht sich auf das Verhältnis zwischen dem Grundrechtseingriff als Mittel und dem Zweck der Maßnahme. Sie bildet den Prüfungsschwerpunkt, weil die Beurteilung der Geeignetheit und Erforderlichkeit einer Maßnahme die Kenntnis von Tatsachen voraussetzt. Im Ge-

---

838 Vgl. *Poscher*, Grundrechte als Abwehrrechte, S. 328.

839 Dazu kritisch *Lepsius*, in: Jestaedt/Lepsius (Hrsg.), Verhältnismäßigkeit, S. 11.

840 Vgl. ebenda, S. 30.

841 Siehe ebenda, S. 37.

842 Ebenda, S. 32.

843 Vgl. ebenda, S. 34; *Gusy*, in: Kokott u.a. (Hrsg.), Die Staatsrechtslehre, S. 151 ff.

844 Die Abwägung ist umso schwerer, da der verfassungsrechtliche Status von Sicherheit unklar ist. Siehe *Lepsius*, in: Jestaedt/Lepsius (Hrsg.), Verhältnismäßigkeit, S. 34; *Poscher*, in: Korioth/Vesting (Hrsg.), Der Eigenwert des Verfassungsrechts, S. 253 ff. Zur Verhältnismäßigkeit und Rechtsgüterschutz siehe ausführlich *Kaspar*, Verhältnismäßigkeit und Grundrechtsschutz, S. 211 ff.

845 Die Verhältnismäßigkeitsprüfung umfasst auch die Kontrolle des Untermaßverbotes bei den Schutzpflichten und des Gleichmaßgebotes für die Rechtfertigung der Ungleichbehandlung. Siehe *Lothar*, in: Jestaedt/Lepsius (Hrsg.), Verhältnismäßigkeit, S. 56.

setzgebungsprozess kann aber die Einführung neuer Normen auf Prognosen und Annahmen gestützt werden.[846] Dem Gesetzgeber steht somit in Bezug auf die Geeignetheit und Erforderlichkeit ein Ermessensspielraum zu.[847]

3. Verhältnismäßigkeit der Vermögensabschöpfung

Im Rahmen der Reform der strafrechtlichen Vermögensabschöpfung wurden die Abschöpfungsmaßnahmen ausgebaut, um die Effektivität der Vermögensabschöpfung zu verbessern. Die hier untersuchte Frage nach der Verhältnismäßigkeit der Vermögensabschöpfung wird insbesondere wegen der gesetzlich eingeführten Beweiserleichterungen gestellt. Wenn der Bezug zwischen der Straftat und dem einzuziehenden Vermögensgegenstand nicht vom Staat nachgewiesen werden muss, trägt der Betroffene das Risiko, die (legale) Herkunft seines Vermögens zu erklären und somit die objektive Beweislast.[848] Beweiserleichterungen vereinfachen somit einerseits den Zugriff auf strafrechtswidrig erlangtes Vermögen, andererseits muss aber die Einziehung des legal Erworbenen in Kauf genommen werden.[849] Die vermeintlich – da nicht nachgewiesene – rechtswidrige Vermögenslage kann deswegen nicht um jeden Preis beseitigt werden.[850] So soll überprüft werden, ob die Beweiserleichterungen die Effektivität der Vermögensabschöpfung verbessern und dabei die Grundrechte angemessen einschränken.[851]

Im ersten Schritt werden die durch Abschöpfungsmaßnahmen beeinträchtigten Grundrechte erläutert (a)). Danach wird die Verhältnismäßigkeit der Schlüssel-Eingriffsnormen erörtert (b)). Dabei geht es zunächst um die Bedeutung der Prüfung der Geeignetheit und Erforderlichkeit der Abschöpfungsnormen (aa)). Darauf folgt eine Analyse der Angemessenheit der Schlüssel-Eingriffsnormen (bb)).

---

846 *Lepsius*, in: Jestaedt/Lepsius (Hrsg.), Verhältnismäßigkeit, S. 14. Darüber hinaus, wenn diese Normen die Eigentumsgarantie betreffen, gehören sie nach h.M. zu der Inhalts- und Schrankenbestimmung des Eigentumsgrundrechts und unterliegen deswegen nicht der Prüfung der Geeignetheit und Erforderlichkeit. Siehe Dreier-*Wieland*, Grundgesetz, Art. 14 Rn. 144.

847 *Lothar*, in: Jestaedt/Lepsius (Hrsg.), Verhältnismäßigkeit, S. 48. Im Hintergrund ist die Annahme, dass auch der Maßnahmen, die keine Strafen sind, in einem Rechtsstaat Grenzen gesetzt werden sollen. Vgl. *Steiker*., Journal of Criminal Law and Criminology 88 (1998), 771 ff.

848 *Heckmann*, ZRP 1995, 2; siehe auch *Meyer*, NZWiSt 2018, 246 f.

849 *Heckmann*, ZRP 1995, 2; siehe auch *Rönnau/Begemeier*, JZ 2018, 448 f.

850 Vgl. *Esser*, in: Rui/Sieber (Hrsg.), Non-Conviction-Based Confiscation in Europe, S. 91.

851 Siehe *Roxin*, Strafrecht AT I, S. 99; BVErfGE 23, 127, 133. Zur Notwendigkeit eines grundrechtsorientierten Ansatzes siehe *Rui/Sieber*, in: Rui/Sieber (Hrsg.), Non-Conviction-Based Confiscation in Europe, S. 302.

a) *Verfassungsrechtliche Garantien*

Aus der Analyse der Rechtsnormen ergibt sich, dass die Abschöpfungsmaßnahmen für den Betroffenen zwei Arten von Rechtsfolgen haben: Sie können den Eigentumsverlust oder eine Zahlungspflicht bedeuten. Der Eigentumsverlust betrifft einen konkreten Vermögenswert, die Zahlungspflicht bezieht sich nicht auf einen konkreten Gegenstand. Diese Unterscheidung kann Auswirkungen darauf haben, welches Grundrecht den Betroffenen vor dem Eingriff des Staates schützt. Durch die Vermögensabschöpfungsmaßnahmen werden somit die Eigentumsgarantie und die allgemeine Handlungsfreiheit beeinträchtigt.

aa) Eigentumsgarantie nach Art. 14 GG

Die Eigentumsgarantie ist ein normgeprägtes Grundrecht: Den Schutz des Eigentums gewährt Art. 14 GG. Der verfassungsrechtliche Eigentumsbegriff ist weiter als der zivilrechtliche gefasst, und sein Inhalt wird auch durch öffentlich-rechtliche Normen bestimmt.[852] Verfassungsrechtlichen Schutz genießt somit, neben Grundeigentum und Eigentum an beweglichen Sachen, jedes private Vermögensrecht, das „für Persönlichkeitsentfaltung und Existenzsicherung funktional die gleiche Bedeutung wie Sacheigentum" hat.[853] Vermögensabschöpfungsmaßnahmen, die den Eigentumsübergang eines dieser Gegenstände an den Staat zur Folge haben, betreffen den Schutzbereich der Eigentumsgarantie. Die Vermögensabschöpfung wird als eine mit strafrechtlicher Verurteilung verbundene Maßnahme von der in Art. 14 Abs. 3 GG geregelten Enteignung unterschieden.[854] Die Vermögensabschöpfung unterscheidet sich von der Enteignung insbesondere durch ihren Zweck. Während die Enteignung zu einer bestimmten, am Gemeinwohl orientierten Nutzung des Eigentums führen soll, verfolgt die Vermögensabschöpfung Sicherungszwecke oder Strafzwecke.[855]

Die Beeinträchtigung des Eigentumsrechts durch Vermögenabschöpfung kann im Sinne der von *Eser* entwickelten Verwirkung des Grundrechtsschutzes gesehen werden.[856] Die Verwirkung des Grundrechtsschutzes wird aus Art. 18 GG abgeleitet und bedeutet, dass missbräuchliche Ausübung der Grundrechte zum Verlust des Schutzanspruches führt.[857] Die Verstrickung eines Vermögensgegenstandes in eine Straftat wird als Missbrauch bewertet, woraus sich ergibt, dass der Gegenstand

---

852 Vgl. Dreier-*Wieland*, Grundgesetz, Art. 14 Rn. 48 ff., 144; *Kingreen/Poscher*, Grundrechte, Rn. 1036.

853 *Kingreen/Poscher*, Grundrechte, Rn. 1036; siehe auch Dreier-*Wieland*, Grundgesetz, Art. 14 Rn. 57 ff.

854 Vgl. *Kingreen/Poscher*, Grundrechte, Rn. 1053 ff.; *Julius*, ZStW 1997, 68 f.

855 Siehe *Julius*, ZStW 1997, 68 f. m.w.N.; BVerfGE 22, 387, 422.

856 *Eser*, Sanktionen gegen das Eigentum, S. 170 ff.

857 Ebenda, S. 176 ff., 186 ff.

vom Schutzbereich des Art. 14 GG nicht umfasst ist. Mit anderen Worten, der Schutz des Art. 14 GG beschränkt sich auf einen Gebrauch der Eigentumsgegenstände, der nicht gemeinwohlwidrig ist.[858] Die Sozialbindung des Eigentums wird jedoch grundsätzlich als eine an den Gesetzgeber gerichtete Direktive gesehen. Die Rechtsprechung des BVerfG bestätigt diese Ansicht: Das Eigentumsobjekt müsse in einem sozialen Bezug und in einer Funktion stehen, damit die Sozialbindung auch für die Grundrechtsinhaber gelte.[859] Darüber hinaus verwirkt gemäß Art. 18 GG der Grundrechtsinhaber sein Recht, wenn er Eigentum zum Kampf gegen die freiheitliche demokratische Grundordnung missbraucht. Aus den genannten Gründen wird die Vereinbarkeit der Vermögensabschöpfungsmaßnahmen mit der Eigentumsgarantie nicht mithilfe der Verwirkungstheorie entschieden.[860] In der Rechtsprechung des BVerfG wird vom Eigentumsverlust infolge einer strafrechtlichen Verurteilung als Inhalts- und Schrankenbestimmung des Eigentumsrechts gesprochen.[861] Das BVerfG lässt somit zu, dass Inhalts- und Schrankenbestimmungen für das Eigentumsrecht im Wege einfacher Gesetzgebung geschaffen werden.[862] Der Gesetzgeber darf bestimmen, was „Eigentum" im Sinne des Grundgesetzes bedeutet.[863] Die gesetzlichen Normen, die den Inhalt und die Schranken des Eigentums gestalten, sollen dabei nicht der Prüfung der Geeignetheit und Erforderlichkeit unterliegen.[864]

bb) Allgemeine Handlungsfreiheit nach Art. 2 Abs. 1 GG

Die Anwendbarkeit der Eigentumsgarantie auf Maßnahmen, die einen Zahlungsanspruch des Staates begründen, wie die Wertersatzeinziehung oder die Geldbuße im Ordnungswidrigkeitenrecht, ist umstritten.[865] Der 1. Senat des BVerfG vertritt die Meinung, dass Art. 14 GG nicht vor auferlegten Zahlungspflichten schützt, da

---

[858] Ebenda, S. 180 ff.

[859] *Julius*, ZStW 1997, 65 f.; zur Sozialbindung des Eigentums siehe BVerfGE 37, 132, 140; BVerfGE 42, 263, 294; zur Grundrechtsbindung siehe *Poscher*, Grundrechte als Abwehrrechte, S. 351 f.

[860] Vgl. *Julius*, ZStW 1997, 62.

[861] BVerfGE 22, 387, 422; BVerfGE 58, 300, 330; vgl. BVerfGE 110, 1, 1 ff.; siehe auch *Julius*, ZStW 1997, 98.

[862] Vgl. *Kingreen/Poscher*, Grundrechte, Rn. 1066.

[863] BVerfGE 58, 300, 338; BVerfGE 70, 191, 200; BVerfGE 110, 1, 1 ff. Die Befugnis des Gesetzgebers zur Inhalts- und Schrankenbestimmung des Eigentumsgrundrechtes bedeutet aber nicht Schutzlosigkeit des Betroffenen. Die Grenzen setzt insbesondere die Verhältnismäßigkeitsprüfung individueller Entscheidungen; siehe *Julius*, ZStW 1997, 71.

[864] Dreier-*Wieland*, Grundgesetz, Art. 14 Rn. 144; der BVerfG prüft aber die Geeignetheit und Erforderlichkeit, vgl. BVerfGE 70, 278, 286 f.; BVerfGE 75, 78, 97 ff.; BVerf GE 102, 1, 17; kritisch dazu Dreier-*Wieland*, Grundgesetz, Art. 14 Rn. 145; *Lepsius*, in: Jestaedt/Lepsius (Hrsg.), Verhältnismäßigkeit, S. 11 f.

[865] Vgl. *Rönnau/Begemeier*, GA 2017, 6; *Kingreen/Poscher*, Grundrechte, Rn. 1039.

diese keine konkreten Eigentumspositionen betreffen.[866] Das Vermögen als solches, im Sinne einer Zusammenfassung der Vermögenswerte eines Einzelnen, wird durch Art. 14 nicht geschützt.[867] Der Eingriff müsse eine konfiskatorische Wirkung haben, damit der Schutzbereich der Eigentumsgarantie eröffnet werde, so das BVerfG. Würden die hoheitlichen Geldleistungspflichten als ein Eingriff in das Eigentumsrecht gesehen, könnten sie auch eine Entschädigungspflicht des Staates auslösen.[868] Art. 14 GG schützt also nicht das Vermögen als solches. Einen allgemeinen Vermögensschutz gewährleistet jedoch Art. 2 Abs. 1 GG.[869] Die allgemeine Handlungsfreiheit greift als ein Auffanggrundrecht überall dort, wo kein spezielles Freiheitsrecht einschlägig gilt, sodass ein lückenloser Grundrechtsschutz gewährleistet wird.[870] Im Rahmen der allgemeinen Handlungsfreiheit wird auch der allgemeine Vermögensschutz gewährleistet.[871] Nach der Rechtsprechung des BVerfG findet die Norm Anwendung auf Abgaben wie Steuern und andere Formen von Geldleistungspflichten, aber auch auf die Auferlegung von Geldstrafen und Geldbußen.[872] Infolgedessen ist eine Vermögensabschöpfungsmaßnahme ein Grundrechtseingriff in die allgemeine Handlungsfreiheit gemäß Art. 2 Abs. 1 GG, wenn die Maßnahme eine Zahlungspflicht begründet und sich nicht gegen eine konkrete Eigentumsposition richtet.[873] Der 2. Senat vertritt hingegen die Auffassung, die Eigentumsgarantie umfasse das Recht, einen in „einer Eigentumsposition erhaltenen Vermögenswert zu nutzen".[874] Inzwischen wird der Standpunkt, dass Art. 14 auch das Vermögen im Allgemeinen schütze, zunehmend vertreten.[875] Der Schutz des abstrakten Vermögens im Rahmen der Eigentumsgarantie nach Art. 14 GG wird dann bejaht, wenn die Geldleistungspflichten den Betroffenen dermaßen belasten, dass dadurch seine Vermögensverhältnisse grundlegend verändert werden.[876]

---

866 Siehe BVerfGE 4, 7, 17; BVerfGE 8, 274, 330 ständige Rechtsprechung; Dreier-*Wieland*, Grundgesetz, Art. 14 Rn. 65 f.; *Kingreen/Poscher*, Grundrechte, Rn. 1039; zur Reichweite der Eigentumsgarantie im Steuerrecht siehe *Kube*, in: Jestaedt/Lepsius (Hrsg.), Verhältnismäßigkeit, S. 165 ff.

867 Kingreen/Poscher, Grundrechte, Rn. 1039.

868 Dreier-*Wieland*, Grundgesetz, Art. 14 Rn. 67.

869 BVerfGE 63, 343, 368.

870 Siehe Dreier-*Dreier*, Grundgesetz, Art. 2 Abs. 1 Rn. 28; *Kingreen/Poscher*, Grundrechte, Rn. 436 ff.; kritisch zur Gegenmeinung, sog. Persönlichkeitskerntheorie, siehe Dreier-*Dreier*, Grundgesetz, Art. 2 Abs. 1 Rn. 27.

871 *Rönnau/Begemeier*, GA 2017, 6; Dreier-*Dreier*, Grundgesetz, Art. 2 Abs. 1 Rn. 33.

872 Vgl. BVerfGE 90, 145, 171; BVerfGE 92, 191, 196; BVerfG NJW 2004, 2662, 2662; BVerfG NJW-PR 2007, 860, 861.

873 Ein strafbares Verhalten befindet sich zwar nicht im Schutzbereich des Art. 2 Abs. 1 GG, aber Vermögensabschöpfung knüpft in den meisten Fällen an die Rechtswidrigkeit der Tat. Vgl. Dreier-*Dreier*, Grundgesetz, Art. 2 Abs. 1 Rn. 30.

874 Vgl. BVerfGE 93, 121, 138; Dreier-*Wieland*, Grundgesetz, Art. 14 Rn. 66.

875 Dreier-*Wieland*, Grundgesetz, Art. 14 Rn. 67 m.w.N.

876 Vgl. BVerfGE 14, 221, 241; BVerfGE 19, 119, 128 f.; BVerfGE 23, 288, 315; BVerfGE 30, 250, 271 f.; BVerfGE 63, 312, 327; BVerfGE 82, 159, 190.

cc) Zwischenbilanz

Im weiteren Verlauf schließt sich die Untersuchung der Ansicht an, dass sowohl die Vermögensabschöpfungsmaßnahmen, die im Übergang des Eigentums auf den Staat resultieren, als auch diejenigen, die die Vermögensverhältnisse des Betroffenen grundlegend verändern, als Eingriffe in die Eigentumsgarantie zu verstehen sind.[877] Dies ist damit begründet, dass in diesem Teil der Arbeit die Schlüssel-Eingriffsnormen im Vordergrund stehen. Diese Vermögensabschöpfungsmaßnahmen, als Eingriffe in das Eigentumsrecht, gehören zu den Schrankenbestimmungen dieses Rechts.[878] Als solche müssen sie dem Grundsatz der Verhältnismäßigkeit entsprechen.[879]

b) Verhältnismäßigkeitsprüfung

Die Verhältnismäßigkeitsprüfung erfolgt in drei Schritten: Es wird die Geeignetheit, Erforderlichkeit und Angemessenheit eines Grundrechtseingriffs geprüft.[880] Wegen des Ermessensspielraums, der dem Gesetzgeber in Bezug auf die Geeignetheit und Erforderlichkeit der Maßnahmen zusteht, konzentriert sich die Prüfung auf die Angemessenheit des Grundrechtseingriffs (Verhältnismäßigkeit i.e.S.).[881]

aa) Geeignetheit und Erforderlichkeit des Grundrechtseingriffs

Die Prüfung der Geeignetheit und Erforderlichkeit der Vermögensabschöpfung beschäftigt sich mit der Frage, ob die Maßnahmen tatsächlich zur Verwirklichung des vorausgesetzten Zwecks beitragen können und dazu erforderlich sind.[882] Aus den oben genannten Gründen findet diese Prüfung bei der Vermögensabschöpfung in eingeschränktem Umfang Anwendung.[883] Auch die Rechtsprechung des BVerfG

---

[877] Vgl. BVerfGE 14, 221, 241; BVerfGE 19, 119, 128 f.; BVerfGE 23, 288, 315; BVerfGE 30, 250, 271 f.; BVerfGE 63, 312, 327; BVerfGE 82, 159, 190.

[878] Vgl. BVerfGE 22, 387, 422; BVerfGE 58, 300, 330; siehe auch *Kingreen/Poscher*, Grundrechte, Rn. 1049 ff.; zur strafrechtlichen Sanktion als Grundrechtseingriff siehe *Kaspar*, Verhältnismäßigkeit und Grundrechtsschutz, S. 364 f. m.w.N.

[879] *Kingreen/Poscher*, Grundrechte, Rn. 1079.

[880] Vgl. *Kaspar*, Verhältnismäßigkeit und Grundrechtsschutz, S. 124 ff.; *Poscher*, Grundrechte als Abwehrrechte, S. 325.

[881] Siehe oben Teil 5.III.C.2. Zu den strafrechtlichen Sanktionen als Grundrechtseingriffen siehe *Kaspar*, Verhältnismäßigkeit und Grundrechtsschutz, S. 619 ff.

[882] Zur Bedeutung vom Regelungszweck siehe *Poscher*, Grundrechte als Abwehrrechte, S. 326 ff.

[883] Siehe BVerfGE 110, 1, 24, 28; andere Auffassungen in der Literatur siehe *Berg*, Beweiserleichterungen bei der Gewinnabschöpfung, S. 201; *Hoyer*, GA 1993, 413; *Julius*, ZStW 1997, 96 ff.; *Köhler/Beck*, JZ 1991, 799; *Perron*, JZ 1993, 920 ff.; *Sotiriadis*, Gewinnabschöpfung und Geldwäsche, S. 190 ff.; *Weßlau*, StV 1991, 232 ff.; anders *Katholnigg*, JR 1994, 355; *Krey/Dierlamm*, JR 1992, 357.

schließt nur ganz untaugliche Mittel aus.[884] Trotzdem sind einige Kritikpunkte an der Geeignetheit und Erforderlichkeit von Vermögensabschöpfungsmaßnahmen zur Erreichung der durch den Gesetzgeber genannten Zwecke erwähnenswert.

Für die Stärkung der Gewinnabschöpfung wird in der Regel argumentiert, die Maßnahmen würden gebraucht, um die Handlungsmöglichkeiten krimineller Organisationen einzuschränken.[885] Ob die Vermögensabschöpfung geeignet ist, um diesen Zweck zu verwirklichen, wird aber in der Literatur hinterfragt. Durch die relativ dezentralen Strukturen der Organisierten Kriminalität in Deutschland können die Vermögensabschöpfungsmaßnahmen keinen großen Erfolg in der Bekämpfung dieses Kriminalitätsbereiches versprechen, weil die Maßnahmen dann eher Einzelpersonen als ganze Gruppen treffen.[886] Ein langfristiger Einfluss der Vermögensabschöpfung auf die Organisierte Kriminalität ist daher wenig Erfolg versprechend. Wenn sich die Verfolgung auf Führungsstrukturen der Organisierten Kriminalität konzentriere, würden die „Marktlücken" schnell geschlossen. Auf den unteren Hierarchieebenen der Organisierten Kriminalität dagegen könne die Strafverfolgung nur punktuell wirken und dadurch auch keinen großen Erfolg erzielen.[887]

Die generalpräventive Wirkung der Vermögensabschöpfung wird beanstandet, obwohl sie empirisch weder bestätigt noch widerlegt werden kann.[888] Der Gesetzgeber nimmt an, dass die Gewinnerwartung ein wichtiges Motiv der Straftatenbegehung ist. Aus psychologischer Sicht ist die Annahme verständlich, aber der Gesetzgeber hat auf diese Motivation mittels Vermögensabschöpfung keinen Einfluss. Dem Täter können die Gewinne nur im Nachhinein entzogen werden, was nicht als abschreckender Umstand wahrgenommen wird.[889] Aus der Täterperspektive bedeutet der Ausbau der Vermögensabschöpfungsmaßnahmen Kostenmaximierung des Normbruchs, vorausgesetzt, dass der Täter die Einziehungsregelung und ihre Konsequenzen für seine Handlung versteht.[890] Vorausgesetzt, die strafbare Handlung ist gewinnorientiert (was auch nicht immer zutrifft),[891] kalkuliert der Täter den Entzug des Gewinns mit ein, da er das Risiko, entdeckt und verurteilt zu werden, bewusst eingeht.[892] Bei Organisierter Kriminalität, die auf dem Schwarzmarkt agiert, spielt die Berechnung des Risikos, die Gewinne zu verlieren, eine noch geringere Rol-

---

884 Siehe *Julius*, ZStW 1997, 97.

885 Siehe *Meyer*, StV 2017, 343 ff.

886 *Perron*, JZ 1993, 921 f.

887 Ebenda, 922.

888 Siehe *Roxin*, Strafrecht AT I, S. 81; *Boucht*, The Limits of Asset Confiscation, S. 105 ff.; mit Verweis auf kriminologische Befunde, auch aus den anderen Rechtsordnungen siehe *Herzog*, FS Lüderssen, S. 244 f.

889 *Perron*, JZ 1993, 921 m.w.N.

890 *Boucht*, The Limits of Asset Confiscation, S. 107.

891 Ebenda, S. 108.

892 Vgl. Kindhäuser u.a.-*Albrecht*, Strafgesetzbuch, § 43a Rn. 9; *Herzog*, FS Lüderssen, S. 244.

le.[893] Möglicherweise stützt sich die Gesetzesbegründung bei der letzten Reform deswegen auf die positive Generalprävention in Form von Normstabilisierung und Stärkung des Vertrauens der Bevölkerung in die Unverbrüchlichkeit der Rechtsordnung.[894] Mittels der Vermögensabschöpfung soll der Allgemeinheit das Gefühl vermittelt werden, dass der Staat im Rahmen des ihm Möglichen alles tue, um die Kriminalität zu bekämpfen. Fraglich ist aber, ob nicht das Gegenteil erreicht wird, wenn sich die Bekämpfung als nicht effektiv erweist.[895]

bb) Angemessenheit des Grundrechtseingriffs

Der Schwerpunkt der Verhältnismäßigkeitsprüfung liegt, angesichts der eingeschränkten Möglichkeiten, die Geeignetheit und Erforderlichkeit der Maßnahmen zu kontrollieren, auf der Angemessenheit dieser Grundrechtseingriffe. Angemessenheit, auch Verhältnismäßigkeit im engeren Sinne genannt, ist eine Rechtsfrage und eine Wertungsentscheidung, welche sich aus der Zweck-Mittel-Relation ergibt.[896] Dieser Frage wird hier in Bezug auf die wegen ihrer Eingriffsintensität kritisierten Abschöpfungsinstrumente nachgegangen.

i) Gewinnabschöpfung nach dem Bruttoprinzip[897]

Im Zuge der Reform vom 13. April 2017 ist der Gesetzgeber den Kritikern entgegengekommen und hat die Bruttoeinziehung eingeschränkt. Der Zweck der Gewinnabschöpfung nach dem Bruttoprinzip ist die Beseitigung einer rechtswidrigen Vermögenslage.[898] Die Anwendung des Bruttoprinzips wird als eine Konsequenz aus der am Bereicherungsrecht orientierten Risikozuweisung – wer sein Vermögen in Verbotenes investiert, muss dessen Verlust in Kauf nehmen – gesehen.[899] Zum Einziehungsgegenstand gehören die Aufwendungen, die für die Tatbegehung und -vorbereitung getätigt wurden.[900] Somit ist aber die Konstellation, in der mehr abgeschöpft wird, als erlangt wurde, auch nach der geltenden Fassung des § 73d Abs. 1 StGB nicht ausgeschlossen, da die Aufwendungen für die Vorbereitung und

---

893 Siehe *Smettan*, Kriminelle Bereicherung, 1992.

894 Vgl. Deutscher Bundestag, 18. Wahlperiode, BT-Drs. 18/9525, S. 45, 65.

895 *Perron*, JZ 1993, 923; siehe auch *Boucht*, The Limits of Asset Confiscation, S. 108.; *Keusch*, Probleme des Verfalls im Strafrecht, S. 165.

896 *Lepsius*, in: Jestaedt/Lepsius (Hrsg.), Verhältnismäßigkeit, S. 14 ff.; siehe auch *Kaspar*, Verhältnismäßigkeit und Grundrechtsschutz, S. 164 ff.; *Poscher*, Grundrechte als Abwehrrechte, S. 326 ff.

897 Siehe oben Teil 4.II.B.1.

898 Deutscher Bundestag, 18. Wahlperiode, BT-Drs. 18/9525, S. 55 f.

899 Siehe oben Teil 4.III.B.2.b)aa); vgl. Deutscher Bundestag, 18. Wahlperiode, BT-Drs. 18/9525, S. 67 f.

900 Siehe *Rübenstahl*, NZWiSt 2018, 255 ff.

Begehung der Tat nicht abzugsfähig sind.[901] Dabei wird nicht nur das in eine Straftat investierte Vermögen eingezogen, obwohl die Vorbereitung selbst in der Regel keine strafbare Handlung darstellt. Die Gewinnabschöpfung nach dem Bruttoprinzip betrifft jedoch nicht ausschließlich schwere Delikte, sondern findet bei jeder Straftat Anwendung. Gegen die Verhältnismäßigkeit der Grundrechtseingriffs spricht aber vor allem die Anwendung des Bruttoprinzips auf die Bestimmung des Abschöpfungsumfangs bei der erweiterten Einziehung.[902]

Aus der Anwendung des Bruttoprinzips ergibt sich hinsichtlich der Verhältnismäßigkeit des Grundrechtseingriffs auch ein anderes Problem, nämlich die unterschiedliche Eingriffsintensität, je nachdem, ob gegen den Betroffenen die primäre Einziehung des Erlangten oder die sekundäre Einziehung des Wertes angeordnet wird. Bei der Abschöpfung des Erlangten werden nämlich die Aufwendungen nicht berücksichtigt.[903]

ii) Erweiterte Einziehung[904]

Die erweiterte Einziehung richtete sich ursprünglich gegen die Organisierte Kriminalität, heute ist sie zu einem Instrument zur Korrektur strafrechtswidriger Vermögenslagen geworden.[905] Die Angemessenheitsabwägung betrifft somit das Individualinteresse, das Vermögen zu erhalten, das dem Interesse der Allgemeinheit an einer rechtmäßigen Vermögensverteilung entgegensteht. Dabei muss aber berücksichtigt werden, dass gerade bei der erweiterten Einziehung die Rechtswidrigkeit des abzuschöpfenden Vermögens Beweiserleichterungen unterliegt, die dazu führen können, dass auch das Vermögen rechtmäßiger Herkunft zu Unrecht eingezogen wird.

Im Rahmen der Zweck-Mittel-Abwägung ist zu berücksichtigen, dass es sich bei der erweiterten Einziehung nach wie vor um eine strafrechtliche Maßnahme handelt. Deswegen ist die Frage zu stellen, welcher der Strafzwecke den Staat legitimiert, unrechtmäßige Vermögensverhältnisse zu korrigieren.[906] Als Antwort liegt die Generalprävention in Form von Stärkung des Vertrauens der Bevölkerung in die Gerechtigkeit und die Unverbrüchlichkeit der Rechtsordnung nahe.[907]

Bereits vor der Reform wurde argumentiert, dass an das öffentliche Interesse am Entzug von Eigentumspositionen die gleichen Anforderungen zu stellen seien wie

---

901 Siehe oben Teil 4.III.B.2.b)aa).

902 Vgl. oben Teil 4.III.B.2.b)bb).

903 Siehe unten Teil 6.III.B.3.c).

904 Siehe oben Teil 4.II.B.1.a)bb).

905 Deutscher Bundestag, 18. Wahlperiode, BT-Drs. 18/9525, S. 45; siehe auch *Pelz*, NZWiSt 2018, 254.

906 *Julius*, ZStW 1997, 95 f.

907 Deutscher Bundestag, 18. Wahlperiode, BT-Drs. 18/9525, S. 45.

bei jedem anderen Entzug legitimer Vermögenswerte: Die unsichere, da nicht nachgewiesene Herkunft des Vermögens solle sich nicht negativ auf die Gewichtung des Individualinteresses am Eigentumsschutz bzw. am Schutz der allgemeinen Handlungsfreiheit auswirken.[908] Die erweiterte Einziehung setzt das rechtmäßig erlangte Vermögen einer erhöhten Verlustgefahr aus. Wegen der Schwere des sich hieraus ergebenden Eingriffs können nur besonders wichtige Interessen der Allgemeinheit die Maßnahme rechtfertigen.[909] Für den Vorrang des öffentlichen Interesses würden die Gefährlichkeit der Organisierten Kriminalität und die spezifischen Beweisschwierigkeiten bei Straftaten der Organisierten Kriminalität sprechen. Diese Begründung trifft aber nicht mehr zu, wenn die Maßnahme auf jede rechtswidrige Tat anwendbar ist.[910] Gerade bei der Organisierten Kriminalität ergeben sich spezielle Beweisschwierigkeiten, zum einen, weil Straftaten durch eine organisierte Gruppe begangen werden, zum anderen, weil zwischen den begangenen Delikten und dem Aufspüren des Vermögens oft viel Zeit vergeht.[911] Diese Umstände legitimieren einen besonders intensiven Eingriff in das Eigentumsrecht. Sie sind jedoch nicht auf jedes Delikt übertragbar, und die Ausweitung der Anlasstaten für die erweiterte Einziehung bedarf einer Rechtfertigung.[912]

Der deutsche Gesetzgeber begründet die Reform u.a. mit dem Umsetzungsbedarf der RL 2014/42/EU, ist aber über deren Vorgaben hinausgegangen. Bei der Umsetzung der Richtlinie sind auch die sekundären Vorgaben, wie die Charta der Grundrechte der Europäischen Union – insbesondere Art. 17 Abs. 1 i.V.m. Art. 52 Abs. 1 Satz 2 – zu berücksichtigen.[913] Dabei soll auch beachtet werden, dass es sich bei der erweiterten Einziehung in der Tat um eine selbständige Einziehung handelt, der Einziehung nach § 76a Abs. 4 ähnlich, die von der Verurteilung wegen der Anlasstat losgelöst ist und lediglich anlässlich der Strafverfolgung durchgeführt wird. Dabei verzichten beide Normen auf die Zuordnung des Vermögens zu einer nachgewiesenen Straftat, schränken die Herkunftstaten nicht ein und erlauben eine mittelbare Beweisführung.[914] Trotz dieser Ähnlichkeit findet die selbständige Einziehung gemäß § 76a Abs. 4 StGB – im Gegensatz zur erweiterten Einziehung nach § 73a – nur bei bestimmten Katalogtaten Anwendung. Bei der erweiterten Einzie-

---

908 *Rönnau/Begemeier*, NZWiSt 2016, 262 f.; *Julius*, ZStW 1997, 98 f.; *Keusch*, Probleme des Verfalls im Strafrecht, S. 166 f.; für eine restriktive Auslegung der erweiterten Einziehung *Pelz*, NZWiSt 2018, 251 f.; zu den Beweisschwierigkeiten siehe *Krey/Dierlamm*, JR 1992, 354 f.

909 Vgl. *Perron*, JZ 1993, 919.

910 Vgl. *Julius*, ZStW 1997, 98; *Perron*, JZ 1993, 925.

911 Siehe *Rönnau/Begemeier*, NZWiSt 2016, 263.

912 Vgl. *Greeve*, ZWH 2017, 280; *Rönnau/Begemeier*, NZWiSt 2016, 263; *Schilling/Corsten/Hübner*, StraFo 2017, 308.; *Keusch*, Probleme des Verfalls im Strafrecht, S. 169; siehe auch *Kaspar*, Verhältnismäßigkeit und Grundrechtsschutz, S. 77.

913 Vgl. *Hüls*, ZWH 2017, 250; *Rönnau/Begemeier*, NZWiSt 2016, 263; siehe auch *Rönnau*, FS Ostendorf, S. 718 f.

914 Vgl. *Rönnau/Begemeier*, NZWiSt 2016, 264.

hung sah sich der Gesetzgeber durch die Richtlinie gezwungen, die Einschränkung auf die Organisierte Kriminalität gänzlich aufzugeben, und hat die Angemessenheit der erweiterten Einziehung nicht weiter hinterfragt. Dabei schreibt die Richtlinie den Mitgliedstaaten nicht vor, diese Vermögensabschöpfungsmaßnahme ohne jegliche Einschränkung auf jedes Delikt anzuwenden. Somit kann auf die Prüfung der Angemessenheit nach auf Art. 14 Abs. 1 Satz 2 GG nicht verzichtet werden.[915] Die Beweiserleichterung kann auch nicht dadurch begründet werden, dass der Täter einen generellen Informationsvorsprung hat, und die unsicheren Mechanismen der generalpräventiven Wirkung der Norm allein nicht für die Verhältnismäßigkeit des Eingriffs sprechen.[916] Anlässlich einer Straftat auf das Vermögen des Täters zuzugreifen wird als Rückfall in das Täterstrafrecht bewertet.[917] Die einfache Einziehung kann bei Delikten, bei denen die für die Organisierte Kriminalität typischen Beweisschwierigkeiten nicht auftreten, ein geeignetes und milderes Mittel zur Erreichung der generalpräventiven Zwecken der Vermögensabschöpfung sein.[918] Insgesamt ist die Maßnahme *de lege lata* als ein unverhältnismäßiger Eingriff in das Eigentumsrecht zu bewerten, wenn die (Beweis-)Unsicherheit der rechtswidrigen Herkunft des einzuziehenden Vermögens und der Anwendungsbereich der erweiterten Einziehung – der jede Straftat umfasst und somit die Beweiserleichterung nicht mehr durch deliktspezifische Beweisschwierigkeiten rechtfertigt – in Rechnung gestellt werden.

iii) Selbständige Einziehung

Bedenken wegen der Eigentumsgarantie bestehen auch bei der selbständigen Einziehung[919] nach § 76a Abs. 4 StGB.[920] Der weit gefasste Katalog der Anlasstaten erlaubt es, praktisch die gesamte Wirtschaftskriminalität mit dieser Vorschrift zu erfassen, obwohl das Gesetz mit dieser Maßnahme darauf abzielt, gegen schwere Delikte aus dem Bereich der Organisierten Kriminalität und des Terrorismus vorzugehen.[921]

Die selbständige Einziehung nach § 76a Abs. 4 StGB ist eine Maßnahme , die es ermöglichen soll, Vermögen unklarer Herkunft unabhängig vom Nachweis einer

---

915 Ebenda, 263.

916 *Perron*, JZ 1993, 925; siehe auch *Hoyer*, GA 1993, 412 f.

917 *Eser*, FS für Stree/Wessels, S. 849 f.; siehe auch *Weßlau*, StV 1991, 228 ff.

918 Vgl. *Esser*, in: Rui/Sieber (Hrsg.), Non-Conviction-Based Confiscation in Europe, S. 91; *Rönnau/Begemeier*, NZWiSt 2016, 264; *Hoyer*, GA 1993, 422.

919 Siehe oben Teil 4.II.B.1.a)hh).

920 Siehe *Gebauer*, ZRP 2016, 104; *Greeve*, ZWH 2017, 280; *Schilling/Corsten/Hübner*, StraFo 2017, 310; *Rönnau/Begemeier*, JZ 2018, 447 f.; anders *Barreto da Rosa*, NZWiSt 2018, 217; *Meyer*, NZWiSt 2018, 247 f.

921 Siehe *Greeve*, ZWH 2017, 280; *Pelz*, NZWiSt 2018, 253; *Schilling/Corsten/Hübner*, StraFo 2017, 310; vgl. Deutscher Bundestag, 18. Wahlperiode, BT-Drs. 18/9525, S. 73.

konkreten rechtswidrigen Tat einzuziehen.[922] Auch hier stellt sich bei der Zweck-Mittel-Abwägung die Frage, welcher der Strafzwecke den Staat zur Beseitigung solcher unrechtmäßiger Vermögensverhältnisse legitimiert.[923] Wie bei der erweiterten Einziehung ist dieser Zweck die Generalprävention in Form von Stärkung des Vertrauens der Bevölkerung in die Gerechtigkeit und die Unverbrüchlichkeit der Rechtsordnung.[924] Gegeneinander abzuwägen sind also das Vertrauen in die Unverbrüchlichkeit der Rechtsordnung – welche durch die Beseitigung rechtswidriger Vermögenslagen geschützt werden soll – und der Eigentumsschutz des Einzelnen.

Ähnlich wie bei der erweiterten Einziehung bestehen auch hier Zweifel an der Rechtswidrigkeit der zu beseitigenden Vermögenslage, sodass das Risiko der Einziehung von rechtmäßig erworbenem Vermögen besteht. Diesbezüglich wird die Angemessenheit der Abschöpfung insbesondere bei einer Vermischung des illegal mit dem legal erworbenen Vermögen hinterfragt.[925] Diese am Geldwäschetatbestand angelehnte Regelung kann dazu führen, dass ein Großteil des legalen Vermögens abgeschöpft wird. Dabei muss es sich nicht um Vermögen, das in Verbotenes investiert wurde, handeln. Ein sichergestellter Gegenstand, der zum Teil mit rechtmäßigen, zum Teil mit unrechtmäßigen Mitteln erworben wurde, kann auch nach § 76a Abs. 4 StGB eingezogen werden. Dieser Einziehungsumfang ist weder durch das Bruttoprinzip noch durch den Ausgleichszweck der Einziehung gerechtfertigt.[926] Darüber hinaus knüpft die selbständige Einziehung an strafloses Verhalten an (rechtmäßig erlangtes Vermögen wird investiert, um die Taterträge zu verwerten), was dafür spricht, dem Individualinteresse am Eigentumsschutz den Vorzug zu geben.[927]

Da die Voraussetzung der selbständigen Einziehung die Sicherstellung des Vermögensgegenstandes ist, wird auch auf die niedrige Eingriffsschwelle vorläufiger Sicherung hingewiesen. Diese kann sich negativ auf die Angemessenheit des Eingriffs auswirken.[928] Obwohl die Sicherstellung eines Vermögensgegenstandes eine prozessuale temporäre Maßnahme ist, wirkt sie mittelbar auf die Beweisanforderungen des § 76a Abs. 4 StGB. Der Ermittlungsbehörde obliegt bei der Sicherstellung des Vermögensgegenstandes keine der Glaubhaftmachung aus dem ZPO ähnliche Pflicht, was dazu führt, dass es sich bei der selbständigen Einziehung um

---

922 Deutscher Bundestag, 18. Wahlperiode, BT-Drs. 18/9525, S. 73.

923 *Julius*, ZStW 1997, 95 f.

924 Deutscher Bundestag, 18. Wahlperiode, BT-Drs. 18/9525, S. 45.

925 Siehe *Gebauer*, ZRP 2016, 104; *Hüls*, ZWH 2017, 251; *Rönnau/Begemeier*, JZ 2018, 447 f.

926 So auch *Rönnau/Begemeier*, JZ 2018, 447.

927 Siehe ebenda, 448 f.; anders *Marstaller/Zimmermann*, Non-conviction-based confiscation in Deutschland? S. 75 ff.

928 Nach § 111b Abs. 1 Satz 1 StPO ist für die Sicherstellung kein dringender Tatverdacht notwendig; dazu siehe *Greeve*, ZWH 2017, 280 f.

einen Beweislastumkehr handelt.[929] Präventiv ausgerichtete selbständige Einziehung wird bevorzugt als eine Maßnahme zur Gefahrenabwehr[930] oder zur Wiederherstellung der rechtmäßigen Vermögenslage gesehen,[931] und nicht als ein Instrument des Strafrechts.

Die selbständige Einziehung wird in der Literatur aber auch im Hinblick auf die Stellung des Betroffenen im Strafverfahren als ein unangemessener Eingriff in dessen Rechte bewertet.[932] Es wird argumentiert, dass die Maßnahme keinen Nachweis einer rechtswidrigen Tat erfordere und vielmehr eine Verdachtsmaßnahme sei, bei der Überzeugungsbildung auf Wahrscheinlichkeiten beruhe.[933] Eine bestimmte Straftat muss nicht im Einzelnen festgestellt werden. Das Ziel der Beweisführung ist die Darlegung, dass die Wahrscheinlichkeit rechtswidriger Herkunft des Vermögens durch Tatsachen fundiert ist.[934] Dabei regelt § 437 StPO nicht die Anforderungen für die richterliche Überzeugungsbildung, sondern nennt die dafür relevanten Umstände, wenn auch nicht vollständig.[935] Trotzdem werden diese als ein Beweis des ersten Anscheins kritisiert,[936] da die unaufgeklärten Umstände zulasten des Betroffenen interpretiert werden können. Dieser muss selbst aktiv werden, um die Einziehung zu verhindern. Dazu muss er die legale Herkunft des potenziellen Einziehungsgegenstandes[937] oder seine Unschuld darlegen.[938] Ein voller Gegenbeweis kann von dem Betroffenen nicht verlangt werden, aber ein hinreichend substantiierter Vortrag.[939]

Der Gesetzgeber identifiziert das Vermögen unklarer Herkunft als ein Problem der Vermögensabschöpfung, das nur durch eine Erleichterung des Nachweises über den Ursprung des Vermögens gelöst werden kann.[940] Trotzdem fehlt es an einer soliden Begründung für die Beeinträchtigung der Grundrechte des Betroffenen,

---

929 *Greeve*, ZWH 2017, 281.

930 Ebenda, 104.

931 *Rui/Sieber*, in: Rui/Sieber (Hrsg.), Non-Conviction-Based Confiscation in Europe, S. 302.

932 *Gebauer*, ZRP 2016, 104; *Trüg*, NJW 2017, 1916; zum strafrechtlichen Beweisstandard siehe *Rui/Sieber*, in: Rui/Sieber (Hrsg.), Non-Conviction-Based Confiscation in Europe, S. 300 f.

933 So *Gebauer*, ZRP 2016, 104; *Trüg*, NJW 2017, 1916.

934 Vgl. *Meyer*, StV 2017, 348.

935 Vgl. dazu oben Teil 4.II.B.1.a)hh).

936 Siehe *Schilling/Hübner*, StV 2018, 57; *Hüls*, ZWH 2017, 250; anders *Meyer*, StV 2017, 347; *Marstaller/Zimmermann*, Non-conviction-based confiscation in Deutschland? S. 127 f. Die Überzeugungsbildung erfolge nicht anhand eines besonderen Erfahrungssatzes, deswegen sei der Beweisstandard des § 437 StPO kein Beweis des ersten Anscheins.

937 *Meyer*, StV 2017, 347.

938 Deutscher Bundestag, 18. Wahlperiode, BT-Drs. 18/9525, S. 92.

939 *Meyer*, StV 2017, 347.

940 Koalitionsvertrag zwischen CDU, CSU und SPD, 18. Legislaturperiode, S. 145; siehe auch *Meyer*, ZStW 2015, 266.

zum Beispiel ein gesellschaftliches Bedürfnis für effektivere Lösungen.[941] Außerdem sollen die eingeführten Vermutungen auf eine solide empirische Grundlage gestellt werden, die bei der Reform fehlen.[942] Die Vermutungsbasis der Beweiserleichterungen muss tragfähig sein, um dem Grundsatz der Verhältnismäßigkeit zu genügen. Darüber hinaus muss das Verhältnis zwischen der Maßnahme und dem vorgeworfenen Verhalten stimmen, damit der Eingriff als angemessen bewertet werden kann.[943] Ob die normstabilisierende Wirkung der strafrechtlichen Vermögensabschöpfung, auf die sich der Gesetzgeber beruft, ein ausreichendes gesellschaftliches Bedürfnis für eine weitgehende Einschränkung der Rechte des Einziehungsadressaten darstellt, bleibt umstritten.[944] In Anbetracht des weiten Abschöpfungsumfangs einerseits, bei dem, wie oben erläutert, auch die Einziehung rechtmäßig erworbenen Vermögens in Kauf genommen wird, und der Anknüpfung an die Sicherstellung des Vermögens, ohne eine präzise Bestimmung, ob das Vermögen aus einem der Katalogdelikte stammen muss, andererseits, ist auch diese Maßnahme als eine unangemessene Beeinträchtigung des Eigentumsrechts zu bewerten.

iv) Dritteinziehung[945]

Als ein unangemessener Eingriff in das verfassungsrechtlich geschützte Eigentumsrecht wird in der Literatur die Einziehung in Erbschaftsfällen nach § 73b Abs. 1 Satz 1 Nr. 3 StGB kritisiert. Der Gesetzgeber setzt die Erbschaft als grundsätzlich missbräuchliche Eigentumsübertragung der Taterlöse mit der Schenkung und einer rechtsgrundlosen Zuwendung gleich. Die Eigentumsübertragung aufgrund einer Erbschaft gilt aber nach herrschender Meinung als rechtlich einwandfrei.[946] Die Ausdehnung der Einziehung auf Erbschaftsfälle ohne Rücksicht darauf, ob der Erbe die Erbschaft gut- oder bösgläubig angenommen hat, wird als eine unangemessene Einschränkung des Eigentumsrechts bewertet, insbesondere im Vergleich zur Regelung bei Vermögensverschiebungsfällen, bei denen die Gutgläubigkeit des Begünstigten zu seinen Gunsten berücksichtigt wird.[947]

Hinterfragt wird auch die Angemessenheit der Einziehung von Tatprodukten bei Dritten nach § 74a StGB. Bei dieser Maßnahme wird auf ein „spezifisch strafrechtliches Verschulden" verzichtet, was dazu führt, dass ein Tatunbeteiligter unter geringeren Voraussetzungen als der Tatbeteiligte mit seinem Eigentum nach § 74

941 *Meyer*, ZStW 2015, 266 f.; vgl. auch *Kaspar*, Verhältnismäßigkeit und Grundrechtsschutz, S. 77.

942 Siehe *Meyer*, ZStW 2015, 267; andere Gewichtung des Einwands *Marstaller/Zimmermann*, Non-conviction-based confiscation in Deutschland? S. 43.

943 Vgl. *Meyer*, ZStW 2015, 280.

944 Siehe *Rönnau*, FS Ostendorf, S. 707.

945 Siehe oben Teil 4.II.B.1.a)cc) und 2.a)bb).

946 Vgl. *Hüls*, ZWH 2017, 246 m.w.N.

947 Siehe ebenda; BRAK-Stellungnahme Nr. 15/2016, S. 5.

StGB „haftet".[948] Die Anknüpfung an eine vorsätzliche Herkunftstat bedeutet, dass bei den Tatbeteiligten für die Einziehung eine vorsätzliche Beteiligung verlangt wird. Für einen unbeteiligten Dritten ist seine leichtfertige Handlung ausreichend. Eine Begründung mit deliktstypischen Beweisschwierigkeiten ist für diese Erleichterung nicht ausreichend, wenn das Verhalten eines Dritten am Rande des strafbaren Verhaltens steht.[949]

v) Sicherungseinziehung[950]

Bedenken bezüglich der Verhältnismäßigkeit der Sicherungseinziehung nach § 74b StGB betreffen die Einziehung von Gegenständen, bei denen die Gefahr besteht, dass sie der Begehung rechtswidriger Taten dienen werden. In dieser Norm wird von *Julius* eine „Generalklausel für einen umfassenden Eigentumsentzug"[951] gesehen: Dies liege daran, dass die Gefahr einer wiederholten Verwendung nicht auszuschließen sei, wenn der Gegenstand schon einmal zu einem rechtswidrigen Zweck gebraucht wurde. Durch den Gefahrenbegriff werde die Einziehung auch in Fällen ermöglicht, in denen die Abwägung von privaten und öffentlichen Interessen zugunsten der privaten ausfallen würde.[952] Für die Abwägung von Gefahren gegen Grundrechtseingriffe gibt es keine eindeutigen Kriterien. Deswegen ist eine restriktive Auslegung der Norm geboten. Angemessen ist die Sicherungseinziehung nur dann, wenn konkrete Anhaltspunkte für die erneute rechtswidrige Verwendung bestünden.[953] Ein verhältnismäßiger, präventiver Zugriff auf das Vermögen soll die Gegebenheiten der potenziellen Tat und des potenziellen Täters berücksichtigen: den Willen des Betroffenen, einen bestimmten Gebrauch von seinem Eigentum zu machen, und die äußeren Umstände. Für einen präventiven Eingriff müssen Indizien dafür vorliegen, dass eine illegale Verwendung des Vermögens sehr wahrscheinlich und längeres Zuwarten seitens der Strafverfolgungsbehörden unzumutbar ist.[954]

4. Fazit

Die Verhältnismäßigkeitsprüfung der Vermögensabschöpfungsmaßnahmen konzentriert sich auf die Angemessenheit der Regelungen. Die Maßnahme ist angemessen und somit verhältnismäßig, wenn die Realisierung ihres Zwecks – bei den untersuchten Abschöpfungsinstrumenten die positive Generalprävention in Form von Stärkung des Vertrauens der Allgemeinheit in die Unverbrüchlichkeit der

---

948 *Julius*, ZStW 1997, 85 ff.

949 Ebenda, 87.

950 Siehe oben Teil 4.II.B.2.a)cc)

951 *Julius*, ZStW 1997, 75.

952 Ebenda, 75 f.

953 Vgl. Schönke/Schröder-*Eser/Schuster*, StGB-Kommentar, § 74b Rn. 1 ff.

954 Vgl. *Heckmann*, ZRP 1995, 3 f.

Rechtsordnung – das Individualinteresse des Betroffenen am Eigentumsschutz überwiegt. Dabei darf der Gesetzgeber, wie *Kaspar* ausführt, zur Verwirklichung des Zweckes das Mindestmaß an Grundrechtseinschränkung überschreiten, muss aber gute Gründe dafür vorbringen können, die bei der Frage der Verhältnismäßigkeit der Norm zu erörtern sind.[955] Das Interesse der Allgemeinheit ist nicht *per se* dem Interesse des Einzelnen übergeordnet. Wie oben erörtert, hat sich bei der erweiterten und der selbständigen Einziehung eine Einschränkung auf bestimmte schwere Delikte als geboten erwiesen. Bei diesen Eingriffsmaßnahmen spricht der weite Abschöpfungsumfang zusammen mit den Beweiserleichterungen bezüglich der Verbindung zwischen dem Abschöpfungsgegenstand und einer Straftat gegen die Verhältnismäßigkeit des Eingriffs in das Eigentumsrecht.

D. Zusammenfassung

Weder aus der Rechtsnatur der Maßnahmen noch aus der Verhältnismäßigkeitsprüfung ergibt sich eine eindeutige Grenze der Vermögensabschöpfung, da beide Ansätze nur Wertungsentscheidungen ermöglichen. Sie weisen aber darauf hin, dass der Ausbau der Vermögensabschöpfung allein durch die Verbesserung der Effektivität der Abschöpfungsmaßnahmen nicht gerechtfertigt wird.[956] Die Untersuchung sowohl der spezifisch strafrechtlichen als auch der allgemeinen verfassungsrechtlichen Grenzen hat ergeben, dass die strafrechtliche Vermögensabschöpfung einer Einschränkung bedarf. In der Literatur wird aber auch die Ansicht vertreten, dass im geltenden Recht noch nicht alles getan worden sei, um die Gefahren der Organisierten Kriminalität zu unterbinden.[957] Die größte Gefahr, die aus organisiertem Verbrechen hervorgehe, sei die Einflussnahme auf die legale Wirtschaft. Gegen diese Gefahr wäre es jedoch geboten, zivil- oder verwaltungsrechtliche Maßnahmen zu entwickeln.[958] Im Strafrecht ist bezüglich der Organisierten Kriminalität ein Wechsel der Paradigmen geboten. Das Strafrecht löst sich hier von einem sittlichen Befund der Vergangenheit. Der Gesetzgeber versucht, mittels Strafrecht auf die gesellschaftlichen Prozesse Einfluss zu nehmen.[959] Das gilt auch für die Vermögensabschöpfung, bei der „der Fokus nicht mehr auf der persönlichen Sanktion liegt, sondern auch auf der finanziellen Dimension mit ihren schädlichen Langzeitwirkungen."[960] Die rechtswidrige Tat tritt in den Hintergrund, sie ist nur ein Anlass für den staatlichen Eingriff. Es geht vielmehr um das Vermögen krimi-

---

955 *Kaspar*, Verhältnismäßigkeit und Grundrechtsschutz, S. 77; siehe auch *Lagodny*, Strafrecht vor den Schranken der Grundrechte, S. 447 f.

956 Vgl. *Rönnau/Begemeier*, JZ 2018, 447 ff.; *Hüls*, ZWH 2017, 251.

957 Vgl. *Meyer*, StV 2017, 343 ff.; *Hetzer*, wistra 2000, 373; *Kaiser*, ZRP 1999, 150.

958 Vgl. *Hetzer*, wistra 2000, 373; *Meyer*, StV 2017, 343 ff.

959 *Heine*, JZ 1995, 653.

960 *Meyer*, NZWiSt 2018, 250.

neller Organisationen und einzelner Täter, das als eine Gefahrenquelle gesehen wird, die der staatlichen Kontrolle unterzogen werden soll.[961]

Die rechtspolitische Forderung nach effektiven Abschöpfungsinstrumenten kann nicht außer Acht gelassen werden. Wenn sich die gewünschte Effektivität im Rahmen des strafrechtlich Zulässigen nicht auf eine verfassungskonforme Art erreichen lässt, ist eine Auslagerung der Vermögensabschöpfung in Erwägung zu ziehen.[962] Diese bedeutet jedoch nicht, dass die gleichen Instrumente in zivilrechtliche oder polizeilich-präventive umbenannt und in einem entsprechenden Verfahren übertragen werden. Vielmehr muss der Zweck der Abschöpfungsmaßnahmen erneut ins Visier genommen werden. Die Sanktionen sind so zu gestalten, dass sie durch ihren zivilrechtlich-restitutiven oder polizeilich-präventiven Zweck als Eingriffsmaßnahmen legitimiert werden können.[963]

---

961 *Heine*, JZ 1995, 655. Dazu kritisch siehe oben Teil 4.III.C.3.b).

962 Vgl. *Saliger*, ZStW 2017, 1000 ff.; *Rui/Sieber*, in: Rui/Sieber (Hrsg.), Non-Conviction-Based Confiscation, S. 249 ff.

963 Dazu ausführlich siehe unten Teil 7.I. Zu den Aufgaben des Verfassungsrechts siehe *Poscher*, in: Korioth/Vesting (Hrsg.), Der Eigenwert des Verfassungsrechts, S. 253.

Teil 5

Nationale Regelungen: Polen

Der folgende Teil der Arbeit widmet sich der Regelung der Vermögensabschöpfung im polnischen Straf- und Ordnungswidrigkeitenrecht (Recht der Übertretungen) sowie im Fiskalstrafrecht. Im ersten Kapitel (I.) wird die historische Entwicklung der Vermögensabschöpfungsmaßnahmen nachgezeichnet. Das zweite Kapitel (II.) beschäftigt sich mit der Vermögensabschöpfung im geltenden Recht. Abschließend werden die Ansätze zur Bestimmung der Grenzen der Abschöpfungsmaßnahmen dargestellt (III.).

I. Historische Entwicklung

A. Entwicklung bis Mitte des 20. Jahrhunderts

1. Grundzüge der Vermögenssanktionen bis ins 19. Jahrhundert

Die historische Entwicklung der Vermögenssanktionen im polnischen Recht geht auf das 12. Jahrhundert zurück. Bereits zu dieser Zeit wurde die Vermögensstrafe durch slawische Stämme angewendet. Sie war eine der schwersten Strafen und wurde neben der Proskription – der Ausgrenzung aus der Gemeinschaft und Zerstörung des Hauses – sowie neben der Todesstrafe verhängt.[1] Die Vermögensstrafe hatte dabei auch einen sakralen Charakter, sie befreite die Gesellschaft von der durch das Verbrechen entstandenen Schuld.[2] Für die Herrscher hatte sie sich schnell als geeignetes Mittel erwiesen, um den Gehorsam der Bevölkerung zu sichern. Deswegen fungierte die Vermögensstrafe bereits ab dem 13. Jahrhundert als eine selbständige Sanktion. Gleichzeitig wurde sie weiterhin zusammen mit der Proskription des Täters verhängt.[3] Von der Vermögensstrafe profitierten neben dem Herrscher auch die Vollzugsbeamten, denn sie konnten sich das Vermögen der Verurteilten aneignen.[4] Zur Zeit der Wahlmonarchie (16.–17. Jahrhundert) war die

---

1 Siehe *Czwojda*, Przepadek korzyści majątkowej, S. 106; Melezini u.a.-*Raglewski*, System Prawa Karnego, Kapitel III § 22 Rn. 9.

2 Vgl. *Czwojda*, Przepadek korzyści majątkowej, S. 106.

3 Siehe ebenda; *Postulski/Siwek*, Przepadek w polskim prawie karnym, S. 20.

4 *Postulski/Siwek*, Przepadek w polskim prawie karnym, S. 20.

Vermögensstrafe eine wichtige Sanktion für Fahnenflucht oder für das Verweigern des Militärdienstes beim Adelsaufgebot.[5]

Ein wichtiger Kritikpunkt an der Vermögensstrafe war, dass durch diese Sanktion außer dem Täter selbst auch seine an der Tat unbeteiligte Familie betroffen war.[6] Die ersten Einschränkungen zugunsten der mitbetroffenen Familienangehörigen wurden bereits im 14. Jahrhundert durch die *Statuty Kazimierza Wielkiego* eingeführt.[7] Weitere Einschränkungen erfuhr die Vermögensstrafe unter dem Einfluss *Cesare Beccarias*.[8]

Am Ende des 18. Jahrhunderts kam es zur Aufteilung Polens unter drei Nachbarmächten – Russland, Preußen und Österreich. Infolge dieser Teilungen existierte über 120 Jahre, bis zum Ende des Ersten Weltkrieges 1918, kein eigenständiger polnischer Staat. Auf dem Territorium der ehemaligen Republik galten in dieser Zeit die Rechtsordnungen der Nachbarmächte. Diese prägten das polnische Recht auch nach der Wiedererlangung der Unabhängigkeit. Dies gilt insbesondere für das österreichische Strafgesetzbuch 1852, das Strafgesetzbuch für das Deutsche Reich 1871 und das russische Strafgesetzbuch 1903.[9] Im Bereich der Vermögensabschöpfung kannten diese Gesetzeswerke die Einziehung der Gegenstände, die zur Tatbegehung verwendet oder dazu bestimmt wurden oder die aus einer Straftat stammten. Diese Sanktionen fungierten in den drei Rechtsordnungen als Zusatzstrafen, wobei diese Bezeichnung im russischen Strafgesetzbuch 1903 nicht ausdrücklich vorkam.[10] Nach dem österreichischen Strafgesetzbuch 1852 konnte die Einziehung bei Verbrechen und Vergehen neben Geldstrafe oder Arrest angeordnet werden. Darüber hinaus gab es eine spezielle Abschöpfungsgrundlage, die bei Bestechungsdelikten angewendet wurde und die das rechtswidrig erlangte Vermögen umfasste. Eine ähnliche Regelung der Einziehung von Tatwerkzeugen und Tatererträgen wurde im Strafgesetzbuch für das Deutsche Reich 1871 und im russischen Strafgesetzbuch 1903 vorgesehen.[11] In der russischen Strafrechtsdogmatik wurde dabei der selbständige und präventive Charakter der Maßnahme hervorgehoben, die unabhängig vom Verschulden des Täters angeordnet werden konnte.[12]

---

5 *Bardach* u.a., Historia państwa i prawa polskiego, S. 80, 165, 277.

6 Vgl. *Krzymuski*, System prawa karnego, S. 198.

7 Siehe *Czwojda*, Przepadek korzyści majątkowej, S. 107 m.w.N.

8 Siehe ebenda; *Postulski/Siwek*, Przepadek w polskim prawie karnym, S. 20.

9 Vgl. ebenda, S. 20 f.

10 Siehe ebenda, S. 21 f.; *Czwojda*, Przepadek korzyści majątkowej, S. 119.

11 Dazu siehe *Postulski/Siwek*, Przepadek w polskim prawie karnym, S. 21; *Czwojda*, Przepadek korzyści majątkowej, S. 119 f.; *Zatyka*, in: Guzik-Makaruk/Arciszewski (Hrsg.), Przepadek przedmiotów i korzyści pochodzących z przestępstwa, S. 37 f.

12 Vgl. *Czwojda*, Przepadek korzyści majątkowej, S. 119.

2. Gesetzgebung nach der Wiedererlangung der Unabhängigkeit

a) Strafgesetzbuch von 1932

Nach der Wiedererlangung der Unabhängigkeit wurde im Rahmen der Vereinheitlichung des Rechtssystems 1932 eine umfassende Kodifikation des Strafrechts erlassen.[13] Im Strafgesetzbuch 1932, das nach dem Vorsitzenden der Strafrechtlichen Abteilung der Reformkommission *Kodeks Karny Makarewicza* genannt wird, wurden die strafrechtlichen Folgen einer Tat in Haupt- und Zusatzstrafen eingeteilt. Die Zusatzstrafen stellten eine fakultative Ergänzung einer Hauptstrafe dar und ihre Verhängung knüpfte an das Vorliegen bestimmter, durch das Strafgesetz vorgesehener Umstände an.[14] Die Zusatzstrafen dienten einer zukunftsorientierten Sicherung der Gesellschaft und hatten somit einen präventiven Charakter.

Im Bereich der Vermögenssanktionen spielte die Geldstrafe eine zentrale Rolle. Sie gehörte neben der Todesstrafe, der Freiheitsstrafe und dem Arrest zu den Hauptstrafen.[15] Die Geldstrafe konnte auch neben der Freiheitsstrafe kumulativ verhängt werden, wenn die Straftat mit Bereicherungsabsicht begangen worden war. Wenn diese zu den Tatbestandsmerkmalen gehörte, war die Geldstrafe obligatorisch.[16] Ob ein Vermögensvorteil tatsächlich erlangt wurde, spielte keine Rolle.[17] Die Sanktion diente insbesondere der negativen Spezialprävention: Denjenigen Tätern, für die die Bereicherungsabsicht das Hauptmotiv der Straftatenbegehung war, sollte sie verdeutlichen, dass „dies nicht der richtige Weg zur Mehrung des Vermögens ist".[18] Zur Abschöpfung des tatsächlich erlangten Vermögensvorteils diente dagegen die Einziehung der Taterträge. Sie gehörte zu den Zusatzstrafen und war deswegen neben einer Hauptstrafe zu verhängen. Davon sah das Strafgesetz eine Ausnahme vor: Sie galt für die Fälle, in denen trotz des Schuldspruchs von der Strafe abgesehen wurde. Darüber hinaus konnte die Einziehung als Maßnahme der Sicherung nach Art. 85 angeordnet werden, wenn der Täter nicht eigenverantwortlich gehandelt hatte oder das Verfahren eingestellt wurde. Die Einziehung als Maßnahme der Sicherung hatte einen präventiv-administrativen Charakter.[19]

---

[13] Rozporządzenie Prezydenta Rzeczypospolitej z dnia 11.07.1932 r. – Kodeks karny, Dz.U. Nr 60 poz. 571; bis zum Inkrafttreten des Strafgesetzes regelten Spezialgesetze die Einziehung – siehe *Zatyka*, in: Guzik-Makaruk/Arciszewski (Hrsg.), Przepadek przedmiotów i korzyści pochodzących z przestępstwa, S. 39.

[14] *Makarewicz*, Kodeks karny z komentarzem, S. 165 f.

[15] Ebenda, S. 168 ff.

[16] Eine Ausnahme sah das Strafgesetz bei der Gefährdung der Existenzgrundlage oder der Unmöglichkeit der Vollstreckung vor.

[17] *Makarewicz*, Kodeks karny z komentarzem, S. 176.

[18] Ebenda, S. 178.

[19] Siehe ebenda, S. 177 ff.; *Postulski/Siwek*, Przepadek w polskim prawie karnym, S. 194.

Die Einziehung der Taterträge umfasste sowohl direkt als auch indirekt aus Straftaten stammende Vermögensgegenstände. Darüber hinaus gab es eine Spezialregelung zur Abschöpfung des Entgelts für die Tatbegehung. Dieses – oder im Falle der Unmöglichkeit dessen Wertersatz – war obligatorisch einzuziehen. Die Einziehung der Taterträge konnte sich nach Art. 50 § 2 auch gegen eine andere Person als den Täter richten. Da es sich dann um einen Tatunbeteiligten handelte, fungierte die Maßnahme nicht als Zusatzstrafe, sondern als eine Maßnahme der Sicherung.[20] Die Einziehung war jedoch nur dann zulässig, wenn der Betroffene die Taterträge nicht wirksam erworben hat.[21] Neben Taterträgen konnten auch Tatwerkzeuge eingezogen werden. Diese Maßnahme betraf Gegenstände, die Mittel zur Tatbegehung oder zumindest zu deren Versuch waren.[22]

Die Vermögensstrafe wurde im Strafgesetzbuch 1932 nicht vorgesehen. Das Strafgesetz setzte auch das Gesetz zur Bekämpfung des Kriegswuchers aus dem Jahre 1920 außer Kraft, welches Vermögensstrafe in Fällen der Verurteilung für bestimmte Straftaten vorsah.[23] Die Vermögensstrafe wurde kurz vor Beginn des Zweiten Weltkrieges erneut eingeführt und fand bei Fahnenflucht Anwendung.[24]

b) Fiskalstrafgesetze von 1926, 1932 und 1936

Nach der Wiedererlangung der Unabhängigkeit wurde am 2. August 1926 das erste Fiskalstrafgesetz verabschiedet.[25] Das Gesetz hob die Gesetzgebung, die in der Zeit der Teilung Polens galt, auf und ersetzte sie durch neue, einheitliche Regelungen.[26] Bereits im März 1932 wurde das zweite Fiskalstrafgesetz verabschiedet.[27] Das Fiskalstrafrecht wurde an das allgemeine Strafrecht angelehnt, mit dem Vor-

---

[20] *Zatyka*, in: Guzik-Makaruk/Arciszewski (Hrsg.), Przepadek przedmiotów i korzyści pochodzących z przestępstwa, S. 42.

[21] *Makarewicz*, Kodeks karny z komentarzem, S. 197.

[22] Siehe ebenda, S. 198; wyr. SN z 24.09.1936 r., I K 489/36, OSN(K) 1937, Nr 7, poz 65.

[23] Siehe Ustawa z dnia 02.07.1920 r. o zwalczaniu lichwy wojennej, Dz.U. Nr 67 poz. 449.

[24] Ustawa z dnia 23.06.1939 r. o szczególnej odpowiedzialności karnej w przypadku zbiegostwa do nieprzyjaciela lub poza granice państwa, Dz.U. Nr 57 poz. 367; siehe *Rzeplińska*, Konfiskata mienia, S. 30.

[25] Ustawa karna skarbowa z dnia 02.081926 r., Dz.U. Nr 105 poz. 609. Das Fiskalstrafrecht wurde nach dem Kriterium des geschützten Rechtsgutes aus dem allgemeinen Strafrecht ausgegliedert. Seine Vorschriften schützen die finanziellen Interessen des Staates, welche sich aus Steuerrecht, Zollrecht, Devisenrecht, Glücksspielrecht ergeben. Siehe *Błaszczyk*, Przepadek w polskim prawie karnym skarbowym, S. 19 ff.

[26] *Konarska-Wrzosek*, in: Konarska-Wrzosek u.a. (Hrsg.), Prawo i postępowanie karne skarbowe, S. 31.; siehe auch *Błaszczyk*, Przepadek w polskim prawie karnym skarbowym, S. 74 ff.

[27] Ustawa z dnia 18.03.1932 r. karna skarbowa, Dz.U. Nr 34 poz. 355.

behalt, dass die Vorschriften des Fiskalstrafgesetzes Vorrang haben sollten.[28] Im Hinblick darauf, dass kurz danach das Strafgesetzbuch 1932 verabschiedet wurde, war eine weitere Reform des Fiskalstrafrechts notwendig, um die Vorschriften an das neu erlassene Strafgesetzbuch anzupassen. Aus diesem Grunde wurde am 3. November 1936 das Fiskalstrafrecht in der Form eines Präsidentendekrets neu geregelt.[29] Wie auch im allgemeinen Strafrecht war die Geldstrafe eine der Hauptstrafen für Fiskaldelikte. Ihre Höhe war, soweit möglich, auf Grundlage der Höhe der öffentlich-rechtlichen Schuld oder nach dem Wert des Tatobjektes zu berechnen. Über die Verhängung der Geldstrafe entschieden bei Übertretungen und geringfügigen Straftaten die Fiskalbehörden. Die Regelung der Einziehung der Tatwerkzeuge und Taterträge entsprach der des Strafgesetzbuchs 1932.[30]

c) Das Recht der Übertretungen

Im Zuge der Reform des Strafrechts wurden auch die Übertretungen durch die Verordnung des Präsidenten mit Gesetzeskraft geregelt.[31] Die Unterscheidung zwischen Übertretungen und Straftaten beruhte auf der Schwere der Tat – die Übertretungen stellten eine geringfügigere Verletzung der Rechtsordnung dar. Dementsprechend waren die Strafen für Übertretungen geringer. Neben Arrest konnte eine Geldstrafe angeordnet werden, ihre Höhe war jedoch deutlich niedriger als bei Straftaten. Als eine zusätzliche Sanktion für bestimmte Übertretungen wurde die Einziehung vorgesehen. Diese war, im Gegensatz zum Strafrecht, keine Zusatzstrafe. Die Einziehung von Vermögensgegenständen regelten einzelne Vorschriften des besonderen Teils, beispielsweise nach Art. 21 § 2 bei einer öffentlichen Geldsammlung für die Zahlung der Geldstrafe, oder nach Art. 22 § 4 bei einer unrechtmäßigen Herstellung des Stempels einer staatlichen Einrichtung.

---

28 *Konarska-Wrzosek*, in: Konarska-Wrzosek u.a. (Hrsg.), Prawo i postępowanie karne skarbowe, S. 31; ausführlich *Błaszczyk*, Przepadek w polskim prawie karnym skarbowym, S. 77 ff.

29 Dekret Prezydenta Rzeczypospolitej z dnia 03.11.1936 r. – Prawo karne skarbowe, Dz.U. Nr 84 poz. 581; siehe *Konarska-Wrzosek*, in: Konarska-Wrzosek u.a. (Hrsg.), Prawo i postępowanie karne skarbowe, S. 31 f.

30 Siehe *Konarska-Wrzosek*, in: Konarska-Wrzosek u.a. (Hrsg.), Prawo i postępowanie karne skarbowe, S. 31 f.; *Błaszczyk*, Przepadek w polskim prawie karnym skarbowym, S. 81.

31 Rozporządzenie Prezydenta Rzeczpospolitej z dnia 11.07.1932 r. Prawo o wykroczeniach, Dz.U. Nr 60, poz. 572; siehe *Peiper*, Kodeks karny i prawo o wykroczeniach.

B. Entwicklung ab Mitte des 20. Jahrhunderts

1. Gesetzgebung zwischen 1944 und 1969

a) *Strafrecht*

Nach dem Ende des Zweiten Weltkrieges galt zunächst wieder das Strafgesetzbuch 1932. Gleichzeitig verabschiedete die Exekutive – das Komitee der Nationalen Befreiung[32] – zahlreiche neue Regelungen im Nebenstrafrecht in Form von Beschlüssen mit Gesetzeskraft.[33] Auf diesem Weg wurde im Bereich der Vermögenssanktionen die Vermögensstrafe eingeführt. Da im Gegensatz zur Einziehung bei der Vermögensstrafe kein Bezug zwischen dem abzuschöpfenden Vermögen und der Tat bestehen musste, konnte sie als Mittel der Einflussnahme auf die Gesellschaft effektiv eingesetzt werden.[34] So spielte sie als Instrument der politischen Repression gegen die Opponenten der kommunistischen Machthaber eine wichtige Rolle.[35]

aa) Beschlüsse des Komitees der Nationalen Befreiung und das Kleine Strafgesetzbuch von 1946

Bereits die ersten durch das Komitee der Nationalen Befreiung erlassenen Rechtsakte führten die Vermögensstrafe ein.[36] Im Jahre 1944 wurde das Strafgesetzbuch der Polnischen Armee erlassen, das neben schweren Strafen auch die Vermögensstrafe vorsah.[37] Anders als sein Name vermuten lässt, konnte nach diesem Gesetz auch die Zivilbevölkerung durch ein Militärgericht verurteilt werden.[38]

---

[32] Das Komitee wurde in Moskau im Juli 1944 als provisorische, von der Sowjetunion abhängige Regierung Polens ins Leben gerufen. Das Komitee erklärte sich im Januar 1945 zu einer provisorischen Regierung.

[33] Die Ermächtigungsgrundlage zum Erlass der Beschlüsse mit Gesetzeskraft war Ustawa z dnia 04.07.1947 r. o upoważnieniu Rządu do wydawania dekretów z mocą ustawy, Dz.U. Nr 49 poz. 252; siehe dazu *Ziemba*, Prawo przeciwko społeczeństwu, S. 73 f.; *Naumowicz*, NP 1963, 311.

[34] Siehe *Rzeplińska*, Konfiskata mienia, S. 33 ff.; *Melezini*, Punitywność wymiaru sprawiedliwości karnej, S. 62 ff.; *Rzeplińska*, Archiwum Kryminologii 1992, 148.

[35] Siehe *Grześkowiak*, Komunistyczne prawo karne Polski Ludowej, S. 260 ff.; *Ziemba*, Prawo przeciwko społeczeństwu, S. 73 ff.; *Rzeplińska*, Konfiskata mienia, S. 33.

[36] Diese waren u.a. Dekret Polskiego Komitetu Wyzwolenia Narodowego z dnia 31.08.1944 r. o wymiarze kary dla faszystowsko-hitlerowskich zbrodniarzy winnych zabójstw i znęcania się nad ludnością cywilną i jeńcami oraz dla zdrajców Narodu Polskiego, Dz.U. Nr 4 poz. 16; Dekret Polskiego Komitetu Wyzwolenia Narodowego z dnia 23.09.1944 r. – Kodeks Karny Wojska Polskiego, Dz.U. Nr 6 poz. 27; Dekret Polskiego Komitetu Wyzwolenia Narodowego z dnia 30.10.1944 r. o ochronie Państwa, Dz.U. Nr 10 poz. 50; dazu siehe *Rzeplińska*, Konfiskata mienia, S. 33.

[37] Dekret Polskiego Komitetu Wyzwolenia Narodowego z dnia 23.09.1944 r. – Kodeks Karny Wojska Polskiego, Dz.U. Nr 6 poz. 27.

[38] Vgl. *Rzeplińska*, Konfiskata mienia, S. 33 f.

Das kurz danach erlassene Dekret zum Schutz des Staates vom 30. Oktober 1944[39] pönalisierte zahlreiche weitere Tatbestände mit der Vermögensstrafe, wie zum Beispiel die Beteiligung an einem Verband, dessen Ziel der Sturz des politischen Systems war, das Behindern der Agrarreform, den Angriff auf ein Staatsorgan oder auf eine Militäreinheit, das Herstellen, Verkaufen oder Erwerben von Schusswaffen und Rundfunkgeräten und die Nichtanzeige einer Straftat. Bei Verhängung der Todesstrafe war die Vermögensstrafe obligatorisch anzuwenden.[40]

Im Jahre 1946 wurden manche Vorschriften des Strafgesetzbuchs 1932 durch das sogenannte Kleine Strafgesetzbuch ersetzt.[41] Im Zuge der Reform wurden neue Tatbestände in das Strafrecht eingeführt, die Handlungen „gegen die politische und wirtschaftliche Ordnung der Sozialistischen Republik Polen" pönalisierten.[42] Als solche galten Umsturzversuche, Angriffe auf Einrichtungen der Armee und der Staatsorgane und wirtschaftliche Sabotage. Geregelt wurde auch die Vermögensstrafe, die bisher nur eine Sanktion des Nebenstrafrechts gewesen war. Sie wurde im Art. 49 als eine Zusatzstrafe eingeführt, die in den Fällen von Todesstrafe, lebenslanger Freiheitsstrafe, Verurteilung für den Angriff auf eine Militäreinheit oder der Beteiligung in einem illegalen Militärverband obligatorisch zu verhängen war.[43] Neben dem Vermögen des Verurteilten konnte sie auch das seiner Familie umfassen.[44]

bb) Vereinheitlichung der Vermögensstrafe

Die zahlreichen Regelungen der Vermögensstrafe wirkten sich negativ auf die einheitliche Rechtsanwendung aus.[45] Aus diesem Grunde wurde 1947 ein Beschluss mit Gesetzeskraft zur Vereinheitlichung der Vermögensstrafe erlassen.[46] Dadurch wurde die Möglichkeit, durch die Vermögensstrafe das Vermögen der Familie des Verurteilten zu erfassen, aufgehoben. Vor allem aber vereinheitlichte der Beschluss die Bestimmung des Umfangs von Vermögensstrafen. Nach der neuen Regelung galten alle Rechtsgeschäfte als unwirksam, die nach der Tatbegehung

---

39 Dekret Polskiego Komitetu Wyzwolenia Narodowego z dnia 30.10.1944 r. o ochronie Państwa, Dz.U. Nr 10 poz. 50.

40 Vgl. *Rzeplińska*, Konfiskata mienia, S. 34.

41 Dekret z dnia 13.06.1946 r. o przestępstwach szczególnie niebezpiecznych w okresie odbudowy państwa, Dz. U. Nr. 30 poz. 192.

42 Bafia u.a.-*Hochberg*, Ustawy karne PRL, Mały Kodeks Karny, S. 2.

43 Siehe *Rzeplińska*, Konfiskata mienia, S. 35; Bafia u.a.-*Siewierski*, Ustawy karne PRL, Art. 49 Rn. 1 ff.

44 Vgl. *Rzeplińska*, Konfiskata mienia, S. 35; diese Vorschrift wurde jefoch bereits 1947 aufgehoben, siehe Bafia u.a.-*Siewierski*, Ustawy karne PRL, Art. 49 Fn. 16.

45 *Naumowicz*, NP 1963, 312.

46 Dekret z dnia 22.101947 r. o przepadku majątku, Dz.U. Nr 65 poz. 390; siehe *Naumowicz*, NP 1963, 312.

oder innerhalb eines Jahres davor getätigt wurden und zum Ziel hatten, das Vermögen zu verschleiern. Dabei musste aber der Erwerber des Vermögens von diesen Umständen Kenntnis gehabt haben. Wenn der Täter und der Erwerber nahestehende Personen waren, wurde dieses Wissen als gegeben angenommen und das Vermögen konnte eingezogen werden. Ebenso galt eine unentgeltliche Rechtsübertragung als Verschleierung des Vermögens und war deswegen unwirksam.[47] Infolge der Verhängung einer Vermögensstrafe ging das Eigentum grundsätzlich mit der Rechtskraft des Urteils auf den Fiskus über.[48] Bezüglich der Einziehung der Taterträge fanden weiterhin die Regelungen des Strafgesetzbuchs 1932 Anwendung.[49]

cc) Gesetze zum Schutz des kollektiven Vermögens

Im Jahre 1958 wurde das Gesetz zur Erhöhung des Schutzes des kollektiven Vermögens vor Schäden aus Straftaten verabschiedet, welches den Anwendungsbereich der Vermögensstrafe erweiterte.[50] Das Gesetz sah diese Sanktion bei einer Verurteilung für eine mit Bereicherungsabsicht begangene Straftat vor, die zu einem Schaden am kollektiven Vermögen führte. Die Strafe konnte sowohl das gesamte als auch einen Teil des Vermögens des Täters betreffen.[51] 1959 wurde ein weiteres Gesetz über die strafrechtliche Verantwortung für die Straftaten gegen das kollektive Eigentum verabschiedet.[52] Bei Verurteilung wegen eines dort geregelten Delikts war die Vermögensstrafe zu verhängen. Abhängig von der Höhe des im kollektiven Vermögen entstandenen Schadens war sie eine fakultative oder eine obligatorische Sanktion.[53] Neben der Abschöpfung des gesamten Vermögens mittels Vermögensstrafe konnte eine Geldstrafe verhängt werden. Dies wurde damit begründet, dass es sich um Sanktionen mit unterschiedlichen Zwecken handelte.[54] Darüber hinaus umfasste die Vermögensstrafe das Vermögen am Tag des Urteilsspruchs; auch konnte die Geldstrafe durch künftige Einnahmen des Verurteilten beglichen werden.[55] Gegen eine kumulative Anwendung beider Strafen sprach sich

---

[47] Bafia u.a.-*Hochberg*, Ustawy karne PRL, Dekret o przepadku majątku, Art. 6 Rn. 1 ff.

[48] Siehe ebenda, Art. 4 Rn. 1 ff.

[49] Vgl. ebenda, Art. 1 Rn. 1.

[50] Ustawa z dnia 21.01.1958 r. o wzmożeniu ochrony mienia społecznego przed szkodami wynikającymi z przestępstwa, Dz.U. Nr 4 poz. 11; siehe *Rzeplińska*, Konfiskata mienia, S. 35 f.

[51] Siehe Bafia u.a.-*Hochberg*, Ustawy karne PRL, Ustawa o wzmożeniu ochrony mienia społecznego Art. 2 Rn. 1 ff.; *Rzeplińska*, Konfiskata mienia, S. 51 ff.

[52] Ustawa z dnia 18.06.1959 r. o odpowiedzialności karnej za przestępstwa przeciw właności społecznej, Dz.U. Nr 36 poz. 228.

[53] *Naumowicz*, NP 1963, 310.

[54] Vgl. Bafia u.a.-*Hochberg*, Ustawy karne PRL, Ustawa o wzmożeniu ochrony mienia społecznego Art. 2 Rn. 8.

[55] Vgl. Bafia u.a.-*Hochberg*, Ustawy karne PRL, Ustawa o wzmożeniu ochrony mienia społecznego Art. 2 Rn. 8.

das Oberste Gericht aus. Es vertrat die Auffassung, dass die Verhängung einer Geldstrafe neben der Vermögensstrafe zwecklos sei, da der Verurteilte durch die Vermögensstrafe jegliche materiellen Güter verliere. Deswegen werde auch der Zweck der Geldstrafe mittels Vermögensstrafe erreicht.[56] Diese Ansicht wurde jedoch in der Praxis der Rechtsanwendung nicht umgesetzt.[57]

b) Fiskalstrafgesetze von 1947 und 1960

Die Vorschriften des Fiskalstrafrechts wurden nach dem Zweiten Weltkrieg mit dem Beschluss der Regierung vom 11. April 1947 vereinheitlicht.[58] Das Gesetz umfasste die Fiskaldelikte, die zuvor im Nebenstrafrecht geregelt waren. Im materiellen Recht wurden dabei keine wesentlichen Änderungen vorgenommen.[59] Eine weitere Reform des Fiskalstrafrechts fand im Jahre 1960 statt.[60] Ein Fiskalstrafgesetzbuch wurde verabschiedet und der Katalog der Tatbestände sowie der Allgemeine Teil des Gesetzbuches wurden erweitert.[61]

2. Strafrechtsreform 1969–1971

a) Strafgesetzbuch von 1969

Zur Reform des Strafrechts wurde im Jahre 1956 eine Kodifikationskommission um den Justizminister gegründet.[62] 1966 stellte diese Kommission einen Gesetzentwurf vor, welcher 1969 mit Änderungen des Ministeriums der Justiz als neues Strafgesetzbuch verabschiedet wurde.[63] Im Bereich des Sanktionsrechts behielt das neue Gesetz die Unterscheidung zwischen Haupt- und Zusatzstrafen bei.[64] Die

---

56 Wyr. SN z 04.04.1960 r., IV K 64/60; siehe auch wyr. SN z 02.11.1957 r., II K 627/57; anders wyr. SN z 26.01.1961 r., V K 878/60.

57 Nach dem später verabschiedeten Strafgesetzbuch 1969 war die kumulative Verhängung der Geldstrafe und Vermögensstrafe in manchen Fällen sogar obligatorisch, siehe Andrejew u.a.-*Świda*, Kodeks karny z komentarzem, Art. 36 Rn. 19; Bafia u.a.-*Mioduski*, Kodeks karny, Art. 36 Rn. 21.

58 Dekret z dnia 11.04.1947 r. Prawo karne skarbowe, Dz.U. Nr 32 poz. 140.

59 *Konarska-Wrzosek*, in: Konarska-Wrzosek u.a. (Hrsg.), Prawo i postępowanie karne skarbowe, S. 32; ausführlich *Błaszczyk*, Przepadek w polskim prawie karnym skarbowym, S. 87 ff.

60 Ustawa karna skarbowa z dnia 13.04.1960 r., Dz.U. Nr 21 poz. 123.

61 Siehe *Błaszczyk*, Przepadek w polskim prawie karnym skarbowym, S. 92 ff.; *Konarska-Wrzosek*, in: Konarska-Wrzosek u.a. (Hrsg.), Prawo i postępowanie karne skarbowe, S. 32.

62 Andrejew u.a.-*Andrejew*, Kodeks karny z komentarzem, Przebieg pracy nad projektem kodeksu karnego, S. 5.

63 Ustawa z dnia 19.04.1969 r. Kodeks karny, Dz.U. Nr 13 poz. 94; siehe Andrejew u.a.-*Andrejew*, Kodeks karny z komentarzem, Przebieg pracy nad projektem kodeksu karnego, S. 7 ff.

64 Vgl. Andrejew u.a.-*Świda*, Kodeks karny z komentarzem, Art. 30 Rn. 1 f.; Bafia u.a.-*Mioduski*, Kodeks karny, Art. 30 Rn. 1 ff.

Geldstrafe konnte, als eine der Hauptstrafen, kumulativ mit einer Freiheitsstrafe verhängt werden, wenn der Täter dem kollektiven Vermögen einen Schaden zugefügt hatte.[65] Sie diente als Vermögensabschöpfungsmaßnahme dazu, die Erträge aus der Tat einzuziehen.[66] Neben der Geldstrafe konnte auch die Vermögensstrafe verhängt werden.[67] Die beiden Sanktionen kumulativ anzuwenden war bei manchen Delikten sogar obligatorisch, beispielsweise bei Unterschlagung des kollektiven Vermögens – wenn der Täter mit Bereicherungsabsicht gehandelt hatte und das Vermögen von erheblichem Wert war.[68]

Zu den Zusatzstrafen gehörten die Vermögensstrafen sowie die Einziehung der Tatwerkzeuge und Taterträge.[69] In gesetzlich vorgesehenen Fällen konnten die Zusatzstrafen auch ohne Hauptstrafe verhängt werden, wie zum Beispiel die Einziehung nach Art. 55, wenn die Verhängung einer Hauptstrafe nicht zweckmäßig war und durch die Einziehung die Ziele der Strafe erreicht werden konnten.[70] Die Vermögensstrafe konnte dagegen nicht selbständig verhängt werden.[71] Sie war eine obligatorische Sanktion bei der Verurteilung wegen eines Verbrechens gegen die politischen und wirtschaftlichen Interessen der Sozialistischen Republik Polen sowie wegen Unterschlagung kollektiven Vermögens von erheblichem Wert. Sie konnte darüber hinaus bei Verurteilung wegen eines mit Bereicherungsabsicht begangenen Verbrechens verhängt werden.[72] Der Umfang der Vermögensstrafe wurde gemäß Art. 47 bestimmt, welcher Art. 5 §§ 1 und 2 des Beschlusses aus dem Jahre 1947 entsprach.[73] Die Vermögensstrafe umfasste das gesamte Vermögen des Verurteilten, das diesem zum Zeitpunkt des Urteilsspruchs gehörte. Das Strafgesetz nahm an, dass dieses Vermögen dem Täter bereits zum Zeitpunkt der Tatbegehung gehörte.[74] Wenn die Straftat mit Bereicherungsabsicht begangen wurde oder ein Schaden im kollektiven Vermögen entstanden war, galt nach Art. 134 des Strafvollzugsgesetzes die Vermutung, dass dem Verurteilten auch die Vermögensgegenstände im Eigenbesitz der ihm nahestehenden Personen – etwa seiner Familie –

---

65 Andrejew u.a.-*Świda*, Kodeks karny z komentarzem, Art. 30 Rn. 10.

66 Siehe Andrejew u.a.-*Świda*, Kodeks karny z komentarzem, Art. 30 Rn. 24; Bafia u.a.-*Mioduski*, Kodeks karny, Art. 36 Rn. 1 ff.

67 Vgl. Andrejew u.a.-*Świda*, Kodeks karny z komentarzem, Art. 36 Rn. 19; Bafia u.a.-*Mioduski*, Kodeks karny, Art. 36 Rn. 21.

68 Siehe Andrejew u.a.-*Świda*, Kodeks karny z komentarzem, Art. 30 Rn. 12 f.

69 Siehe Andrejew u.a.-*Świda*, Kodeks karny z komentarzem, Art. 38 Rn. 1 ff.; Bafia u.a.-*Mioduski*, Kodeks karny, Art. 38 Rn. 1 ff.

70 Diese Möglichkeit war im Strafgesetzbuch aus dem Jahre 1932 nicht vorgesehen. Vgl. *Zatyka*, in: Guzik-Makaruk/Arciszewski (Hrsg.), Przepadek przedmiotów i korzyści pochodzących z przestępstwa, S. 51 f.; *Waszczyński*, Państwo i Prawo 1969, 525.

71 Vgl. Andrejew u.a.-*Świda*, Kodeks karny z komentarzem, Art. 38 Rn. 5; Bafia u.a.-*Mioduski*, Kodeks karny, Art. 38 Rn. 7.

72 Vgl. Art. 46 § 1 und 2.

73 Dekret z dnia 22.10.1947 r. o przepadku majątku, Dz.U. Nr 65 poz. 390.

74 Vgl. Andrejew u.a.-*Świda*, Kodeks karny z komentarzem, Art. 47 Rn. 3; Bafia u.a.-*Mioduski*, Kodeks karny, Art. 47 Rn. 2.

und deren Vermögensrechte zustehen.[75] Die betroffenen Personen konnten diese Annahme durch eine Widerspruchsklage im Zivilverfahren widerlegen.[76]

Die Einziehung regelte Art. 48 des Strafgesetzbuchs 1969.[77] Von der Vermögensstrafe unterschied sich die Einziehung auch durch ihren präventiven Charakter.[78] Die Strafverfolgungsbehörde war darüber hinaus verpflichtet, die einzuziehenden Gegenstände genau zu bestimmen und nicht etwa einen abstrakten Teil des Vermögens als Einziehungsgegenstand zu nennen.[79] Dabei wurde der Abschöpfungsgegenstand insbesondere bei Tatwerkzeugen breit erfasst. Es konnten Gegenstände eingezogen werden, die vor und nach der Tatbegehung durch den Täter verwendet wurden, beispielsweise zur Vorbereitung der Tat, als Transportmittel oder zum Verschleiern der Taterträge.[80] Als Taterträge konnten Gegenstände, die mittelbar oder unmittelbar aus Straftaten stammten, eingezogen werden. Wenn ein Vermögensgegenstand mit rechtmäßigen und rechtswidrigen Mitteln erlangt wurde, galt auch dieser als ein mittelbarer Ertrag aus der Tat.[81] Neben der Einziehung der Taterträge und Tatwerkzeuge sah das Gesetz in Art. 226 eine spezielle Maßnahme vor: Bei Wirtschaftsstraftaten konnten die Vermögensgegenstände eines Unternehmens des Täters und dessen Waren eingezogen werden.[82]

Die Einziehung konnte sich in gesetzlich bestimmten Fällen auch gegen tatunbeteiligte Dritte richten. Die Dritteinziehung nach dem Strafgesetzbuch 1969 galt als eine mittelbare Sanktion für den Verurteilten, da dieser den betroffenen Dritten für die Einziehung entschädigen musste.[83] Die Einziehung knüpfte somit nicht an die Handlung des Betroffenen, sondern an die des Täters. Der Dritte konnte seine Rechte, wie bei der Vermögensstrafe, durch Erhebung einer Zivilklage geltend machen.[84]

---

75 Zatyka, in: Guzik-Makaruk/Arciszewski (Hrsg.), Przepadek przedmiotów i korzyści pochodzących z przestępstwa, S. 48.

76 Andrejew u.a.-Świda, Kodeks karny z komentarzem, Art. 47 Rn. 7.

77 Vgl. Zatyka, in: Guzik-Makaruk/Arciszewski (Hrsg.), Przepadek przedmiotów i korzyści pochodzących z przestępstwa, S. 49.

78 Siehe Andrejew u.a.-Świda, Kodeks karny z komentarzem, Art. 48 Rn. 2; Bafia u.a.-Mioduski, Kodeks karny, Art. 48 Rn. 2.

79 Siehe Laskowska, Prokuratura i Prawo 1996, 38; Zatyka, in: Guzik-Makaruk/Arciszewski (Hrsg.), Przepadek przedmiotów i korzyści pochodzących z przestępstwa, S. 48.

80 Andrejew u.a.-Świda, Kodeks karny z komentarzem, Art. 48 Rn. 9 ff.; Bafia u.a.-Mioduski, Kodeks karny, Art. 48 Rn. 10 ff.

81 Andrejew u.a.-Świda, Kodeks karny z komentarzem, Art. 48 Rn. 13.

82 Vgl. Andrejew u.a.-Świda, Kodeks karny z komentarzem, Art. 38 Rn. 10; Andrejew u.a.-Świda, Kodeks karny z komentarzem, Art. 226 Rn. 2.

83 Vgl. Art. 135 § 3, Art. 232 § 1, Art. 273 § 3; siehe Andrejew u.a.-Świda, Kodeks karny z komentarzem, Art. 48 Rn. 2; Bafia u.a.-Mioduski, Kodeks karny, Art. 48 Rn. 2.

84 Andrejew u.a.-Świda, Kodeks karny z komentarzem, Art. 48 Rn. 21; Bafia u.a.-Mioduski, Kodeks karny, Art. 48 Rn. 25.

Die Einziehung der Tatwerkzeuge und Taterträge konnte als eine Maßnahme der Sicherung angeordnet werden. Dies galt nach Art. 103, im Falle der Zurechnungsunfähigkeit des Täters nach Art. 104, wenn die soziale Gefährlichkeit der Tat gering war, das Verfahren mit Auflagen eingestellt wurde, die Strafbarkeit des Täters ausgeschlossen war sowie in anderen gesetzlich bestimmten Fällen. Die Einziehung gemäß Art. 104 wurde als eine versteckte Strafe kritisiert,[85] da nach Art. 26 die Taten, deren soziale Gefährlichkeit gering war, keine Straftaten darstellten. Somit wurde gemäß Art. 104 eine Sanktion angeordnet, ohne dass der Betroffene eine Straftat begangen hatte. Wenn die Tat eine geringe soziale Gefährlichkeit aufwies, dann konnten auch die Gegenstände, welche der Täter benutzt hatte, die Rechtsordnung nicht gefährden. Somit bestand kein plausibler Grund, die Gegenstände einzuziehen.[86]

b) *Fiskalstrafgesetz von 1971*

Nach der Reform des Strafrechts musste auch das Fiskalstrafrecht an das neue Strafgesetzbuch angepasst werden. Das neue Fiskalstrafgesetz wurde 1971 verabschiedet.[87] Die Fiskaldelikte wurden in Vergehen und Übertretungen unterteilt, womit das Gesetz den Unterschieden in der sozialen Gefährlichkeit der Delikte Rechnung trug.[88] Die Regelung der Übertretungen wurde an das Übertretungsgesetzbuch 1971, die der Straftaten an das Strafgesetzbuch 1969 angelehnt. Bei Fiskaldelikten lag die prozessuale Zuständigkeit, abgesehen von schweren Straftaten, nicht bei unabhängigen Gerichten, sondern bei Verwaltungsbehörden.[89]

c) *Übertretungsgesetzbuch von 1971*

Die Reform umfasste auch das Recht der Übertretungen. Das Übertretungsgesetzbuch wurde am 20. Mai 1971 als eigenständige Kodifikation verabschiedet.[90] Das Gesetzbuch ist bis heute geltendes Recht. Die Eigenständigkeit des Gesetzes bedeutet, dass die Vorschriften des Strafgesetzbuchs keine Anwendung auf die Übertretungen finden. Die Reform des Übertretungsrechts begann bereits 1966 mit der Dekriminalisierung zahlreicher Tatbestände aus dem Strafgesetzbuch. Die Re-

---

85 Siehe *Spotowski*, Państwo i Prawo 1989, 106.

86 Ebenda; auch *de lege lata* kann selbständige Einziehung nach Art. 45a § 1 k.k. bei geringer sozialer Schädlichkeit angeordnet werden.

87 Ustawa karna skarbowa z dnia 26.10.1971 r., Dz.U. Nr 28 poz. 260.

88 Siehe *Błaszczyk*, Przepadek w polskim prawie karnym skarbowym, S. 99 ff.; *Konarska-Wrzosek*, in: Konarska-Wrzosek u.a. (Hrsg.), Prawo i postępowanie karne skarbowe, S. 33.

89 *Konarska-Wrzosek*, in: Konarska-Wrzosek u.a. (Hrsg.), Prawo i postępowanie karne skarbowe, S. 33.

90 Ustawa z dnia 20.05.1971 r. Kodeks wykroczeń, Dz.U. Nr 12 poz. 114.

gelung dieser Delikte wurde in das Recht der Übertretungen verschoben.[91] Der Gesetzgeber definierte dabei den Unterschied zwischen Übertretungen und Straftaten dadurch, dass die ersteren eine geringere soziale Schädlichkeit aufwiesen. Auf die zuvor verwendete Bezeichnung „Verwaltungsstrafecht" wurde verzichtet, um dadurch den Unterschied zwischen dem Recht der Übertretungen und dem Verwaltungsrecht hervorzuheben.[92]

Die Regelung der Einziehung in der Fassung des Gesetzbuchs vom 20. Mai 1971 entspricht weitgehend dem heute geltenden Recht. In Art. 30 regelte das Gesetz die Einziehung der Gegenstände, die zur Tatbegehung verwendet oder dazu bestimmt wurden. Die Einziehung der Gegenstände, die unmittelbar aus dem Delikt stammten, musste in einer Spezialnorm vorgesehen sein. Das gleiche galt für die Abschöpfung der Gegenstände, die nicht dem Täter gehörten. In seiner ursprünglichen Fassung kannte das Gesetz die Einschränkung der Einziehungsanordnung durch den Verhältnismäßigkeitsprinzip nicht. Diese wurde in Art. 30 § 5 durch das Reformgesetz vom 28. August 1998 eingeführt.[93]

3. Strafgesetze von 1985

Der Anwendungsbereich der Vermögensabschöpfungsverschriften wurde 1985 durch die sogenannten Mai-Gesetze erweitert.[94] Die Vermögensstrafe und Einziehung, die zuvor nur bei Verurteilung wegen eines Verbrechens vorgesehen waren, konnten nach der Reform bei allen mit Bereicherungsabsicht begangenen Vergehen und somit praktisch bei allen Tatbeständen zur Anwendung kommen.[95] Darüber hinaus wurde der Katalog von Delikten erweitert, bei denen die Verhängung der Vermögensstrafe obligatorisch war. Dies führte dazu, dass die Sanktion, trotz ihrer Unverhältnismäßigkeit, vielfach auch bei Bagatelldelikten zur Anwendung kam.[96] Dieser Regelung lag die Annahme des Gesetzgebers zugrunde, dass jede Person, die einmal versucht hat, ihr Vermögen illegal zu mehren, ihr gesamtes Vermögen illegal erworben hat.[97]

---

91 Vgl. *Marek*, Prawo wykroczeń, Rn. 27 ff.; Bojarski/Radecki-*Radecki*, Kodeks wykroczeń, Wprowadzenie Rn. 14 ff.

92 Vgl. *Marek*, Prawo wykroczeń, Rn. 29.

93 Ustawa z dnia 28.08.1998 r. o zmianie ustawy – Kodeks wykroczeń, ustawy – Kodeks postępowania w sprawach o wykroczenia, ustawy o ustroju kolegiów do spraw wykroczeń, ustawy – Kodeks pracy i niektórych innych ustaw, Dz.U. Nr 113 poz. 717; siehe Grzegorczyk u.a.-*Grzegorczyk*, Kodeks wykroczeń, Art. 30 Rn. 4; Bojarski u.a.-*Bojarski*, Kodeks wykroczeń, Art. 30 Rn. 2 f.

94 Ustawa z dnia 10.05.1985 r. o zmianie niektórych przepisów prawa karnego i prawa o wykroczeniach, Dz.U. Nr 23 poz. 100; Ustawa z dnia 10.05.1985 r. o szczególnej odpowiedzialności karnej, Dz.U. Nr 23 poz. 101. Die Gesetze wurden am 30.6.1988 aufgehoben.

95 *Laskowska*, Prokuratura i Prawo 1996, 42.

96 Vgl. ebenda, 42 f.; *Spotowski*, Państwo i Prawo 1989, 101 f.; *Czwojda*, Przepadek korzyści majątkowej, S. 117 f.

97 *Bednarzak*, NP 1975, 508; siehe auch *Spotowski*, Państwo i Prawo 1989, 103.

4. Kritik und Aufheben von Vermögensstrafe

Nach der Gesetzesänderung 1985 nahm die Kritik an der Vermögensstrafe zu. Beanstandet wurde ihre Zweckmäßigkeit, da sich die Strafe nicht nur gegen den Täter selbst, sondern auch gegen seine Familie richtete und deren Existenzgrundlage bedrohte. Diese Wirkung der Vermögensstrafe wurde als Widerspruch zu dem in der Verfassung verankerten Schutz der Familie gesehen. Aus demselben Grund wurde die Vermögensstrafe als eine Form der kollektiven Verantwortung gesehen.[98] Kritisiert wurde auch, dass die Schuld des Täters bei der Bemessung dieser Strafe nicht berücksichtigt wurde – maßgeblich war allein die Größe des Vermögens. Dabei wurde die individualpräventive Wirkung dieser Strafe angezweifelt. Dazu beigetragen hat der Umstand, dass sie zusammen mit einer Geldstrafe verhängt werden konnte, oder – in manchen Fällen – sogar musste.[99] Es wurde deswegen von einer kriminogenen Wirkung der Vermögensstrafe gesprochen. Der Verlust des gesamten Vermögens veranlasste den Täter häufig dazu, sich nach der Verbüßung der Freiheitsstrafe durch Begehung weiterer Delikte eine Existenzgrundlage zu sichern.[100] Widersprochen wurde auch der Sachdienlichkeit der Vermögensstrafe als Gewinnabschöpfungsinstrument, da sich ihre Anwendung auf das gesamte Vermögen des Täters erstreckte, unabhängig von dessen Herkunft.[101] Hinzu kam, dass die Strafe „dem Täter folgte" – das heißt, wenn nach der Verurteilung weitere Vermögensgegenstände aufgedeckt wurden, konnten auch diese nachträglich abgeschöpft werden.[102] Infolge dieser Kritik wurde die Vermögensstrafe mit dem Gesetz vom 23. Februar 1990 aufgehoben.[103]

5. Strafgesetzbuch von 1997

Im Jahr 1987 wurde um den Justizminister eine Reformkommission berufen und mit der Aufgabe betraut, einen Strafgesetzbuchsentwurf vorzubereiten. Die Reformarbeiten begannen 1989 und der Gesetzentwurf wurde 1994 vorgelegt. Im Bereich der Vermögenssanktionen sah der Gesetzentwurf nur die Einziehung von Tatwerkzeugen und Taterträgen vor.[104] Ein Jahr später wurde durch die Regierung

---

98 Vgl. *Laskowska*, Prokuratura i Prawo 1996, 43; *Spotowski*, Państwo i Prawo 1989, 101 f.

99 *Laskowska*, Prokuratura i Prawo 1996, 44.

100 Siehe *Laskowska*, Prokuratura i Prawo 1996, 44; *Spotowski*, Państwo i Prawo 1989, 101.

101 Vgl. *Laskowska*, Prokuratura i Prawo 1996, 44; *Spotowski*, Państwo i Prawo 1989, 102.

102 *Laskowska*, Prokuratura i Prawo 1996, 44.

103 Ustawa z dnia 23.02.1990 r. o zmianie Kodeksu karnego i niektórych innych ustaw, Dz.U. Nr 14 poz. 84; siehe dazu *Postulski/Siwek*, Przepadek w polskim prawie karnym, S. 41.

104 *Czwojda*, Przepadek korzyści majątkowej, S. 127.

auch ein alternativer Entwurf des Strafgesetzes vorgelegt, welcher neben Einziehung auch die Vermögensstrafe vorsah. Diese sollte bei bestimmten schweren Delikten verhängt werden können. Ihre kumulative Anwendung neben einer Geldstrafe wurde ausgeschlossen. Die Sanktion sollte sich auf das Vermögen des Verurteilten zum Zeitpunkt der Einleitung des Ermittlungsverfahrens beschränken. Dadurch wollten die Verfasser eine missbräuchliche Anwendung der Sanktion ausschließen, ohne auf die Vermögensstrafe als ein Instrument zur Bekämpfung der Organisierten Kriminalität zu verzichten.[105] Der Gesetzgeber entschied sich aber in dem 1997 verabschiedeten Strafgesetzbuch[106] gegen die Vermögensstrafe, da sie eine nach dem *ultima ratio*-Prinzip übermäßige Sanktion darstelle.[107]

Im Sanktionssystem des Strafgesetzbuchs 1997 kam der Geldstrafe eine wichtige Rolle als Hauptsanktion für geringfügigere Straftaten zu. Das Tagessatzsystem wurde eingeführt, wodurch die persönlichen und wirtschaftlichen Verhältnisse des Täters berücksichtigt werden konnten. Die Geldstrafe diente jedoch nicht der Vermögensabschöpfung, diesen Zweck sollte die Einziehung erfüllen.[108] Die Einziehung sowohl der Taterträge als auch der Tatwerkzeuge gehörte zu den Strafmaßnahmen – einer Kategorie von Sanktionen mit einem vorrangig präventiven Zweck, die anstelle von Nebenstrafen eingeführt wurde.[109] Im Hinblick auf die Bestimmung des Abschöpfungsumfangs unterschied sich die Gesetzesformulierung bei der Einziehung von Gegenständen nicht wesentlich von den heute geltenden Vorschriften. Die Einziehung von Gegenständen, die unmittelbar aus einer Straftat stammten, war nach Art. 44 § 1 obligatorisch. Dagegen war die Einziehung von Gegenständen, die zur Tatbegehung verwendet oder dazu bestimmt wurden, fakultativ und umfasste gemäß Art. 44 § 1 ausschließlich bewegliche Sachen. Das Gesetz kannte auch in seiner ursprünglichen Fassung die Verhältnismäßigkeitsklausel bei der Einziehungsanordnung. Die Einziehung des Vermögensvorteils aus einer Straftat regelte Art. 45. Die Maßnahme umfasste sowohl unmittelbare als auch mittelbare Vorteile aus der Tat. Der Anwendungsbereich war jedoch enger als nach der heutigen Fassung des Art. 45 § 1. Die Vorschrift kam ausschließlich bei einer Verurteilung zur Anwendung und nur dann, wenn der Täter gemäß den Voraussetzungen des Art. 65 die Begehung rechtswidriger Taten zu seiner festen Einnahmequelle gemacht hatte oder die abgeurteilte Tat in einer organisierten Gruppe begangen worden war.

---

105 Ebenda, S. 127 f.

106 Ustawa z dnia 06.06.1997 r. - Kodeks karny, Dz.U. Nr 88 poz. 553.

107 Melezini u.a.-*Melezini*, System Prawa Karnego, Kapitel I, § 1 Rn. 47.

108 Ebenda.

109 *Postulski/Siwek*, Przepadek w polskim prawie karnym, S. 40.

6. Fiskalstrafgesetzbuch von 1999

Nach der gesellschaftlich-politischen Transformation 1989 war auch eine Reform des Fiskalstrafrechts notwendig. Zu diesem Zweck wurde 1989 eine Reformkommission um den Justizminister berufen. Da aber 1997 das Strafgesetzbuch und die polnische Verfassung verabschiedet wurden, wurde eine umfassende Reform des Fiskalstrafrechts aufgrund der hohen Belastung der Justiz zeitlich verschoben.[110] 1998 wurde zuerst eine Gesetzesänderung zur Anpassung des Fiskalstrafrechts an das Strafgesetzbuch und die Strafprozessordnung verabschiedet. Eine umfassende Reform wurde mit dem Gesetz vom 10. September 1999 durchgeführt.[111] Das Gesetz war die erste Kodifikation des seit Langem separat geregelten Fiskalstrafrechts. Der Gesetzgeber passte auch dieses Gesetz an rechtsstaatliche Grundsätze an und übertrug die verfahrensrechtliche Zuständigkeit bei Straftaten ganz an die unabhängigen Gerichte.[112]

Bezüglich der Regelung der Vermögensabschöpfung sah das Fiskalstrafgesetzbuch 1999 im Katalog der Strafmaßnahmen in Art. 22 § 2 die Einziehung der Gegenstände, die Einziehung eines Vermögensvorteils und, für beide primäre Abschöpfungsgegenstände, die Einziehung deren jeweiligen Werts vor. Die Voraussetzungen der Einziehung von Gegenständen bestimmte Art. 29, dessen Wortlaut dem heutigen entspricht. Die Maßnahme umfasste sowohl Gegenstände, die unmittelbar aus einer Straftat stammen, als auch diejenigen, die zur Tatbegehung verwendet oder dazu bestimmt wurden. Die Regelung unterschied sich von der geltenden Fassung bei den Voraussetzungen der Dritteinziehung in Art. 31 § 1. Das Gesetz ließ die Einziehung zu, unabhängig davon, wem diese Gegenstände gehört hatten, wenn sie Gegenstand der Straftat waren. Diese Formulierung führte zu Interpretationsunsicherheiten und wurde im Zuge der Gesetzesreform 2005 durch eine genauere Bezeichnung ersetzt.[113] Bei der Anordnung der Einziehung sah das Gesetz bereits in seiner ursprünglichen Fassung die Verhältnismäßigkeitsklausel vor. Die Einziehung des Wertes der Gegenstände regelte Art. 32 § 1, welcher später nicht grundlegend reformiert wurde. Die Einziehung des Wertes der Gegenstände war an die Unmöglichkeit der primären Einziehung geknüpft, anders als im Strafgesetzbuch 1997, wo der Täter die Unmöglichkeit durch seine vorsätzliche Handlung verursacht haben musste. Die Einziehung des Vermögensvorteils war dagegen, wie im Strafrecht, auf bestimmte Delikte eingeschränkt, nämlich auf solche, die gewerbsmäßig oder in einer organisierten Gruppe begangen wurden.[114]

---

110 *Konarska-Wrzosek*, in: Konarska-Wrzosek u.a. (Hrsg.), Prawo i postępowanie karne skarbowe, S. 34.

111 Ustawa z dnia 10.09.1999 r. Kodeks karny skarbowy, Dz.U. Nr 83 poz. 930.

112 *Konarska-Wrzosek*, in: Konarska-Wrzosek u.a. (Hrsg.), Prawo i postępowanie karne skarbowe, S. 35.

113 Siehe Wilk/Zagrodnik-*Wilk*, Kodeks karny skarbowy, Art. 31 Rn. 2.

114 Diese Einschränkung wurde durch das Reformgesetz 2005 aufgehoben, siehe Wilk/Zagrodnik-*Wilk*, Kodeks karny skarbowy, Art. 33 Rn. 1.

7. Reformen der Vermögensabschöpfung 2000–2015

a) Änderungen des Strafgesetzes vom 9. September 2000 und 13. Juli 2003

Am 9. September 2000 wurde ein Reformgesetz verabschiedet, das den Anwendungsbereich der Einziehung von Erträgen aus Straftaten erweitert hat.[115] Die Einschränkung der Maßnahme auf bestimmte Tatbestände wurde aufgehoben, sodass sie bei jedem Delikt angeordnet werden konnte. Darüber hinaus war nach der Gesetzesänderung die Einziehung bei einem gewerbsmäßig handelnden Täter, oder wenn der Täter aus der Tat einen Vermögensvorteil von erheblichem Wert erlangt hat, obligatorisch.[116]

Zu einem weiteren Ausbau der Vermögensabschöpfung kam es drei Jahre später mit dem Gesetz vom 13. Juli 2003, dem sogenannten Antikorruptionsgesetz.[117] Bei der Einziehung der Tatwerkzeuge nach Art. 44 § 2 hat das Gesetz die Einschränkung auf bewegliche Sachen aufgehoben. In Art. 44 § 4 wurde die Einziehung des Wertes der Gegenstände eingeführt, unabhängig davon, ob der Täter die Unmöglichkeit der Einziehung verursacht hat.[118] Die Fassung der Vorschriften entspricht der heute geltenden. Darüber hinaus änderte das Gesetz die Anordnungsvoraussetzungen bei der Einziehung des Vermögensvorteils. Nach Art. 45 § 1 fand die Maßnahme Anwendung auf die Vermögensvorteile, die nicht der Einziehung der Gegenstände unterlagen. Damit wurde der subsidiäre Charakter der Einziehung des Vermögensvorteils in den Gesetzestext aufgenommen. Unklar blieb, ob die Einziehung des Wertes des Vermögensvorteils erst bei Unmöglichkeit der primären Einziehung angeordnet werden konnte.[119]

Im Zuge der Reform wurde in Art. 45 §§ 2 und 3 die erweiterte Einziehung eingeführt. Die Maßnahme kam zur Anwendung im Fall einer Verurteilung wegen einer Straftat, aus der der Täter unmittelbar oder mittelbar einen Vermögensvorteil von erheblichem Wert erlangt hat. Wenn diese Voraussetzung erfüllt war, galt das gesamte Vermögen des Täters, das sich bis zum Erlass des Urteils in dessen Eigentum befand, als rechtswidrig erlangt und konnte somit eingezogen werden. Die

---

115 Ustawa z dnia 09.09.2000 r. o zmianie ustawy – Kodeks karny, ustawy – Kodeks postępowania karnego, ustawy o zwalczaniu nieuczciwej konkurencji, ustawy o zamówieniach publicznych oraz ustawy – Prawo bankowe, Dz.U. Nr 93 poz. 1027.

116 Siehe Giezek u.a.-*Kłączyńska*, Kodeks karny. Część ogólna, Art. 45 Rn. 1.

117 Ustawa z dnia 13.06.2003 r. o zmianie ustawy - Kodeks karny oraz niektórych innych ustaw, Dz.U. Nr 111 poz. 1061.

118 Siehe Giezek u.a.-*Kłączyńska*, Kodeks karny. Część ogólna, Art. 44 Rn. 2.

119 In der Gesetzeswortlaut vor der Reform hieß es: „Wenn der Täter aus der Tat einen auch mittelbaren Vorteil erlangt hat, kann das Gericht dessen Einziehung oder die Einziehung seines Wertes anordnen." Im Zuge der Reform wurde die Formulierung „entweder oder" eingeführt, was zur Interpretationsunsicherheiten führte. Siehe dazu Wilk/Zagrodnik-*Wilk*, Kodeks karny skarbowy, Art. 33 Rn. 2; Wróbel/Zoll-*Raglewski*, Kodeks karny, Art. 45 Rn. 17; anders *Raglewski*, Palestra 2001, 19 ff.

Beweislast einer rechtmäßigen Herkunft des Vermögens oblag dem Verurteilten.[120] Ergab sich aus den Umständen eine hohe Wahrscheinlichkeit, dass das einzuziehende Vermögen auf eine andere Person übertragen worden war, konnte die Einziehung nach Art. 45 § 3 auch die Vermögensgegenstände im Eigenbesitz dieser Person umfassen. Es handelte sich dabei nicht um einen Eingriff in das Eigentumsrecht eines Dritten, da das Gesetz bezüglich der Gegenstände annahm, dass sie weiterhin dem Täter gehörten. Die Übertragung auf einen Dritten galt als ein Scheingeschäft, das die Einziehung verhindern sollte.[121] Die Strafverfolgung musste allerdings die Scheinübertragung des Vermögens glaubhaft machen. Dabei kam es auf die Kenntnis des Dritten von der rechtswidrigen Herkunft des Vermögens nicht an. Die Einziehung umfasste alle Vermögensgegenstände, die zu dem Zeitpunkt des Erlasses des Urteils im Eigenbesitz des Dritten waren.[122] Der Betroffene konnte, durch den Beweis eines rechtmäßigen Erwerbs, die Einziehung verhindern.

b) Änderung des Fiskalstrafgesetzes vom 28. Juli 2005

Die Vermögensabschöpfungsvorschriften des Fiskalstrafrechts wurden mit dem Gesetz vom 28. Juli 2005 an die des Strafgesetzbuchs angepasst.[123] Das Gesetz führte in Art. 33 §§ 2 und 3 die erweiterte Einziehung ein. Die Maßnahme konnte unter den gleichen Voraussetzungen wie im allgemeinen Strafrecht angeordnet werden, mit dem Unterschied, dass sie an einen Vermögensvorteil von großem, und nicht wie im Strafrecht von erheblichem, Wert knüpfte. Auch im Fiskalstrafrecht wurde eine Beweislastumkehr bezüglich der rechtmäßigen Herkunft des Vermögens eingeführt.

In Bezug auf die Einziehung der Gegenstände wurde in Art. 33 § 1a die Einziehung von anderen Personen als dem Täter geregelt. Die Vorschrift ließ die Einziehung der Tatwerkzeuge von Dritten nur dann zu, wenn der Betroffene wusste oder wissen musste, dass die Gegenstände zur Begehung einer rechtswidrigen Tat verwendet werden würden.[124]

---

[120] Vgl. Giezek u.a.-*Kłączyńska*, Kodeks karny. Część ogólna, Art. 45 Rn. 12 ff.

[121] Vgl. ebenda, Art. 45 Rn. 18.

[122] Ebenda, Art. 45 Rn. 22.

[123] Ustawa z dnia 28.07.2005 r. o zmianie ustawy - Kodeks karny skarbowy oraz niektórych innych ustaw, Dz.U. Nr 178 poz. 1479; siehe Wilk/Zagrodnik-*Wilk*, Kodeks karny skarbowy, Art. 33 Rn. 1.

[124] Vgl. Wilk/Zagrodnik-*Wilk*, Kodeks karny skarbowy, Art. 31 Rn. 2; zu Auslegungsproblemen wegen falschen Gesetzeswortlauts siehe Kardas u.a.-*Łabuda*, Kodeks karny skarbowy, Art. 31 Rn. 3.

c) Gesetz zur Änderung des Strafgesetzes und Fiskalstrafgesetzes vom 20. Februar 2015

Eine wichtige Änderung der strafrechtlichen Vermögensabschöpfung wurde mit dem Gesetz vom 20. Februar 2015 verabschiedet.[125] Die Einziehung wurde aus dem Katalog der Strafmaßnahmen in ein neues Kapitel, „Einziehung und Kompensationsmaßnahmen", übertragen. In der Literatur wurde dies als Änderung der Rechtsnatur der Einziehung gesehen, durch die diese eine Maßnahme *sui generis* geworden ist.[126] Das Reformgesetz betraf nicht die Einziehungsregelung im Fiskalstrafgesetzbuch und Übertretungsgesetzbuch, was im Hinblick auf die neue Zuordnung der Einziehung im Sanktionssystem kritisch bewertet wurde.[127] Die Neuregelung der Einziehung wurde damit begründet, dass ein strafrechtlicher Charakter der Maßnahme nur dann aufrechterhalten werden konnte, wenn es sich um eine Vermögensstrafe handelte.[128] *Raglewski* vertritt die Auffassung, dass die Einziehung der Taterträge einer verwaltungsrechtlichen Maßnahme ähnelt. Die Einziehung der Tatwerkzeuge erfülle hingegen einen präventiven Zweck, obwohl sie für den Betroffenen eine repressive Wirkung haben kann.[129] Im Zuge der Reform wurde eine entsprechende Anwendung der Strafzumessungsregel auf die Einziehung in Art. 56 nicht ausdrücklich ausgeschlossen, was zu Auslegungsunsicherheiten geführt hat. Die Maßnahmen von dem Anwendungsbereich der Strafzumessungsregeln auszuschließen, wird als dem Willen des Gesetzgebers naheliegende Auslegung vertreten.[130]

Das Gesetz hat die Beweiserleichterungen bei der erweiterten Einziehung eingeschränkt. Damit die Maßnahme das Vermögen einer anderen Person als der des Täters umfassen kann, musste für den Betroffenen an den Erwerbsumständen erkennbar sein, dass es sich um Vermögen rechtswidriger Herkunft handelt. Die Strafverfolgung musste dabei die Übertragung des einzuziehenden Vermögens auf einen Dritten nachweisen, und nicht, wie nach der früheren Fassung, nur glaubhaft machen.[131] Um die Einziehung zu verhindern, musste der Dritte darlegen, dass er von der rechtswidrigen Herkunft des Vermögens anhand der Erwerbsumstände keine Kenntnis haben konnte. Die Fassung der Vorschrift entspricht den heute geltenden Voraussetzungen der Einziehung. Die Änderung betraf auch die erweiterte Einziehung im Fiskalstrafrecht.

---

125 Ustawa z dnia 20.02.2015 r. o zmianie ustawy – Kodeks karny oraz niektórych innych ustaw, Dz.U. 2015 poz. 396.

126 Siehe nur *Stefański*, in: Stefański (Hrsg.), Środki karne po nowelizacji, S. 13 ff.; Melezini u.a.-*Raglewski*, System Prawa Karnego, Kapitel III § 21 Rn. 1 ff.

127 Melezini u.a.-*Raglewski*, System Prawa Karnego, Kapitel III § 21 Rn. 6.

128 Siehe ebenda, Kapitel III § 21 Rn. 2.

129 Ebenda, Kapitel III § 21 Rn. 3.

130 Vgl. ebenda, Kapitel III § 21 Rn. 4.

131 *Stefański*, in: Stefański (Hrsg.), Środki karne po nowelizacji, S. 14.

Das Reformgesetz führte darüber hinaus in Art. 45a die selbständige Einziehung ein. Diese konnte im Fall geringer sozialer Schädlichkeit der Tat, bei der Einstellung des Verfahrens, bei Unzurechnungsfähigkeit des Täters oder wenn ein Strafausschließungsgrund vorlag, angeordnet werden. Die Norm entspricht der geltenden Fassung des Art. 45 § 1. In das Fiskalstrafgesetzbuch wurde die selbständige Einziehung nicht eingeführt.

Eine weitere, umfassende Reform der Vermögensabschöpfung wurde mit dem Gesetz vom 23. März 2017 durchgeführt. Die durch dieses Gesetz eingeführten Änderungen werden im folgenden Kapitel zu den gesetzlichen Regelungen analysiert.

II. Gesetzliche Regelungen

Im folgenden Kapitel werden die Regelungen der Vermögensabschöpfung im polnischen Straf-, Fiskalstrafrecht und Recht der Übertretungen analysiert. Der Ausgangspunkt ist dabei die Abgrenzung zwischen Vermögensabschöpfung und Geldstrafe.

A. Abgrenzung zwischen Vermögensabschöpfung und Geldstrafe

Geldstrafe ist im polnischen Strafrecht eine der Hauptstrafen mit dem Zweck, dem Täter eine finanzielle Unannehmlichkeit zuzufügen und sein Vermögen zu mindern.[132] Für ihre Verhängung ist der Beweis einer tatbestandsmäßigen, rechtswidrigen und schuldhaften Tat notwendig. Im Katalog der Strafen des Art. 32 k.k. wurde die Geldstrafe an erster Stelle genannt, was den Willen des Gesetzgebers zum Ausdruck bringt, diese Strafe als *in abstracto* mildeste vorrangig zu verhängen.[133] Im Gegensatz zur Freiheitsstrafe wird der Verurteilte nicht aus seinem gesellschaftlichen, beruflichen und familiären Umfeld gerissen. Die Verhängung der Geldstrafe ist dabei vom Einkommen des Täters, seinen Vermögensverhältnissen oder Verdienstmöglichkeiten unabhängig. Art. 58 § 2 k.k., der die Verhängung der Geldstrafe von diesen Umständen abhängig machte, wurde 2015 aufgehoben.[134] Bezweckt wurde damit, die verhängten Freiheitsstrafen zu reduzieren und die Mög-

---

[132] Vgl. Melezini u.a.-*Melezini*, System Prawa Karnego, Kapitel I § 2 Rn. 111 f.; *Wróbel/Zoll*, Polskie prawo karne, S. 427. Neben der Geldstrafe gehören im polnischen Strafrecht die Freiheitsbeschränkungsstrafe, Freiheitsstrafe, 25-jährige Freiheitsstrafe und lebenslange Freiheitsstrafe zu den Hauptstrafen (vgl. Art. 32 k.k.).

[133] *Wróbel/Zoll*, Polskie prawo karne, S. 427; der Vorrang der Geldstrafe kommt auch in Art. 58 § 1 k.k. zum Ausdruck.

[134] Ustawa z dnia 20.02.2015 r. o zmianie ustawy – Kodeks karny oraz niektórych innych ustaw, Dz.U. 2015 poz. 396. Das Gesetz führte darüber hinaus Art. 37a k.k. ein, nach dem das Gericht eine Geldstrafe statt der Freiheitsstrafe verhängen kann, wenn für den Tatbestand eine Freiheitsstrafe von nicht mehr als acht Jahren im Höchstmaß vorgesehen ist.

lichkeit zu schaffen, die Geldstrafe auch dann zu verhängen, wenn der Täter sein Vermögen verschleiert hat.[135] Diese Begründung wurde jedoch in der Literatur kritisiert. Die Täter seien nicht wegen der mangelhaften Regelungen im Strafgesetzbuch der Geldstrafe entkommen, sondern weil die Gerichte ihrer Pflicht, die Vermögensverhältnisse des Täters zu prüfen, nicht nachgekommen seien.[136]

Die Geldstrafe wird in Tagessätzen verhängt. Für die Bemessung der Tagessätze werden das Einkommen des Täters sowie seine persönlichen, familiären und wirtschaftlichen Verhältnisse berücksichtigt.[137] Die Geldstrafe kann auch kumulativ neben der Freiheitsstrafe verhängt werden, wenn der Täter mit dem Ziel, sich durch die Tat einen Vermögensvorteil[138] zu verschaffen, gehandelt hat (vgl. Art. 33 § 2 k.k.).[139] Die Geldstrafe ergänzt dann die strafrechtliche Repression um eine finanzielle Unannehmlichkeit.[140] Dabei müssen die allgemeinen Grundsätze der Strafzumessung für beide Strafen gemeinsam berücksichtigt werden, sodass sie dem Grad der Schuld angemessen sind (vgl. Art. 53 § 1 k.k.). Die kumulative Geldstrafe dient somit nicht dazu, dem Täter die Früchte der Tat zu entziehen – diese Funktion erfüllt die Einziehung.

B. Vermögensabschöpfung im Strafgesetzbuch

Die strafrechtliche Vermögensabschöpfung wurde in Polen mit dem Gesetz vom 23. März 2017 reformiert.[141] Neben den Vorschriften des Strafgesetzbuchs änderte das Gesetz die Einziehungsregelung im Fiskalstrafrecht. Den Entwurf für das Gesetz legte Ende 2016 der Ministerrat vor. Die Begründung lautete, eine Reform sei

---

135 Dazu siehe Melezini u.a.-*Melezini*, System Prawa Karnego, Kapitel I § 2 Rn. 195, 215.

136 Darüber hinaus wurde mit dem Schutz vor Verhängung uneinbringlicher Geldstrafen argumentiert. Siehe ebenda, Kapitel I § 2 Rn. 216; *Dadak*, Grzywna samoistna, S. 140 ff.

137 Vgl. Melezini u.a.-*Melezini*, System Prawa Karnego, Kapitel I § 2 Rn. 186 ff.; *Wróbel/Zoll*, Polskie prawo karne, S. 430.

138 Der Begriff des Vermögensvorteils wurde im Strafgesetzbuch nicht definiert. Das Oberste Gericht *(Sąd Najwyższy)* definiert den Vermögensvorteil als eine nicht gebührende, sittenwidrige und rechtswidrige Mehrung des Vermögens, die dem Täter (oder einer anderen Person) zu einem zum Zeitpunkt der Tatbegehung bestehenden Rechtsverhältnis nicht zusteht. Nach dieser Definition kann der Vermögensvorteil auch einer anderen Person als dem Täter selbst zukommen. Vgl. wyr. SN z 17.05.1972 r., III KR 67/72, OSNKW 1972, Nr 10, poz. 157; uchw. SN z 15.02.1976 r., VII KZP 16/76, OSNKW 1977, Nr 4-5, poz. 34; uchw. SN z 30.1.1980 r., VII KZP 41/78, OSNKW 1980, Nr 3, poz. 24.

139 Neben der allgemeinen Rechtsgrundlage wurde in Art. 289 § 4 eine spezielle vorgesehen, nämlich bei kurzem Gebrauch eines fremden Fahrzeugs (*lex specialis* zum Art. 33 § 2 k.k.); siehe Melezini u.a.-*Melezini*, System Prawa Karnego, Kapitel I § 2 Rn. 229; *Wróbel/Zoll*, Polskie prawo karne, S. 428.

140 Melezini u.a.-*Melezini*, System Prawa Karnego, Kapitel I § 2 Rn. 227.

141 Ustawa z dnia 23.03.2017 r. o zmianie ustawy – Kodeks karny oraz niektórych innych ustaw, Dz.U. 2017 poz. 768.

für die Verbesserung der Effektivität der Vermögensabschöpfung, insbesondere bei schweren Wirtschaftsdelikten, die mit Hilfe eines Unternehmens als Tatwerkzeug begangen werden, notwendig.[142] Aus diesem Grunde führte das Gesetz u.a. die Einziehung des Unternehmens als eine besondere Regelung ein, erweiterte den Anwendungsbereich der Einziehung durch die Umkehr der Beweislast und führte die Möglichkeit der Einziehungsanordnung für die Fälle, in denen keine Verurteilung möglich ist, ein. Begründet wurde dies mit der Umsetzung der EU-Richtlinie 2014/42/EU über die Sicherstellung und Einziehung von Tatwerkzeugen und Erträgen aus Straftaten.

In Vorbereitung der Reform hatte das Justizministerium am 23. Mai 2016 einen Gesetzentwurf vorgelegt.[143] Eine der wichtigsten Neuregelungen darin war die bereits erwähnte Einziehung der Bestandteile oder Vermögensrechte eines Unternehmens, wenn dieses als Tatwerkzeug benutzt wurde.[144] Die Vorschrift ermöglichte dabei eine weitgehende Dritteinziehung. Wenn der Unternehmenseigentümer die erforderliche Sorgfaltspflicht verletzt hatte, konnte das Unternehmen eines Dritten auch dann eingezogen werden, wenn dieses lediglich zur Begehung einer Straftat bestimmt gewesen war, ohne dass diese auch tatsächlich erfolgt wäre. Dabei musste der Unternehmenseigentümer nicht selbst die Sorgfaltspflicht verletzt haben, auch ein Verstoß durch eine „andere berechtigte Person" war für die Anordnung der Einziehung ausreichend. Die Möglichkeit, von der Einziehung abzusehen, sah der Gesetzentwurf nur dann vor, wenn die Maßnahme zur Schwere der begangenen Tat oder zur Schuld des Täters außer Verhältnis stand. Der Grad des Verschuldens durch den Unternehmenseigentümer, der kein Täter war, hatte jedoch keinen Einfluss auf die Einziehungsanordnung. Der Gesetzentwurf des Justizministeriums führte darüber hinaus die erweiterte Einziehung mit Beweislastumkehr ein. Im Falle einer Verurteilung wegen einer der Katalogtaten[145] sollte anhand der Fall-

---

[142] Sejm RP, VIII kadencja, Druk sejmowy Nr. 1186, Begründung S. 2.

[143] Gesetzentwurf v. 23.05.2016 – http://radalegislacyjna.gov.pl/dokumenty/opinia-z-18-lipca-2016-r-o-projekcie-ustawy-o-zmianie-ustawy-kodeks-karny-oraz-niektorych [Stand: 19.10.2016].

[144] Art. 44a § 1 in der Fassung des Gesetzentwurfs vom 23. Mai 2016: „Im Falle einer Verurteilung für eine Straftat, aus deren Begehung der Täter, auch mittelbar, einen Vermögensvorteil von erheblichem Wert erlangt hat, sowie auch in den durch das Gesetz bestimmten Fällen kann das Gericht die Einziehung der Bestandteile und Vermögensrechte des Unternehmens, das zur Tatbegehung gedient hat oder dazu bestimmt war, anordnen, auch wenn das Unternehmen nicht dasjenige des Täters war, wenn der Unternehmenseigentümer oder eine andere berechtigte Person durch die Verletzung der unter den gegebenen Umständen erforderlichen Sorgfalt voraussah oder voraussehen konnte, dass das Unternehmen zur Begehung der Straftat dienen oder bestimmt werden konnte."

[145] Art. 45 § 2 in der Fassung vom Gesetzentwurfs vom 23. Mai 2016: „In Falle einer Verurteilung für eine Straftat aus deren Begehung der Täter, auch mittelbar, einen Vermögensvorteil von erheblichem Wert erlangt hat, oder für eine Straftat, die mit Freiheitsstrafe von zumindest 5 Jahren im Höchstmaß bedroht ist, oder für eine Straftat, die in einer organisierten Gruppe oder einer zur Begehung von Straftaten bestimmten Vereinigung begangen wurde, wenn diese zur Erlangung eines Vermögensvorteils geführt hat oder führen

umstände angenommen werden, dass das (gesamte) Vermögen des Täters aus Straftaten stammt, auch wenn diese Taten der Justizbehörde nicht bekannt waren.[146] Diese Vermutung krimineller Herkunft des Vermögens galt für das Vermögen, das innerhalb von fünf Jahren vor der Tatbegehung in den Besitz des Täters übergegangen war oder zu dem der Täter einen sonstigen rechtlichen Titel erlangt hatte. Die gleiche Vermutung galt für das nach der Tatbegehung bis zum Urteilsspruch erlangte Vermögen. Um die Einziehung zu verhindern, musste der Täter das Gegenteil beweisen.[147] Diese Vorschrift aus dem Gesetzentwurf wurde auch in das im März 2017 verabschiedete Gesetz übernommen.

Der Gesetzentwurf des Justizministeriums wurde vom Gesetzgebungsrat *(Rada Legislacyjna)*, einem Beratungsorgan des Ministerrats, begutachtet. Der Rat stimmte im Grunde zu, die Befugnisse der Strafverfolgung zu erweitern, sodass der Zugriff auf Vermögen krimineller Herkunft oder auf zur kriminellen Tätigkeit eingesetztes Vermögen erleichtert wird. Im Hinblick darauf, dass schwere Delikte, insbesondere diejenigen Organisierter Kriminalität, große finanzielle Verluste für den Staat bedeuten, solle das illegal erworbene Vermögen dem Täter effektiv entzogen werden.[148] Grundsätzlich ist die Einziehung ein Mittel der Strafrechtspolitik mit Restitutionscharakter,[149] jedoch sind bei ihrer Anwendung verfassungsrechtliche Einschränkungen zu beachten. Das Gutachten untersuchte die Verfassungsmäßigkeit des Gesetzentwurfs, insbesondere im Hinblick auf Art. 46 der Verfassung,[150] der die Einziehung nur infolge einer gerichtlichen Entscheidung zulässt. Aus der Norm ergibt sich, dass zwischen Einziehung und Begehung einer Straftat eine Verbindung bestehen muss. Darüber hinaus setzt die Einziehung eine gerichtliche Beurteilung der Handlung des Betroffenen voraus.[151] Die Maßnahme darf nicht automatisch, lediglich nach der Erfüllung gesetzlicher Voraussetzungen, angewendet werden.[152] Da die Verfassung nur von Einziehung in Bezug auf Sachen spricht, stellte sich die Frage, ob die Einziehung eines Unternehmens verfassungs-

---

konnte, wird angenommen, dass das Vermögen, das der Täter innerhalb von 5 Jahren vor der Tatbegehung oder nach der Tatbegehung bis zu dem Erlass eines auch nicht rechtskräftigen Urteils in Besitz genommen hat oder zu dem er irgendeinen rechtlichen Titel erlangt hat, einen Vorteil aus der Begehung einer Straftat darstellt, es sei denn, der Täter oder eine andere interessierte Person erbringt einen Gegenbeweis."

146 Vgl. RL 2014/42/EU Art. 5 Abs. 1.

147 Vgl. RL 2014/42/EU, Erwägungsgrund 21.

148 Rada Legislacyjna, RL-0303-20/16, I.

149 Rada Legislacyjna, RL-0303-20/16, II. Nr. 5.

150 Art. 46 der Verfassung der Republik Polen: „Die Einziehung oder der Verfall von Sachen darf nur in den im Gesetz bestimmten Fällen und nur aufgrund einer rechtskräftigen Gerichtsentscheidung erfolgen."

151 Siehe Rada Legislacyjna, RL-0303-20/16, II. Nr. 2.1 mit Verweis auf die Rechtsprechung des Verfassungsgerichtshofs, siehe wyr. TK z 29.06.2005 r., SK 34/04, OTK ZU 6A/2005, poz. 69; wyr. TK z 28.10.2015 r., SK 59/13.

152 Das ergibt sich aus der Formulierung in Art. 46: „nur aufgrund einer rechtskräftigen Gerichtsentscheidung". Siehe Rada Legislacyjna, RL-0303-20/16, II. Nr. 2.3; vgl. auch wyr. TK z 08.06.2008 r., P 4/06, OTK ZU 5A/2008, poz. 76.

gemäß sei. Der Rat vertrat den Standpunkt, dass auch ein Unternehmen von der verfassungsautonomen Auslegung des Wortes „Sache“ umfasst werde.[153] Einziehung der Bestandteile und Vermögensrechte eines Unternehmens als Tatwerkzeug sei möglich, wenn dem Eigentümer des Unternehmens fehlerhaftes Verhalten vorgeworfen werden könne *(naganne postępowanie)*. Dies betreffe auch Dritte, deren Unternehmen eingezogen werden solle.[154] In dieser Hinsicht stellte das Gutachten fest, dass der Reformvorschlag die verfassungsrechtlichen Anforderungen erfülle. Bemängelt wurde aber, dass die Härtevorschrift nur die Unverhältnismäßigkeit der Einziehung zum Verhalten des Täters berücksichtige.[155]

Das Gutachten kritisierte die Ausdehnung der erweiterten Einziehung als zu weitgehend und der Gesetzesbegründung widersprechend. Sie sollte alle Straftatbestände, die mit Freiheitsstrafe von mindestens fünf Jahren im Höchstmaß bedroht sind, umfassen. Das Gesetz richte sich aber laut Begründung gegen schwere, gewinnorientierte Delikte. Die Annahme, dass das Vermögen, das der Täter bis zu fünf Jahre vor der Tatbegehung erlangt hat, auch aus Straftaten stammt, sei darüber hinaus unzulässig, weil man vor der Tatbegehung kein Vermögen aus einer Tat erlangen könne.[156] Diese Vermutung krimineller Herkunft des Vermögens, die zur Umkehr der Beweislast führt, reiche bei der Dritteinziehung noch weiter und umfasse das gesamte Vermögen des Täters ohne zeitliche Einschränkung.[157]

Der Gesetzentwurf ist auf Kritik seitens des Landesrats für Gerichtswesen *(Krajowa Rada Sądownictwa)*, des Ombudsmanns *(Rzecznik Praw Obywatelskich)* und des Polnischen Geschäftsrats *(Polska Rada Biznesu)* gestoßen.[158] Die Kritik bezog sich aber nicht auf die Unvereinbarkeit der erweiterten Einziehung mit der Verfassung, sondern richtete sich u.a. gegen die Regelung der Einziehung von Bestandteilen und Vermögensrechten eines Unternehmens, vor allem gegen die Einführung einer Regelung in der Strafprozessordnung,[159] die die Staatsanwaltschaft ermächtigt, die Zwangsverwaltung eines Unternehmens zur Sicherung der Einzie-

---

153 Rada Legislacyjna, RL-0303-20/16, II.

154 Siehe Rada Legislacyjna, RL-0303-20/16, II. Nr. 4.1; wyr. TK z 28.10.2015 r., SK 59/13.

155 Rada Legislacyjna, RL-0303-20/16, III, Nr. 3.

156 Dies sieht jedoch die Vorschrift nicht vor, sondern es wird anhand einer Tat vermutet, dass der Täter auch eine andere, unbekannte Tat begangen hat und dadurch zu seinem Vermögen gekommen ist. Vgl. Rada Legislacyjna, RL-0303-20/16, II. Nr. 4.2.

157 Rada Legislacyjna, RL-0303-20/16, II. Nr. 4.3.

158 http://www.rp.pl/Prawo-karne/309059890-Rozszerzona-konfiskata-majatku-Ministerstwo-Sprawiedliwosci-uwzglednia-czesc-uwag.html [Stand: 19.10.2016].

159 Art. 292a § 1 und 2 in der Fassung des Gesetzentwurfs vom 23. Mai 2016: „§ 1. Die Sicherstellung drohender Einziehung der Bestandteile und Vermögensrechte eines Unternehmens erfolgt durch die Anordnung einer Zwangsverwaltung. – § 2. Der Zwangsverwalter wird durch das Organ bestellt, das den Sicherstellungsbeschluss erlässt. Die Vorschriften der Zivilprozessordnung finden für den Zwangsverwalter entsprechend Anwendung.“

hung anzuordnen.[160] Der Katalog der Tatbestände, deren Begehung die Anordnung der Zwangsverwaltung und späteren Einziehung ermöglicht, wurde als zu weitgehend erachtet.[161]

Die geäußerten Einwände wurden größtenteils berücksichtigt, und am 28. Dezember 2018 wurde dem Parlament der Gesetzentwurf als Regierungsentwurf vorgelegt.[162] Am 23. März 2017 verabschiedete das Parlament die Gesetzesänderung.[163]

1. Tatgewinne

a) Abschöpfung der Gegenstände

aa) Einziehung der Gegenstände nach Art. 44 § 1 k.k.

Die Einziehung von Gegenständen regelt im polnischen Strafrecht Art. 44 § 1 k.k. Diese Norm wurde im Zuge der letzten Reform nicht geändert. Einziehungsadressat kann der Täter oder Teilnehmer sein. Voraussetzung für die Einziehung ist die Begehung einer Straftat, also einer gemäß Art. 1 k.k. durch das Gesetz verbotenen und mit Strafe bedrohten Tat, deren soziale Schädlichkeit nicht gering ist und die schuldhaft begangen wird.[164]

Einziehung von einem unbeteiligten Dritten ist nicht grundsätzlich ausgeschlossen, verlangt jedoch eine spezielle Regelung.[165] Dies ergibt sich nicht direkt aus dem Gesetzestext und wird durch Auslegung von Art. 44 §§ 5 und 7 abgeleitet. Nach § 5 unterliegen Gegenstände nicht der Einziehung, wenn sie einem berechtigten Subjekt herauszugeben sind. Ein unbeteiligter Dritter, der Eigentümer des einzuziehenden Gegenstandes ist, wird als ein solches Subjekt verstanden.[166] Darüber hinaus sagt die Regelung in § 7, dass die Gegenstände nur vom Täter oder Teilnehmer einzuziehen sind, es sei denn, das Gesetz regelt die Einziehung anders. Diese Norm bezieht sich zwar nicht auf die Tatprodukte, aber in Verbindung mit § 5 gelesen, kann sie dahingehend ausgelegt werden, dass die Tatprodukte nur vom

---

160 Bedenken zur Zwangsverwaltung im Unternehmen hat auch der Gesetzgebungsrat geäußert, siehe Rada Legislacyjna, RL-0303-20/16, IV Nr. 3.1 ff.

161 Laut Art. 44a, durch den das Gesetz eingeführt wurde, ist die Einziehung dann möglich, wenn der Täter durch die Begehung der Straftat einen, auch mittelbaren, Vermögensvorteil erlangt hat.

162 Sejm RP, VIII kadencja, Druk sejmowy Nr. 1186, Begründung, S. 1 ff.

163 Ustawa z dnia 23.03.2017 r. o zmianie ustawy – Kodeks karny oraz niektórych innych ustaw, Dz.U. 2017 poz. 768.

164 Mit Ausnahme des Art. 45a, der ausdrücklich die Fälle regelt, in denen Einziehung ohne Verurteilung Anwendung findet.

165 *Postulski/Siwek*, Przepadek w polskim prawie karnym, S. 58 f.; siehe auch Wróbel/ Zoll-*Raglewski*, Kodeks karny, Art. 44.

166 *Postulski/Siwek*, Przepadek w polskim prawie karnym, S. 58.

Täter einzuziehen sind.[167] Trotzdem wäre eine klare Regelung der Dritteinziehung geboten.

Einziehung gemäß Art. 44 § 1 k.k. betrifft Gegenstände, die unmittelbar aus einer Straftat stammen, und ihre Anordnung ist obligatorisch. Unmittelbarkeit bedeutet dabei das Vorliegen eines direkten kausalen Zusammenhangs zwischen der Erlangung des Gegenstandes und der Straftat (im prozessualen Sinne).[168] Das Gesetz unterscheidet zwischen den aus der Tat stammenden Gegenständen und einem durch die Tat erlangten Vermögensvorteil, dessen Einziehung Art. 45 § 1 k.k. regelt.[169] Der Begriff „Gegenstand" wird mit Hilfe von Art. 115 § 9 k.k. ausgelegt,[170] der eine beispielhafte Aufzählung der Designate von „beweglichen Sachen" und „Gegenständen" beinhaltet. „Gegenstände" und „bewegliche Sachen" sind nicht Synonyme, insbesondere ist nicht jeder Gegenstand eine bewegliche Sache. Aus dem Art. 115 § 9 k.k. ergibt sich auch, dass ein Gegenstand nicht immer eine materielle Substanz haben muss. Dies muss für die Auslegung des Art. 44 k.k. berücksichtigt werden. Einziehung nach Art. 44 § 1 k.k. bezieht sich auf „Gegenstände" und umfasst somit u.a. auch Grundstücke, Computerprogramme und Dateien.[171]

bb) Einziehung des Vermögensvorteils nach Art. 45 § 1 k.k.

Die Einziehung des Vermögensvorteils gemäß Art. 45 § 1 k.k. ist im Rahmen der letzten Reform nicht geändert worden. Die Regelung existiert seit 1997 und wurde damals eingeführt, um die Vermögensstrafe zu ersetzen, d. h., um deren Funktion, aber nicht ihre Mängel zu übernehmen.[172] Einziehung sollte dabei sowohl der generellen als auch individuellen negativen Generalprävention dienen. Sie sollte die Überzeugung der Gesellschaft und des Täters prägen, dass sich die Begehung von Straftaten nicht lohnt.[173]

Das Strafgesetzbuch regelt die Einziehung des Vermögensvorteils, den der Täter oder Teilnehmer aus der Tat erlangt hat. Die Anordnung ist obligatorisch. Entscheidend ist, ob der Täter den Vermögensvorteil erlangt hat. Dieser kann auch ein Vorteil für einen anderen sein.[174] Abschöpfungsadressat bleibt dabei aber der

---

167 Ebenda.

168 Wyr. SN z 15.04.2008 r., II KK 29/08, Prokuratura i Prawo, Nr 10 poz. 2; wyr. SN z 31.03.2015 r., IV KK 75/05, OSNw SK 2005, poz. 653.

169 *Postulski/Siwek*, Przepadek w polskim prawie karnym, S. 113.

170 Berent/Filar-*Stefański*, Kodeks karny, Art. 44 Rn. 4.

171 Vgl. uchw. SN z 30.60.2008, I KZP 12/08, ONSKW 2008, Nr 8, poz. 58; Melezini u.a.-*Raglewski*, System Prawa Karnego, Kapitel III § 22 Rn. 15; Wróbel/Zoll-*Raglewski*, Kodeks karny, Art. 44 Rn. 10.

172 Siehe Melezini u.a.-*Raglewski*, System Prawa Karnego, Kapitel III § 22 Rn. 38 f.

173 *Stefańska*, in: Stefański (Hrsg.), Środki karne po nowelizacji, S. 379 f.

174 Wróbel/Zoll-*Raglewski*, Kodeks karny, Art. 44 Rn. 15.

Täter.[175] Wenn der Abschöpfungsgegenstand nicht mehr im Besitz des Täters ist, wird der entsprechende Wertersatz eingezogen, da eine Regelung zur Dritteinziehung fehlt. Einziehungsgegenstand sind mittelbare und unmittelbare Vermögensvorteile, die der Täter aus der Tatbegehung erlangt hat und die nicht der Einziehung von Gegenständen nach Art. 44 § 1 unterliegen.[176] Einziehung des Vermögensvorteils umfasst auch den Wertersatz, dessen Einziehung jedoch subsidiär zum eigentlichen Vermögensvorteil ist.[177] Das Gericht kann zwischen Einziehung des Vermögensvorteils oder seines Wertersatzes gemäß Art. 45 § 1 wählen.[178] Die Einziehung bei Miteigentum regelt § 5, nach dem der Anteil des Täters oder dessen Wertersatz eingezogen werden kann.

Der Begriff des Vermögensvorteils ist im Gesetz nicht definiert. Lediglich Art. 115 § 4 k.k. sagt, dass als Vermögensvorteil sowohl ein Vorteil für sich selbst als auch für einen anderen gilt. In der strafrechtlichen Literatur wird Vermögensvorteil definiert als jede Mehrung der Aktiva oder Minderung der Passiva, für die es keine rechtmäßige Grundlage gibt.[179] Diese Definition wendet auch das Oberste Gericht in seiner Rechtsprechung an.[180] Somit kann der Vermögensvorteil eine bewegliche Sache, ein Grundstück, eine Leistung oder ein Gläubigeranspruch sein.[181] Der Vermögensvorteil muss aus der Tat im prozessualen Sinne, das heißt aus der Tat, die Gegenstand des Verfahrens ist, erlangt worden sein. Zwischen einem Vermögensvorteil und einem persönlichen Vorteil wird anhand des ökonomischen Werts unterschieden. Es kann aber vorkommen, dass der persönliche und der Vermögensvorteil zusammenfallen, wenn der persönliche Vorteil auch einen materiellen Wert darstellt, der in Geld umgerechnet werden kann.[182] Als Vermögensvorteil gelten nach dem neulich eingeführten § 1a auch die aus der erlangten Sache oder den Vermögensrechten gezogenen Nutzungen. Die Vorschrift ist eine Übertragung der zivilrechtlichen Definition des Eigentumsrechts aus Art. 140 k.c. auf die strafrechtliche Einziehung. Nach dieser Definition stehen die Nutzungen und andere Erträge dem Eigentümer zu. Wird der Gegenstand des Eigentumsrechts eingezogen, so sind auch die durch das Eigentumsrecht an dem Gegenstand entstandenen Vorteile einzuziehen.[183]

---

175 Ebenda, Art. 44 Rn. 23.

176 *Stefańska*, in: Stefański (Hrsg.), Środki karne po nowelizacji, S. 372.

177 *Raglewski*, Palestra 2001, 19 ff.

178 Giezek u.a.-*Kłączyńska*, Kodeks karny. Część ogólna, Art. 45 Rn. 8 m.w.N.

179 Melezini u.a.-*Raglewski*, System Prawa Karnego, Kapitel III § 22 Rn. 16.

180 Uchw. SN z 30.01.1980 r., VII KZP 41/78, OSNKW 1980, Nr 3, poz. 24.

181 Weitere Beispiele eines einziehungsrelevanten Vermögensvorteils *Stefańska*, in: Stefański (Hrsg.), Środki karne po nowelizacji, S. 377 f.

182 *Stefańska*, in: Stefański (Hrsg.), Środki karne po nowelizacji, S. 374.

183 Sejm RP, VIII kadencja, Druk sejmowy Nr. 1186, Begründung, S. 20.

Die Bestimmung des Umfangs des Vermögensvorteils erfolgt nach dem Bruttoprinzip. Kosten, die dem Täter entstanden sind, werden dabei nicht berücksichtigt.[184] Jemandem, der rechtswidrig einen Vermögensvorteil erlangt hat, wird dieser selbst dann nicht mit seinen Ausgaben verrechnet, wenn der Vorteil geringer als die getätigten Aufwendungen ist.[185] Das Gesetz lässt somit zu, dass der Abschöpfungsumfang den Umfang des (tatsächlich) rechtswidrig Erlangten übersteigt. Wirtschaftlich gesehen ist der abzuschöpfende Vermögensvorteil nicht der Nettogewinn des Täters, sondern der von ihm erzielte Umsatz. Dies wird damit begründet, dass bei Einziehung von Gegenständen als Tatprodukten der Täter seine Aufwendungen auch nicht verrechnen und erstattet bekommen kann.[186] Für diese Schlussfolgerung spricht auch der subsidiäre Charakter der Einziehung des Vermögensvorteils gegenüber der Einziehung der Tatprodukte, der sich aus Art. 45 § 1 k.k. ergibt.

Der weit gefasste Abschöpfungsumfang bereitet Beweisschwierigkeiten, insbesondere bzgl. der mittelbaren Vorteile aus der Tatbegehung, da der Zusammenhang zwischen der Tat und dem Vermögensvorteil auch hier festgestellt werden muss. Dies betrifft vor allem Wirtschaftsstraftaten, weil sich in Unternehmen rechtmäßige mit rechtswidrigen Vorteilen ständig vermischen und dazu mehrere Male umgewandelt werden, bis es zu einem Strafverfahren kommt.[187] Ähnliche Probleme ergeben sich, wenn das Vermögen zur ehelichen Gütergemeinschaft gehört.[188] Neben den Ermittlungsproblemen ist auch die Einziehungsfähigkeit bei der Vermischung von legalen und illegalen Mitteln von praktischer Relevanz. In solchen Fällen gilt, dass das rechtswidrig Erlangte durch die Vermischung nicht zu einem rechtmäßigen Vermögen wird.[189] Die Einziehung ist auf die Höhe des illegal Erlangten beschränkt, sonst würde sie wie die Vermögensstrafe funktionieren.[190] Die Zahl der Transaktionen, die mit dem rechtswidrig Erlangten getätigt wurden, und die Zahl der Personen, auf die das Eigentum überging, ist kein Einschränkungskriterium (beziehungsweise Ausschlusskriterium) für die Einziehung.[191] Der Nachweis illegaler Herkunft wird dadurch jedoch immer schwieriger. Eine weitere Frage bzgl. des Einziehungsumfangs ist, ob die durch einen rechtmäßigen Einsatz der Taterlöse

---

[184] Post. SN z 26.08.2010 r., I KZP 12/10, OSNKW 2010, Nr 9, poz. 78.

[185] Wyr. SN z 17.11.1972 r., III KRN 210/72, OSNKW 1973, Nr 4, poz. 47.

[186] Wyr. SA w Lublinie z 12.10.2006 r., II Aka 237/06, KZS 2007, z. 2, poz. 53.

[187] *Stefańska*, in: Stefański (Hrsg.), Środki karne po nowelizacji, S. 380.

[188] Im polnischen Recht wird Gütergemeinschaft allein durch die Eheschließung gem. Art. 31 § 1 des Familien- und Vormundschaftsgesetzbuchs zwischen den Eheleuten begründet. Dies ist eine besondere Art des Miteigentums, das nicht in Anteilen, die den Eheleuten zustehen, ausgedrückt wird. Dies hat zur Folge, dass die Eheleute während der Fortdauer der Ehe nicht allein über das Miteigentum verfügen können.

[189] Siehe *Postulski/Siwek*, Przepadek w polskim prawie karnym, S. 120; Melezini u.a.-*Raglewski*, System Prawa Karnego, Kapitel III § 22 Rn. 42.

[190] Melezini u.a.-*Raglewski*, System Prawa Karnego, Kapitel III § 22 Rn. 42.

[191] Ebenda, Rn. 39.

erlangten Vermögenswerte (Nutzungen) auch einzuziehen sind. Konsequent dem Gedanken folgend, dass Verbrechen sich nicht lohnen dürfen, sollten auch diese Vermögenswerte eingezogen werden.[192] Das entspricht auch der *ratio legis* des Art. 45 § 1 k.k., nach der jegliche Vermögensmehrung durch Straftaten zu unterbinden ist.[193]

cc) Erweiterte Einziehung nach Art. 45 § 2 k.k.

Die erweiterte Einziehung regelt Art. 45 § 2 k.k., dieselbe Vorschrift, in der auch die Einziehung des Vermögensvorteils geregelt ist. Sie unterscheidet sich von der Einziehung des Vermögensvorteils zum einem durch eine weitere Definition des Abschöpfungsgegenstandes, zum anderem durch einen engeren Anwendungsbereich.

Abschöpfungsadressat ist der Tatbeteiligte, das heißt der Täter oder Teilnehmer der Anlasstat. Wenn dieser wegen der Anlasstat, welche die unten näher erläuterten Voraussetzungen erfüllt, verurteilt worden ist, wird die erweiterte Einziehung angeordnet. Erweiterte Einziehung wird angeordnet, wenn ein Vermögensvorteil von erheblichem Wert aus der Tat erlangt wurde, unabhängig davon, um was für eine Straftat es sich handelte. Das gilt sowohl für den mittelbaren als auch unmittelbaren Vermögensvorteil. Die Maßnahme wird auch angewendet, wenn eine Straftat begangen wurde, die mit Freiheitsstrafe von mindestens fünf Jahren im Höchstmaß bedroht ist, oder wenn eine Straftat in einer organisierten Gruppe begangen wurde. Bei diesen Delikten muss der Vermögensvorteil von erheblichem Wert nicht faktisch erlangt worden sein; es reicht aus, wenn dieser erlangt werden konnte. Der Begriff „Vermögensvorteil von erheblichem Wert" wird im Strafgesetzbuch nicht definiert, jedoch legt Art. 115 § 5 k.k. die Bedeutung des Vermögens von erheblichem Wert fest. Dieses muss zum Zeitpunkt der Begehung der verbotenen Tat den Wert von 200.000 PLN übersteigen. Dieser Wert wird auch für den „Vermögensvorteil von erheblichem Wert" angenommen.[194]

Wenn die Voraussetzungen erfüllt sind, gilt die Vermutung, dass das gesamte Vermögen des Täters, das er im Zeitraum von fünf Jahren vor der Tatbegehung bis zum Erlass des Urteils erlangt hat, krimineller Herkunft ist. Die Einziehung dieses Vermögens kann angeordnet werden, wenn der Täter nicht das Gegenteil beweist. Hervorgehoben wird dabei der präventive Charakter, den die Einziehungsvorschrift

---

192 Ebenda, Rn. 43.

193 Ebenda, Rn. 44.

194 Siehe *Filipkowski*, in: Guzik-Makaruk/Arciszewski (Hrsg.), Przepadek przedmiotów i korzyści pochodzących z przestępstwa, S. 228; *Stefańska*, in: Stefański (Hrsg.), Środki karne po nowelizacji, S. 389 ff.; Melezini u.a.-*Raglewski*, System Prawa Karnego, Kapitel III § 22 Rn. 54. Dieses Auslegungsproblem gibt es im Fiskalstrafrecht durch den Art. 33 § 2 k.k.s. nicht. Der „Vermögensvorteil von großem Wert" wird in Art. 53 § 15 k.k.s. definiert.

durch die Beweiserleichterungen gewinnt.[195] Die Verschiebung der Beweislast bzgl. der Herkunft bestimmter Vermögenswerte auf den Beschuldigten wurde zum ersten Mal im Rahmen der Einziehungsreform 2003 in das Strafgesetz eingeführt.[196] In seiner ursprünglichen Fassung von 1997 enthielt Art. 45 k.k. keine Beweislastumkehr, da der Gesetzgeber die Kritik, die an der Vermögensstrafe geübt worden war, vermeiden wollte.[197]

Im Zuge der Reform wurde der Anwendungsbereich der erweiterten Einziehung ausgebaut, indem der Katalog von Straftaten, bei denen die Maßnahme angeordnet werden kann, und der Zeitrahmen, in dem die Beweislastumkehr gilt, erweitert wurden.[198] Diese Änderungen wurden mit der Umsetzung der EU-Richtlinie 2014/42/EU begründet, wobei der Gesetzgeber sich dafür entschieden hat, über die Mindestvoraussetzungen des Art. 5 der Richtlinie hinauszugehen.[199] Es wird angenommen, dass das Vermögen, das der Täter während der Tatbegehung oder danach erlangt hat, auch aus einer Straftat stammt. Der Täter oder eine andere interessierte Person kann den Gegenbeweis erbringen. Durch diese widerlegbare Vermutung entfällt der Beweis des Zusammenhangs zwischen dem Vermögen und der Straftat, der bei Abschöpfung des Vermögensvorteils nach Art. 45 § 1 notwendig ist. Die Beweiserleichterung wird damit begründet, dass die Personen, die schwere Straftaten begehen, normalerweise auch Vermögensvorteile aus anderen Straftaten erlangt haben.[200] Die Schwere der begangenen und nachgewiesenen Straftat ist ein Indiz für die illegale Herkunft des rechtlichen Vermögens. Obwohl diese „anderen Straftaten“ nicht Gegenstand des Verfahrens sind und somit nicht aufgeklärt werden,[201] sollen die (mutmaßlichen) Vorteile aus (mutmaßlich) begangenen Straftaten nicht dem (mutmaßlichen) Täter zukommen.[202] Welche Vermögenswerte als potenzielle Einziehungsgegenstände in Frage kommen, muss die Strafverfolgungsbehörde ermitteln, diesbezüglich gibt es nämlich keine Beweiserleichterung.[203] Was die Art der Herrschaft über das Vermögen angeht, beschränkt sich

---

195 Vgl. Melezini u.a.-*Raglewski*, System Prawa Karnego, Kapitel III § 22 Rn. 45; *Stefańska*, in: Stefański (Hrsg.), Środki karne po nowelizacji, S. 389 ff.

196 Ustawa z dnia 13.06.2003 r. o zmianie ustawy – Kodeks karny oraz niektórych innych ustaw, Dz.U. Nr 111 poz. 1061.

197 Melezini u.a.-*Raglewski*, System Prawa Karnego, Kapitel III § 22 Rn. 47.

198 Sejm RP, VIII kadencja, Druk sejmowy Nr 1186, Begründung, S. 20.

199 Ebenda, S. 21 ff.

200 Sejm RP, VIII kadencja, Druk sejmowy Nr 1186, Begründung, S. 22.

201 Bezüglich dieser anderen Staftaten muss nicht einmal der Anfangsverdacht bestehen.

202 Vgl. Sejm RP, VIII kadencja, Druk sejmowy Nr 1186, Begründung, S. 22.

203 Melezini u.a.-*Raglewski*, System Prawa Karnego, Kapitel III § 22 Rn. 55. *Raglewski* weist auch auf ein Paradox hin: Die Zeitspanne für die Beweiserleichterung schließt einen Urteilsspruch ein, das Gesetz sagt aber nicht, dass es sich um das erste, auch noch nicht rechtskräftige Urteil handelt. Die Konsequenz daraus ist, dass sich der Zeitrahmen für die erweiterte Einziehung noch einmal verlängert, wenn über die Tat auch in der zweiten Instanz entschieden wird.

die Einziehung nicht auf das Eigentum des Täters, sondern erstreckt sich auf alles, was in seinem Besitz ist.[204]

Die Vermutung illegaler Herkunft kann bis zum rechtskräftigen Abschluss des Strafprozesses widerlegt werden. Der Gegenbeweis ist bezüglich der Rechtswidrigkeit der Herkunft des Vermögens, also der finanziellen Quellen, zu erbringen. Die Rechtmäßigkeit des Geschäfts, das zum Erwerb des Vermögens geführt hat, ist hierbei nicht relevant; somit reicht es nicht aus, glaubhaft zu machen, dass die Vermögenswerte nicht aus einer Straftat stammen.[205]

dd) Erweiterte Einziehung bei anderen nach Art. 45 § 3 k.k.

Abschöpfungsadressat kann sowohl eine natürliche als auch eine juristische Person sein oder eine Organisationseinheit, die keine Rechtspersönlichkeit hat, wenn auf sie ein Vermögensvorteil übertragen worden ist, der der Einziehung nach Art. 45 § 2 unterliegt. Die rechtliche Natur der Übertragung ist dabei nicht relevant, auch eine rein faktische Übertragung ist ausreichend.[206] Jedoch muss die Tatsache, dass eine Übertragung stattgefunden hat, nachgewiesen werden.[207] Eine weitere Voraussetzung für die Dritteinziehung nach Art. 45 § 3 k.k. ist, dass der Dritte nicht gutgläubig gehandelt hat.[208] Aus der Formulierung der Vorschrift ergibt sich aber, dass der Dritte einen Beweis über seinen guten Glauben erbringen muss, um die Einziehungsanordnung zu verhindern.

Die Dritteinziehung erstreckt sich auf Vermögenswerte, die nicht dem Täter selbst gehören, deswegen braucht der Eingriff in das Eigentumsrecht eine Begründung. Die Dritteinziehung von Vermögensvorteilen nach Art. 45 § 3 k.k. sollte die sog. Vermögensverschiebungen wirkungslos machen.[209] Der Anwendungsbereich sind somit die Fälle, in denen der Täter das aus der Tat Erlangte auf andere Personen überträgt, um so der Einziehung zu entgehen. Die Übertragung des Vermögensvorteils kann sowohl faktisch als auch unter einem rechtlichen Titel erfolgen. Art. 45 § 3 regelt die Dritteinziehung für Fälle, in denen gegen den Täter die erweiterte Einzie-

---

[204] Damit kommen zahlreiche Dritte, deren Rechte durch die Einziehung beeinträchtigt werden können, in Betracht. Vgl. Vorschriften des Zivilgesetzbuchs, die den Besitz regeln: Art. 336 und Art. 338 k.c.

[205] Siehe Melezini u.a.-*Raglewski*, System Prawa Karnego, Kapitel III § 22 Rn. 58; Królikowski u.a.-*Szczucki*, Kodeks karny – część ogólna, Bd. II, Art. 45 Rn. 20.

[206] *Stefańska*, in: Stefański (Hrsg.), Środki karne po nowelizacji, S. 392 f.

[207] Vgl. *Raglewski*, KKSSiP 2014, 131; *Stefańska*, in: Stefański (Hrsg.), Środki karne po nowelizacji, S. 392 f.; Królikowski u.a.-*Szczucki*, Kodeks karny – część ogólna, Bd. II, Art. 45 Rn. 25.

[208] *Stefańska*, in: Stefański (Hrsg.), Środki karne po nowelizacji, S. 393.

[209] Vgl. Wróbel/Zoll-*Raglewski*, Kodeks karny, Art. 45 Rn. 25; Berent/Filar-*Stefański*, Kodeks karny, Art. 45 Rn. 12; *Stefańska*, in: Stefański (Hrsg.), Środki karne po nowelizacji, S. 392 f.

hung gemäß Art. 45 § 2 k.k. Anwendung findet. Die erweiterte Einziehung von Dritten ist aber von der früheren Anwendung des Art. 45 § 2 unabhängig.[210]

Für den Dritten hat die Regelung schwerwiegende Folgen, weil sie die Vermutung voraussetzt, dass sein Vermögen dem Täter gehört und deswegen eingezogen werden kann.[211] Der gutgläubige Dritte wird vor der Einziehung geschützt, aber sein guter Glauben muss anhand der Umstände des Erwerbs begründet sein und belegt werden. Die Beweiserleichterung liegt aber nicht nur in der Annahme, dass der Dritte bösgläubig gehandelt hat, sondern auch an der Bestimmung des Einziehungsumfangs. Dieser umfasst nämlich erstmal alles, was der Täter zwischen Tatbegehung und Urteilserlass in Verkehr gebracht hat. Die Strafverfolgungsbehörde muss also beweisen, dass Vermögenswerte nach der Tatbegehung auf einen Dritten übertragen worden sind. Der Übertragende muss dabei nicht zwingend der Täter selbst sein, entscheidend ist, was übertragen wird, und nicht von wem.[212] Das Ziel der Übertragung ist für die Einziehung unerheblich, es muss vom Übertragenden nicht beabsichtigt gewesen sein, der Strafverfolgung zu entkommen.[213] In dieser Rechtslage unterbindet nur der gutgläubige Erwerb, der vom Erwerber auch belegt werden kann, die Einziehung.[214]

Problematisch ist die Frage nach dem Umfang der Dritteinziehung gemäß Art. 45 § 3 k.k. Nach dem Wortlaut ist potenziell das gesamte Vermögen des Dritten, dem die Taterlöse übertragen wurden, der Einziehungsgegenstand. Die Einziehung beschränkt sich jedoch auf den Wert des Taterlöses.[215] Der Einziehung unterliegen die Vermögensgegenstände, die auch vom Täter hätten eingezogen werden können, wenn sie in seinem Besitz gewesen wären.

ee) Einziehung ohne Verurteilung nach Art. 45a k.k.

Die Einziehung ohne Verurteilung *(non-conviction-based forfeiture)* regelt im polnischen Strafgesetzbuch Art. 45a k.k. Diese Vorschrift stellt eine Ausnahme dar, denn grundsätzlich wird die Einziehung im Fall einer Verurteilung angeordnet.

---

210 Wróbel/Zoll-*Raglewski*, Kodeks karny, Art. 45 Rn. 48.

211 Vgl. Giezek u.a.-*Kłączyńska*, Kodeks karny. Część ogólna, Art. 45 Rn. 18; Wróbel/Zoll-*Raglewski*, Kodeks karny, Art. 45 Rn. 47 f.; *Stefańska*, in: Stefański (Hrsg.), Środki karne po nowelizacji, S. 393.

212 Vgl. Wróbel/Zoll-*Raglewski*, Kodeks karny, Art. 45 Rn. 20; Królikowski u.a.-*Szczucki*, Kodeks karny – część ogólna, Bd. II, Art. 45 Rn. 26.

213 Vgl. Wróbel/Zoll-*Raglewski*, Kodeks karny, Art. 45 Rn. 52; *Stefańska*, in: Stefański (Hrsg.), Środki karne po nowelizacji, S. 392; Królikowski u.a.-*Szczucki*, Kodeks karny – część ogólna, Bd. II, Art. 45 Rn. 26.

214 Vgl. Wróbel/Zoll-*Raglewski*, Kodeks karny, Art. 45 Rn. 57 f.; Królikowski u.a.-*Szczucki*, Kodeks karny – część ogólna,Bd. II, Art. 45 Rn. 27.

215 Siehe *Szewczyk*, Palestra 2009, 84; anders *Stefańska*, in: Stefański (Hrsg.), Środki karne po nowelizacji, S. 393.

Sie wurde im Rahmen der Reform vom Februar 2015 in das Strafgesetz eingeführt.[216] Im Zuge der Gesetzesnovellierung vom 23. März 2017 fügte der Gesetzgeber in Art. 45a den § 2 mit weiteren Voraussetzungen, unter denen Einziehung ohne Verurteilung erfolgen kann, ein. Art. 45a findet Anwendung unabhängig von der Art der Verwicklung des Einziehungsgegenstandes in die Straftat.

Einziehung nach Art. 45a k.k. kann sowohl gegen den Tatbeteiligten als auch gegen einen unbeteiligten Dritten angeordnet werden. Dies liegt daran, dass die Norm keine eigene Abschöpfungsmaßnahme darstellt, sondern lediglich besondere Voraussetzungen der Einziehungsanordnung regelt. Sie wird zusammen mit einer der Einziehungsgrundlagen angewendet; auch die übrigen dort vorgesehenen Voraussetzungen müssen erfüllt werden.[217] Ein Dritter kann die Einziehung mit durch den Beweis des gutgläubigen Erwerbs verhindern. Dieser liegt dann vor, wenn anhand der Umstände ein objektiver, rational denkender Betrachter keinen Zweifel daran hätte, dass es sich um Vermögenswerte legaler Herkunft handelt.[218]

Die Kann-Vorschrift des § 1 sieht selbständige Einziehung in vier Fällen vor. Zwei davon sind Situationen, in denen keine Straftat begangen wurde: Unzurechnungsfähigkeit gemäß Art. 31 § 1 k.k. und geringe soziale Schädlichkeit. Die zwei weiteren Fälle sind Einstellung des Verfahrens mit Auflagen und Vorliegen von Umständen, die die Verhängung einer Strafe ausschließen. Voraussetzung der Einziehung ist, dass die Begehung einer verbotenen Tat und die Person des Täters festgestellt werden.[219] Im Fall der Einstellung mit Auflagen *(warunkowe umorzenie postępowania)* kann die Einziehung sowohl selbständig als auch neben den Pflichten und Strafmaßnahmen gemäß Art. 67 § 3 k.k. angeordnet werden. Die Einziehung nach Art. 45a k.k. kann während der Probezeit verhängt werden, nicht aber danach.[220] Die Einziehungsanordnung bei Vorliegen von Umständen, die Strafbarkeit ausschließen, betrifft gesetzlich geregelte Situationen, in denen der Täter nicht bestraft wird, obwohl er eine Straftat begangen hat;[221] dazu zählen die Verjährung der Strafbarkeit, tätige Reue oder Ausschluss der Strafbarkeit nach dem Gesetz über Kronzeugen. Es stellt sich die Frage, ob Art. 45a § 1 k.k. auch zur Anwendung kommen kann, wenn kein Strafverfahren eingeleitet worden ist. In Hinblick darauf, dass die Anwendung dieser Vorschrift von der Feststellung der Tatbege-

---

216 Ustawa z dnia 20.02.2015 r. o zmianie ustawy – Kodeks karny oraz niektórych innych ustaw, Dz.U. 2015 poz. 396.

217 Siehe Bojarski u.a.-*Bojarski*, Kodeks karny, Art. 45a S. 194 f.; Wróbel/Zoll-*Raglewski*, Kodeks karny, Art. 45a Rn. 2.

218 Melezini u.a.-*Raglewski*, System Prawa Karnego, Kapitel III § 22 Rn. 62.

219 Siehe Bojarski u.a.-*Bojarski*, Kodeks karny, Art. 45a S. 194 f.; Wróbel/Zoll-*Raglewski*, Kodeks karny, Art. 45a Rn. 2.

220 Melezini u.a.-*Raglewski*, System Prawa Karnego, Kapitel III § 22 Rn. 8; anders uchw. SN z 29.09.1987 r., VI KZP 9/87, OSNKW 1987, Nr 11-12, poz. 383.

221 Melezini u.a.-*Raglewski*, System Prawa Karnego, Kapitel III § 22 Rn. 8.

hung und der Person des Täters abhängig ist, ist ihre Anwendung nur im Rahmen des Strafprozesses möglich.[222]

Die Möglichkeit der Einziehung ohne Verurteilung wurde in § 2 um vier weitere Fälle erweitert: Tod des Täters, Einstellung *(umorzenie)* des Verfahrens wegen unbekannten Täters, Aussetzung *(zawieszenie)* des Verfahrens, wenn der Täter nicht festgenommen werden kann oder wenn er am Verfahren wegen schwerer Krankheit nicht teilnehmen kann. Diese Vorschrift setzt Art. 4 Abs. 2 der EU-Richtlinie 2014/42/EU um. Die Einführung weiterer Einziehungsbefugnisse wird in der Gesetzesbegründung mit Verweis auf die Rechtsprechung des EGMR als eine gerechte Lösung angesehen.[223] Die neue Regelung soll in den Ausnahmefällen gelten, in denen die Begehung einer Straftat bewiesen, jedoch kein Täter aufgespürt beziehungsweise zur Verantwortung gezogen werden kann. Deswegen kommt die Vorschrift zur Anwendung, wenn die Beweislage die Annahme rechtfertigt, dass im Fall einer Verurteilung – die aus den genannten Gründen nicht möglich ist – die Einziehung angeordnet werden würde. Ist der Täter geflohen oder kann er wegen seiner Krankheit nicht am Verfahren teilnehmen, muss dieser Zustand dauerhaft sein und somit zur Einstellung des Verfahrens führen.[224] Der Gesetzgeber weist in der Gesetzesbegründung darauf hin, dass die Reform für den Angeklagten vorteilhaft ist. Es ist nunmehr möglich, dem Wertverlust der beschlagnahmten Gegenstände entgegenzuwirken, indem über ihre Einziehung entschieden wird. Eine langfristige Aufbewahrung des beschlagnahmten Vermögens, die hohe Kosten generiert, ist nicht mehr nötig.[225]

b) Zahlung eines Geldbetrages

aa) Einziehung des Wertes der aus der Tat stammenden Gegenstände nach Art. 44 § 4 k.k.

Die Einziehung des Wertersatzes aus der Tat stammender Gegenstände regelt Art. 44 § 4 k.k. Das Gesetz sagt nicht ausdrücklich, gegen wen sich die Maßnahme richten kann. Dafür, dass der Abschöpfungsadressat der Täter oder Teilnehmer sein kann, spricht eine systematische und teleologische Auslegung der Norm. Nach Art. 44 § 1 werden Gegenstände, die unmittelbar aus der Tat stammen, von Tatbeteiligten abgeschöpft. Abschöpfung von Dritten ist möglich, aber nicht gemäß Art. 44 § 1 k.k., sondern wenn eine spezielle Norm dies zulässt.[226] Da Abschöp-

222 Wróbel/Zoll-*Raglewski*, Kodeks karny, Art. 45a Rn. 3.

223 Sejm RP, VIII kadencja, Druk sejmowy Nr 1186, Begründung, S. 24 ff.

224 Ebenda, S. 24.

225 Ebenda, S. 24 ff.

226 Vgl. *Postulski/Siwek*, Przepadek w polskim prawie karnym, S. 58 f.; Wróbel/Zoll-*Raglewski*, Kodeks karny, Art. 44 Rn. 68.

fung des Wertersatzes aber die Unmöglichkeit der Einziehung nach Art. 44 § 1 k.k. impliziert, kann sie nur gegen den Täter angewendet werden.

Einziehung des Wertersatzes von Gegenständen nach Art. 44 § 4 k.k. wird in der Literatur teilweise als eine selbständige Form der Einziehung verstanden.[227] Der Wertersatz für die Tatprodukte kann eingezogen werden, wenn die primäre Einziehung unmöglich ist. Das Gesetz nennt explizit keine Gründe. Es wird angenommen, dass Unmöglichkeit dann gegeben ist, wenn die Vollstreckung der Einziehung unmöglich wäre.[228] Dies kann sowohl aus rechtlichen als auch aus tatsächlichen Gründen erfolgen.

Für die Bestimmung der Höhe des Wertersatzes macht das Gesetz keine Vorgaben, insbesondere keine Schätzungsvorschrift. Es besteht dabei Unklarheit, ob der Wertersatz nur ein Geldbetrag sein kann oder auch ein anderer Vermögenswert.[229] In der Literatur wird die Meinung vertreten, dass sowohl das eine als auch das andere als Wertersatz abgeschöpft werden kann, da für die Einschränkung des Wertersatzes auf einen Geldbetrag keine *ratio legis* erkennbar ist.[230] Einziehung des Wertersatzes findet auch im Fall des Miteigentums am Einziehungsgegenstand Anwendung und betrifft den Wertersatz des Anteils des Täters (Art. 44 § 7 k.k.).

bb) Einziehung des Wertes für den Vermögensvorteil nach Art. 45 § 1 k.k.

Die Einziehung des Wertes des Vermögensvorteils, geregelt in Art. 45 § 1 k.k., richtet sich gegen die Tatbeteiligten. Das polnische Strafgesetz kennt keine Regelung, die sich gegen Dritte als Abschöpfungsadressaten richten würde. Voraussetzung der Anordnung ist die Begehung einer Straftat.

Das Gericht kann nach Art. 45 § 1 k.k. statt des Vermögensvorteils die Einziehung seines Wertes anordnen. Hierfür gelten die gleichen Voraussetzungen wie für die primäre Einziehung. Aus dem Gesetzestext ergibt sich die Gleichwertigkeit der Einziehung des Vermögensvorteils und des Wertersatzes.[231] Der Anwendungsbereich der Maßnahme wird nicht erst durch die Unmöglichkeit der Einziehung des Vermögensvorteils eröffnet. In der Literatur wird jedoch die Ansicht vertreten, dass trotz Wahlmöglichkeit die Einziehung des Wertersatzes erst bei Unmöglichkeit primärer Einziehung geboten ist.[232] Einziehung wird nicht angeordnet, wenn der

---

227 Vgl. *Melezini*, Środki karne, S. 112; Berent/Filar-*Stefański*, Kodeks karny, Art. 44 Rn. 2.

228 *Stefańska*, in: Stefański (Hrsg.), Środki karne po nowelizacji, S. 350.

229 Ebenda.

230 Vgl. *Postulski/Siwek*, Przepadek w polskim prawie karnym, S. 85 f.; *Raglewski*, Palestra 2001, 19 ff.

231 Siehe Wilk/Zagrodnik-*Wilk*, Kodeks karny skarbowy, Art. 33 Rn. 2; Wróbel/Zoll-*Raglewski*, Kodeks karny, Art. 45 Rn. 17; anders *Raglewski*, Palestra 2001, 19 ff.

232 Wróbel/Zoll-*Raglewski*, Kodeks karny, Art. 45 Rn. 17.

Vermögensvorteil oder dessen Wertersatz einem berechtigten Subjekt herauszugeben ist. Dies kann sich auch auf Teile des Vermögensvorteils und des Wertersatzes beziehen. In allen übrigen Fällen wird die Einziehung angeordnet.[233]

c) Zwischenbilanz

Im polnischen Strafrecht stellen Art. 44 § 1 und Art. 45 §1 k.k. die zentralen Vorschriften für die Abschöpfung der Tatgewinne dar. Sie regeln die (einfache) Einziehung. Das Gesetz regelt die Einziehung der Gegenstände, die unmittelbar aus einer Straftat stammen, und die Einziehung von allen anderen, auch mittelbaren Vermögensvorteilen aus der Straftat, die der Einziehung von Gegenständen nicht unterliegen. Statt der Einziehung der Vermögensvorteile kann die Zahlung ihres Wertes angeordnet werden. Wenn die Gegenstände, die unmittelbar aus der Straftat stammen, nicht eingezogen werden können, kann das Gericht auch die Einziehung ihres Wertes anordnen.

Die Abschöpfung der Vermögensvorteile wird durch die Regelung der erweiterten Einziehung in Art. 45 § 2 k.k. ergänzt. Sie findet Anwendung, wenn ein Vermögensvorteil von erheblichem Wert aus der Tat erlangt wurde, wenn eine Straftat begangen wurde, die mit einer Freiheitsstrafe von mindestens fünf Jahren im Höchstmaß bedroht ist, oder wenn eine Straftat in einer organisierten Gruppe begangen wurde. Bei der erweiterten Einziehung gilt die Vermutung, dass das Vermögen, das der Täter im Zeitraum von fünf Jahren vor der Tatbegehung bis zum Erlass des Urteils erlangt hat, rechtswidriger Herkunft ist und eingezogen werden kann. Wenn das einzuziehende Vermögen auf eine andere Person übertragen wurde, kann die erweiterte Einziehung gemäß Art. 45 § 3 k.k. auch das Vermögen dieser Person umfassen, es sei denn, man kann anhand der Umstände des Erwerbs nicht annehmen, dass es sich um rechtswidrig erlangtes Vermögen handelt. Bei der erweiterten Einziehung obliegt dem Betroffenen die Beweislast dafür, dass das Vermögen rechtmäßiger Herkunft ist bzw. mit gutem Glauben erworben wurde.

Einziehung der Tatgewinne kann auch nach Art. 45a k.k. unabhängig von der Verurteilung angeordnet werden. Diese Möglichkeit hat der Gesetzgeber für zwei Fallgruppen vorgesehen. Die erste regelt Art. 45a § 1 k.k. Sie umfasst Situationen, in denen es nicht zur Verurteilung kommt, weil die Sozialschädlichkeit der Tat gering ist, das Verfahren eingestellt wurde oder der Täter unzurechnungsfähig gehandelt hat. Die zweite Gruppe, geregelt in Art. 45a § 2 k.k., beruht auf der Umsetzung der EU-Richtlinie 2014/42/EU und betrifft Fälle, in denen es nicht zur Verurteilung kommen kann, weil der Täter gestorben ist, unbekannt bleibt, nicht festgenommen werden kann oder wegen einer schweren Krankheit am Strafverfahren nicht teilnehmen kann. In den Fällen dieser Gruppe müssen die dem Gericht zur

---

233 Ebenda, Art. 45 Rn. 19.

Verfügung stehenden Beweise für die Anordnung der Einziehung bei einer Verurteilung ausreichend gewesen sein.

2. Tatmittel

a) Abschöpfung der Gegenstände

aa) Einziehung der Tatwerkzeuge nach Art. 44 § 2 k.k.

Die Einziehung der Gegenstände, die zur Tatbegehung gebraucht wurden oder dazu bestimmt waren, regelt Art. 44 § 2 k.k. Die Einziehung ist in der Regel fakultativ, kann aber gemäß einer Spezialnorm obligatorisch sein. Der Abschöpfungsadressat ist der Täter oder Teilnehmer. Die Maßnahme kann sowohl bei vorsätzlichen als auch bei fahrlässigen Delikten angewendet werden.[234] Bei Unverhältnismäßigkeit der Einziehung zur Schwere der begangenen Tat kann das Gericht statt der Einziehung der Tatwerkzeuge eine Geldauflage zugunsten der Staatskasse anordnen (Art. 44 § 3 k.k.).

Der Einziehung nach Art. 44 § 2 k.k. unterliegen Gegenstände, die zur Tatbegehung verwendet wurden oder dazu bestimmt waren. Sowohl bewegliche als auch unbewegliche Sachen können als Tatwerkzeuge eingezogen werden.[235] Abschöpfung unterliegen sowohl eigens zur Tatbegehung hergestellte oder für die Tatbegehung angepasste Gegenstände als auch solche, die ihrem gewöhnlichen Gebrauch nach eine rechtmäßige Verwendung haben.[236] Diese Auslegung des Gesetzes bestätigte das Oberste Gericht in seiner Rechtsprechung:[237] Wegen der präventiven Funktion der Einziehung der Tatwerkzeuge wird in der Literatur die Meinung vertreten, nicht jeder Gegenstand, der die Tatbegehung erleichtert, solle der Einziehung unterliegen, sondern nur derjenige, mit dessen Hilfe der Täter die Tatbestandsmerkmale verwirklicht.[238] Dabei wird darauf hingewiesen, dass der Einziehung nicht nur die Gegenstände unterliegen, die zur Vollendung der Tat verwendet werden, sondern bereits die in früheren Stadien der Tatbegehung eingesetzten.[239] Jedoch umfasst die Einziehung nur die Gegenstände, die der Verwirklichung des Tatbestandes dienten; diejenigen, die vor der Tatbegehung oder danach

---

[234] Wróbel/Zoll-*Raglewski*, Kodeks karny, Art. 45 Rn. 35.

[235] Ebenda, Art. 45 Rn. 26.

[236] Vgl. Giezek u.a.-*Kłączyńska*, Kodeks karny. Część ogólna, Art. 44 Rn. 7; *Stefańska*, in: Stefański (Hrsg.), Środki karne po nowelizacji, S. 341 f.; Wróbel/Zoll-*Raglewski*, Kodeks karny, Art. 45. Rn. 26.

[237] Wyr. SN z 11.04.1984 r., RNw 4/84, OSNKW 1984, Nr 11–12, poz. 113.

[238] Vgl. *Stefańska*, in: Stefański (Hrsg.), Środki karne po nowelizacji, S. 343; Wróbel/Zoll-*Raglewski*, Kodeks karny, Art. 44 Rn. 27 ff.; *Szewczyk*, Prokuratura i Prawo 1987, 139.

[239] *Stefańska*, in: Stefański (Hrsg.), Środki karne po nowelizacji, S. 343 f.

benutzt wurden, können nicht eingezogen werden.[240] Gegenstände, die zu Vorbereitungshandlungen benutzt werden, sind nur dann einzuziehen, wenn die Vorbereitung einer Tat strafbar ist.

Zur Tatbegehung bestimmte Gegenstände können eingezogen werden, wenn sich die Bestimmung auf eine konkrete Tat, die Gegenstand des Strafverfahrens ist, bezieht und nicht auf beliebiges Delikt.[241] Dies kann für den Betroffenen eine schwerwiegende Sanktion sein, insbesondere wenn der einzuziehende Gegenstand von großem Wert ist, beispielsweise ein Fahrzeug als Transportmittel für eine geplante Tat. Eine extensive Auslegung der gesetzlichen Voraussetzungen würde zu einem Ergebnis führen, das dem präventiven Zweck der Einziehung widerspricht und im Vergleich zur Schwere der Handlung des Betroffenen unverhältnismäßig wäre.[242] Die Einziehung kann aber in solchen Fällen wegen unbilliger Härte gemäß Art. 44 § 3 k.k. ausgeschlossen sein.[243] Ebenso schränkt die Rechtsprechung des Obersten Gerichts den Anwendungsbereich der Einziehung von Tatwerkzeugen auf die Gegenstände, „deren Gebrauch die Verwirklichung des Tatbestandes wesentlich ermöglicht oder erleichtert hat“, ein.[244]

Ein Tatwerkzeug nach Art. 44 § 2 ist jede Sache, deren Verwendung dem Täter die Begehung der Tat ermöglicht hat oder dazu bestimmt war. Als Tatbegehung wird auch der Tatversuch verstanden, der gemäß Art. 13 k.k. immer strafbar ist. Die Vollendung der Tat ist nicht notwendig.[245] Die Einziehung der Tatwerkzeuge wird im Strafverfahren angeordnet und kann sich nur auf Gegenstände beziehen, die auch Gegenstand dieses Verfahrens sind.[246] Es ist nach dem geltenden Recht nicht zulässig, die beim Angeklagten gefundenen Gegenstände als Tatwerkzeuge einzuziehen, wenn sich zwischen ihnen und der Tat im prozessualen Sinne keine Verbindung feststellen lässt.[247] In Bezug auf den subjektiven Tatbestand schränkt das Gesetz die Anwendung der Vorschrift auf vorsätzliche Delikte nicht ein. Somit ist die Einziehung der Tatwerkzeuge auch bei fahrlässigen Taten zulässig, was je-

---

240 Wróbel/Zoll-*Raglewski*, Kodeks karny, Art. 44 Rn. 28.

241 Vgl. ebenda, Art. 44 Rn. 30; siehe auch *Stefańska*, in: Stefański (Hrsg.), Środki karne po nowelizacji, S. 344.

242 Siehe wyr. SN z 11.04.1984 r., RNw 4/84, OSNKW 1984, Nr 11–12, poz. 113; Wróbel/Zoll-*Raglewski*, Kodeks karny, Art. 44 Rn. 27.

243 Vgl. Wróbel/Zoll-*Raglewski*, Kodeks karny, Art. 44 Rn. 38; *Stefańska*, in: Stefański (Hrsg.), Środki karne po nowelizacji, S. 345.

244 Post. SN z 30.09.2010 r., I KZP 17/19, OSNKW 2010, Nr 10, poz. 88.

245 Vgl. Wróbel/Zoll-*Raglewski*, Kodeks karny, Art. 44 Rn. 31; anders *Postulski/Siwek*, Przepadek w polskim prawie karnym, S. 129.

246 Vgl. *Postulski/Siwek*, Przepadek w polskim prawie karnym, S. 129; Wróbel/Zoll-*Raglewski*, Kodeks karny, Art. 44 Rn. 30.

247 Vgl. *Postulski/Siwek*, Przepadek w polskim prawie karnym, S. 129; Wróbel/Zoll-*Raglewski*, Kodeks karny, Art. 44 Rn. 30 f.

doch in der Literatur umstritten ist.[248] Für die Einschränkung der Maßnahme auf vorsätzliche Straftaten sprechen aber lediglich kriminalpolitische Gründe.[249]

bb) Einziehung der Tatwerkzeuge bei anderen nach Art. 44 §7 k.k.

Gegenstände, die zur Tatbegehung verwendet wurden oder dazu bestimmt waren, können nach Art. 44 § 7 k.k. auch dann eingezogen werden, wenn sie nicht dem Täter oder Teilnehmer gehören. Dies gilt aber nur dann, wenn eine spezielle Norm die Zulässigkeit der Einziehung ausdrücklich regelt. Im Strafgesetzbuch werden auch die Anforderungen an das Verhalten Dritter, das die Einziehungsmöglichkeit eröffnet, nicht geregelt.

Der Abschöpfungsgegenstand wird bei der Einziehung von Dritten auf dieselbe Weise bestimmt, wie wenn sich die Maßnahme gegen den Täter oder den Teilnehmer richtet. Von Dritten eingezogen werden können die Gegenstände, die zur Tatbegehung verwendet wurden oder dazu bestimmt waren. Der Gebrauch dieser Gegenstände muss die Tatbegehung ermöglicht oder wesentlich erleichtert haben.[250] Die Bestimmung des Gegenstandes hingegen muss sich auf eine konkrete Tat beziehen.[251] In beiden Fällen muss zumindest ein strafbarer Versuch, der Gegenstand des Strafverfahrens ist, vorliegen. Die Einziehung umfasst nur die Tatwerkzeuge für dieses Delikt.

cc) Einziehung eines Unternehmens nach Art. 44a § 1 k.k.

Im Rahmen der Reform vom 23. März 2017 wurde Art. 44a ins Strafgesetz eingeführt, eine spezielle Regelung, die die Einziehung eines Unternehmens als Tatwerkzeug erlaubt. Der Abschöpfungsadressat ist der Täter oder Teilnehmer. Er muss wegen einer Tat, aus der er einen Vermögensvorteil von erheblichem Wert erlangt hat, verurteilt worden sein.[252] Dieser wird, gleich wie bei der erweiterten Einziehung, mit Hilfe von Art. 115 § 5 k.k. ausgelegt. Demgemäß muss der Vermögensvorteil zum Zeitpunkt der Begehung der verbotenen Tat den Wert von 200.000 PLN[253] übersteigen.

Die Einziehung des Unternehmens vom Täter ist in zwei Fällen ausgeschlossen. Zum einen, wenn sie außer Verhältnis zur Schwere der Tat oder zum Verschulden des Täters stehen würde (§ 4). Zum anderen, wenn der durch die Straftat verursach-

---

248 Siehe *Postulski/Siwek*, Przepadek w polskim prawie karnym, S. 125 ff.

249 Vgl. Wróbel/Zoll-*Raglewski*, Kodeks karny, Art. 44 Rn. 35.

250 Post. SN z 30.09.2010 r., I KZP 17/19, OSNKW 2010, Nr 10, poz. 88.

251 Wróbel/Zoll-*Raglewski*, Kodeks karny, Art. 44 Rn. 30; siehe auch *Stefańska*, in: Stefański (Hrsg.), Środki karne po nowelizacji, S. 344.

252 Sejm RP, VIII kadencja, Druk sejmowy Nr 1186, Begründung, S. 16.

253 46.714 Euro (Stand Dezember 2019).

te Schaden oder der Wert des versteckten Vermögens unerheblich im Vergleich zum Umfang der Tätigkeit des Unternehmens ist (§ 5). Darüber hinaus kann gemäß § 6 das Gericht von der Anordnung der Maßnahme nach billigem Ermessen absehen. Bei Miteigentum (§ 3) können Anteile des Unternehmens eingezogen werden. Bei Gesamthandseigentum, z.B. bei ehelicher Gütergemeinschaft, scheidet die Einziehung aus.[254]

Der Einziehungsgegenstand gemäß Art. 44a § 1 ist das Unternehmen, das zur Begehung der Straftat oder zum Verschleiern des aus der Straftat stammenden Vermögensvorteils gedient hat. Die Definition dieses speziellen Tatwerkzeugs unterscheidet sich somit teilweise von der in Art. 44 § 2 k.k. verwendeten. Ein zur Tatbegehung bestimmtes Unternehmen kann nicht eingezogen werden, dafür aber ein solches, welches nach der Tatbegehung zum Verschleiern des Vermögensvorteils verwendet wurde. Das Unternehmen muss dem Täter oder Teilnehmer gehören. Der Gesetzgeber hat sich gegen die im Entwurf des Justizministeriums vom 23. Mai 2016 vorgesehene Einziehung der Bestandteile und Vermögenswerte eines Unternehmens entschieden. Der Abschöpfungsgegenstand ist das Unternehmen als Ganzes. Verzichtet wurde auch auf die im Entwurf vorgeschlagene Einziehung eines zur Tatbegehung bestimmten Unternehmens. Während die letzte Änderung eine Einschränkung des Einziehungsgegenstandes darstellt, ist die erste eine wesentliche Erweiterung.

Der Abschöpfungsgegenstand wird mit Hilfe der zivilrechtlichen Definition des Unternehmens bestimmt.[255] Ein Unternehmen ist gemäß Art. 55^1 k.c. ein organisierter Komplex materieller und immaterieller Bestandteile, die für eine wirtschaftliche Tätigkeit bestimmt sind. Zu den Bestandteilen des Unternehmens gehören gemäß Art. 55^1 k.c. außer beweglichen und unbeweglichen Sachen, die zum Eigentum des Unternehmens gehören, auch der Firmenname, die Rechte aus Miet- und Pachtverträgen, Nießbrauchsrechte, Forderungen, Konzessionen, Lizenzen und Genehmigungen, Patente und andere gewerbliche Schutzrechte, Urheberrechte, Geschäftsgeheimnisse sowie Dokumente zu den Geschäftsvorgängen. Die Einziehung des Unternehmens würde einen Verlust seiner sämtlichen Bestandteile bedeuten. Die einzige Einschränkung des so verstandenen Einziehungsgegenstandes regelt Art. 189a k.k.w.: Einziehung umfasst nicht den Firmennamen, das Urheberrecht und persönliche Rechte.[256] Wahlweise kann das Gericht daher die Einziehung des Gegenwerts des Unternehmens verfügen.[257]

Die Anknüpfungstat ist, wie bei der erweiterten Einziehung auch, eine Straftat, aus der der Täter einen Vermögensvorteil von erheblichem Wert erlangt hat. Der

---

254 Ebenda S. 18 ff.

255 Sejm RP, VIII kadencja, Druk sejmowy Nr 1186, Begründung, S. 16; siehe auch *Szeleszczuk*, Prokuratura i Prawo 2017, 48.

256 Dazu siehe *Szeleszczuk*, Prokuratura i Prawo 2017, 48.

257 Ebenda, 50.

Vorteil kann auch mittelbar sein, ein hypothetischer Vorteil allein reicht aber nicht aus. Eine weitere Voraussetzung der Einziehung ist – ebenso wie bei der erweiterten Einziehung – eine Verurteilung. Die Einziehung eines Unternehmens knüpft also an eine rechtswidrige, schuldhafte Tat an.

Im Hinblick auf diesen spezifischen Einziehungsgegenstand ist fraglich, wie dessen Verwicklung in die Straftat überhaupt festgestellt werden kann. Die Einziehungsvoraussetzung ist zwar, dass das Unternehmen in die Straftat verwickelt wird, aber ein Unternehmen ist kein Gegenstand, sondern eine abstrakte Einheit, die sich aus mehreren realen Bestandteilen zusammensetzt, die insgesamt als Unternehmen fungieren. In die Straftat können demnach nur die Bestandteile des Unternehmens verwickelt sein. Wird ein Teil des Unternehmens in eine Straftat verwickelt, gilt das ganze Unternehmen als in die Tat verstrickt und kann eingezogen werden.[258] Die Bestimmung des Unternehmens als Einziehungsgegenstand hat einen beweiserleichternden Charakter in dem Sinne, dass aus dem Gebrauch eines Teiles des Unternehmens als Tatwerkzeug beziehungsweise zum Verschleiern der Vermögensvorteile aus der Straftat der Gebrauch des Unternehmens für die Straftat abgeleitet wird.

dd) Einziehung eines Unternehmens bei anderen nach Art. 44a § 2 k.k.

Die Einziehung eines Unternehmens, das zur Tatbegehung oder zum Verstecken von Vermögensvorteilen, die aus der Straftat stammen, gedient hat, kann nach Art. 44a § 2 gegen eine Person, die nicht Täter oder Teilnehmer ist, angeordnet werden. Der Gesetzgeber argumentierte für diese Lösung mit dem Verweis auf die Rechtsprechung des Verfassungsgerichtshofs, in der die Einziehung der Tatwerkzeuge von Dritten als verfassungskonform erklärt wurde.[259] Die Einziehung eines Unternehmens von Dritten unterliegt zusätzlichen Einschränkungen, die der Gesetzgeber „Vorsatztest“ nennt.[260] Der Eigentümer muss den Gebrauch seines Unternehmens zur Tatbegehung oder als Versteck für kriminelle Vermögenswerte gewollt oder eine solche Möglichkeit in Kauf genommen haben, diese vorhergesehen und damit einverstanden gewesen sein. Einziehung ist also an einen *quasi*-Vorsatz des Unternehmenseigentümers geknüpft, der im Strafverfahren nachgewiesen werden muss.[261]

Die in § 2 bestimmte vorwerfbare Handlung kann nur durch den Eigentümer des Unternehmens begangen werden. In der ursprünglichen Fassung des Gesetzent-

---

258 Das kann auch nur die Buchhaltung, Organisationsstruktur oder Dokumentation des Unternehmens sein. Siehe *Szeleszczuk*, Prokuratura i Prawo 2017, 47 f.

259 Sejm RP, VIII kadencja, Druk sejmowy Nr 1186, Begründung, S. 15 ff.; siehe wyr. TK z 29.06.2005 r., SK 34/04, OTK ZU 6A/2005, poz. 69.

260 Sejm RP, VIII kadencja, Druk sejmowy Nr 1186, Begründung, S. 16.

261 Ebenda, S. 18.

wurfs vom 23. Mai 2016 konnte die Einziehungsbefugnis auch durch die Handlung einer anderen berechtigten Person begründet werden. Auf diese Erweiterung wurde verzichtet, weil von der Sanktion nur die Person betroffen werden soll, der ein vorwerfbares Handeln zugeschrieben werden kann. Anders gesagt, der Unternehmenseigentümer soll nicht die Konsequenzen für das Handeln Dritter tragen müssen.[262] Gemäß § 4 wird die Einziehung nicht angeordnet, wenn sie im Vergleich zur Motivation oder dem Verhalten des Unternehmenseigentümers unverhältnismäßig wäre. Motivation, also die Beweggründe des Täters, gehören im Strafrecht zu den für die Strafzumessung relevanten Umständen. Sie ist auch für die Entscheidung über die Sozialschädlichkeit der Tat nach Art. 115 § 2 k.k. relevant. Darüber hinaus kann die Einziehung gemäß § 5 ausscheiden, wenn der durch die Straftat verursachte Schaden oder der Wert des versteckten Vermögens im Vergleich zum Umfang der Tätigkeit des Unternehmens geringfügig ist. Der Dritteigentümer ist darüber hinaus mit der Verhältnismäßigkeitsklausel aus § 6 geschützt.

Der Abschöpfungsgegenstand ist nach Art. 44a § 3 k.k. ein Unternehmen, das einer anderen Person als dem Täter oder Teilnehmer der Anknüpfungstat gehört. Im Hinblick auf die Anknüpfungstat und den Bezug des Unternehmens zu der Tat gelten die gleichen Voraussetzungen wie bei der Vermögensabschöpfung von Täter oder Teilnehmer.

ee) Einziehung ohne Verurteilung nach Art. 45a k.k.

Die Einziehung der Tatwerkzeuge kann gemäß Art. 45a k.k. auch ohne Verurteilung angeordnet werden. Aus dem Gesetzeswortlaut – „das Gericht kann Einziehung anordnen“ – ergibt sich, dass die selbständige Einziehung immer dann zulässig ist, wenn die übrigen Voraussetzungen der Maßnahme erfüllt sind und die in Art. 45a genannten Gründe vorliegen. Der Abschöpfungsadressat der selbständigen Einziehung der Tatwerkzeuge kann somit sowohl der Täter oder Teilnehmer als auch ein unbeteiligter Dritter sein. Letztgenannter allerdings nur dann, wenn eine spezielle Regelung die Einziehung vorsieht.

Der Abschöpfungsgegenstand sind die Tatwerkzeuge. Der genaue Umfang der Einziehung und der Bezug zur Tat wird nach der angewendeten Einziehungsnorm bestimmt. Selbständig kann Einziehung nach Art. 45a § 1 k.k. angeordnet werden, wenn Unzurechnungsfähigkeit des Täters gemäß Art. 31 § 1 k.k. vorliegt, die Tat eine geringe Sozialschädlichkeit aufweist, das Verfahren mit Auflagen eingestellt wurde und bei Vorliegen von Umständen, die die Verhängung einer Strafe ausschließen. Voraussetzung der Einziehung ist, dass die Begehung einer verbotenen

---

[262] In der Gesetzesbegründung kommt auch bei Einziehung gemäß § 2 eindeutig ihr repressiver Charakter zum Ausdruck. Vgl. Sejm RP, VIII kadencja, Druk sejmowy Nr 1186, Begründung, S. 17 ff.

Tat und die Person des Täters festgestellt werden.[263] Darüber hinaus kann Einziehung nach § 2 im Falle des Todes des Täters, bei Einstellung des Verfahrens wegen unbekanntem Täter, bei Aussetzung des Verfahrens, wenn der Täter nicht festgenommen werden oder am Verfahren wegen schwerer Krankheit nicht teilnehmen kann, angeordnet werden. Diese Regelung sollte für den Ausnahmefall gelten, in dem die Begehung einer Straftat bewiesen, jedoch kein Täter aufgespürt beziehungsweise zur Verantwortung gezogen wurde.[264]

b) Zahlung eines Geldbetrages

aa) Einziehung des Wertes der Tatwerkzeuge nach Art. 44 §4 k.k.

Die Einziehung des Wertes der Tatwerkzeuge regelt Art. 44 § 4 k.k. Sie kann angeordnet werden, wenn die primäre Einziehung der Tatwerkzeuge vom Täter oder Teilnehmer nicht möglich ist. Da die Dritteinziehung nur in durch das Gesetz ausdrücklich vorgesehenen Fällen angeordnet werden kann, findet die Vorschrift auf Dritte keine Anwendung.

Ist die Einziehung der Tatwerkzeuge nicht möglich, kann deren Wertersatz eingezogen werden. Das Gesetz regelt nicht den Zeitpunkt, wann diese Unmöglichkeit vorliegt. Genauso wie bei der Einziehung des Wertes der Tatprodukte wird dabei angenommen, dass die Unmöglichkeit dann gegeben ist, wenn die Vollstreckung der Einziehung unmöglich wäre.[265]

bb) Einziehung des Wertes von Unternehmen nach Art. 44a § 1 k.k.

Nach der Regelung von Art. 44a § 1 kann vom Täter und Teilnehmer statt der Einziehung des Unternehmens dessen Wertersatz eingezogen werden. Dabei gelten für die Handlung des Betroffenen die gleichen Voraussetzungen wie bei der primären Einziehung. Die Norm knüpft an die gleiche Handlung wie die primäre Einziehung an: Die Einziehung setzt eine Verurteilung wegen einer Tat, aus der der Täter einen Vermögensvorteil von erheblichem Wert erlangt hat, voraus.

Gegenstand der Abschöpfung ist der Wert des Unternehmens, das zur Tatbegehung oder zum Verstecken des Vermögensvorteils verwendet wurde. Wenn die Einziehungsvoraussetzungen erfüllt sind, kann das Gericht zwischen primärem Abschöpfungsgegenstand und dessen Wertersatz wählen. Im Unterschied zu der allgemeinen Regelung der Wertersatzeinziehung für Tatwerkzeuge knüpft die Norm nicht an die Unmöglichkeit der Einziehung an.[266]

---

263 Siehe Bojarski u.a.-*Bojarski*, Kodeks karny, Art. 45a S. 194 f.; Wróbel/Zoll-*Raglewski*, Kodeks karny, Art. 45a Rn. 2.

264 Sejm RP, VIII kadencja, Druk sejmowy Nr 1186, Begründung, S. 24.

265 *Stefańska*, in: Stefański (Hrsg.), Środki karne po nowelizacji, S. 350.

266 Vgl. Wilk/Zagrodnik-*Wilk*, Kodeks karny skarbowy, Art. 33 Rn. 2; Wróbel/Zoll-*Raglewski*, Kodeks karny, Art. 45 Rn. 17; anders *Raglewski*, Palestra 2001, 19 ff.

cc) Einziehung des Wertes von Unternehmen bei anderen nach Art. 44a § 1 k.k.

Die Einziehung des Wertes von Unternehmen kann auch dann angeordnet werden, wenn das Unternehmen nicht dem Täter oder Teilnehmer gehört. Nach Art. 44a § 2 k.k. gelten die gleichen Voraussetzungen wie bei der Einziehung des Unternehmens, der Dritte wird zur Zahlung des Wertersatzes verpflichtet. Er muss dabei den Gebrauch seines Unternehmens zur Tatbegehung oder als Versteck für kriminelle Vermögenswerte gewollt oder eine solche Möglichkeit in Kauf genommen haben.

Der Gegenstand der Maßnahme ist der Wert des Unternehmens, das zur Tatbegehung oder zum Verstecken des Vermögensvorteils gebraucht wurde. Dabei kann auch bei der Einziehung von Dritten das Gericht zwischen primärer Einziehung und dem Wertersatz wählen.[267]

c) Zwischenbilanz

Die Einziehung der Tatmittel, die in der polnischen Literatur als Tatwerkzeuge bezeichnet werden, regelt Art. 44 § 2 k.k. Die Einziehung umfasst Gegenstände, die zur Begehung einer Straftat verwendet wurden oder dazu bestimmt waren. Die Anordnung der Maßnahme ist fakultativ und in gesetzlich vorgesehenen Fällen obligatorisch. Des Weiteren muss sie gemäß Art. 44 § 3 k.k. zur Schwere der Tat verhältnismäßig sein. Die Einziehung kann sich auch, nach Art. 44 § 6 k.k., gegen eine andere Person als den Täter richten, dies muss jedoch durch das Gesetz ausdrücklich vorgesehen sein. Wenn die Einziehung der Gegenstände nicht möglich ist, kann nach Art. 44 § 4 k.k. ein Geldbetrag eingezogen werden, der dem Wert des Gegenstandes entspricht.

Neben der allgemeinen Regelung der Einziehung von Tatmitteln gibt es im polnischen Strafrecht eine spezielle Vorschrift, welche die Einziehung eines Unternehmens als Tatmittel zulässt. Nach Art. 44a § 1 k.k., welcher im Rahmen der Reform von 2017 in das Strafgesetz eingeführt worden ist, kann ein Unternehmen eingezogen werden, wenn der Täter für eine Straftat verurteilt wird, aus der er einen Vermögensvorteil von erheblichem Wert erlangt hat, und das Unternehmen zur Begehung dieser Tat oder zum Verschleiern des Vermögensvorteils verwendet wurde. In der Literatur wurde diese Regelung wegen des weiten Abschöpfungsumfangs kritisiert: Praktisch ist es ausreichend, dass ein Teil des Unternehmens auf die beschriebene Art in eine Straftat verstrickt ist, damit das gesamte Unternehmen eingezogen werden kann. Somit fungiert diese Regelung als eine Beweiserleichterung bezüglich der Bestimmung einer Verbindung zwischen dem Abschöpfungsgegenstand und der Straftat. Die Maßnahme kann sich unter bestimmten, in

---

[267] Vgl. Wilk/Zagrodnik-*Wilk*, Kodeks karny skarbowy, Art. 33 Rn. 2; Wróbel/Zoll-*Raglewski*, Kodeks karny, Art. 45 Rn. 17; anders *Raglewski*, Palestra 2001, 19 ff.

Art. 44a § 2 k.k. geregelten Umständen, auch gegen eine andere Person als den Täter richten.

Die Einziehung der Tatmittel kann unter den gleichen Voraussetzungen wie die Einziehung der Tatgewinne gemäß Art. 45a k.k. selbständig angeordnet werden.

C. Vermögensabschöpfung im Fiskalstrafgesetzbuch

Das Fiskalstrafgesetzbuch ist ein separates Gesetzeswerk, das die Verantwortung sowohl für Fiskalstraftaten als auch für Fiskalübertretungen regelt.[268] Neben dem materiellen Recht erfasst das Gesetzbuch auch die prozessuale und die Strafvollzugsregelung. Die Vorschriften des Fiskalstrafgesetzbuchs – insbesondere die materiellrechtlichen – haben dabei einen autonomen Charakter.[269] Nur einzelne Vorschriften des Strafgesetzbuchs finden auf Fiskaldelikte Anwendung. Eine entsprechende Regelung befindet sich in Art. 20 § 2 k.k.s.

Zwischen den Sanktionen im Fiskalstrafrecht und denen des allgemeinen Strafrechts bestehen keine wesentlichen Unterschiede. Eine davon ist die Stellung der Geldstrafe, welche bei Fiskaldelikten größere Bedeutung als bei der im Strafgesetzbuch geregelten hat. Nach den Vorschriften des Fiskalstrafgesetzbuchs ist die Geldstrafe für jeden Straftatbestand vorgesehen und die einzige Strafe für Übertretungen.[270] Dies liegt an der Natur der geschützten Rechtsgüter, zu denen bei Fiskaldelikten die finanziellen Interessen des Staates, die Einheiten territorialer Selbstverwaltung, die Europäische Union und die rechtlich bestimmte Finanzordnung gehören.[271] Die verhängten Geldstrafen kommen dem Fiskus zu. Die Geldstrafe erfüllt somit auch eine Fiskalfunktion – sie kompensiert dem Fiskus die durch die Begehung von Delikten entstandenen Verluste.[272] Ein weiterer Unterschied zwischen den Sanktionen des Fiskal- und des allgemeinen Strafrechts besteht darin, dass im Fiskalstrafrecht die Einziehung, unabhängig von der Art der Verstrickung des Vermögenswertes in die Straftat, stets eine Strafmaßnahme ist.[273]

---

268 Ustawa z dnia 10.09.1999 r. Kodeks karny skarbowy, Dz.U. Nr 83 poz. 930.

269 Dies kommt in Art. 20 § 1 und Art. 46 k.k.s. zum Ausdruck. Jedoch verweist Art. 22 § 2 k.k.s. auch auf die einzelnen Vorschriften des allgemeinen Strafrechts. Anzumerken ist, dass dieser Verweis nicht für die im Fiskalstrafgesetzbuch geregelten Übertretungen gilt. Siehe *Konarska-Wrzosek*, in: Konarska-Wrzosek u.a. (Hrsg.), Prawo i postępowanie karne skarbowe, S. 35 f. Es besteht jedoch die Tendenz, die Regelung des Fiskalstrafrechts und des allgemeinen Strafrechts zu vereinheitlichen, was die Terminologie und die Rechtsinstitutionen anbelangt. Siehe ebenda, S. 29.

270 Dazu ebenda, S. 105; Melezini u.a.-*Melezini*, System Prawa Karnego, Kapitel I § 2 Rn. 270.

271 *Konarska-Wrzosek*, in: Konarska-Wrzosek u.a. (Hrsg.), Prawo i postępowanie karne skarbowe, S. 25 ff.

272 Melezini u.a.-*Melezini*, System Prawa Karnego, Kapitel I § 2 Rn. 269.

273 Vgl. *Konarska-Wrzosek*, in: Konarska-Wrzosek u.a. (Hrsg.), Prawo i postępowanie karne skarbowe, S. 118.

Dieser Charakter der Maßnahme ergibt sich direkt aus Art. 22 § 2 k.k.s. für Straftaten und aus Art. 47 § 2 für Übertretungen. Bei den Übertretungen gibt es jedoch keine Einziehung des Vermögensvorteils. Die Einziehung ist sowohl bei Straftaten als auch bei Übertretungen nur dann möglich, wenn der konkrete Tatbestand sie ausdrücklich vorsieht.[274]

1. Tatgewinne

a) Abschöpfung der Gegenstände

aa) Einziehung der Gegenstände nach Art. 29 Pkt. 1 i.V.m. Art. 31 § 1 k.k.s.

Die Einziehung der Gegenstände ist in Art. 29 k.k.s. geregelt und umfasst u.a. Einziehung der Tatprodukte. Nach Art. 31 § 1 unterliegen diese Gegenstände der Einziehung auch wenn sie nicht einem der Tatbeteiligten gehören. Somit kann der Dritte unter denselben Voraussetzungen wie Täter und Teilnehmer Abschöpfungsadressat sein.[275] Die Einziehung der Tatprodukte setzt den Beweis einer rechtswidrigen, schuldhaften Tat voraus.

Das Gesetz statuiert keine zusätzlichen Voraussetzungen an die Dritteinziehung. Sie ist somit von der Beteiligung des Betroffenen an der verbotenen Tat oder von seinem Wissen über die Herkunft der einzuziehenden Gegenstände unabhängig. Einer derartigen Regelung der Dritteinziehung liegt die Natur der Fiskalstraftaten zugrunde: Fiskalstraftaten werden oft durch Personen begangen, die nicht Eigentümer der verwendeten Gegenstände sind, sondern im Auftrag sowohl juristischer als auch natürlicher Personen eine verbotene Handlung vornehmen.[276] Als Ausnahme davon gilt die generelle Regelung über die Einziehung der Gegenstände in Art. 31 § 2. Sie ist dann ausgeschlossen, wenn der Täter die Gegenstände Dritter infolge einer verbotenen Tat erlangt hat. Darüber hinaus ist die Unverhältnismäßigkeit der Einziehung im Vergleich zur Schwere der Tat ein Hindernis für die Einziehung, sowohl von Tatbeteiligten als auch von Dritten (Art. 31 § 3 Pkt. 1). Die Verhältnismäßigkeitsprüfung umfasst den Wert des Gegenstandes, die Art und Weise seiner Verstrickung in die Fiskalstraftat und den Grad der Sozialschädlichkeit der Tat.[277] Von der Einziehungsanordnung wird auch abgesehen, wenn die

---

[274] Art. 30 k.k.s. bestimmt die Straftaten, bei denen die Einziehung der Gegenstände angeordnet werden kann oder muss. Die gleiche Funktion bei den Übertretungen hat Art. 49 § 2 k.k.s.

[275] Kardas u.a.-*Łabuda*, Kodeks karny skarbowy, Art. 31 Rn. 2; *Błaszczyk*, Przepadek w polskim prawie karnym skarbowym, S. 148 f.

[276] *Konarska-Wrzosek*, in: Konarska-Wrzosek u.a. (Hrsg.), Prawo i postępowanie karne skarbowe, S. 125 f.; kritisch dazu *Błaszczyk*, Przepadek w polskim prawie karnym skarbowym, S. 149.

[277] Vgl Kardas u.a.-*Łabuda*, Kodeks karny skarbowy, Art. 31. Rn. 7; Wielgolewska/ Piaseczny-*Wielgolewska*, Kodeks karny skarbowy, Art. 31. Rn. 2.

öffentlich-rechtliche Verbindlichkeit beglichen wird, wobei irrelevant ist, wer diese beglichen hat (Art. 31 § 3 Pkt. 2).[278]

Der Abschöpfungsgegenstand sind Tatprodukte, also Gegenstände, die unmittelbar aus einer Straftat stammen. Der Begriff „Tatprodukte" wird jedoch im Gesetzestext nicht verwendet. Wie das Strafgesetzbuch spricht auch das Fiskalstrafgesetzbuch lediglich von der Einziehung der Gegenstände und nennt in Art. 29 k.k.s. unterschiedliche Kategorien dieser Gegenstände. Für die Bestimmung des Einziehungsumfangs wird deswegen die Definition des Begriffs „Gegenstand" aus Art. 115 § 9 k.k. herangezogen, da das Fiskalstrafgesetzbuch den Begriff nicht eigenständig definiert.[279] Nach dieser Definition sind materielle Güter Gegenstand der Einziehung: Hierzu gehören sowohl bewegliche als auch unbewegliche Sachen, polnische und fremde Währung, Wertpapiere, Zahlungsmittel und Urkunden über Anteile an einer Kapitalgesellschaft.[280] Die Einziehung der Tatprodukte hat einen repressiven Charakter. Die Abschöpfung der Tatprodukte soll den Gedanken verwirklichen, dass sich die Begehung von Straftaten nicht lohnt.[281]

Die Einziehung der Tatprodukte ist eine Strafmaßnahme und wird deswegen grundsätzlich nur bei Verhängung einer Strafe angeordnet.[282] Die Einziehung der Gegenstände kann gemäß Art. 43 §§ 1 und 2 auch als eine Sicherungsmaßnahme oder bei Einstellung des Verfahrens wegen unbekanntem Täter angeordnet werden.[283] Bei außerordentlicher Strafmilderung (Art. 36 § 1 Pkt. 2 k.k.s.), bei Absehen von der Verhängung der Strafe (Art. 19 § 1 k.k.s), wenn sich der Täter dauerhaft im Ausland aufhält und im Inland kein Vermögen außer den beschlagnahmten Gegenständen besitzt (Art. 19 § 4 k.k.s.) kann die Maßnahme auch selbständig angeordnet werden. Die letzte Fallkonstellation, ein Verfahren *in absentia*, kann als eine Form der Beweiserleichterung gelten, da hier die Verteidigungsmöglichkeiten des Angeklagten eingeschränkt sind.

---

278 Vgl Kardas u.a.-*Łabuda*, Kodeks karny skarbowy, Art. 31. Rn. 8; Wielgolewska/Piaseczny-*Wielgolewska*, Kodeks karny skarbowy, Art. 31. Rn. 2.

279 Bojarski-*Prusak/Skowronek*, Szczególne dziedziny prawa karnego, Kapitel I § 8. Rn. 238; Art. 115 § 9 k.k. Eine bewegliche Sache oder ein Gegenstand ist auch polnisches oder ausländisches Geld oder ein anderes Zahlungsmittel sowie eine zum Erhalt einer Geldsumme berechtigende oder die Verpflichtung zur Auszahlung von Kapital, Zinsen oder Gewinnbeteiligung oder die Feststellung der Beteiligung an einer Gesellschaft enthaltende Urkunde. Übersetzung *Chudzik* u.a., Strafgesetzbuch und Übertretungsgesetzbuch. Zweisprachige Textausgabe, S. 93.

280 *Konarska-Wrzosek*, in: Konarska-Wrzosek u.a. (Hrsg.), Prawo i postępowanie karne skarbowe, S. 123 f.

281 Vgl. ebenda, S. 124; Bojarski-*Prusak/Skowronek*, Szczególne dziedziny prawa karnego, Kapitel I § 8 Rn. 236.

282 Bojarski-*Prusak/Skowronek*, Szczególne dziedziny prawa karnego, Kapitel I § 8 Rn. 234.

283 Vgl. ebenda.

Die Regelung findet bei Fiskalübertretungen gemäß Art. 47 § 2 Pkt. 2 entsprechende Anwendung.

bb) Einziehung des Vermögensvorteils nach Art. 33 § 1 k.k.s.

Bei der Einziehung des Vermögensvorteils ist der Abschöpfungsadressat der Täter oder Teilnehmer. Dies ergibt sich aus dem Gesetzeswortlaut und daraus, dass die Einziehung bei Fiskaldelikten eine Strafmaßnahme ist. Grundsätzlich wird die Einziehung des Vermögensvorteils zusammen mit der Verhängung einer Strafe angeordnet. Die Voraussetzung ist somit eine schuldhafte Tatbegehung.[284] Kann der Vermögensvorteil vom Tatbeteiligten nicht abgeschöpft werden, wird die Einziehung des Wertersatzes angeordnet.[285]

Die Einziehung der Vermögensvorteile aus Fiskalstraftaten, die nicht der Einziehung der Gegenstände unterliegen, regelt Art. 33 § 1 k.k.s. Die Regelung ist gegenüber der Einziehung der Gegenstände subsidiär und umfasst mittelbare materielle und immaterielle Vorteile.[286] Eine Teildefinition des Einziehungsgegenstandes befindet sich in Art. 53 § 13 k.k.s. Diese Norm besagt, dass das, was der Täter für sich selbst oder für einen anderen erlangt hat, als Vermögensvorteil gilt. Da bei Fiskaldelikten der Täter den Vorteil oft nicht für sich selbst erlangt, ermöglicht diese Definition die Durchführbarkeit der Einziehung.[287] Als Vorteil gilt dabei jede Minderung von Passiva oder Mehrung von Aktiva.[288] Somit gilt auch eine Minderung der öffentlich-rechtlichen Verbindlichkeit als Vermögensvorteil.[289] Nach dem im Rahmen der Reform eingeführten § 1a gelten auch die Nutzungen der Sachen oder Rechte als Vermögensvorteile.

Die Vorschrift findet gemäß Art. 47 § 2 k.k.s. keine Anwendung auf Fiskalübertretungen. In seiner ursprünglichen Fassung nach der Einführung des Fiskalstrafgesetzbuchs im Jahre 1999 war die Einziehung des Vermögensvorteils eine fakultative Strafmaßnahme, die nur bei gewerbsmäßig oder bei in einer organisierten Gruppe begangenen Fiskalstraftaten angeordnet werden konnte.[290] *De lege lata* ist

---

284 Ebenda, Kapitel I § 8 Rn. 245.

285 Giezek u.a.-*Łabuda*, Kodeks karny. Część ogólna, Art. 33 Rn. 9.

286 Vgl. *Konarska-Wrzosek*, in: Konarska-Wrzosek u.a. (Hrsg.), Prawo i postępowanie karne skarbowe, S. 128; Giezek u.a.-*Łabuda*, Kodeks karny. Część ogólna, Art. 33 Rn. 4, 7 ff.; Wilk/Zagrodnik-*Wilk*, Kodeks karny skarbowy, Art. 33 Rn. 2 ff.; Bojarski-*Prusak/Skowronek*, Szczególne dziedziny prawa karnego, Kapitel I § 8 Rn. 246; *Błaszczyk*, Przepadek w polskim prawie karnym skarbowym, S. 162 f.

287 Siehe Kardas u.a.-*Łabuda*, Kodeks karny skarbowy, Art. 33 Rn. 6.

288 Vgl. *Konarska-Wrzosek*, in: Konarska-Wrzosek u.a. (Hrsg.), Prawo i postępowanie karne skarbowe, S. 128; Bojarski-*Prusak/Skowronek*, Szczególne dziedziny prawa karnego, Kapitel I § 8 Rn. 246.

289 Kardas u.a.-*Łabuda*, Kodeks karny skarbowy, Art. 33 Rn. 2.

290 Vgl. *Konarska-Wrzosek*, in: Konarska-Wrzosek u.a. (Hrsg.), Prawo i postępowanie karne skarbowe, S. 127.

die Einziehung von Vermögensvorteilen eine obligatorische Strafmaßnahme, die bei jeder Fiskalstraftat verhängt werden kann.[291]

cc) Erweiterte Einziehung nach Art. 33 § 2 k.k.s.

Die erweiterte Einziehung nach Art. 33 § 2 k.k.s. richtet sich gegen Täter und Teilnehmer. Der Täter oder Teilnehmer muss wegen der Anknüpfungstat verurteilt worden sein, somit knüpft die erweiterte Einziehung an eine rechtswidrige, schuldhafte Tat an.[292]

Die erweiterte Einziehung regelt im Fiskalstrafrecht Art. 33 § 2 k.k.s. Die Vorschrift wurde ebenso wie die entsprechende Norm im Strafgesetzbuch (Art. 45 § 2 k.k.) im Zuge der Gesetzesreform vom März 2017 geändert. Der Ausbau der Maßnahme betrifft die Anknüpfungstaten. Die Maßnahme findet Anwendung auf jede Straftat, aus der der Täter einen Vermögensvorteil von großem Wert erlangt hat, auch mittelbar. Darüber hinaus unterliegt das Vermögen der erweiterten Einziehung, wenn die Tat mit einer Freiheitsstrafe von mindestens drei Jahren als Obergrenze bedroht ist oder in organisierter Gruppe begangen wurde und der Täter einen Vermögensvorteil erlangt hat oder hätte erlangen können.[293] Den Vermögensvorteil von großem Wert definiert Art. 53 § 15 k.k.s. als den fünfhundertfachen Wert des gesetzlichen Mindestlohns zur Zeit der Tatbegehung.[294] Den Vermögensvorteil muss der Täter erlangt haben oder haben erlangen können.

Der Einziehungsumfang wird gleich wie im polnischen Strafgesetzbuch durch die Vermutung bestimmt, dass das Vermögen eine kriminelle Herkunft hat. Die Vermutung bezieht sich auf das Vermögen, das der Täter innerhalb von fünf Jahren – im Zeitraum vor der Tatbegehung bis zum Urteilserlass – erlangt hat. Sie umfasst sowohl das Vermögen im Besitz des Täters als auch dasjenige, für das der Täter einen rechtlichen Titel hat.[295] Der Beweis, dass das Vermögen gesetzmäßig erlangt wurde, obliegt dem Täter.[296] Gesetzmäßiger Erwerb bedeutet nicht nur, dass die Rechtsgrundlage des Erwerbs gesetzmäßig ist, sondern auch, dass die finanziellen Mittel, mit denen etwas erworben wird, aus legalen Quellen stammen. Dies ergibt

---

291 In Art. 31 § 1 k.k.s. heißt es „das Gericht verhängt“ die Einziehung des Vermögensvorteils.

292 Kardas u.a.-*Łabuda*, Kodeks karny skarbowy, Art. 33 Rn. 10.

293 Siehe oben II.B.1.a)cc).

294 Die Höhe des gesetzlichen Mindestlohns wird jährlich gemäß den Vorschriften des Gesetzes über den Mindestlohn vom 10.10.2002 (Dz.U. 2002 Nr 200 poz. 1679) bestimmt und durch Verordnung des Ministerrates im Gesetzesblatt oder durch den Ministerpräsidenten im Amtsblatt „Monitor Polski“ bekanntgegeben.

295 Vgl. Kardas u.a.-*Łabuda*, Kodeks karny skarbowy, Art. 33 Rn. 14; Bojarski-*Prusak/Skowronek*, Szczególne dziedziny prawa karnego, Kapitel I § 8 Rn. 247 f.

296 Vgl. Kardas u.a.-*Łabuda*, Kodeks karny skarbowy, Art. 33 Rn. 10; Wilk/Zagrodnik-*Wilk*, Kodeks karny skarbowy, Art. 33 Rn. 4.

sich daraus, dass auch mittelbare Vorteile der Tat durch die erweiterte Einziehung umfasst werden. Somit ist es für den Täter praktisch unmöglich, den Beweis für die gesetzmäßige Herkunft seines Vermögens zu erbringen.[297] Es wird auch darauf hingewiesen, dass das Gesetz die Anwendung der Beweiserleichterung nicht davon abhängig macht, ob die Justizbehörde alle verfügbaren Beweismittel erschöpft hat. Deswegen ist Zurückhaltung bei der Anwendung der Norm geboten; die verfügbaren Beweismittel müssen zuvor ausgeschöpft worden sein.[298] Praktisch ist es nicht vertretbar, von dem Betroffenen zu erwarten, dass er die Rechtmäßigkeit jedes Vermögensgegenstandes in seinem Besitz nachweisen kann.[299]

Eine Beweiserleichterung ergibt sich auch aus der Formulierung „Vermögen, das der Täter in seiner Hand hat", da damit allein dessen faktischer Zustand den Einziehungsumfang bestimmt. Darüber hinaus ist auch irgendein rechtlicher Titel auf das Vermögen einziehungsrelevant. Die Einziehung kann somit beispielsweise auch Vermögen einer Gesellschaft umfassen, zu deren Aufsichtsrat der Täter gehört.[300]

dd) Erweiterte Einziehung bei anderen nach Art. 33 § 3 k.k.s.

Die erweiterte Einziehung nach Art. 33 § 3 k.k.s. richtet sich gegen einen an der Tat unbeteiligten Dritten, auf den der Vorteil aus der in § 2 bestimmten Straftat übertragen wurde. Die Rechtsnatur der Übertragung ist dabei nicht relevant. Das Vermögen muss nicht vom Täter selbst übertragen werden. Das Gesetz macht die Anwendung der Maßnahme von der Bösgläubigkeit des Dritten abhängig; es wird angenommen, dass dieser bösgläubig gehandelt hat, und der Betroffene muss das Gegenteil beweisen. Dies ergibt sich aus dem Wortlaut des Gesetzes: „es sei denn, aus den Umständen des Erwerbs konnte nicht angenommen werden, es handelt sich um Vermögen aus einer verbotenen Tat" (Art. 33 § 3 *in fine*). Der Betroffene muss nachweisen, dass es unmöglich für ihn war, objektiv zu erkennen, dass es sich um kriminelles Vermögen gehandelt hat. Gelingt der Beweis nicht, gilt die gesetzliche Vermutung als Tatsache.[301] Gutgläubiger Erwerb durch einen Dritten unterbindet also die Möglichkeit, eine rechtswidrige Vermögenslage zu beseitigen.

Der Abschöpfungsgegenstand nach Art. 33 § 3 k.k. ist, wie bei der entsprechenden Vorschrift im polnischen Strafgesetzbuch, das Vermögen eines Dritten. Die Vermutung der illegalen Herkunft des Vermögens erstreckt sich auf das Vermögen,

---

[297] *Konarska-Wrzosek*, in: Konarska-Wrzosek u.a. (Hrsg.), Prawo i postępowanie karne skarbowe, S. 129.

[298] Wilk/Zagrodnik-*Wilk*, Kodeks karny skarbowy, Art. 33 Rn. 4.

[299] Ebenda, Art. 33 Rn. 4.

[300] Vgl. Kardas u.a.-*Łabuda*, Kodeks karny skarbowy, Art. 33 Rn. 10.

[301] Bojarski-*Prusak/Skowronek*, Szczególne dziedziny prawa karnego, Kapitel I § 8 Rn. 248.

das der Täter einem Dritten faktisch oder unter irgendeinem rechtlichen Titel übertragen hat. Die Vorschrift erweitert den Einziehungsumfang durch die Annahme, dass das Vermögen im Eigenbesitz des Dritten dem Täter gehört. Wie im Strafrecht wird die Bösgläubigkeit des Dritten bei der Übertragung angenommen, der Beweis des gutgläubigen Erwerbs obliegt dem Dritten.[302] Aus dem Gesetzeswortlaut ergibt sich, dass die Übertragung des Vermögens vom Täter das gesamte Vermögen des Dritten „infiziert". Der Einziehungsumfang würde sich auf alles im Eigenbesitz des Dritten erstrecken. Teleologisch ist aber der Einziehungsgegenstand nur auf das, was dem Dritten übertragen wurde, zu reduzieren. Dies ergibt sich zumindest daraus, dass die Übertragung des konkreten Vermögenwertes im Beweisverfahren festgestellt werden muss. Für die Anknüpfungstat gelten die Voraussetzungen des § 2, also die gleichen wie bei der erweiterten Einziehung vom Täter.

ee) Verpflichtung des Begünstigten zur Herausgabe des Vermögensvorteils nach Art. 24 § 5 k.k.s.

Das Fiskalstrafrecht kennt in Art. 24 § 5 k.k.s. eine spezielle, gegen Dritte gerichtete Abschöpfungsmaßnahme – die Verpflichtung des Begünstigten zur Herausgabe des Vermögensvorteils. Anders als bei der Einziehung richtet sich das Instrument nicht gegen den Täter selbst. Aus der Ähnlichkeit der Formulierung des Art. 24 § 5 k.k.s. zu der Einziehungsvorschrift des Art. 33 k.k.s. wird abgeleitet, dass es sich hier um eine „Verantwortlichkeitsmaßnahme [*sui generis*] bzgl. bestimmten Konsequenzen der Tatbegehung" handelt.[303] Die Maßnahme unterscheidet sich von der Einziehung des Vermögensvorteils dadurch, dass die Einziehung gegen den Täter angeordnet werden kann und die Herausgabepflicht sich an einen Dritten richtet.[304]

Das Gericht verpflichtet das Subjekt, das einen Vermögensvorteil aus der Straftat erlangt hat, zu dessen Herausgabe.[305] Die Herausgabepflicht hängt aber weder vom Verschulden des Verpflichteten noch von dem Schadenseintritt ab, sie ist auch nicht subsidiär. Die Herausgabepflicht wird als „Verantwortung wegen der Tat eines anderen" bezeichnet.[306]

Die Herausgabepflicht bezieht sich auf den Vermögensvorteil, den der Dritte aus der Straftat erlangt hat. Die Anknüpfungstat ist eine durch einen anderen begange-

---

[302] Vgl. Kardas u.a.-*Łabuda*, Kodeks karny skarbowy, Art. 33 Rn. 17, 24.

[303] Bojarski-*Prusak/Skowronek*, Szczególne dziedziny prawa karnego, Kapitel I § 8 Rn. 283; *Błaszczyk*, Przepadek w polskim prawie karnym skarbowym, S. 189 ff.

[304] Bojarski-*Prusak/Skowronek*, Szczególne dziedziny prawa karnego, Kapitel I § 8 Rn. 284; *Błaszczyk*, Przepadek w polskim prawie karnym skarbowym, S. 189 f.

[305] Vgl. Bojarski-*Prusak/Skowronek*, Szczególne dziedziny prawa karnego, Kapitel I § 8 Rn. 284; Kardas u.a.-*Razowski*, Kodeks karny skarbowy, Art. 24 Rn. 10 f.; *Wilk/Zagrodnik*, Prawo i proces karny skarbowy, Rn. 107 ff.

[306] *Wilk/Zagrodnik*, Prawo i proces karny skarbowy, Rn. 108.

ne Straftat, für die der Täter auch verurteilt wurde. Eine weitere Voraussetzung ist, wie bei der subsidiären Haftung auch, das Bestehen eines bestimmten Verhältnisses zwischen dem Täter und dem Verpflichteten.[307] Aus der funktionalen Auslegung der Norm ergibt sich, dass sie zur Einziehung der Gegenstände oder Vermögensvorteile eine *lex specialis*-Stellung einnimmt.[308]

b) Zahlung eines Geldbetrages

aa) Einziehung des Wertes der Gegenstände nach Art. 32 k.k.s.

Die Einziehung des Wertersatzes der Tatprodukte hat im Fiskalstrafrecht einen Kompensationscharakter: In erster Linie dient sie der Kompensation des Fiskus. Als Repressionsmaßnahme richtet sie sich gegen den Täter oder Teilnehmer. Grundsätzlich gelten dabei die gleichen Voraussetzungen wie bei der Einziehung des Tatproduktes: Es wird der Beweis einer rechtswidrigen, schuldhaften Tat vorausgesetzt.[309] Die Einziehung des Wertersatzes nach Art. 32 § 1 k.k.s. ist dabei eine selbständige, subsidiäre Abschöpfungsmaßnahme. Sie kommt zur Anwendung, wenn die primäre Einziehung der Tatprodukte aus rechtlichen oder tatsächlichen Gründen nicht möglich ist.[310] Als eine der Anwendungsvoraussetzungen wird im Gesetzestext Unauffindbarkeit der Gegenstände genannt. Sie bedeutet, dass weder beim Täter noch bei einem Dritten Tatprodukte zu finden sind. Befinden sich die Gegenstände dagegen bei einem Dritten, können sie nach Art. 31 § 1 k.k.s. eingezogen werden.

Die Einziehung des Wertersatzes ist, anders als die primäre Einziehung der Tatprodukte, immer obligatorisch. Der Anwendung dieser Maßnahme geht aber die Entscheidung über die Einziehung der Gegenstände voraus.[311] Der Wert des Gegenstandes kann gemäß § 2 geschätzt werden. Dabei hat sich das Gericht an dessen Marktwert zu orientieren.[312] Die Schätzungsvorschrift bei Einziehung des Wertersatzes kann als eine Beweiserleichterung bewertet werden. Haben mehrere Personen die Tat begangen, so haben sie als Gesamtschuldner für die Einziehung des Wertersatzes einzustehen (Art. 32 § 3 k.k.s).[313]

---

[307] Wilk/Zagrodnik-*Wilk*, Kodeks karny skarbowy, Art. 24 Rn. 13.

[308] Bojarski-*Prusak/Skowronek*, Szczególne dziedziny prawa karnego, Kapitel I § 11 Rn. 283.

[309] Siehe *Błaszczyk*, Przepadek w polskim prawie karnym skarbowym, S. 152 f.

[310] Vgl. Kardas u.a.-*Łabuda*, Kodeks karny skarbowy, Art. 33 Rn. 1 ff.; Bojarski-*Prusak/Skowronek*, Szczególne dziedziny prawa karnego, Kapitel I § 8 Rn. 242.

[311] Vgl. Kardas u.a.-*Łabuda*, Kodeks karny skarbowy, Art. 33 Rn. 4; Wilk/Zagrodnik-*Wilk*, Kodeks karny skarbowy, Art. 32 Rn. 2; *Błaszczyk*, Przepadek w polskim prawie karnym skarbowym, S. 153.

[312] Vgl. *Konarska-Wrzosek*, in: Konarska-Wrzosek u.a. (Hrsg.), Prawo i postępowanie karne skarbowe, S. 127; Kardas u.a.-*Łabuda*, Kodeks karny skarbowy, Art. 33 Rn. 7; Bojarski-*Prusak/Skowronek*, Szczególne dziedziny prawa karnego, Kapitel I § 8 Rn. 242.

[313] Vgl. Kardas u.a.-*Łabuda*, Kodeks karny skarbowy, Art. 32 Rn. 8.

Nach Art. 47 § 2 Pkt. 3 k.k.s. gilt die Einziehung des Wertersatzes auch für Übertretungen.

bb) Einziehung des Wertes des Vermögensvorteils nach Art. 33 § 1 k.k.s

Im Falle der Unmöglichkeit primärer Einziehung des Vermögensvorteils wird gemäß Art. 33 § 1 Satz 2 k.k.s. dessen Wertersatz eingezogen. Der Abschöpfungsadressat ist der Täter oder Teilnehmer der Erwerbstat. Nach Art. 33 § 6 wird auch die Einziehung des Wertersatzes nicht angeordnet, wenn der Vermögensvorteil einem berechtigten Subjekt herauszugeben war.[314] Bei Miteigentum wird gemäß Art. 33 § 5 der Wertersatz für den Anteil des Tatbeteiligten angeordnet.

Im Falle der Unmöglichkeit der Einziehung des Vermögensvorteils wird gemäß Art. 33 § 1 k.k.s. obligatorisch dessen Wertersatz eingezogen. Die Maßnahme wird – wie der Wertersatz für die Tatprodukte gemäß Art. 32 § 1 – sowohl bei rechtlicher als auch bei tatsächlicher Unmöglichkeit der Einziehung des Vermögensvorteils angeordnet.[315] Abschöpfungsrelevant ist das Erlangen eines Vermögensvorteils durch den Täter. Dies umfasst auch den Vorteil für einen anderen. Die Einziehung des Wertersatzes ist ausgeschlossen, wenn der Vermögensvorteil einem berechtigten Subjekt herauszugeben war (Art. 33 § 6 k.k.s.).[316]

cc) Subsidiäre Haftung nach Art. 24 §§ 1 und 2 k.k.s.

Subsidiäre Haftung ist eine besondere Maßnahme des Fiskalstrafrechts. Sie ist eine persönliche, vermögensrechtliche und akzessorische Verantwortlichkeit für die gegen einen anderen verhängte Geldstrafe oder die Einziehung des Wertersatzes der Gegenstände anderer. Subsidiäre Haftung ist akzessorisch, weil die Geldstrafe immer noch primär der Täter zu zahlen hat. Erfolgt keine Zahlung, wird die Strafe zuerst aus dem Vermögen des Täters vollzogen. Erst nach einem erfolglosen Vollzug muss der Dritte die Strafe begleichen.[317] Die Maßnahme begründet einen Zahlungsanspruch des Staates mit dem Ziel, die Zahlung der Geldstrafe zu sichern, da es bei Fiskaldelikten häufig vorkommt, dass der Täter für einen anderen handelt.[318]

Nach Art. 24 §§ 1 und 2 k.k.s. wird ein Dritter als subsidiär haftend für die gegen den Täter verhängte Geldstrafe oder die gegen ihn angeordnete Einziehung des Wertersatzes der Gegenstände erklärt. Der Betroffene muss dabei aus der begange-

---

314 *Wilk/Zagrodnik*, Prawo i proces karny skarbowy, Rn. 393.

315 Kardas u.a.-*Łabuda*, Kodeks karny skarbowy, Art. 33 Rn. 9; *Błaszczyk*, Przepadek w polskim prawie karnym skarbowym, S. 186 f.

316 Kardas u.a.-*Łabuda*, Kodeks karny skarbowy, Art. 33 Rn. 5.

317 Vgl. Bojarski-*Prusak/Skowronek*, Szczególne dziedziny prawa karnego, Kapitel I § 11 Rn. 280; *Wilk/Zagrodnik*, Prawo i proces karny skarbowy, Rn. 103.

318 *Wilk/Zagrodnik*, Prawo i proces karny skarbowy, Rn. 96.

nen Straftat einen Vermögensvorteil erlangt haben oder ihn haben erlangen können. Die Maßnahme ist vom Verschulden des Haftenden unabhängig und knüpft an den objektiven Umstand des Vertretungsverhältnisses und des Vermögensvorteils an. Der potenzielle Kreis der Betroffenen ist jedoch in Art. 24 § 1 eingeschränkt: Die Maßnahme kann gegen natürliche und juristische Personen oder Organisationseinheiten, die keine eigene Rechtspersönlichkeit haben, angeordnet werden, nur wenn der Täter ihr Vertreter war – als Bevollmächtigter, Verwalter oder Mitarbeiter.[319] Das Erlangen des Vermögensvorteils oder die Möglichkeit, diesen zu erlangen, muss dem vertretenen Dritten nicht bewusst sein. Er muss lediglich wissen, dass er durch den Täter vertreten wird.[320] Liegen die Voraussetzungen vor, ist die Anordnung subsidiärer Haftung obligatorisch. Die Voraussetzungen der subsidiären Haftung sind somit: Verurteilung des Täters, Verhängung einer Geldstrafe oder Einziehung des Wertersatzes, der Täter war Vertreter des subsidiär Haftenden, der subsidiär Haftende hat aus der Tat einen Vermögensvorteil erlangt oder hätte ihn erlangen können.[321] Es können gleichzeitig auch mehrere Dritte als Gesamtschuldner subsidiär haften.[322] Da subsidiäre Haftung einen Zugriff auf Vermögen Tatunbeteiligter ermöglicht, unterliegt sie einschränkenden Voraussetzungen: Zwischen dem Vermögensvorteil, den der Dritte erlangt hat, und der Tat muss ein kausaler Zusammenhang nachgewiesen werden.[323] Darüber hinaus muss die tatbestandsmäßige Handlung des Täters in Vertretung der subsidiär Verantwortlichen vorgenommen werden.[324]

Die subsidiäre Haftung wird als eine Art persönlicher Verantwortlichkeit, die Eigenschaften fiskalstrafrechtlicher mit zivilrechtlicher Verantwortlichkeit verbindet, bezeichnet.[325] Die Konstruktion der Maßnahme ist zwar eine zivilrechtliche, sie dient aber dem Zweck, die finanziellen Interessen des Staates zu sichern und hat einen repressiven Charakter.[326] Teilweise wird Aufsichtsverschulden *(culpa in custodiendo)* oder Verschulden in der Auswahl der Person *(culpa in eligendo)* als eine zusätzliche, nicht in der Norm festgeschriebene Voraussetzung der subsidiären Haftung herangezogen.[327] Diese Anlehnung an zivilrechtliche Regelungen der Ver-

---

319 Vgl. Bojarski-*Prusak/Skowronek*, Szczególne dziedziny prawa karnego, Kapitel I § 11 Rn. 281; *Wilk/Zagrodnik*, Prawo i proces karny skarbowy, Rn. 100.

320 Kardas u.a.-*Razowski*, Kodeks karny skarbowy, Art. 24 Rn. 3.

321 Ebenda, Art. 24 Rn. 1.

322 *Wilk/Zagrodnik*, Prawo i proces karny skarbowy, Rn. 104.

323 Siehe Bojarski-*Prusak/Skowronek*, Szczególne dziedziny prawa karnego, Kapitel I § 11 Rn. 281; Wilk/Zagrodnik-*Wilk*, Kodeks karny skarbowy, Art. 24 Rn. 3.

324 Vgl. Bojarski-*Prusak/Skowronek*, Szczególne dziedziny prawa karnego, Kapitel I § 11 Rn. 281; *Wilk/Zagrodnik*, Prawo i proces karny skarbowy, Rn. 100.

325 *Błaszczyk/Zbrojewska*, Prawo karne skarbowe, S. 93.

326 Vgl. Kardas u.a.-*Razowski*, Kodeks karny skarbowy, Art. 24 Rn. 3; *Wilk/Zagrodnik*, Prawo i proces karny skarbowy, Rn. 97.

327 Post. SN z 29.01.2009 r., I KZP 28/08, OSNKW 2009, nr 2, poz. 14; Vgl. auch *Błaszczyk/Zbrojewska*, Prawo karne skarbowe, S. 94; Bojarski-*Prusak/Skowronek*,

antwortlichkeit ergibt sich nicht unmittelbar aus dem Gesetzestext, sondern aus der Rechtsprechung mit teilweise Zustimmung in der Literatur.[328] Da das Gesetz das Verschulden aber nicht voraussetzt, wird in der Lehre auch die Gegenauffassung, die subsidiäre Haftung sei auch im zivilrechtlichen Sinne verschuldensunabhängig, vertreten. Sie wird mit der Risikohaftung des Geschäftsherrn aus dem Zivilrecht verglichen.[329] Da Risikohaftung mit einem repressiven Charakter aber nicht verfassungsmäßig wäre, wird eine Ergänzung der Vorschrift um die Regelung der subjektiven Haftungsvoraussetzungen befürwortet.[330]

c) Zwischenbilanz

Nach den Vorschriften des Fiskalstrafgesetzbuchs können als Tatgewinne Gegenstände, die unmittelbar aus der Straftat stammen (Art. 29 Pkt. 1 i.V.m. Art. 31 § 1 k.k.s.), und Vermögensvorteile, die der Täter unmittelbar oder mittelbar aus der Straftat erlangt hat (Art. 33 § 1 k.k.s.), eingezogen werden. Gegenstände, die unmittelbar aus der Tat stammen, können auch von einer anderen Person als dem Täter eingezogen werden. Wenn die primäre Einziehung nicht möglich ist, wird die Einziehung eines Wertersatzes angeordnet. Diese regelt für die Gegenstände, die unmittelbar aus der Tat stammen, Art. 32 § 1 k.k.s. und für den Vermögensvorteil Art. 33 § 1 k.k.s. Die Einziehung der Gegenstände und ihres Wertes findet, gemäß Art. 47 § 2 k.k.s., auch bei Übertretungen (Ordnungswidrigkeiten), die im Fiskalstrafgesetzbuch geregelt sind, Anwendung.

Die Abschöpfung von Vermögensvorteilen wird durch die erweiterte Einziehung nach Art. 33 § 2 k.k.s. ergänzt. Diese Regelung entspricht der erweiterten Einziehung im Strafrecht. Sie findet Anwendung, wenn ein Vermögensvorteil von großem Wert aus der Tat erlangt wurde oder wenn eine Straftat begangen wurde, die mit einer Freiheitsstrafe von mindestens drei Jahren im Höchstmaß bedroht ist, oder wenn eine Straftat in einer organisierten Gruppe begangen wurde. Anders als im Strafgesetzbuch sieht die Regelung im Fiskalstrafgesetzbuch die Anwendung der Maßnahme auch bei geringen Vermögensvorteilen vor und kennt dementsprechend auch niedrigere Strafandrohungen. Anders als im Strafgesetzbuch sieht die Regelung im Fiskalstrafgesetzbuch die Anwendung der Maßnahme bei geringeren

---

Szczególne dziedziny prawa karnego, Kapitel I § 11 Rn. 280; Kardas u.a.-*Razowski*, Kodeks karny skarbowy, Art. 24 Rn. 3. Aufsichtsverschulden und Verschulden bei der Auswahl der Person regeln im polnischen Zivilrecht Art. 427 und 429 k.c.

328 Siehe Kardas u.a.-*Razowski*, Kodeks karny skarbowy, Art. 24 Rn. 3.

329 Vgl. Kardas u.a.-*Razowski*, Kodeks karny skarbowy, Art. 24 Rn. 3; *Wilk/Zagrodnik*, Prawo i proces karny skarbowy, Rn. 105. Verschuldensunabhängige Risikohaftung regeln im polnischen Zivilgesetzbuch u.a. Art. 430 und Art. 474. Die Risikohaftung scheidet nur wegen höherer Gewalt aus, wenn der Schadenseintritt allein durch den Geschädigten oder durch einen Dritten, für den der Risikohaftende keine Verantwortung trägt, verursacht wurde, oder dieser bei Verrichtungsgehilfen (Art. 430 k.c.) ohne Schuld gehandelt hat.

330 Kardas u.a.-*Razowski*, Kodeks karny skarbowy, Art. 24 Rn. 3.

Vermögensvorteilen vor. Die erweiterte Einziehung nach Art. 33 § 3 k.k.s. kann sich gegen eine andere Person als den Täter richten. Dabei gelten die gleichen Voraussetzungen wie im allgemeinen Strafrecht. Ebenso wie im Strafrecht obliegt die Beweislast bei der erweiterten Einziehung dem Betroffenen.

Das Fiskalstrafgesetzbuch kennt darüber hinaus zwei spezielle Abschöpfungsinstrumente, die im allgemeinen Strafrecht nicht vorgesehen sind. Das ist zum einen die Verpflichtung der Begünstigten zur Herausgabe des Vermögensvorteils nach Art. 24 § 5 k.k.s., zum anderen die subsidiäre Haftung nach Art. 24 §§ 1 und 2 k.k.s. Die Verpflichtung zur Herausgabe des Vermögensvorteils richtet sich gegen eine andere Person als den Täter, die aus der Tat einen solchen Vorteil erlangt hat. Die Maßnahme berücksichtigt keine Umstände auf der Seite des Betroffen, wie seinen guten oder bösen Glauben. Durch die zweite Maßnahme, die subsidiäre Haftung, wird ein Dritter als subsidiär haftend für die gegen den Täter verhängte Geldstrafe oder die gegen ihn angeordnete Einziehung des Wertersatzes der Gegenstände erklärt. Die Maßnahme knüpft an ein Vertretungsverhältnis zwischen dem Täter und dem subsidiär Haftenden an. Beide Instrumente wurden in das Fiskalstrafgesetz eingeführt, weil gerade bei den dort geregelten Tatbeständen häufig der Täter nicht nur für sich selbst, sondern auch für einen anderen handelt.

2. Tatmittel

a) Abschöpfung der Gegenstände

aa) Einziehung der Tatwerkzeuge nach Art. 29 Pkt. 2 k.k.s.

Um der Begehung weiterer Straftaten vorzubeugen, werden auch im Fiskalstrafrecht die zur Tatbegehung verwendeten und dazu bestimmten Gegenstände eingezogen.[331] Die Einziehung der Gegenstände von Täter oder Teilnehmer regelt Art. 29 § 1 k.k.s. Ebenso wie im polnischen Strafgesetzbuch ist dabei die Begehung einer Straftat Voraussetzung der Einziehung. In der Literatur wird die Einziehung zum Teil auf vorsätzliche Delikte eingeschränkt.[332] Die Einziehung der Tatwerkzeuge unterliegt den gleichen Einschränkungen wie die Einziehung der Tatprodukte: wenn sie unverhältnismäßig zur Schwere der Tat ist (Art. 31 § 3 Pkt. 1) und wenn die öffentlich-rechtliche Verbindlichkeit (beispielsweise Steuerlast) beglichen wird (Art. 31 § 3 Pkt. 2).

---

[331] *Konarska-Wrzosek*, in: Konarska-Wrzosek u.a. (Hrsg.), Prawo i postępowanie karne skarbowe, S. 124.

[332] Vgl. *Prusak*, Kodeks karny skarbowy, Art. 29 Rn. 12; siehe auch Wilk/Zagrodnik-*Wilk*, Kodeks karny skarbowy, Art. 29 Rn. 4.

Die Einziehung der Gegenstände umfasst die Tatwerkzeuge und andere bewegliche Sachen, die zur Tatbegehung gebraucht oder dazu bestimmt wurden.[333] Als Tatwerkzeuge können, anders als im polnischen Strafgesetzbuch, nur bewegliche Sachen eingezogen werden. Der Einziehungsumfang wird mit Hilfe der Definition des Begriffs „Gegenstand“ aus Art. 115 § 9 k.k. bestimmt.[334] Als Tatwerkzeuge werden Gegenstände eingezogen, die die Tatbegehung ermöglicht oder zumindest erleichtert haben.[335] Diese weite Auslegung wird in der Literatur zum Teil kritisiert und auf Gegenstände, ohne die die Tatbegehung nicht verwirklicht werden konnte, eingeschränkt.[336] Die Einziehung knüpft an die Begehung einer Straftat, an eine versuchte oder vollendete Tat.[337]

Die Regelung findet gemäß Art. 49 § 2 Pkt. 2 k.k.s. auch auf Übertretungen Anwendung. Dabei gilt die Ausnahme, dass Transportmittel nur dann eingezogen werden können, wenn sie speziell zur Begehung einer verbotenen Tat angepasst wurden.

bb) Einziehung der Tatwerkzeuge bei anderen nach Art. 29 Pkt. 2 k.k.s. i.V.m. Art. 31 § 1a k.k.s.

Tatmittel, die nicht dem Täter, sondern einem Dritten gehören, können nach Art. 31 § 1a i.V.m. Art. 29 Pkt. 2 eingezogen werden.[338] Die Maßnahme knüpft an eine leichtfertige Handlung des Betroffenen an. Der Dritte muss den Gebrauch zu kriminellen Zwecken vorausgesehen haben oder hätte ihn voraussehen müssen. Die Einziehung ist somit eine Konsequenz davon, dass der Dritte nicht die erforderliche Sorgfalt im Umgang mit seinem Eigentum hat walten lassen.[339] Die Einziehung der Tatmittel von einer anderen Person als von Täter oder Teilnehmer ist immer fakultativ. Die früher übliche, teilweise obligatorische Einziehung der Tatwerkzeuge, die einem Dritten gehören, wurde vom Verfassungsgerichtshof beanstandet.[340]

---

333 Siehe *Konarska-Wrzosek*, in: Konarska-Wrzosek u.a. (Hrsg.), Prawo i postępowanie karne skarbowe, S. 124.

334 Vgl. Bojarski-*Prusak/Skowronek*, Szczególne dziedziny prawa karnego, Kapitel I § 8 Rn. 238.

335 *Prusak*, Kodeks karny skarbowy, Art. 29 Rn. 18. Siehe wyr. SN z 11.04.1984 r., RNW 4/84, OSNKW 1984, Nr 11–12, poz. 113.

336 Wilk/Zagrodnik-*Wilk*, Kodeks karny skarbowy, Art. 29 Rn. 4 m.w.N.; siehe auch Kardas u.a.-*Łabuda*, Kodeks karny skarbowy, Art. 29 Rn. 7.

337 Anders als im polnischen Strafgesetzbuch ist bei Fiskaldelikten der Versuch nicht immer strafbar, sondern nur, wenn der Tatbestand mit einer Freiheitsstrafe von über einem Jahr bedroht ist. Bei einer Freiheitsstrafe bis zu einem Jahr muss die Strafbarkeit des Versuchs im Gesetz explizit geregelt sein. Vgl. Art. 21 k.k.s.

338 Anmerkungen zu der bisherigen Fassung siehe Kardas u.a.-*Łabuda*, Kodeks karny skarbowy, Art. 31 Rn. 3.

339 Gem. Art. 47 § 4 k.k.s. findet die Vorschrift auf Fiskalübertretungen keine Anwendung. Siehe Kardas u.a.-*Łabuda*, Kodeks karny skarbowy, Art. 31 Rn. 3 ff.; Wielgolewska/Piaseczny-*Wielgolewska*, Kodeks karny skarbowy, Art. 31 Rn. 1; Wilk/Zagrodnik-*Wilk*, Kodeks karny skarbowy, Art. 31 Rn. 3.

340 Vgl. wyr. TK z 29.06.2005 r., SK 34/04, OTK ZU 6A/2005, poz. 69

Der Abschöpfungsgegenstand wird nach Maßgabe des Art. 29 Pkt. 2 k.k.s. bestimmt. Bewegliche Sachen, die zur Begehung der Fiskalstraftat gebraucht wurden der dazu bestimmt waren, können eingezogen werden. Die Anknüpfungstat muss zumindest ein strafbarer Versuch und Gegenstand des Verfahrens, in dem über die Einziehung entschieden wird, sein.

b) Zahlung eines Geldbetrages

aa) Einziehung des Wertes der Tatwerkzeuge nach Art. 32 § 1 k.k.s.

Die Einziehung des Wertes der Tatwerkzeuge richtet sich nach Art. 32 § 1 k.k.s. gegen den Täter oder Teilnehmer. In Bezug auf die Handlung des Betroffenen gelten somit die gleichen Voraussetzungen wie bei der primären Einziehung. Der Wertersatz wird bei Unmöglichkeit der Abschöpfung von Tatwerkzeugen angeordnet. Diese muss jedoch nicht durch den Betroffenen verursacht worden sein.[341] Es können sowohl tatsächliche als auch rechtliche Gründe sein, die die Einziehung der Tatwerkzeuge unmöglich machen.

Der Abschöpfungsgegenstand ist der Wert der einzuziehenden Gegenstände. Diese müssen unauffindbar sein und können weder beim Täter noch bei einem Dritten beschlagnahmt werden. Befinden sich die Gegenstände bei einem Dritten, können sie gemäß Art. 31 § 1 eingezogen werden. Der Wert des primären Einziehungsgegenstandes kann gemäß Art. 31 § 2 k.k.s. geschätzt werden.

Die Regelung findet bei Fiskalübertretungen gemäß Art. 47 § 2 Pkt. 3 eine entsprechende Anwendung.

c) Zwischenbilanz

Die Einziehung der Tatmittel – in der polnischen Literatur werden sie häufig als Tatwerkzeuge bezeichnet – regelt im Fiskalstrafgesetzbuch Art. 29 Pkt. 2 k.k.s. Die Abschöpfung umfasst Gegenstände, die zur Begehung einer Fiskalstraftat verwendet wurden oder dazu bestimmt waren. Anders als im Strafgesetzbuch schränkt der Gesetzgeber die Maßnahme allerdings auf bewegliche Vermögensgegenstände ein. Tatmittel können nach Art. 31 § 1a k.k.s. auch von einer anderen Person als dem Täter eingezogen werden, aber nur, wenn diese Person die rechtswidrige Verwendung der Gegenstände vorausgesehen hat oder hätte voraussehen können. Wenn die Abschöpfung der Tatmittel nicht möglich ist, kann die Einziehung ihres Wertes vom Täter gemäß Art. 32 § 1 k.k.s. angeordnet werden. Einziehung der Tatmittel und ihres Wertes kann nach Art. 47 § 2 k.k.s. auch bei Übertretungen (Ordnungswidrigkeiten), die im Fiskalstrafgesetzbuch geregelt sind, angeordnet werden.

---

341 Kardas u.a.-*Labuda*, Kodeks karny skarbowy, Art. 30 Rn. 6.

D. Vermögensabschöpfung im Übertretungsgesetzbuch

Im Übertretungsgesetzbuch gehören Vermögensabschöpfungsmaßnahmen zu den Strafmaßnahmen. Diese können nur dann verhängt werden, wenn sie im Tatbestand ausdrücklich vorgesehen sind; in der Regel sind sie fakultativ. Bei Übertretungen lässt sich nicht die gleiche Tendenz wie im Strafrecht, nämlich zum Ausbau der Vermögensabschöpfung, feststellen. Es liegt daran, dass Übertretungen Handlungen sind, deren Sozialschädlichkeit geringer ist als die von Straftaten. Deswegen hatte die internationale Entwicklung zur Bekämpfung schwerer Kriminalität auf diesen Bereich des Sanktionsrechts keine Auswirkung.

Die Vermögensabschöpfung im Übertretungsgesetzbuch beschränkt sich auf die Einziehung der Gegenstände nach Art. 28 § 1 Pkt. 2 k.w. Einziehung gehört zu den Strafmaßnahmen und kann gegen den Täter oder gegen einen Dritten angeordnet werden. Die Geldstrafe[342] für Übertretungen ist – anders als die Geldbuße im deutschen Recht – kein Vermögensabschöpfungsinstrument. Nach Art. 24 § 2 k.w. ist sie zwar bei den mit Bereicherungsabsicht begangenen Übertretungen zu verhängen, aber ihre Höhe wird nicht über den gesetzlich bestimmten Rahmen hinaus festgesetzt, um so dem Täter den Vermögensvorteil zu entziehen. Einziehung der Taterträge oder deren Wertersatzes kennt das polnische Übertretungsgesetzbuch ebenfalls nicht.

1. Tatgewinne

a) Abschöpfung der Gegenstände

aa) Einziehung von Gegenständen nach Art. 30 § 1 k.w.

Gemäß Art. 30 § 1 k.w. können vom Täter Gegenstände, die unmittelbar oder mittelbar aus der Übertretung stammen, eingezogen werden. Das gilt allerdings nur, wenn im Tatbestand eine Einziehungsgrundlage ausdrücklich vorgesehen ist. Die Maßnahme setzt die Begehung einer Übertretung voraus, also einer gemäß Art. 1 § 1 k.w. tatbestandsmäßigen, rechtswidrigen und sozialschädlichen Handlung.

Die Einziehung umfasst Gegenstände, die der Täter unmittelbar und mittelbar aus der Tat erlangt hat und Surrogate, die er für die Tatprodukte erhalten hat.[343] Die Einziehung von Surrogaten wird nach dem Verhältnismäßigkeitsprinzip gemäß Art. 30 § 5 k.w. bewertet. Für die Einziehung der Tatprodukte, die dem Täter gehören und unmittelbar aus der Tat stammen, gilt die Verhältnismäßigkeitsprüfung nicht. Umstritten ist die Zulässigkeit der Einziehung von Geld als Tatprodukt, weil

[342] Im polnischen Recht wird der gleiche Begriff für die monetäre Sanktion im Straf- und Ordnungswidrigkeitenrecht verwendet.

[343] Grzegorczyk u.a.-*Grzegorczyk*, Kodeks wykroczeń, Art. 30 Rn. 2; Bojarski/Radecki-*Radecki*, Kodeks wykroczeń, Art. 30 Rn. 6.

es sich bei Geld um eine der Gattung nach bestimmte Sache handelt. Teilweise wird lediglich für die Einziehbarkeit bestimmter Geldscheine, die aus dem Delikt stammen, argumentiert.[344]

bb) Einziehung von Gegenständen bei anderen nach Art. 30 § 2 k.w.

Einziehung von Gegenständen, die aus einer Übertretung stammen, kann auch gegen andere Personen als den Täter angeordnet werden. Gemäß Art. 30 § 2 k.w. muss aber die Einziehung von Dritten im Tatbestand ausdrücklich vorgesehen sein. Im Übertretungsgesetzbuch wurden keine weiteren einschränkenden Voraussetzungen für die Dritteinziehung definiert. Einziehung umfasst Gegenstände, die sowohl unmittelbar als auch mittelbar aus der Tat stammen, sowie auch Surrogate für diese Gegenstände.[345]

cc) Selbständige Anordnung der Einziehung nach Art. 28 § 3 k.w.

Einziehung der Gegenstände kann gemäß Art. 28 § 3 OWiG angeordnet werden, wenn ein Strafausschließungsgrund vorliegt. Die Einziehung erfüllt dabei die Funktion einer Sicherungsmaßnahme.[346] Die Vorschrift findet Anwendung auch bei Verjährung der Strafbarkeit, Tod des Angeschuldigten und wenn die Schuld des Täters wegen Minderjährigkeit oder Zurechnungsunfähigkeit ausgeschlossen ist.[347] Es handelt sich um eine Kann-Regelung. Gegenstand der Abschöpfung sind unmittelbar und mittelbar aus der Tat stammende Gegenstände.

b) Zahlung eines Geldbetrages

Im Übertretungsgesetzbuch wurden keine Maßnahmen zur Abschöpfung von aus der Tat stammenden Vermögen vorgesehen, die eine Geldzahlungspflicht des Betroffenen begründen würden.

c) Zwischenbilanz

Die Abschöpfung der Tatgewinne umfasst im polnischen Ordnungswidrigkeitenrecht – geregelt im Übertretungsgesetzbuch – nur die Einziehung von Gegenständen. Diese können, nach Art. 30 § 1 k.w., unmittelbar oder mittelbar aus einer Übertretung stammen. Die Einziehung muss jedoch im Tatbestand ausdrücklich

344 Vgl. Grzegorczyk u.a.-*Grzegorczyk*, Kodeks wykroczeń, Art. 30 Rn. 7; Bojarski/Radecki-*Radecki*, Kodeks wykroczeń, Art. 30 Rn. 6; anders wyr. SN z 24.09.1979 r., III KR 134/79.

345 Bojarski/Radecki-*Radecki*, Kodeks wykroczeń, Art. 30 Rn. 6.

346 Grzegorczyk u.a.-*Grzegorczyk*, Kodeks wykroczeń, Art. 28 Rn. 5.

347 Ebenda.

vorgesehen sein. Die Maßnahme kann sich auch gegen Dritte richten, dies muss aber im Gesetz ausdrücklich vorgesehen sein (Art. 30 § 2 k.w.). Bei der Anordnung der Einziehung ist, gemäß Art. 30 § 5 k.w., der Verhältnismäßigkeitsprinzip zu berücksichtigen, es sei denn, es handelt sich um die Einziehung eines Gegenstandes, der unmittelbar aus der Ordnungswidrigkeit stammt. Die Einziehung der Tatgewinne kann nach Art. 28 § 3 k.w. selbständig angeordnet werden, wenn ein Strafausschließungs- oder Strafaufhebungsgrund vorliegt.

2. Tatmittel

a) Abschöpfung der Gegenstände

aa) Einziehung von Tatwerkzeugen nach Art. 30 § 1 k.w.

Tatmittel und zur Tatbegehung bestimmte Gegenstände werden nach Art. 30 § 1 k.w. eingezogen. Die Anknüpfungstat ist eine Übertretung, also eine sozialschädliche Handlung, die durch das Gesetz unter einer der in Art. 1 § 1 k.w. genannten Strafen verboten ist. Die Anordnung ist bei jeder Übertretung zulässig und mit Ausnahme der Tatbestände, die eine obligatorische Einziehung beinhalten, fakultativ.[348]Die Maßnahme richtet sich gegen den Täter. Grundsätzlich ist es nicht möglich, einen Gegenstand einzuziehen, von dem der Täter nicht der einzige Eigentümer ist. Für das Miteigentum wurde keine Einziehung des Wertersatzes des Anteils, der dem Täter gehört, vorgesehen.[349] Somit ist in solchen Fällen die Einziehung nur dann zulässig, wenn alle Miteigentümer auch Mittäter sind.

Einziehungsgegenstand sind sowohl bereits zur Tatbegehung verwendete als auch zu diesem Zweck bestimmte Gegenstände. „Bestimmt“ bedeutet dabei, dass sie bereits zu diesem Zweck ausgesondert, beziehungsweise vorbereitet worden sind.[350] Es können sowohl speziell für die Tatbegehung bestimmte Gegenstände sein als auch solche, die zugleich eine rechtmäßige Anwendung haben.[351] Einziehung von Transportmitteln (Fahrzeugen, Booten), die bei der Begehung einer Übertretung eingesetzt wurden, ist nach der Rechtsprechung vom Obersten Gerichtshof in Strafsachen nur dann zulässig, wenn diese auf die Begehung der Tat speziell angepasst wurden.[352] In Anlehnung an die Rechtsprechung wird auch die Einziehung der Fahrzeuge bei Übertretungen bejaht, z.B. die eines Fischerbootes, das zum Fischen ohne Erlaubnis genutzt wurde.[353] Wäre die Einziehung des Trans-

---

348 Dazu siehe Grzegorczyk u.a.-*Grzegorczyk*, Kodeks wykroczeń, Art. 30 Rn. 1.

349 Vgl. Grzegorczyk u.a.-*Grzegorczyk*, Kodeks wykroczeń, Art. 30 Rn. 5; Bojarski/Radecki-*Radecki*, Kodeks wykroczeń, Art. 30 Rn. 8.

350 Bojarski/Radecki-*Radecki*, Kodeks wykroczeń, Art. 30 Rn. 4.

351 Ebenda, Art. 30 Rn. 4.

352 Wyr. SN z 21.12.1988 r., KRN 267/88, OSNPG 1989, Nr. 5, poz. 62; uchw. SN z 30.10.2008 r., I KZP 20/08, Prokuratura i Prawo 2009, 141.

353 Siehe Bojarski/Radecki-*Radecki*, Kodeks wykroczeń, Art. 30 Rn. 5.

portmittels als Tatwerkzeug zur Schwere der Übertretung unverhältnismäßig, wird die Maßnahme gemäß Art. 30 § 5 k.w. nicht angeordnet.[354]

bb) Einziehung von Tatwerkzeugen bei anderen nach Art. 30 § 2 k.w.

Tatwerkzeuge, die einem Dritten gehören, können gemäß Art. 30 Abs. 2 k.w. eingezogen werden, wenn eine Spezialnorm es vorsieht; diese Einziehung ist fakultativ.[355] Der Abschöpfungsgegenstand wird genauso wie bei der Einziehung vom Täter definiert und umfasst nach Art. 30 § 1 k.w. sowohl bereits zur Tatbegehung verwendete als auch zu diesem Zweck bestimmte Gegenstände. Einziehung von einem Dritten ist ausgeschlossen, wenn Gegenstände, die ihm gehören, ohne seine Zustimmung als Tatmittel verwendet wurden. Solche Gegenstände sind dem Betroffenen zurückzugeben.[356] Einziehung betrifft somit nur solche Gegenstände, deren Besitz der Täter vom Dritten rechtmäßig erlangt hat. Dabei wird aber nicht verlangt, dass dem Dritten ein Verschulden nachgewiesen wird.[357] Die Einziehung ist ausgeschlossen, wenn sie nach Art. 30 § 5 zur Schwere der Tat unverhältnismäßig ist.

cc) Selbständige Anordnung der Einziehung nach Art. 28 § 3 k.w.

Einziehung der Gegenstände, Tatprodukte und Tatmittel kann gemäß Art. 28 § 3 k.w. auch dann angeordnet werden, wenn ein Umstand vorliegt, der die Bestrafung des Täters ausschließt.[358] Zu diesen Umständen zählen die Verjährung der Strafbarkeit, Tod des Angeschuldigten sowie auch die Umstände, die die Begehung einer Übertretung ausschließen: nicht vollendetes 17. Lebensjahr (Art. 8) und Zurechnungsunfähigkeit aus den in Art. 17 k.w. genannten Gründen. Die Anknüpfungstat ist eine rechtswidrige Handlung. Selbständig angeordnete Einziehung hat einen präventiven Charakter und erfüllt die Funktion einer Sicherungsmaßnahme, die das Übertretungsgesetzbuch aber grundsätzlich nicht kennt.[359] Der Abschöpfungsgegenstand sowie die Anknüpfung an den Tatbestand wird genauso bestimmt, wie sie bei gemäß Art. 30 angeordneter Einziehung der Gegenstände definiert wird.

---

354 Wie beispielsweise bei der Einfahrt mit einem Auto in ein Naturschutzgebiet – hier sollte das Auto als Tatwerkzeug eingezogen werden. Siehe Grzegorczyk u.a.-*Grzegorczyk*, Kodeks wykroczeń, Art. 30 Rn. 4; Bojarski/Radecki-*Radecki*, Kodeks wykroczeń, Art. 30 Rn. 5.

355 Im polnischen Strafgesetzbuch wird gem. Art. 44 § 7 für die Dritteinziehung der Gegenstände auch eine spezielle Rechtsgrundlage benötigt. Diese Regelung findet Zustimmung in der Rechtsprechung des SN, der besagt, dass die Einziehung als eine Unannehmlichkeit für den Täter grundsätzlich die Rechte Dritter nicht beeinträchtigen soll. Vgl. wyr. SN z 27.05.1976 r., V KR 73/76, OSNPG 1977, Nr 4, poz. 25.

356 Vgl. Grzegorczyk u.a.-*Grzegorczyk*, Kodeks wykroczeń, Art. 30 Rn. 6; Bojarski/Radecki-*Radecki*, Kodeks wykroczeń, Art. 30 Rn. 7.

357 Grzegorczyk u.a.-*Grzegorczyk*, Kodeks wykroczeń, Art. 30 Rn. 6.

358 Bojarski u.a.-*Bojarski*, Kodeks wykroczeń, Art. 28 Rn. 2.

359 Grzegorczyk u.a.-*Grzegorczyk*, Kodeks wykroczeń, Art. 28 Rn. 5.

b) Zahlung eines Geldbetrages

Im Übertretungsgesetzbuch wurden keine Maßnahmen zur Abschöpfung zur Tatbegehung verwendetes Vermögen vorgesehen, die eine Geldzahlungspflicht des Betroffenen begründen würden.

c) Zwischenbilanz

Die Abschöpfung der Tatmittel im polnischen Ordnungswidrigkeitenrecht (Übertretungsgesetzbuch) umfasst nach Art. 30 § 1 k.w. die Gegenstände, die zur Tatbegehung verwendet wurden oder dazu bestimmt waren. Hierfür ist – im Gegensatz zu den Tatgewinnen – keine Spezialregelung notwendig. Es können auch Tatmittel von einer anderen Person als dem Täter eingezogen werden, allerdings nur in gesetzlich bestimmten Fällen (Art. 30 § 2 k.w.). Die Anordnung der Maßnahme muss im Hinblick auf die Schwere der begangenen Tat verhältnismäßig sein. Gemäß Art. 28 § 3 k.w. können Tatmittel selbständig eingezogen werden, wenn ein Strafausschließungs- oder Strafaufhebungsgrund vorliegt. Die Einziehung des Wertes der Tatmittel hat der Gesetzgeber nicht vorgesehen.

III. Grenzen der Vermögensabschöpfung

Im Hinblick auf die oben geschilderte Regelung der Vermögensabschöpfung werden die Grenzen dieser Maßnahmen untersucht. Zunächst wird ein Überblick zu der Fragestellung und den Schlüsseleingriffsnormen gegeben (A.), dann werden die Grenzen unter zwei Gesichtspunkten untersucht: Zuerst die strafrechtlichen Garantien (B.), anschließend die Einschränkungen, die sich aus dem Verhältnismäßigkeitsprinzip als einer übergreifenden verfassungsrechtlichen Grenze für die Eingriffsmaßnahmen ergeben (C.).

A. Überblick

Die Einziehung gilt im polnischen Strafrecht seit der Gesetzesreform von 2015 als Maßnahme *sui generis* ohne Strafcharakter,[360] während sie davor zu den Strafmaßnahmen gehörte. Die Darstellung der Abschöpfungsinstrumente zeigt aber, dass in dieser Hinsicht Unterschiede zwischen der Regelung im Straf- und Fiskal-

---

360 Ustawa z dnia 20.02.2015 r. o zmianie ustawy – Kodeks karny oraz niektórych innych ustaw, Dz.U. 2015 poz. 396. Das Reformgesetz hat in das polnische Strafgesetzbuch das Kapitel Va „Einziehung und Kompensationsmaßnahmen“ eingeführt. Siehe *Gensikowski*, in: Budyn-Kulik u.a. (Hrsg.), Środki karne, przepadek i środki kompensacyjne, S. 360 ff.

strafrecht bestehen. Im Fiskalstrafrecht gehört die Einziehung weiterhin zu den Strafmaßnahmen, wobei sich für diese Differenzierung keine sachlichen Gründe feststellen lassen. Im Hinblick darauf, dass sich die Zuordnung der Vermögensabschöpfung im Sanktionensystem (teilweise) verändert hat, stellt sich die Frage nach der Rechtsnatur dieser Maßnahmen. Sie gewinnt wieder an Aktualität, nachdem nun im Zuge der Reform vom 23. März 2017 die Einziehung eines Unternehmens als Tatwerkzeug und bei der Einziehung der Tatgewinne eine Beweislastumkehr bezüglich der rechtmäßigen Herkunft des Vermögens eingeführt wurden.[361] In Bezug auf diese Entwicklung wird die Einschränkung der Vermögensabschöpfung wegen ihrer Rechtsnatur, nämlich ihres strafähnlichen Charakters, befürwortet. Aus der strafähnlichen Natur ergibt sich, dass die Abschöpfungsmaßnahmen dem Schuldgrundsatz und der Unschuldsvermutung unterliegen sollen. Für den Strafcharakter spricht insbesondere die Eingriffsintensität der Maßnahmen, die sich aus den eingeführten Beweiserleichterungen ergibt. Da aber bezüglich der Rechtsnatur der Vermögensabschöpfung gleichermaßen auch die Gegenmeinung vertreten und die Anwendbarkeit von strafrechtlichen Garantien auf diese Maßnahmen verneint wird, wird in der Arbeit ein übergreifender Ansatz untersucht, der sich nicht auf die Rechtsnatur der Maßnahme bezieht, sondern die Verhältnismäßigkeit des Grundrechtseingriffs überprüft. Durch diese Argumentation wird versucht, die Diskussion über den Grenzen der Vermögensabschöpfungsmaßnahmen auf einen neuen Weg zu bringen.

Die Frage nach den Grenzen betrifft im polnischen Recht insbesondere die bereits erwähnte erweiterte Einziehung[362] und die Einziehung eines Unternehmens als Tatwerkzeug.[363] Die erweiterte Einziehung wird wegen den Beweiserleichterungen, die einen weitgehenden Zugriff auf das Vermögen erlauben, mit der Vermögensstrafe verglichen. Die Einziehung eines Unternehmens hingegen wird als unverhältnismäßiger Eingriff in das Eigentumsrecht angesehen. Darüber hinaus wird der Einschränkungsbedarf der Gewinnabschöpfung nach dem Bruttoprinzip untersucht.[364] Bei der Prüfung der Grenzen spielt in beiden Argumentationssträngen der Zweck der Maßnahme eine wichtige Rolle. Einerseits wird er bei der Entscheidung über die Rechtsnatur der Maßnahme herangezogen und dadurch die Anwendbarkeit strafrechtlicher Garantien bestimmt. Anderseits gehört der Zweck zur Verhältnismäßigkeitsprüfung und spielt bei der Entscheidung über die Verhältnismäßigkeit einer Maßnahme eine Rolle.

---

[361] Ustawa z dnia 23.03.2017 r. o zmianie ustawy – Kodeks karny oraz niektórych innych ustaw, Dz.U. 2017, poz. 768.

[362] Siehe oben II.B.1.a)cc); II.C.1.a)cc).

[363] Siehe oben II.C.2.a)cc).

[364] Siehe oben II.B.1.a)bb).

B. Grenzen aus der Rechtsnatur der Maßnahme

Die Rechtsnatur der Vermögensabschöpfung im polnischen Recht ist umstritten. Die 2017 vorgenommenen Gesetzesänderungen und ihre Begründung bestätigen, dass der Gesetzgeber annimmt, es handele sich bei der Vermögensabschöpfung um Maßnahmen, die keinen Strafcharakter haben und die Instrumente *sui generis* darstellen. In der Literatur wird dieser Auffassung zum Teil widersprochen.[365] Es wird die Ansicht vertreten, dass die Vermögensabschöpfungsmaßnahmen einer Einschränkung durch strafrechtliche Garantien – das Schuldprinzip und die Unschuldsvermutung – unterliegen sollen, da es sich um Maßnahmen handelt, die weitgehend einen strafähnlichen Charakter haben. Das Schuldprinzip und die Unschuldsvermutung sollen bei der Vermögensabschöpfung den Interessenkonflikt zwischen effektiver Strafverfolgung und den Interessen des Betroffenen regulieren. In der Literatur wir argumentiert, dass gerade die effektive Bekämpfung der Kriminalität durch möglichst schnelle Verhängung strafrechtlicher Folgen Einschränkungen bedürfe, da das Interesse des Staates und der Allgemeinheit nicht dazu führen solle, dass der Einzelne zum Objekt des Verfahrens werde.[366]

1. Strafrechtliche Verfassungsgarantien

a) Schuldprinzip

Das Schuldprinzip ist im polnischen Strafrecht in Art. 1 § 3 k.k. geregelt. Dieser besagt, dass keine Straftat begeht, wem zur Zeit der Verwirklichung des Tatbestandes die Schuld nicht zugerechnet werden kann.[367] Die Schuld erfüllt somit im Strafrecht eine strafbegründende Funktion, welche sich auf den materiellen Begriff bezieht und einen Vorwurf des rechtswidrigen Handelns bezeichnet (Strafbegründungsschuld).[368] Das Schuldprinzip bedeutet somit, dass der Täter für die Tat nur dann verantwortlich gemacht werden kann, wenn ihm die Verwirklichung des Tatbestands zum Vorwurf gemacht werden kann. Als Grundannahme wird dabei die Freiheit des menschlichen Handelns vorausgesetzt.[369] Wenn dem Täter keine Schuld

---

365 Siehe *Artymiak*, in: Bojarski (Hrsg.), Zmiany w polskim prawie karnym, S. 294 ff.; *Kulik*, in: Bojarski (Hrsg.), Zmiany w polskim prawie karnym, S. 91; *Zygmont*, Prokuratura i Prawo 2001, 33.

366 *Kruszyński/Pawelec*, in: Hofmański (Hrsg.), System prawa karnego procesowego, Bd. III, Teil 2, S. 1569; siehe auch *Prengel*, Studia Prawnicze 2003, S. 154 f.

367 Das gleiche gilt für das Fiskalstrafrecht und Ordnungswidrigkeitenrecht, entsprechende Regelungen befinden sich in Art. 1 § 3 k.k.s. und Art. 1 § 2 k.w.

368 Vgl. *Wróbel*, in: Hofmański (Hrsg.), System prawa karnego procesowego, Bd. III, Teil 2, S. 1703 f.; *Wróbel/Zoll*, Polskie prawo karne, S. 327; *Weigend/Długosz*, in: Sieber/Jarvers/Silverman (Hrsg.), National Criminal Law in a Comparative Legal Context, S. 184.

369 Siehe *Gardocki*, Prawo karne, § 3 Rn. 20; *Giezek*, in: Bojarski u.a. (Hrsg.), Prawo karne materialne, Rn. 37; *Wróbel*, in: Hofmański (Hrsg.), System prawa karnego procesowego, Bd. III, Teil 2, S. 1703 f.; *Barczak-Oplustil*, Zassda koincydencji, S. 136 f.;

zugerechnet werden kann, wird seine Handlung als eine verbotene Tat und nicht als Straftat bezeichnet, um hervorzuheben, dass es sich allein um eine objektive Verwirklichung des Tatbestandes handelt.[370] Somit umfasst das Schuldprinzip auch den prozessualen Begriff der Schuld, welcher als die notwendigen Voraussetzungen der strafrechtlichen Verantwortlichkeit einer Person verstanden wird. Diese Voraussetzungen müssen im Strafverfahren durch die Strafverfolgung bewiesen werden.[371] Neben der strafbarkeitsbegründenden Funktion erfüllt dabei die Schuld auch eine strafbarkeitseinschränkende Funktion. Diese bewirkt, dass die Schuld des Täters die Obergrenze der zu verhängenden Strafe darstellt (Strafzumessungsschuld).[372]

Das Schuldprinzip ist aber auch eine in der polnischen Verfassung verankerte Garantie. Eine Strafe, die nicht auf der Schuld des Täters beruhte, würde der in Art. 30 der polnischen Verfassung verkörperten Achtung der Menschenwürde widersprechen.[373] Eine solche Strafe würde den Einzelnen zum Objekt des Strafverfahrens und auch zum Objekt der Verwirklichung strafrechtlicher Zwecke machen.[374] Als die verfassungsrechtliche Grundlage des Schuldprinzips wird Art. 31 Abs. 3 der polnischen Verfassung genannt, der eine Einschränkung der Freiheit eines Menschen dann zulässt, wenn dies in einem demokratischen Rechtsstaat zum Schutz der Sicherheit, öffentlichen Ordnung, Umwelt, Gesundheit, Sittlichkeit oder der Rechte und Freiheiten anderer notwendig ist.[375] Im Hinblick auf diese Regelung ist es zulässig, eine Person für die Verwirklichung eines Tatbestandes nur dann zu strafrechtlicher Verantwortung zu ziehen, wenn dieser Person die Schuld zugerechnet werden kann.[376]

b) Unschuldsvermutung

Einer der wichtigsten strafrechtlichen Garantien ist die Unschuldsvermutung. Durch sie wird die Stellung des Angeklagten im Prozess und die Verteilung der Beweislast bestimmt.[377] Im polnischen Recht wurde dieser Grundsatz zum ersten

---

Weigend/Długosz, in: Sieber/Jarvers/Silverman (Hrsg.), National Criminal Law in a Comparative Legal Context, S. 184.

370 Siehe *Gardocki*, Prawo karne, § 3 Rn. 22.

371 Vgl. *Wróbel*, in: Hofmański (Hrsg.), System prawa karnego procesowego, Bd. III, Teil 2, S. 1703; *Wróbel/Zoll*, Polskie prawo karne, S. 326.

372 Siehe *Wróbel/Zoll*, Polskie prawo karne, S. 327 f.; *Weigend/Długosz*, in: Sieber/Jarvers/Silverman (Hrsg.), National Criminal Law in a Comparative Legal Context, S. 184.

373 Vgl. *Wróbel/Zoll*, Polskie prawo karne, S. 324; *Barczak-Oplustil*, Zassda koincydencji, S. 138 f.

374 *Wróbel/Zoll*, Polskie prawo karne, S. 324.

375 Vgl. ebenda, S. 324 f.; *Barczak-Oplustil*, Zassda koincydencji, S. 137.

376 Vgl. *Wróbel/Zoll*, Polskie prawo karne, S. 324 f.; *Barczak-Oplustil*, Zassda koincydencji, S. 137.

377 *Kruszyński/Pawelec*, in: Hofmański (Hrsg.), System prawa karnego procesowego, Bd. III, Teil 2, S. 1568.

Mal in der Strafprozessordnung von 1969 ausdrücklich formuliert. Später, mit dem Inkrafttreten der polnischen Verfassung 1997, wurde die Unschuldsvermutung zum verfassungsrechtlichen Grundsatz erhoben. Gemäß Art. 42 Abs. 3 der polnischen Verfassung gilt jeder als unschuldig, solange seine Schuld durch ein rechtskräftiges Gerichtsurteil nicht festgestellt wurde. Diese Garantie bestätigt die in Art. 30 der polnischen Verfassung gewährleistete Achtung der Menschenwürde.[378] Sie ergibt sich auch aus dem Schuldprinzip und findet deswegen keine Anwendung auf diejenigen Verfahrensarten, in denen nicht über die Schuld entschieden wird, wie zum Beispiel Administrationsverfahren.[379]

Im Verfassungsrecht wird zwischen zwei Aspekten der Unschuldsvermutung unterschieden. Zum einen bedeutet die Garantie die Bindung der staatlichen Organe an die Unschuldsvermutung.[380] Zum anderen geht es um die Behandlung des Angeklagten im Rahmen des Strafverfahrens und eines jeden, der wegen Begehung einer Straftat verdächtigt wird und somit nicht nur um den Angeklagten im prozessualen Sinne.[381] Kern der Unschuldsvermutung ist es nicht, wirklich daran zu glauben, der Angeklagte sei unschuldig. Es widerspricht dem Grundsatz nicht, im Lauf des Strafverfahrens Entscheidungen zu treffen, die auf der Wahrscheinlichkeit oder auf dem Beweis der Schuld beruhen, solange diese nicht endgültig sind. Wichtig ist, dabei die Verbote, die sich für die Strafverfolgungsorgane aus der Unschuldsvermutung ergeben, einzuhalten. Diese sind: das Verbot, die Schuld des Angeklagten zu vermuten; das Verbot, vor dem rechtskräftigen Urteil über die Schuld des Angeklagten zu entscheiden; das Verbot einer faktischen Schuldvermutung; und das Verbot, den Angeklagten von Anfang an wie einen Täter zu behandeln.[382] Die Unschuldsvermutung schützt den Einzelnen davor, Objekt des Verfahrens zu werden.[383] Der Grundsatz hat einen absoluten Charakter, es sind keine Ausnahmen davon zulässig. Vor allem darf er nicht unter Einbeziehung des Verhältnismäßigkeitsprinzips eingeschränkt werden.[384]

---

378 Safjan/Bosek-*Wiliński/Karlik*, Konstytucja RP, Art. 42 Abs. 3 Rn. 244.

379 Ebenda, Art. 42 Abs. 3 Rn. 248.

380 Siehe *Kruszyński/Pawelec*, in: Hofmański (Hrsg.), System prawa karnego procesowego, Bd. III, Teil 2, S. 1633 ff.; Safjan/Bosek-*Wiliński/Karlik*, Konstytucja RP, Art. 42 Abs. 3 Rn. 244 i n.; *Wróbel*, in: Krajewski/Błachut (Hrsg.), Nauki penalne, S. 323 ff.

381 Safjan/Bosek-*Wiliński/Karlik*, Konstytucja RP, Art. 42 Abs. 3 Rn. 249.

382 Siehe *Kruszyński/Pawelec*, in: Hofmański (Hrsg.), System prawa karnego procesowego, Bd. III, Teil 2, S. 1577 f.; *Waltoś*, Proces karny, S. 221.

383 *Kruszyński/Pawelec*, in: Hofmański (Hrsg.), System prawa karnego procesowego, Bd. III, Teil 2, S. 1569.

384 Safjan/Bosek-*Wiliński/Karlik*, Konstytucja RP, Art. 42 Abs. 3 Rn. 214; *Waltoś*, Proces karny, S. 209 f.

aa) Verteilung der Beweislast und der Grundsatz *in dubio pro reo*

Aus der Unschuldsvermutung – verstanden als Behandlung des Angeklagten im Strafverfahren wie einen Unschuldigen, bis seine Schuld nachgewiesen wird – ergibt sich die strafprozessuale Verteilung der Beweislast. Zum einen im formellen Sinn, als Pflicht, die Beweise vorzulegen (Beweisführungslast). Dies bedeutet, nicht der Angeklagte muss seine Unschuld beweisen, sondern die Anklagebehörde seine Schuld.[385] Die Unschuldsvermutung gleicht die schwächere Position des Angeklagten, gegenüber dem der Staat verfolgend auftritt, im Strafverfahren aus. Der Angeklagte verfügt über viel bescheidenere Beweismöglichkeiten als die Staatsanwaltschaft, dazu muss er sich eventuell Einschränkungen im Lauf des Verfahrens unterwerfen.[386] Zum anderen bedeutet Beweislast im materiellen Sinne die Pflicht, eine behauptete These zu beweisen, da sie sonst verworfen wird (Feststellungslast).[387] Wenn die Feststellung einer Tatsache nicht gelingt, trägt die Anklagebehörde als die Partei, der die materielle Beweislast obliegt, die negativen Konsequenzen davon. Dies betrifft nicht nur unmittelbar die Schuldfeststellung, sondern auch andere Umstände, die sich auf die Schuldfeststellung auswirken.[388]

Aus der Unschuldsvermutung ergibt sich nach herrschender Meinung der Grundsatz *in dubio pro reo*. Er stellt somit keinen eigenständigen Grundsatz, sondern eine logische Konsequenz der Unschuldsvermutung dar.[389] *In dubio pro reo* wird als eine Entscheidungsregel verstanden, die nach einer abgeschlossenen Beweiswürdigung eingreift.[390] Sie hängt mit dem Ziel des Strafverfahrens – der Erforschung materieller Wahrheit – eng zusammen. Wenn bei der Verwirk-

---

385 Vgl. *Cieślak*, Zagadnienia dowodowe, S. 139 ff.; *Waltoś*, Proces karny, S. 252 f.; *Kruszyński/Pawelec*, in: Hofmański (Hrsg.), System prawa karnego procesowego, Bd. III, Teil 2, S. 1624 ff.; *Tęcza-Paciorek*, Zasada domniemania niewinności, S. 158 f.; *Weigend/Długosz*, in: Sieber/Jarvers/Silverman (Hrsg.), National Criminal Law in a Comparative Legal Context, S. 188.

386 Dieser Aspekt der Unschuldsvermutung wird auch Kompensationsfunktion genannt – siehe *Kruszyński/Pawelec*, in: Hofmański (Hrsg.), System prawa karnego procesowego, Bd. III, Teil 2, S. 1580 f.

387 Vgl. *Cieślak*, Zagadnienia dowodowe, S. 139 ff.; *Waltoś*, Proces karny, S. 252 f.; *Kruszyński/Pawelec*, in: Hofmański (Hrsg.), System prawa karnego procesowego, Bd. III, Teil 2, S. 1624 ff.; *Tęcza-Paciorek*, Zasada domniemania niewinności, S. 159.

388 *Kruszyński/Pawelec*, in: Hofmański (Hrsg.), System prawa karnego procesowego, Bd. III, Teil 2, S. 1630 ff.; *Kruszyński*, Zasada domniemania niewinności, S. 98 f.; siehe auch SN z 13.10.1999 r., II KKN 297/97, Prokuratura i Prawo 2000, S. 15.

389 Siehe *Kruszyński/Pawelec*, in: Hofmański (Hrsg.), System prawa karnego procesowego, Bd. III, Teil 2, S. 1613; *Murzynowski*, Istota i zasady, S. 258 f.; anders *Waltoś*, Proces karny, S. 250 f.; *Kruszyński*, Zasada domniemania niewinności, S. 84 f.; *Tęcza-Paciorek*, Zasada domniemania niewinności, S. 145.

390 Vgl. SN z 31.03.1964 r., RN 10/64, OSNKiW 1964, Nr. 7–8, S. 104; siehe auch *Kruszyński/Pawelec*, in: Hofmański (Hrsg.), System prawa karnego procesowego, Bd. III, Teil 2, S. 1618 m.w.N.; *Weigend/Długosz*, in: Sieber/Jarvers/Silverman (Hrsg.), National Criminal Law in a Comparative Legal Context, S. 188.

lichung dieses Ziels Zweifel bezüglich der faktischen Entscheidungsgrundlage bestehen und diese nicht ausgeräumt werden können, sind sie zu Gunsten des Angeklagten zu deuten.[391]

2. Abgrenzung zwischen strafrechtlicher und nicht-strafrechtlicher Natur der Sanktion

In diesem Abschnitt wird ein Überblick über die Ansätze zur Bestimmung der Rechtsnatur der Sanktion in Bezug auf die Anwendbarkeit des Schuldprinzips und der Unschuldsvermutung gegeben (a)). Anschließend werden die durch die Gesetzgebung, Rechtsprechung und Literatur herangezogenen Kriterien zur Bestimmung der Rechtsnatur der Vermögensabschöpfung analysiert und bewertet (b)).

a) Ansätze zur Abgrenzung zwischen strafrechtlicher und nicht-strafrechtlicher Natur der Sanktion

Die Anwendung des Schuldgrundsatzes und der Unschuldsvermutung zur Bestimmung der Grenzen von Vermögensabschöpfungsmaßnahmen setzt voraus, dass diese als Strafen oder strafähnliche Maßnahmen eingestuft werden. Die Kriterien, anhand derer über die Rechtsnatur einer Maßnahme entschieden wird, können als Merkmale der Strafe bezeichnet werden. Im folgenden Abschnitt werden diesbezüglich unterschiedliche Ansätze dargestellt. Von besonderer Bedeutung ist dabei die Rechtsprechung des Verfassungsgerichtshofs (aa)), da es um die Bestimmung der Merkmale einer Strafe in Bezug auf die verfassungsrechtlichen Garantien geht. Anschließend werden die Ansätze aus der Literatur erläutert (bb)). Die Bestimmung der rechtlichen Natur einer Sanktion bezieht die Erläuterungen zur Straftheorie ein, die für ihre Verhängung eine Begründung liefert. Dies gilt insbesondere dann, wenn zur Bestimmung der Rechtsnatur der Zweck der Maßnahme herangezogen wird. Da sich bereits Teil 3 der vorliegenden Untersuchung mit den Straftheorien beschäftigt, werden die Überlegungen hier nicht wiederholt.[392]

aa) Rechtsprechung des Verfassungsgerichtshofs *(Trybunał Konstytucyjny)*

Der Begriff der Strafe wird im Verfassungsrecht in Bezug auf Art. 42 Abs. 2 autonom ausgelegt, weil es sich um den Garantiecharakter der verfassungsrechtlichen Norm handelt. Eine Strafe im Sinne des Art. 42 Abs. 1 der polnischen Verfassung ist jede Maßnahme, die vorwiegend Repression als Zweck realisiert. Eine repressive Reaktion auf begangenes Unrecht wird gerade als Wesen der Strafe bezeich-

---

[391] Ausführlich dazu siehe *Kruszyński/Pawelec*, in: Hofmański (Hrsg.), System prawa karnego procesowego, Bd. III, Teil 2, S. 1614 ff.

[392] Siehe oben Teil 3.III.

net.[393] Anhand des Kriteriums der Repression als überwiegendem Zweck einer Strafe wurden in der Rechtsprechung des Verfassungsgerichtshofs Strafen von Verwaltungssanktionen[394] unterschieden. Letztere haben zwar ebenfalls einen repressiven Zweck, sie dienen aber vor allem dazu, den Betroffenen dazu zu bringen, eine bestimmte Handlung vorzunehmen oder zu unterlassen und somit die Verwirklichung der Aufgaben der öffentlichen Verwaltung zu sichern.[395] Eine Verwaltungssanktion oder eine andere Sanktion kann eine Strafe im Sinne des Art. 42 Abs. 2 darstellen, aber nur dann, wenn der repressive Zweck über die anderen Zwecke dieser Maßnahme überwiegt.[396] Repression als Zweck ist aber allein kein ausreichendes Entscheidungskriterium, da nicht jede staatliche Reaktion auf begangenes Unrecht eine Strafe ist.[397]

Zusammen mit dem repressiven Zweck werden das sozial-ethische Unwerturteil und die materielle Übelswirkung als Merkmale der Strafe im Sinne des Art. 42 Abs. 1 der polnischen Verfassung genannt.[398] Zu der Übelswirkung äußerte sich der Verfassungsgerichtshof in einer weiteren Entscheidung bezüglich der rechtlichen Natur der Verwaltungssanktion. Der Gerichtshof nahm in der Entscheidung Bezug auf die Übelswirkung der Sanktion als Merkmal einer Strafe und hat entschieden, dass die materielle Übelswirkung allein nicht als ein Entscheidungskriterium für den Strafcharakter einer Maßnahme gilt.[399] Aus diesem Grunde sind beispielsweise die Unterbringung im psychiatrischen Krankenhaus oder die Anordnung der Untersuchungshaft keine Strafen im Sinne des Art. 42 Abs. 2 der polnischen Verfassung, obwohl diese Instrumente für den Betroffenen eine Einschränkung seiner Rechte und Freiheiten und somit eine materielle Übelswirkung darstellen. Gleichzeitig hat der Gerichtshof einen übermäßig repressiven Charakter der Verwaltungssanktion als Argument für ihren Strafcharakter anerkannt.[400] Die Übelswirkung kann aber nur zusammen mit anderen Merkmalen, insbesondre dem repressiven Zweck, für den Strafcharakter einer Sanktion entscheidend sein.[401]

---

393 Wyr. TK z 21.10.2015 r., P32/12, OTK ZU 9A/2015, poz. 148.

394 In polnischer Rechtsterminologie – Administrationsstrafen.

395 Wyr. TK z 15.01.2007 r., P19/06, OTK ZU 1A/2007, poz. 2; wyr. TK z 31.03.2008 r., SK 75/06, OTK ZU 2A/2008, poz. 30; wyr. TK z 14.10,2009 r., Kp 4/09, OTK ZU 9A/2009, poz. 134; wyr. TK z 15.10.2013 r., P 26/11, OTK ZU 7A/2013, poz. 99; wyr. TK z 21.04.2015 r., P40/13, OTK ZU 4A/2015, poz. 48.

396 Siehe Safjan/Bosek-*Sroka*, Konstytucja RP, Art. 42 Rn. 81.

397 Ebenda, Art. 42 Rn. 76.

398 Wyr. TK z 01.07.2014 r., SK 6/12, OTK ZU 7A/2014, poz. 68.

399 Wyr. TK z 21.10.2015 r., P32/12, OTK ZU 9A/2015, poz. 148; siehe auch Safjan/Bosek-*Sroka*, Konstytucja RP, Art. 42 Rn. 86.

400 Wyr. TK z 21.10.2015 r., P32/12, OTK ZU 9A/2015, poz. 148; siehe auch wyr. TK z 15.10.2013 r., P 26/11, OTK ZU 7A/2013, poz. 99.

401 Wyr. TK z 21.10.2015 r., P32/12, OTK ZU 9A/2015, poz. 148; siehe auch Safjan/Bosek-*Sroka*, Konstytucja RP, Art. 42 Rn. 86.

In der Rechtsprechung des Verfassungsgerichtshofs wird bei der Entscheidung über die rechtliche Natur einer Sanktion auch der Wille des Gesetzgebers miteinbezogen.[402] Dieser ist aber kein Entscheidungskriterium für die Rechtsnatur der Sanktion. Allein der Wortlaut und die systematische Stellung der Maßnahme schließen ihren Strafcharakter nicht aus, werden jedoch bei der Ermittlung des Zwecks der Maßnahme miteinbezogen.[403]

bb) Literatur

In der Literatur wird der Begriff der Strafe im Hinblick auf die verfassungsrechtliche Garantie der Unschuldsvermutung und dem Schuldprinzip auch autonom ausgelegt. Gleich wie in der Rechtsprechung des Verfassungsgerichtshofs wird als Strafe eine Maßnahme bezeichnet, die vorwiegend einem repressiven Zweck dient.[404] Somit ist nicht jede Rechtsfolge der Begehung einer rechtswidrigen Tat zugleich eine Strafe. Es wird darauf hingewiesen, dass die Strafe als eine Maßnahme mit überwiegend repressivem Charakter auch dem Zweck der positiven Generalprävention dient und dabei dem Gerechtigkeitsgefühl der Gesellschaft entsprechen soll.[405] Einem vorwiegend repressiven Zweck dient eine Sanktion zum einen, wenn sie für den Betroffenen eine Übelszufügung darstellt.[406] Den Kern der Strafe – und somit ein wichtiges Unterscheidungsmerkmal – bildet ihre materielle Übelswirkung, die in der polnischen Rechtsdogmatik als „Unannehmlichkeit" bezeichnet wird. Die materielle Übelswirkung wird nach formal-objektiven Kriterien bestimmt und bedeutet einen Eingriff in die Grundrechte und Grundfreiheiten des Betroffenen.[407] Zum anderen dient die Maßnahme einem vorwiegend repressiven Zweck, wenn sie eine Reaktion auf die begangene Tat ist, die ein negatives Werturteil über diese Tat durch die Verhängung der Sanktion zum Ausdruck bringt.[408] Dabei wird die Bedeutung des sozial-ethischen Unwerturteils als Merkmal der Strafe hervorgehoben.[409]

In der Literatur wird Strafe auch als eine Reaktion auf einen Verstoß gegen die Gebote und Verbote definiert, die in der sanktionierten Norm enthalten sind.[410]

---

402 Wyr. TK z 21.10.2015 r., P32/12, OTK ZU 9A/2015, poz. 148.

403 Safjan/Bosek-*Sroka*, Konstytucja RP, Art. 42 Rn. 84.

404 Siehe *Wróbel*, Zmiana normatywna, S. 391; *Kunicka-Michalska*, Zasady odpowiedzialności karnej, S. 100; *Sroka*, FS für Szewczyk, S. 544 f.

405 Siehe Safjan/Bosek-*Sroka*, Konstytucja RP, Art. 42 Rn. 76 ff.; *Wróbel/Zoll*, Polskie prawo karne, S. 413 ff.; *Burzyński*, Ustawowe określenie, S. 84.

406 Vgl. Safjan/Bosek-*Sroka*, Konstytucja RP, Art. 42 Rn. 80 f.

407 Vgl. *Wróbel/Zoll*, Polskie prawo karne, S. 413; *Makarewicz*, Prawo karne ogólne, S. 18; *Burzyński*, Ustawowe określenie, S. 67.

408 Vgl. Safjan/Bosek-*Sroka*, Konstytucja RP, Art. 42 Rn. 80 f.

409 Siehe *Warylewski*, Kara, S. 13 f.; *Wróbel/Zoll*, Polskie prawo karne, S. 414.

410 Vgl. *Wróbel/Zoll*, Polskie prawo karne, S. 413; *Gardocki*, Prawo karne, Rn. 289.

Keine Strafen im Sinne des Art. 42 Abs. 2 der polnischen Verfassung sind Maßnahmen, die nicht eine staatliche (unmittelbare) Reaktion auf die Begehung einer verbotenen Tat darstellen, auch wenn sie die Rechte und Freiheiten des Betroffenen einschränken. Das gilt auch für die Maßnahmen, die im Rahmen des Strafverfahrens als Konsequenz der Begehung einer Straftat angeordnet werden, wie zum Beispiel die Verpflichtung zur Schadenswiedergutmachung. Auch die Anordnung der Untersuchungshaft stellt keine Strafe dar, da diese Maßnahme keine Reaktion auf die Begehung einer Straftat ist.[411] Bei der Untersuchungshaft wird ihr Strafcharakter auch hinsichtlich der Wirkung für den Betroffenen nicht bejaht, da die Wirkung allein kein Unterscheidungsmerkmal der Strafe ist, sondern nur zusammen mit dem vorwiegend repressiven Zweck.[412] Aus diesem Grunde sind auch Strafmaßnahmen – die ihrer Wirkung nach Strafen gleich sein oder diese sogar übersteigen können – keine Strafen im Sinne des Art. 42 Abs. 2 der polnischen Verfassung, da sie dem Zweck der Prävention im Sinne des Schutzes der Gesellschaft vor zukünftigen weiteren Straftaten dienen.[413]

cc) Fazit

Aus der Rechtsprechung des Verfassungsgerichtshofs und der strafrechtlichen Literatur ergibt sich, dass bei der Bestimmung der Rechtsnatur einer Sanktion im Hinblick auf die Anwendung des Schuldprinzips und der Unschuldsvermutung das wichtigste Unterscheidungsmerkmal der repressive Zweck der Maßnahme ist. Neben der Repression dient die Strafe auch präventiven Zwecken, die Repression überwiegt jedoch. Zusammen mit dem repressiven Zweck werden insbesondere die materielle Übelswirkung und das sozial-ethische Unwerturteil als Merkmale der Strafe herangezogen. Die Übelswirkung wird nach den formal-objektiven Kriterien als ein Eingriff in die Grundrechte und Grundfreiheiten des Betroffenen verstanden. Das sozial-ethische Unwerturteil wird als ein negatives Werturteil über die Tat, das durch Verhängung der Sanktion zum Ausdruck gebracht wird, verstanden. Dieses verstärkt für den Betroffenen die materielle Übelswirkung der Sanktion. Für die Bestimmung der Rechtsnatur der Vermögensabschöpfungsmaßnahmen im folgenden Kapitel werden die genannten Merkmale als Entscheidungskriterien herangezogen.

---

411 Vgl. Safjan/Bosek-*Sroka*, Konstytucja RP, Art. 42 Rn. 80 f.; *Wróbel/Zoll*, Polskie prawo karne, S. 413; *Gardocki*, Prawo karne, § 15 Rn. 289.

412 Siehe *Wróbel*, Zmiana normatywna, S. 391; *Kunicka-Michalska*, Zasady odpowiedzialności karnej, S. 100; *Sroka*, FS für Szewczyk, S. 544 f.

413 Siehe *Szewczyk*, in: Waltoś (Hrsg.), Problemy kodyfikacji prawa karnego, S. 153.

b) Argumente zur Bestimmung der Rechtsnatur der Vermögensabschöpfungsmaßnahmen

Im polnischen Strafgesetzbuch gehört die Einziehung seit der Gesetzesreform vom Februar 2015 nicht mehr zu den Strafmaßnahmen.[414] Diese Änderung wurde damit begründet, dass nur Einziehung in Form einer Vermögensstrafe Strafcharakter haben könne. Sei sie dagegen keine Vermögensstrafe, sei sie ihrer Natur nach ein zivilrechtliches Instrument.[415] Die Ansicht, dass sich Abschöpfungsinstrumente wesentlich von Strafen unterscheiden, wurde in der Literatur bereits vor der Reform vertreten. Während zwischen Strafen und Strafmaßnahmen nur ein quantitativer Unterschied besteht, unterscheiden sich die Abschöpfungsmaßnahmen qualitativ von Strafen, da sie eine andere Rechtsnatur haben.[416] Diese Auffassung bestätigte der Gesetzgeber durch die Reform der strafrechtlichen Vermögensabschöpfung vom 23. März 2017,[417] welche die Diskussion über die Rechtsnatur der Vermögensabschöpfung erneut angeregt hat.

In der Diskussion über die Rechtsnatur der Vermögensabschöpfung wird in der polnischen Literatur vor allem die erweiterte Einziehung thematisiert (aa)). Bei der Gewinnabschöpfung wird die Bestimmung des einzuziehenden Wertes des Erlangten nach dem Bruttoprinzip, das sich im polnischen Recht aus der Gesetzesauslegung ergibt,[418] nicht ausführlich diskutiert.[419] Neben der erweiterten Einziehung setzt sich die Literatur mit der Rechtsnatur der 2017 in das Strafgesetzbuch eingeführten Einziehung des Unternehmens als Tatmittel (bb)) und mit der subsidiären Haftung im Fiskalstrafrecht (cc)) auseinander.

aa) Erweiterte Einziehung[420]

i) Wirkung für den Betroffenen

Gegen die strafähnliche Natur der erweiterten Einziehung argumentiert der Gesetzgeber in Bezug auf ihre Wirkung, dass die Maßnahme an die strafrechtswidrige Handlung des Betroffenen anknüpft und deswegen in ihrer Schwere gerechtfertigt sei.[421] Dabei ist zu berücksichtigen, so der Gesetzgeber, dass sich die Maßnahme

---

414 Ustawa z dnia 20.02.2015 r. o zmianie ustawy – Kodeks karny oraz niektórych innych ustaw, Dz.U. 2015 poz. 396.

415 *Raglewski*, KKSSiP 2014, 124.

416 Vgl. nur Giezek u.a.-*Kłączyńska*, Kodeks karny. Część ogólna, Kapitel V, Środki karne, S. 305.

417 Sejm RP, VIII kadencja, Druk sejmowy Nr. 1186, Begründung, S. 1.

418 Vgl. Post. SN z 26.08.2010 r., I KZP 12/10, OSNKW 2010, Nr 9, poz. 78.

419 Siehe oben II.B.1.a)bb).

420 Siehe oben II.B.1.a)cc) und dd); II.C.1.a)cc) und dd).

421 Sejm RP, VIII kadencja, Druk sejmowy Nr. 1186, Begründung, S. 16 ff.

gegen schwere Kriminalität richtet, die die ökonomische Sicherheit und das Funktionieren der Wirtschaft beeinflusst.[422] Im Hinblick darauf beruhe die eingeführte Beweislastumkehr auf einer hohen Wahrscheinlichkeit, dass der Täter, der wegen einer der Anknüpfungsdelikte verurteilt wurde, in der Vergangenheit auch andere, ähnliche Delikte begangen hat. Deswegen ist die Annahme, dass sein Vermögen aus anderen Straftaten stammt, begründet.[423] Zusammen mit den Gefahren, die aus den Anknüpfungsdelikten hervorgehen, spricht dies für den vorwiegend präventiven Zweck der erweiterten Einziehung und gegen ihren Strafcharakter und rechtfertigt somit in den Augen des Gesetzgebers die Auferlegung der Beweislast auf den Betroffenen.[424] Dabei wird argumentiert, dass die Anordnung der Maßnahme im Strafverfahren eine ausreichende Berücksichtigung der Rechte des Betroffenen gewährleiste. Insbesondere dadurch, dass dem Betroffenen die Möglichkeit gewährt werde, die Rechtmäßigkeit seines Vermögens nachzuweisen. Der verfahrensrechtliche Rahmen eines gerechten Strafprozesses garantiert, dass die Vermögensabschöpfung nicht gegen die Unschuldsvermutung verstoße.[425] In Bezug auf die Zulässigkeit der Beweislastumkehr bei einer Maßnahme, die im Strafverfahren angeordnet wird, verweist der Gesetzgeber auf die EGMR-Rechtsprechung zur Vereinbarkeit der Beweislastumkehr mit Art. 6 EMRK. Die Kernaussage der Gesetzesbegründung lautet dabei: Wenn dem Betroffenen die Möglichkeit gewährt wird, die Rechtmäßigkeit seines Vermögens im Verfahren nachzuweisen, stelle die Beweislastumkehr keinen Verstoß gegen ein faires Verfahren dar.[426]

Dem Standpunkt des Gesetzgebers wird in der Literatur mit Bezug auf die materielle Übelswirkung der erweiterten Einziehung widersprochen. Für den Betroffenen ist der Eingriff des Staates in seine Eigentumsverhältnisse eine Übelszufügung,[427] die insbesondere bei der erweiterten Einziehung erheblich ist.[428] Dies liegt daran, dass bei der erweiterten Einziehung auf den Nachweis einer konkreten Erwerbstat und eines Zusammenhangs zwischen dem Vermögen und dieser Tat verzichtet wird. Dabei sollen Abschöpfungsmaßnahmen, die keine Vermögensstrafe sind, immer konkrete Vermögensgegenstände betreffen, bei denen nachgewiesen wurde, dass sie in kriminelle Tätigkeit verwickelt waren.[429] Ist dies nicht der Fall,

---

422 Ebenda, S. 4.

423 Ebenda, S. 21 f.

424 Ebenda, S. 21 f.

425 Ebenda, S. 8 f.

426 Ebenda, S. 8.

427 Siehe *Postulski/Siwek*, Przepadek w polskim prawie karnym, S. 67; *Stefańska*, in: Stefański (Hrsg.), Środki karne po nowelizacji, S. 333; anders *Zoll*, KKSSiP 2014, 9 f.

428 Vgl. *Stefańska*, in: Stefański (Hrsg.), Środki karne po nowelizacji, S. 332; Melezini u.a.-*Melezini*, System Prawa Karnego, Kapitel I § 1 Rn. 9; vgl. auch die Rspr. Des Verfassungsgerichtshof zu eine, übermäßig repressiven Charakter eines Sanktion – wyr. TK z 15.10.2013 r., P 26/11, OTK ZU 7A/2013, poz. 99; wyr. TK z 21.10.2015 r., P32/12, OTK ZU 9A/2015, poz. 148.

429 Vgl. *Brylak*, Prokuratura i Prawo 2010, 29 f.; *Zygmont*, Prokuratura i Prawo 2001, 24 f.; siehe auch *Raglewski*, KKSSiP 2014, 128.

ist die Einziehung eine Übelszufügung, die der Vermögensstrafe ähnelt. Letztere wurde gerade wegen des fehlenden Zusammenhangs zwischen dem Vermögen und einer Straftat kritisiert und verworfen. Umso mehr ist die Rückkehr zu einer Vermögenssanktion mit absolutem Charakter zu verhindern. Die Abschöpfungsmaßnahmen sollen nur das in eine kriminelle Tätigkeit verwickelte Vermögen betreffen.[430] Die gleiche Kritik betrifft die erweiterte Einziehung im Fiskalstrafrecht, die unter ähnlichen Voraussetzungen wie im Strafrecht angeordnet wird.[431]

ii) Zweck der Maßnahme

Der Gesetzgeber argumentiert gegen den strafrechtlichen Charakter der erweiterten Einziehung auch mit dem vorwiegend präventiven Zweck der Maßnahme, welcher mit dem Satz „Verbrechen darf sich nicht lohnen" umschrieben wird.[432] Der präventive Zweck der Vermögensabschöpfung wird insbesondere im Hinblick auf schwere Kriminalität hervorgehoben: Dem Täter wird die finanzielle Grundlage für die Begehung weiterer Straftaten entzogen. Der Täter und die Gesellschaft sollen erkennen, dass es sich nicht lohnt, diese Delikte zu begehen. Gerade weil die erweiterte Einziehung an schwere Anlasstaten anknüpft, so der Gesetzgeber, sei auch die Beweislastumkehr legitimiert und widerspreche nicht dem präventiven Zweck der erweiterten Einziehung.[433] Die erweiterte Einziehung stelle eine Vermögensabschöpfungsmaßnahme *in rem* dar, die keine unmittelbare Sanktion für begangenes Unrecht, insbesondere keine Sanktion für eine abgeurteilte schwere Straftat, sei.[434] Die Anwendung der erweiterten Einziehung beruhe auf einer Wahrscheinlichkeitsabwägung, ob das Vermögen des Täters aus anderen, unbekannten Straftaten stammt. Dies ist gegeben, wenn es zur Verurteilung wegen der Anlasstat gekommen ist, die Voraussetzungen des Art. 45 § 2 erfüllt sind und der Verurteilte die Herkunft seines Vermögens nicht nachweisen kann.[435] Den Zeitrahmen von fünf Jahren, der für die Beweislastumkehr gilt, sieht der Gesetzgeber als eine Einschränkung, die für den Betroffenen eine Garantiefunktion erfüllen soll. Das ist auch der Zeitrahmen, für den man verpflichtet ist, Steuerunterlagen aufzubewahren, wodurch laut dem Gesetzgeber der Nachweis legaler Einkünfte keine Schwierigkeiten bereiten soll.[436]

---

430 Vgl. *Raglewski*, KKSSiP 2014, 128; *Brylak*, Prokuratura i Prawo 2010, 29 f.; *Zygmont*, Prokuratura i Prawo 2001, 24 f.; *Kluza*, Zeszyty Naukowe Towarzystwa Doktorantów UJ 2017, 104.

431 Siehe nur Giezek u.a.-*Łabuda*, Kodeks karny. Część ogólna, Art. 33 Rn. 10 ff.

432 Siehe Sejm RP, VIII kadencja, Druk sejmowy Nr. 1186, Begründung, S. 6 ff.

433 Ebenda, S. 6 ff.

434 Ebenda, S. 22.

435 Ebenda, S. 22.

436 Ebenda, S. 23.

Der Zweck der erweiterten Einziehung wird ebenfalls als ein Argument für ihren strafähnlichen Charakter genannt. Die Maßnahme wurde zwar in das Strafrecht zur Bekämpfung der gewinnorientierten und Organisierten Kriminalität eingeführt,[437] das entspreche aber, auch in Polen, nicht mehr der Rechtswirklichkeit. Unter Einbeziehung des weiten Anwendungsbereichs wird die Aussage des Gesetzgebers kritisiert, dass wenn jemand die Rechtmäßigkeit seines Vermögens nicht nachweisen kann, dies eine rechtswidrige Herkunft des Vermögens bedeutet.[438] Vielmehr kann die Tatsache, dass eine Person nicht durch entsprechende Dokumentation die Rechtmäßigkeit des Vermögens nicht belegen kann, an bestimmten Gewohnheiten des Betroffenen liegen, und nicht an der kriminellen Herkunft des Vermögens.[439] Da es *de lege lata* nicht nur schwere Delikte der Organisierten und gewinnorientieren Kriminalität sind, auf die die erweiterte Einziehung Anwendung findet, sprechen die weitgehenden Beweiserleichterungen dafür, dass die Maßnahme einem repressiven Zweck dient.[440]

iii) Zwischenbilanz

Die Kontroversen bei der erweiterten Einziehung betreffen insbesondere die Beweislastumkehr bezüglich der Herkunft des einzuziehenden Vermögens, da sich daraus ein Abschöpfungsumfang ergibt, der weit darüber hinausgeht, was aus der abgeurteilten Tat erlangt wurde. Die Beweislastumkehr, die nicht ausschließlich auf schwere Delikte der Organisierten und gewinnorientierten Kriminalität Anwendung findet, wird nicht durch die deliktspezifischen Gegebenheiten und Beweisschwierigkeiten legitimiert. Durch ihre Einführung entfaltet die erweiterte Einziehung für den Betroffenen eine Übelswirkung, die mit der einer Strafe vergleichbar ist.[441] In Bezug auf den Anwendungsbereich wird diese Wirkung der erweiterten Einziehung nicht durch den präventiven Zweck legitimiert und somit wird die Maßnahme zu einer repressiven Sanktion, die den strafrechtlichen Verfassungsgarantien unterliegen soll.[442]

Im Hinblick auf die Wirkung der Maßnahme ist auch die erweiterte Einziehung von einem tatunbeteiligten Dritten kritisch zu bewerten. Wenn die Anwendungs-

---

437 Vgl. die internationalen Vorgaben für die Vermögensabschöpfung, oben Teil 2.

438 Siehe *Kluza*, Zeszyty Naukowe Towarzystwa Doktorantów UJ 2017, 104.

439 Wróbel/Zoll-*Raglewski*, Kodeks karny, Art. 45 Rn. 30; siehe auch *Kluza*, Zeszyty Naukowe Towarzystwa Doktorantów UJ 2017, 104.

440 Vgl. *Kluza*, Zeszyty Naukowe Towarzystwa Doktorantów UJ 2017, 104.

441 Der repressive Charakter einer Maßnahme wegen ihrer Übelswirkung wurde in der Rechtsprechung bei der Einziehung des Wertes von Tatmitteln von erheblichem Wert erkannt. Siehe wyr. SN z 11.04.1984 r., RNw 4/84, OSNKW 1984, Nr. 11–12, poz. 113; Wróbel/Zoll-*Raglewski*, Kodeks karny, Art. 44 Rn. 27; *Postulski/Siwek*, Przepadek w polskim prawie karnym, S. 71.

442 Vgl. *Postulski/Siwek*, Przepadek w polskim prawie karnym, S. 71; *Kluza*, Zeszyty Naukowe Towarzystwa Doktorantów UJ 2017, 104.

voraussetzungen dieser Maßnahme erfüllt sind, wird angenommen, dass das Vermögen eines Dritten dem Täter gehört.[443] Die Beweislast obliegt dem Betroffenen, der darlegen muss, dass die rechtswidrige Herkunft des Vermögens, welches er vom Täter erworben oder erhalten hat, nicht erkennbar war. Aus dem Gesetzeswortlaut ergibt sich, dass diese Annahme rechtswidriger Herkunft nicht nur die auf den Dritten übertragenen Gegenstände, sondern sein gesamtes Vermögen umfasst. Insbesondere wenn die Vorschrift so gelesen wird, kann die Schwere des Eingriffs (Übelswirkung) mit dem präventiven Zweck oder als unvermeidbare und nicht gezielte Auswirkung der erweiterten Einziehung auf einen unbeteiligten Dritten – und somit keine Strafe – nicht gerechtfertigt werden.[444]

bb) Einziehung eines Unternehmens als Tatmittel[445]

i) Wirkung für den Betroffenen

Die Wirkung der Maßnahme wird als ein Argument gegen den strafähnlichen Charakter der Einziehung des Unternehmens durch den Gesetzgeber angeführt.[446] Obwohl diese Maßnahme für den Betroffenen eine schwerwiegende Rechtsfolge ist, knüpft sie an sein Verhalten an. Der Betroffene muss entweder der Täter der Anknüpfungstat sein oder ihm muss vorgeworfen werden können, von der Tat Kenntnis gehabt zu haben oder diese willentlich unterstützt zu haben. Diese Voraussetzungen zusammen mit dem fakultativen Charakter der Maßnahme sprechen, nach Ansicht des Gesetzgebers, gegen ihre strafgleiche Wirkung.[447] Darüber hinaus ist bei Anordnung dieser Maßnahme ihre Verhältnismäßigkeit gemäß Art. 44a § 4 k.k. zu prüfen.[448]

Die Wirkung der Einziehung des Unternehmens als ein Argument für die strafähnliche Maßnahme wird in der Literatur nicht ausführlich diskutiert.[449] Bei näherer Betrachtung der Bestimmung des Abschöpfungsgegenstandes kann diese aber durchaus für einen repressiven Charakter der Maßnahme sprechen. Die Einziehungsvoraussetzung ist zwar, dass das Unternehmen in die Straftat verwickelt ist, aber ein Unternehmen ist kein Gegenstand, sondern eine abstrakte Einheit, welche sich aus mehreren realen Bestandteilen zusammensetzt, die insgesamt als Unter-

---

443 Kardas u.a.-*Łabuda*, Kodeks karny skarbowy, Art. 33 Rn. 24 ff.; siehe auch oben II.B.1.a)dd) und II.C.1.a)dd).

444 Zur Auswirkung der Strafe auf Dritte siehe *Warylewski*, Kara, S. 14.

445 Siehe oben Teil 5.II.B.2.a)cc) und dd).

446 Sejm RP, VIII kadencja, Druk sejmowy Nr. 1186, Begründung, S. 4 f.

447 Ebenda.

448 Sejm RP, VIII kadencja, Druk sejmowy Nr. 1186, Begründung, S. 15 mit Verweis auf wyr. TK z 29.06.2005 r., SK 34/04, OTK ZU 6A/2005, poz. 69.

449 Vgl. *Szeleszczuk*, Prokuratura i Prawo 2017, 37 ff.; *Pohl*, Nowa Kodyfikacja Prawa Karnego 2017, 477 ff.

nehmen fungieren. In die Straftat können demnach nur die Bestandteile des Unternehmens verwickelt sein. Die Bestimmung des Unternehmens als Einziehungsgegenstand hat somit einen beweiserleichternden Charakter.[450] Somit werden auch Gegenstände eingezogen, die in keiner unmittelbaren Verbindung zu der Straftat stehen. Die derartige Formulierung des Abschöpfungsumfangs entfaltet für den Betroffenen eine Übelswirkung, die mit der Beweislastumkehr bei der erweiterten Einziehung vergleichbar ist, zugleich aber keine Beweislastumkehr darstellt, da der Abschöpfungsumfang durch Gegenbeweis nicht verändert werden kann – die Einziehung kann nicht auf einzelne Bestandteile des Unternehmens eingeschränkt werden.[451] Das gleiche gilt für die Einziehung eines Unternehmens von einem unbeteiligten Dritten, bei der noch ausgeführt wird, dass die Maßnahme lediglich an ein verwerfliches Verhalten des Betroffenen anknüpft und nicht an seine rechtswidrige Tat.[452] Die Einziehung als eine im Strafgesetzbuch geregelte Maßnahme müsse zumindest an eine tatbestandsmäßige Handlung anknüpfen.[453]

ii) Zweck der Maßnahme

Der Gesetzgeber sieht die Einziehung eines Unternehmens als eine Maßnahme mit vorwiegend präventivem Zweck, die sich gegen schwere Wirtschaftsdelikte, welche die ökonomische Sicherheit des Staates und des Wirtschaftsverkehrs gefährden, richtet.[454] Das gilt sowohl für die Einziehung eines Unternehmens vom Täter als auch von einem unbeteiligten Dritten. Die Maßnahme auf Unternehmen zu beschränken, die dem Täter gehören, würde die Prävention schwerer Kriminalität beeinträchtigen.[455] Gerade die Schwere der Delikte, die durch Einziehung von unternehmen verhindert werden sollen, legitimiere die Maßnahme als eine präventive Sanktion.[456]

Im Hinblick auf den Zweck der Maßnahme ist fraglich, ob dieser entgegen der Auffassung des Gesetzgebers nicht überwiegend repressiv ist. Dafür würde der Abschöpfungsumfang sprechen – ein weitgehender Zugriff auf das Vermögen des Betroffenen mit nur eingeschränktem Nachweis einer Verbindung mit einer Straftat. Dafür kann auch sprechen, dass es sich bei einem Unternehmen um ein Tatmittel von erheblichem Wert handeln kann, bei dem die Verbindung zur Tat nur zum Teil festgestellt wird. In der Rechtsprechung des Obersten Gerichts wurde gerade

---

450 Das kann auch nur die Buchhaltung, Organisationsstruktur oder Dokumentation des Unternehmens sein. Siehe *Szeleszczuk*, Prokuratura i Prawo 2017, 47 f.; vgl. auch Sejm RP, VIII kadencja, Druk sejmowy Nr. 1186, Begründung, S. 16.

451 Siehe *Szeleszczuk*, Prokuratura i Prawo 2017, 48 f.

452 *Pohl*, Nowa Kodyfikacja Prawa Karnego 2017, 479 f.

453 Ebenda, 478.

454 Sejm RP, VIII kadencja, Druk sejmowy Nr. 1186, Begründung, S. 4 f.

455 Vgl. ebenda.

456 Ebenda.

bei der Abschöpfung von Tatmitteln, die einen erheblichen Wert darstellen, welcher außer Verhältnis zur Tat steht, ihr repressiver Zweck erkannt, der über den präventiven überwiegt.[457]

iii) Zwischenbilanz

Die Einziehung eines Unternehmens wurde in das Strafgesetzbuch als eine präventiv ausgerichtete Maßnahme zur Bekämpfung schwerer Wirtschaftskriminalität eingeführt.[458] Sie ist jedoch wegen ihres weiten Abschöpfungsumfangs, bei dem auf die Verbindung zwischen dem Einziehungsgegenstand und einer Straftat verzichtet wird,[459] kritisch zu bewerten. Der Gesetzeswortlaut wurde zwar im Vergleich zu der mit dem Entwurf vom 23. Mai 2016 vorgeschlagenen Fassung zu Gunsten des Betroffenen verändert – der Beweis der Verbindung zwischen einer Straftat und einem Bestandteil des Unternehmens obliegt der Anklagebehörde – jedoch ist fraglich, ob der präventive Zweck den weiten Abschöpfungsumfang legitimiert. Dies ist *de lege lata* zu verneinen, da die Maßnahme der Strafverfolgung ermöglicht, die Annahme zu treffen, das gesamte Unternehmen habe als Tatmittel gedient, und es gleichzeitig für den Betroffenen unmöglich macht, diese Annahme zu wiederlegen.

cc) Selbständige Einziehung (Einziehung ohne Verurteilung)[460]

i) Zweck der Maßnahme

Der Zweck der Maßnahme spricht nach Auffassung des Gesetzgebers gegen die strafähnliche Rechtsnatur der selbständigen Einziehung. Auch bei diesem Abschöpfungsinstrument handelt es sich um eine präventiv ausgerichtete Maßnahme. Sie diene dazu, im Rahmen eines Strafverfahrens sichergestelltes Vermögen einzuziehen, wenn in diesem Verfahren, aus den im Gesetz genannten Gründen, kein Urteil erlassen werden kann.[461] Die Anordnung der selbständigen Einziehung ist von einer formellen Schuldfeststellung unabhängig, deswegen – so der Gesetzgeber – kann diese Maßnahme nicht gegen die Unschuldsvermutung verstoßen.[462] Die selbständige Einziehung wird als eine gegen schwere Kriminalität gerichtete Maß-

---

457 Siehe wyr. SN z 11.04.1984 r., RNw 4/84, OSNKW 1984, Nr. 11–12, poz. 113; Wróbel/Zoll-*Raglewski*, Kodeks karny, Art. 44 Rn. 27; *Postulski/Siwek*, Przepadek w polskim prawie karnym, S. 71.

458 Sejm RP, VIII kadencja, Druk sejmowy Nr. 1186, Begründung, S. 4 f.

459 Siehe *Szeleszczuk*, Prokuratura i Prawo 2017, 48 f.

460 Siehe oben II.B.1.a)ee).

461 Sejm RP, VIII kadencja, Druk sejmowy Nr. 1186, Begründung, S. 11.

462 Ebenda, S. 11 ff. m.w.N.

nahme gesehen,[463] obwohl sich aus dem Gesetzeswortlaut ergibt, dass sie auf jeden Straftatbestand Anwendung findet. In der Gesetzesbegründung wird zwar auf die EU-Richtlinie 2014/42/EU und die Empfehlungen der FATF als Vorgaben für die Einführung selbständiger Einziehung als Maßnahme gegen die Organisierte Kriminalität und Terrorismus verwiesen, jedoch ohne zu begründen, wie diese Maßnahme im polnischen Recht gerade als Instrument gegen die genannten Kriminalitätsbereiche dienen wird.[464]

Dem ordnenden, quasi-verwaltungsrechtlichen Charakter der selbständigen Einziehung wird in der Literatur widersprochen.[465] Die selbständige Einziehung wird als eine Maßnahme ohne eindeutige rechtliche Natur[466] oder als eine „quasi-Sicherungsmaßnahme"[467] bezeichnet. Die Ansicht des Gesetzgebers, es handle sich um eine verwaltungsrechtliche Maßnahme, wird als unbegründet bewertet.[468] Zu Recht wird die erweiterte Einziehung als eine strafrechtliche Folge der Begehung einer Tat, deren rechtliche Natur im Strafverfahren nicht geklärt wird, genannt.[469]

ii) Zwischenbilanz

Obwohl der rechtlichen Einordnung der selbständigen Einziehung als eine quasi-verwaltungsrechtliche Maßnahme in der Literatur widersprochen wird, werden daraus keine Konsequenzen bezüglich der Anwendung des Schuldprinzips und der Unschuldsvermutung gezogen. Dies liegt daran, dass die Maßnahme zwar die Einziehung ohne Verurteilung ermöglicht, setzt aber in Art. 45a § 2 k.k. voraus, dass die Beweislage die Annahme erlaubt, im Fall einer Verurteilung wäre auch die Einziehung angeordnet gewesen. Somit verzichtet die Vorschrift auf das formelle Vorliegen eines Urteils, nicht jedoch auf seine materiellen Voraussetzungen.

Anders ist die selbständige Einziehung nach Art. 45a § 1 k.k. geregelt. Die Anordnungsvoraussetzungen sind der einer Sicherungsmaßnahme ähnlich.[470] Die Maßnahme kann bei einer Einstellung des Verfahrens, Unzurechnungsfähigkeit des Täters oder beim Vorliegen eines Strafausschließungsgrundes angeordnet werden. Darüber hinaus ist die Einziehung auch dann zulässig, wenn die begangene Tat geringe soziale Schädlichkeit aufweist und somit gemäß Art. 1 § 2 k.k. keine Straftat ist. Dies ist kritisch zu bewerten, da es sich hier um die strafrechtliche Folge

---

463 Ebenda, S. 11.

464 Vgl. ebenda, S. 11 ff.

465 Vgl. *Raglewski*, KKSSiP 2014, 126 f.; *Stefańska*, in: Stefański (Hrsg.), Środki karne po nowelizacji, S. 333 f.

466 *Raglewski*, KKSSiP 2014, 126.

467 *Stefańska*, in: Stefański (Hrsg.), Środki karne po nowelizacji, S. 334.

468 Ebenda, S. 334.

469 Vgl. *Raglewski*, KKSSiP 2014, 126.

470 Siehe *Stefańska*, in: Stefański (Hrsg.), Środki karne po nowelizacji, S. 334.

einer Tat handelt, die nach Wertung des Gesetzes keine strafbare – und keine strafwürdige – Handlung darstellt und deswegen strafrechtlich nicht verfolgt wird.[471]

dd) Subsidiäre Haftung im Fiskalstrafrecht[472]

i) Wirkung für den Betroffenen

Anlässlich der Diskussion um die Rechtsnatur der Vermögensabschöpfung wird auch die subsidiäre Haftung aus dem Fiskalstrafrecht zum Teil als eine repressive, ihrer Wirkung nach strafähnliche Maßnahme gesehen.[473] Im Hinblick auf ihre niedrigen Anordnungsvoraussetzungen, die auch die zivilrechtlichen Schuldmaßstäbe – Auswahlverschulden und Aufsichtspflichtverletzung – nicht erfüllen, sei sie keine Ausgleichsmaßnahme.[474] Obwohl in der Literatur und Rechtsprechung teilweise der Ansatz vertreten wird, dass es sich hier um zivilrechtliche Schuld handle, sind die Voraussetzungen eher einer Risikohaftung ähnlich, welche durch die Gefahren, die sich aus der Tätigkeit eines Unternehmens ergeben, gerechtfertigt ist.[475] Die Anordnung dieser Maßnahme brauche nicht nur kein Verschulden des Betroffenen, sondern auch kein Bewusstsein über den potenziellen Vorteil.[476] Somit beruhe die Maßnahme allein auf dem Verhältnis zwischen dem Täter und dem subsidiär Haftenden.[477]

ii) Zweck der Maßnahme

Trotz der zum Teil postulierten strafgleichen Wirkung, gilt die subsidiäre Haftung im Hinblick auf ihren Zweck als eine Maßnahme ohne Strafcharakter. Sie sei keine Repression, sondern eine persönliche Vermögenshaftung, die neben der strafrechtlichen Verantwortung des Täters eintritt.[478] Eine Verurteilung des Täters ist

---

471 Siehe Wróbel/Zoll-*Zoll*, Kodeks karny, Uwagi wprowadzające, Rn. 4; Wróbel/Zoll-*Zoll*, Kodeks karny, Art. 1 Rn. 31.

472 Siehe oben II.C.1.b)cc).

473 Siehe *Błaszczyk/Zbrojewska*, Prawo karne skarbowe, S. 93; Kardas u.a.-*Razowski*, Kodeks karny skarbowy, Art. 24 Rn. 3.

474 Vgl. Kardas u.a.-*Razowski*, Kodeks karny skarbowy, Art. 24 Rn. 3; anders *Skowronek*, Prokuratura i Prawo 2005, 168; andere Autoren verweisen, gegen den Gesetzeswortlaut, auf die zivilrechtliche Schuld, siehe *Prusak*, Kodeks karny skarbowy, Art. 24 Rn. 6; *Skowronek*, Prokuratura i Prawo 2005, 168.

475 Vgl. Kardas u.a.-*Razowski*, Kodeks karny skarbowy, Art. 24 Rn. 3; Wilk/Zagrodnik-*Wilk*, Kodeks karny skarbowy, Art. 24 Rn. 3 f.; anders Bojarski-*Prusak/Skowronek*, Szczególne dziedziny prawa karnego, Kapitel I § 11 Rn. 279.

476 Vgl. *Prusak*, Kodeks karny skarbowy, Art. 24 Rn. 24; Kardas u.a.-*Razowski*, Kodeks karny skarbowy, Art. 24 Rn. 3; *Skowronek*, Prokuratura i Prawo 2005, 167; Wilk/Zagrodnik-*Wilk*, Kodeks karny skarbowy, Art. 24 Rn. 6.

477 Kardas u.a.-*Razowski*, Kodeks karny skarbowy, Art. 24 Rn. 3.

478 Bojarski-*Prusak/Skowronek*, Szczególne dziedziny prawa karnego, Kapitel I § 11 Rn. 279.

zwar die Voraussetzung subsidiärer Haftung, der subsidiär Haftende trägt jedoch keine Verantwortlichkeit für die Tat. Er muss sich nur dessen bewusst sein, durch den Täter vertreten worden zu sein.[479] Der tatsächliche oder potenzielle Vermögensvorteil muss dem Haftenden nicht bewusst sein.[480] Diese spezielle Abschöpfungsmaßnahme wird dadurch legitimiert, dass es im Fiskalstrafrecht relativ häufig vorkommt, dass der Täter für einen anderen handelt.[481] Der Maßnahme wird ein zivilrechtlicher Charakter zugeschrieben und die Anordnungsvoraussetzungen werden mit der der zivilrechtlichen Haftung verglichen. Die subsidiäre Haftung beruhe auf dem zivilrechtlichen Schuldkonzept *culpa in eligendo*, *culpa in custodiendo* und sei somit eine Ausgleichsmaßnahme, auf die speziell strafrechtliche Garantien keine Anwendung finden.[482] Für einen zivilrechtlichen Charakter der subsidiären Haftung wird argumentiert, die Repression sei nicht das Wesen dieser Maßnahme, sie diene vielmehr der Kompensation und Sicherung von finanziellen Interessen des Staates.[483]

iii) Zwischenbilanz

Die Haftung eines Dritten im Fiskalstrafrecht gemäß Art. 24 §§1–2 k.k.s. umfasst, neben der Zahlung der Geldbuße, die Zahlung des Wertes der Tatmittel und aus der Tat erlangten Gegenstände. Die Maßnahme wird nur dann vollzogen, wenn die Abschöpfung vom Täter erfolglos war. Die subsidiäre Haftung dient somit der Sicherung von finanziellen Interessen des Staates und wird deswegen, ihrem Zweck nach, zu Recht als eine Ausgleichsmaßnahme ohne Strafcharakter eingestuft. Sie knüpft an den objektiven Umstand des Vertreten-Seins durch den Täter an. Bezüglich des Abschöpfungsumfangs wäre eine Einschränkung auf Tatgewinne – Gegenstände aus der Tat – geboten, da das Gesetz die Einziehung des Wertes von Tatmitteln sonst nur vom Täter zulässt.

---

479 Vgl. *Konarska-Wrzosek*, in: Konarska-Wrzosek u.a. (Hrsg.), Prawo i postępowanie karne skarbowe, S. 88; Kardas u.a.-*Razowski*, Kodeks karny skarbowy, Art. 24 Rn. 3; Wilk/Zagrodnik-*Wilk*, Kodeks karny skarbowy, Art. 24 Rn. 5; Bojarski-*Prusak/Skowronek*, Szczególne dziedziny prawa karnego, Kapitel I § 11 Rn. 279.

480 Vgl. *Prusak*, Kodeks karny skarbowy, Art. 24 Rn. 24; Kardas u.a.-*Razowski*, Kodeks karny skarbowy, Art. 24 Rn. 3; Wilk/Zagrodnik-*Wilk*, Kodeks karny skarbowy, Art. 24 Rn. 6.

481 Vgl. Bojarski-*Prusak/Skowronek*, Szczególne dziedziny prawa karnego, Kapitel I § 11 Rn. 279; Wilk/Zagrodnik-*Wilk*, Kodeks karny skarbowy, Art. 24 Rn. 2.

482 Vgl. post. SN z 29.01.2009 r., I KZP 28/08, OSNKW 2009, nr 2, poz. 14; *Skowronek*, Prokuratura i Prawo 2005, 168; Bojarski-*Prusak/Skowronek*, Szczególne dziedziny prawa karnego, Kapitel I § 11 Rn. 279; *Błaszczyk/Zbrojewska*, Prawo karne skarbowe, S. 93.

483 Vgl. *Błaszczyk/Zbrojewska*, Prawo karne skarbowe, S. 93; *Prusak*, Kodeks karny skarbowy, Art. 24 Rn. 8; *Skowronek*, Prokuratura i Prawo 2005, 164.

3. Fazit

Bei der Bestimmung der Rechtsnatur der Vermögensabschöpfung wird vor allem auf den Zweck der Maßnahme und ihre Wirkung Bezug genommen. Dabei spricht der vorwiegend repressive Zweck für den Strafcharakter. Die Übelswirkung einer Sanktion wird als Argument für ihren repressiven Zweck verstanden. Im Hinblick darauf sind die erweiterte Einziehung und die Einziehung eines Unternehmens Vermögensabschöpfungsinstrumente, die in ihrem Umfang durch den präventiven Zweck nicht legitimiert sind und somit eine strafähnliche Wirkung entfalten.

Infolge der Beweislastumkehr bei der erweiterten Einziehung wird aus der Begehung einer Straftat die Begehung weiterer Delikte angenommen, ohne dass dies im Verfahren aufgeklärt wird. Das Beweisthema wurde dabei von der Herkunft des einzuziehenden Vermögens aus konkreten, nachgewiesenen Straftaten (Erwerbstaten) auf die Begehung einer Straftat, aus der der Täter einen Vermögensvorteil von erheblichem Wert erlangt hat (Anlasstat), verschoben.[484] Auch dem objektiven Umstand der Begehung einer Erwerbstat wird nicht nachgegangen. Die Verurteilung für eine Tat, aus der der Täter einen Vermögensvorteil von erheblichem Wert erlangt hat, erlaubt die Begehung weiterer Straftaten anzunehmen und für diese den Betroffenen finanziell zu belangen. Es wird zwar gesagt, dass die Verschiebung der Beweislast nur die Einziehung und nicht die Schuld des Täters betreffe,[485] gleichzeitig ist aber die Schuld bezüglich der Erwerbstaten kein Beweisthema mehr. Obwohl der Betroffene nicht wegen dieser Delikte angeklagt wird, gelte auch für ihn im Hinblick auf diese Taten die Unschuldsvermutung, weil sie für jeden gilt, der wegen Begehung einer Straftat verdächtigt wird.[486]

Die Einziehung eines Unternehmens ist in ihrem weiten Abschöpfungsumfang, bei dem auf die Verbindung zwischen dem Einziehungsgegenstand und einer Straftat verzichtet wird, durch den präventiven Zweck nicht legitimiert. Die Maßnahme ermöglicht es der Strafverfolgung, die Annahme zu treffen, dass das gesamte Unternehmen als Tatmittel diente, und macht es gleichzeitig für den Betroffenen unmöglich, diese Annahme zu wiederlegen. Dieser Abschöpfungsumfang spricht für eine materielle Übelswirkung der Maßnahme, die einer Strafe ähnlich ist.

Bezüglich der rechtlichen Natur der behandelten Vermögensabschöpfungsinstrumente besteht jedoch kein Konsens. Die geschilderten Argumentationen für beide Standpunkte zeigen die gleichen Merkmale der Abschöpfungsmaßnahmen, die sowohl für als auch gegen ihren Strafcharakter ausgelegt werden. Ob einer Vermögensabschöpfungsmaßnahme Strafcharakter zugeschrieben wird und sie infolgedessen der einschränkenden Wirkung des Schuldgrundsatzes und der Unschuldsvermutung unterliegt, ist eine wertende Entscheidung. Aus diesen Gründen

---

[484] *Artymiak*, in: Bojarski (Hrsg.), Zmiany w polskim prawie karnym, S. 292 f.

[485] *Brylak*, Prokuratura i Prawo 2010, 33.

[486] Safjan/Bosek-*Wiliński/Karlik*, Konstytucja RP, Art. 42 Abs. 3 Rn. 249.

überprüft die vorliegende Arbeit im weiteren Verlauf die Einschränkung der Vermögensabschöpfung nach dem Verhältnismäßigkeitsprinzip.

C. Übergreifende verfassungsrechtliche Grenzen – Verhältnismäßigkeit der Vermögensabschöpfung

In diesem Kapitel werden die übergreifenden, von der strafrechtlichen Natur der Vermögensabschöpfungsmaßnahmen unabhängigen Grenzen der Vermögensabschöpfungsmaßnahmen untersucht. Vorab wird ein Überblick über die Entwicklung des Verhältnismäßigkeitsprinzips gegeben (1.). Anschließend wird die Anwendbarkeit dieses Grundsatzes im Strafrecht erläutert (2.). Schließlich wird die Verhältnismäßigkeit der Schlüsseleingriffsnormen untersucht (3.).[487]

1. Überblick

Das Verhältnismäßigkeitsprinzip ist in Art. 31 Abs. 3 der polnischen Verfassung verankert und gilt als Maßstab für jede staatliche Einschränkung der Freiheit eines Menschen. Es dient dazu, die Konflikte zwischen individuellen Interessen und Interessen der Allgemeinheit zu lösen. Es bestimmt, wann, unter welchen Bedingungen wessen Interessen der Vorzug zu geben ist, somit definiert es das Verhältnis zwischen dem Individuum und dem Staat.[488] Diese Abwägung findet sowohl bei Individualentscheidungen als auch bei der Gesetzgebung statt. In letzterem Anwendungsbereich ist es eng mit der Subsidiarität des staatlichen Handelns verbunden.[489]

Die Verhältnismäßigkeitsprüfung im polnischen Recht wurde im Verwaltungsverfahren entwickelt, wo sie als Grundlage für Individualentscheidungen herangezogen wurde.[490] Anfangs handelte es sich somit um eine Regel für die Rechtsanwendung. Danach wurde der Verhältnismäßigkeitsprinzip in die Rechtsprechung des polnischen Verfassungsgerichtshofs aufgenommen. Der Gerichtshof hat den Grundsatz der Verhältnismäßigkeit aus dem Vertrauen der Bürger in die staatliche Gewalt und ab 1989 auch aus dem Rechtsstaatsprinzip abgeleitet.[491] Im Jahre 1997

---

[487] Die Prüfung kann grundsätzlich auf zwei Ebenen erfolgen. Zum einen bezieht sie sich auf das Verhältnis Grundrechte – Gesetz, zum anderen auf das Verhältnis Grundrechte – Einzelakt. Vgl. *Poscher*, Grundrechte als Abwehrrechte, S. 325. Die vorliegende Untersuchung überprüft die abstrakten Anforderungen an die Abschöpfungsnormen. Dazu siehe *Poscher*, Grundrechte als Abwehrrechte, S. 330.

[488] Siehe Safjan/Bosek-*Bosek*, Konstytucja RP, Art. 31 Rn. 4, 56; *Łabno*, in: Dukiet-Nagórska (Hrsg.), Zasada proporcjonalności, S. 17.

[489] *Łabno*, in: Dukiet-Nagórska (Hrsg.), Zasada proporcjonalności, S. 22.; siehe auch *Błaszczyk*, Przepadek w polskim prawie karnym skarbowym, S. 63.

[490] Siehe *Łabno*, in: Dukiet-Nagórska (Hrsg.), Zasada proporcjonalności, S. 19 ff.

[491] Das Rechtsstaatsprinzip wurde 1989 in die Verfassung aus dem Jahre 1952 aufgenommen. Siehe *Łabno*, in: Dukiet-Nagórska (Hrsg.), Zasada proporcjonalności, S. 19 ff.

wurde das Verhältnismäßigkeitsprinzip ausdrücklich in die Verfassung aufgenommen. Es ist im zweiten Kapitel „Freiheiten, Rechte und Pflichten des Menschen und des Staatsbürgers" geregelt.[492] Nachdem die Verfassung verabschiedet wurde, entschied der Verfassungsgerichtshof, dass das Verhältnismäßigkeitsprinzip nach Art. 31 Abs. 3 der polnischen Verfassung ein vollständiger und selbständiger Grundsatz sei, der nicht aus dem Rechtsstaatsprinzip nach Art. 2 der polnischen Verfassung hergeleitet werden muss.[493] Somit stellt das Verhältnismäßigkeitsprinzip heute einen verfassungsrechtlichen Grundsatz dar, der bei der Gesetzgebung beachtet werden muss.[494] In Art. 31 Abs. 3 der polnischen Verfassung wurden die Voraussetzungen, unter denen eine Einschränkung der verfassungsrechtlichen Rechte und Freiheiten zulässig ist, in Form einer Generalklausel bestimmt.[495] Diese sind: Sicherheit, öffentliche Ordnung, Schutz der Umwelt, Gesundheit, Schutz der öffentlichen Moral oder der Freiheiten und Rechte anderer Personen.[496] Diese Kriterien können als Zwecke der Einschränkung bezeichnet werden. Für alle Einschränkungen von Rechten und Freiheiten gilt darüber hinaus, dass sie in einem demokratischen Rechtsstaat notwendig sein müssen.[497] Zur Verhältnismäßigkeitsprüfung gehören somit folgende formelle Voraussetzung der Einschränkung – nur durch ein Gesetz –, die Notwendigkeit der Einschränkung und die materielle Voraussetzung – die Einschränkung muss durch eines der in der Verfassung genannten Interessen gerechtfertigt sein. Darüber hinaus darf die Einschränkung das Wesen der Rechte und Freiheiten nicht beeinträchtigen (Schranken-Schranke-Bestimmung in Art. 31 Abs. 3 *in fine*).[498]

In der Rechtsprechung des Verfassungsgerichtshofs besteht die Verhältnismäßigkeitsprüfung demnach aus drei Elementen. Diese werden aus dem in der Verfassung verwendeten Begriff „Geeignetheit" abgeleitet.[499] Zuerst wird die Geeignetheit der Einschränkung kontrolliert: Die eingeführte Einschränkung muss für das

---

492 Art. 31 Abs. 3 der polnischen Verfassung. Einschränkungen, verfassungsrechtliche Freiheiten und Rechte zu genießen, dürfen nur in einem Gesetz beschlossen werden und nur dann, wenn sie in einem demokratischen Staat wegen seiner Sicherheit oder öffentlichen Ordnung oder zum Schutz der Umwelt, Gesundheit, der öffentlichen Moral oder der Freiheiten und Rechte anderer Personen notwendig sind. Diese Einschränkungen dürfen das Wesen der Freiheiten und Rechte nicht verletzen.

493 Wyr. TK z 12.01.1999 r., P 2/98, OTK ZU 1/1999, poz. 2, S. 16.

494 *Łabno*, in: Dukiet-Nagórska (Hrsg.), Zasada proporcjonalności, S. 17 f.

495 Ebenda, S. 23.

496 Der Schutz der Rechte anderer Personen ist dabei ein besonderer Fall, da es hier um einen Konflikt von Rechten unterschiedlicher Individualinteressen geht und nicht um eine Gegenüberstellung von Individualrechten und den Interessen der Allgemeinheit. In diesem Fall sind die Rechte beider Parteien in größtmöglichem Umfang zu berücksichtigen. Dazu siehe wyr. TK z 12.01.1999 r., P 2/98, OTK ZU 1/1999, poz. 2, S. 20; *Łabno*, in: Dukiet-Nagórska (Hrsg.), Zasada proporcjonalności, S. 26.

497 *Łabno*, in: Dukiet-Nagórska (Hrsg.), Zasada proporcjonalności, S. 28.

498 Ebenda, S. 24 f.

499 Wyr. TK z 12.01.1999 r., P 2/98, OTK ZU 1/1999, poz. 2.

Erreichen der Zwecke der Regelung geeignet sein. Die zweite Prüfungsstufe betrifft die Erforderlichkeit der Regelung – ist sie für den Schutz der Interessen der Allgemeinheit notwendig? Zuletzt wird die Angemessenheit der Einschränkung geprüft, sie darf die Rechte und Freiheiten des Einzelnen nicht unangemessen beeinträchtigen.[500] Bei der Prüfung der Verhältnismäßigkeit im Rahmen des Gesetzgebungsverfahrens bezieht sich die Abwägung nicht auf die tatsächliche, sondern auf die prognostizierte Auswirkung der Regelung. Dem Gesetzgeber steht bei der Wahl eines geeigneten und erforderlichen Mittels ein Ermessensspielraum zu. Er ist aber gemäß der Verfassung verpflichtet, diejenigen Regelungsmöglichkeiten zu wählen, die für den Betroffenen die geringste Einschränkung seiner Rechte und Freiheiten mit sich bringen.[501]

2. Anwendbarkeit und Grenzen der Verhältnismäßigkeitsprüfung

Wenn die Einschränkung der Rechte und Freiheiten mittels des Strafrechts erfolgen soll, ist die gesetzgeberische Entscheidung zusätzlich an den *ultima ratio*-Grundsatz gebunden: Der Gesetzgeber muss prüfen, ob das gleiche Ziel mittels weniger einschneidender Maßnahmen erreicht werden kann. Dies wirkt sich auf die Verhältnismäßigkeit der Regelung aus. Nach der Rechtsprechung des Verfassungsgerichtshofs muss eine verhältnismäßige Einschränkung für den Betroffenen am wenigsten einschneidend sein. Die Erforderlichkeitsprüfung soll deswegen gleich oder zumindest vergleichbar effektive Maßnahme einbeziehen.[502] Der Gesetzgeber ist durch die Verfassung verpflichtet, die Maßnahmen, die die Rechte des Betroffenen am wenigsten einschränken, zu wählen.[503] Dazu ist die Erforderlichkeit in Bezug auf das Rechtsstaatsprinzip auszulegen, wodurch die Eingriffsmöglichkeiten zusätzlich eingeschränkt sein sollen.[504] Die Verhältnismäßigkeitsprüfung im Strafrecht stößt aber an ihre Grenzen. Das liegt u.a. daran, dass die Bestimmung der Zwecke, die durch die Gesetze verfolgt werden, eine rechtspolitische Aufgabe der Regierung und des Gesetzgebers ist. Besonders schwer ist die Wahl zwischen mehreren geeigneten Mitteln zu beurteilen.[505] Darüber hinaus steht dem Gesetzgeber bei der Wahl der geeigneten Mittel ein Ermessensspielraum zu. Der Verhältnismäßigkeitsprüfung werden rechtspolitische Entscheidungen, die auf Prognosen basieren, unterzogen, und keine Entscheidungen, die durch empirische Befunde

---

500 Siehe *Wojtyczek*, Granice ingerencji ustawodawczej, S. 150 ff.

501 Wyr. TK z 11.12.2008 r., K12/08, OTK ZU 10A/2008, poz. 176, S. 1896.

502 Wyr. TK z 11.04.2000 r., K 15/98, OTK ZU 3/2000, poz. 86; wyr. TK z 20.6.2005 r., K 4/04, OTK ZU 6A/2005, poz. 64.

503 Siehe Safjan/Bosek-*Szydło*, Konstytucja RP, Art. 31 Rn. 114; *Łabno*, in: Dukiet-Nagórska (Hrsg.), Zasada proporcjonalności, S. 27; vgl. auch wyr. TK z 11.05.1999 r., K 13/98, OTK ZU 4/1999, poz. 74; wyr. TK z 26.03.2007 r., K 29/06, OTK ZU 3A/2007, poz. 30.

504 *Łabno*, in: Dukiet-Nagórska (Hrsg.), Zasada proporcjonalności, S. 27 ff.

505 Ebenda, S. 30.

begründet sind.[506] Eine tatsachenbezogene Verhältnismäßigkeitsprüfung kann erst in einer nachträglichen Kontrolle der Gesetze durch die Judikative erfolgen. Die Verhältnismäßigkeitsprüfung wird auch dadurch nicht erleichtert, dass die Zwecke, die die Einschränkungen der Rechte und Freiheiten legitimieren können, in der Verfassung ausdrücklich genannt werden. Es handelt sich dabei um unscharfe Begriffe, die die Verfolgung rechtspolitischer Ziele nicht unmöglich machen sollen. Die Verhältnismäßigkeitsprüfung bleibt eine Frage nach der rechtspolitischen Zweckmäßigkeit der Einschränkung von Grundrechten, insbesondere, wenn entscheidungsrelevante Tatsachen nicht einbezogen werden.[507]

3. Verhältnismäßigkeit der Vermögensabschöpfung

Die strafrechtliche Regelung der Vermögensabschöpfung wurde durch das sogenannte Antikorruptionsgesetz vom 13. Juni 2003 grundlegend geändert,[508] indem die Beweislast bezüglich der Herkunft des Vermögens auf den Betroffenen verschoben wurde.[509] Im Zuge der Reform vom 23. März 2017 wurden die eingriffsintensiven Abschöpfungsmaßnahmen weiter auf andere Kriminalitätsbereiche ausgebaut. Diese Änderungen sind auf Kritik gestoßen, wobei der Vergleich der novellierten Einziehungsvorschriften mit der Vermögensstrafe, also die Argumentation aus der Rechtsnatur der Abschöpfungsmaßnahmen, im Mittelpunkt steht. Gleichzeitig wird aber versucht, die Grenze der Abschöpfungsmaßnahmen ohne Bezug auf die Rechtsnatur zu bestimmen, nämlich durch die Prüfung der Verhältnismäßigkeit des Grundrechtseingriffs.[510] Für diese Argumentation spricht insbesondere, dass es sich nach herrschender Meinung bei der Vermögensabschöpfung *de lege lata* nicht um Strafen und vielfach auch nicht um Strafmaßnahmen handelt, welche dem Schuldprinzip unterliegen würden. Die Verhältnismäßigkeitsprüfung greift dagegen immer dann ein, wenn eine gesetzliche Norm durch die Verfassung gewährleistete Rechte und Freiheiten einschränkt. Jeder derartige Eingriff muss durch die Verwirklichung oder den Schutz der in der Verfassung genannten Zwecke gerechtfertigt sein. Dieser Prüfung werden insbesondere die erweiterte Einziehung und die Einziehung eines Unternehmens wegen der bei diesen Maßnahmen eingeführten Beweiserleichterungen und der Beweislastumkehr unterzogen.[511]

---

506 Siehe ebenda.

507 Ebenda, S. 29 ff.

508 Ustawa z dnia 13.06.2003 r. o zmianie ustawy – Kodeks karny oraz niektórych innych ustaw, Dz.U. Nr 111 poz. 1061.

509 Die Begründung lautete, dass der Nachweis der strafrechtswidrigen Herkunft des Vermögens häufig unmöglich oder zumindest so langwierig sei, dass der Täter in der Zeit das Vermögen verschleiern könne. Siehe *Artymiak*, in: Bojarski (Hrsg.), Zmiany w polskim prawie karnym, S. 287.

510 *Raglewski*, in: Dukiet-Nagórska (Hrsg.), Zasada proporcjonalności, S. 391.

511 Die Regelung mancher Abschöpfungsmaßnahmen schließt ihre Anwendung aus, wenn diese unverhältnismäßig zur Schwere der Tat wäre, z.B. Art. 44 § 3 k.k., Art. 30

Zunächst werden die durch Abschöpfungsmaßnahmen beeinträchtigten Grundrechte erläutert (a)). Weiterhin wird die Verhältnismäßigkeit der Schlüsseleingriffsnormen geprüft (b)). Dabei wird zuerst die Bedeutung der Geeignetheit und Erforderlichkeit bei der Kontrolle der Abschöpfungsnormen erörtert (aa)), anschließend wird die Angemessenheit der Schlüsseleingriffsnormen untersucht (bb)).

a) Verfassungsrechtliche Garantien

Die Verhältnismäßigkeitsprüfung bezieht sich auf ein durch die geprüfte Norm beeinträchtigtes Grundrecht. Aus der durchgeführten Analyse der Rechtsnormen ergibt sich, dass die Abschöpfungsmaßnahmen für den Betroffenen zwei Arten von Rechtsfolgen haben: Sie können den Eigentumsverlust oder eine Zahlungspflicht bedeuten. Beide Rechtsfolgen betreffen die in Art. 64 der polnischen Verfassung geregelte Eigentumsgarantie. Darüber hinaus hat der Gesetzgeber die in der Verfassung geregelten Voraussetzungen der Einziehung zu beachten, die hier ebenfalls erörtert werden.

aa) Eigentumsgarantie nach Art. 64 der polnischen Verfassung

Das durch die Vermögensabschöpfungsmaßnahmen beeinträchtigte Recht ist das in Art. 64 der polnischen Verfassung gewährleistete Eigentumsrecht.[512] Die Eigentumsgarantie umfasst das Recht, Eigentümer zu sein: Eigentum zu erwerben, zu nutzen, zu behalten und über dieses Recht zu verfügen.[513] Die Norm ergänzt die allgemeine Eigentumsgarantie nach Art. 21 der polnischen Verfassung,[514] da sie den Schutzumfang bestimmt, zu dem nicht nur das Eigentums- und das Erbrecht, sondern auch andere Vermögensrechte gehören.[515] Diese Begriffe werden im Verfassungsrecht autonom ausgelegt.[516] Als Vermögensrechte werden unterschiedliche

§ 5 k.w., Art. 31 § 3 Pkt. 1 k.k.s. Diese Verhältnismäßigkeitskontrolle findet aber bereits bei der Rechtsanwendung statt. Siehe *Raglewski*, in: Dukiet-Nagórska (Hrsg.), Zasada proporcjonalności, S. 385 ff.

512 Art. 64 polnische Verfassung: 1. Jedermann hat das Recht auf Eigentum und andere Vermögensrechte sowie das Erbrecht. 2. Das Eigentum, andere Vermögensrechte und das Erbrecht unterstehen für alle dem gleichen rechtlichen Schutz. 3. Das Eigentum darf nur im Gesetzeswege und nur so weit eingeschränkt werden, dass das Wesen des Eigentumsrechts nicht verletzt wird.

513 Safjan/Bosek-*Zaradkiewicz*, Konstytucja RP, Art. 64 Rn. 10.

514 Art. 21 polnische Verfassung: 1. Die Republik Polen schützt das Eigentum und das Erbrecht. 2. Eine Enteignung ist nur dann zulässig, wenn sie zu öffentlichen Zwecken und gegen gerechte Entschädigung durchgeführt wird.

515 Siehe nur wyr. TK z 12.01.1999 r., P 2/98, OTK ZU 1/1999, poz. 2; wyr. TK z 25.02.1999 r., K 23/98, OTK ZU 2/1999, poz. 25; wyr. TK z 05.03.2001 r., P 11/00, OTK ZU 2/2001, poz. 33; *Błaszczyk*, Przepadek w polskim prawie karnym skarbowym, S. 66; anders Safjan/Bosek-*Zaradkiewicz*, Konstytucja RP, Art. 64 Rn. 7.

516 Siehe Safjan/Bosek-*Zaradkiewicz*, Konstytucja RP, Art. 64 Rn. 2 f.

subjektive Rechte verstanden, die ein unmittelbares ökonomisches Interesse des Einzelnen schützen.[517]

Für den Gesetzgeber ergibt sich aus der Eigentumsgarantie die Pflicht, den gesetzlichen Rahmen und die Grenzen des Eigentumsrechts zu gestalten.[518] Die Einschränkungen sind nach Maßgabe des Verhältnismäßigkeitsprinzips nach Art. 31 Abs. 3 der polnischen Verfassung zu gestalten.[519] Eine solche Einschränkung stellen die Vermögensabschöpfungsmaßnahmen dar. Sie beeinträchtigen das Eigentumsgrundrecht, um die Sicherheit und öffentliche Ordnung zu schützen.[520] Im Hinblick darauf bedeutet die Verhältnismäßigkeitsprüfung eine Abwägung zwischen dem Eigentumsschutz und dem Schutz der öffentlichen Sicherheit sowie der Aufrechterhaltung der öffentlichen Ordnung.

bb) Regelung der Einziehung in Art. 46 der polnischen Verfassung

Eine spezielle Einziehungsregelung befindet sich in Art. 46 der polnischen Verfassung. Sie betrifft die Einziehung von Sachen.[521] Aus dieser Norm ergeben sich für den Gesetzgeber zwei formelle Einschränkungen der Abschöpfungsmaßnahmen. Zum einen kann die Einziehung nur auf dem Gesetzeswege geregelt werden, zum anderen kann nur ein Gericht über die Einziehung entscheiden.[522] Nach der Rechtsprechung des Verfassungsgerichtshofs darf die Einziehung nur infolge einer rechtskräftigen Gerichtsentscheidung, die nach einer Überprüfung der gesetzlichen Voraussetzungen und der Beurteilung des Einzelfalls gefallen ist, erfolgen.[523] Die verfassungsrechtlichen Anforderungen beziehen sich zwar auf die Einziehung einer Sache, dieser Begriff ist jedoch autonom auszulegen.[524] Die Regelung umfasst somit die Einziehung sowohl materieller als auch immaterieller Gegenstände, von Vermögensvorteilen sowie von funktionalen Verbindungen von Sachen und Rechten, wie zum Beispiel in einem Unternehmen.[525]

---

[517] Vgl. wyr. TK z 15.05.2008, K 32/05, OTK ZU 2A/2008, poz. 27; wyr. TK z 16.06.2009, SK 42/08, OTK ZU 6A/2009, poz. 85; wyr. TK z 25.01.2011, P 8/08, OTK ZU 1A/2011, poz. 2.

[518] Wyr. TK z 23.05.2006 r., SK 51/05, OTK ZU 5A/2006, poz. 58.

[519] Safjan/Bosek-*Zaradkiewicz*, Konstytucja RP, Art. 64 Rn. 8 m.w.N.

[520] Vgl. ebenda, Art. 64 Rn. 8.

[521] Art. 46 polnische Verfassung: Die Einziehung von Sachen darf nur in den im Gesetz bestimmten Fällen und nur aufgrund einer rechtskräftigen Gerichtsentscheidung erfolgen.

[522] Safjan/Bosek-*Sroka*, Konstytucja RP, Art. 46 Rn. 38; siehe auch *Błaszczyk*, Przepadek w polskim prawie karnym skarbowym, S. 64 f.

[523] Wyr. TK z 08.06.2008 r., P 4/06, OTK ZU 5A/2008, poz. 76.

[524] Siehe wyr. TK z 14.03.2000 r., P 5/99, OTK ZU 2/2000, poz. 60; wyr. TK z 10.05.2000 r., K 21/99, OTK ZU 4/2000, poz. 109; wyr. TK z 07.02.2001 r., K 27/00, OTK ZU 2/2001, poz. 29; wyr. TK z 27.04.2005 r., P 1/05, OTK ZU 4A/2005, poz. 42.

[525] Vgl. Safjan/Bosek-*Sroka*, Konstytucja RP, Art. 46 Rn. 36.

Die Verfassungsmäßigkeit der Einziehung ist jedoch nicht allein dadurch gegeben, dass die formellen Voraussetzungen der Regelung erfüllt sind. Die Einziehungsregelung befindet sich im Kapitel „Persönliche Rechte und Freiheiten“. Diese genießen im Verfassungsrecht höheren Schutz als zum Beispiel ökonomische und soziale Rechte und Freiheiten, zu denen auch das Eigentumsrecht gehört. Aus der systematischen Auslegung des Art. 46 ergibt sich somit, dass bei der Einziehung neben den genannten formellen auch materielle Voraussetzungen zu beachten sind.[526] Dies kann durch Anwendung des Verhältnismäßigkeitsprinzips nach Art. 31 Abs. 3 der polnischen Verfassung erreicht werden.[527]

cc) Zwischenbilanz

Die Eigentumsgarantie nach Art. 64 der polnischen Verfassung schützt neben dem Eigentums- und Erbrecht auch andere Vermögensrechte, die als unmittelbare ökonomische Interessen des Einzelnen verstanden werden. Somit beeinträchtigen sowohl die Vermögensabschöpfungsmaßnahmen, die im Übergang des Eigentums auf den Staat resultieren, als auch diejenigen, die die Vermögensverhältnisse des Betroffenen durch Zahlung eines Wertersatzes beeinträchtigen, die Eigentumsgarantie. Diese Vermögensabschöpfungsmaßnahmen, die als Eingriffe in das Eigentumsrecht zu den Schrankenbestimmungen dieses Rechts gehören, müssen dem Grundsatz der Verhältnismäßigkeit entsprechen. Die Anwendung des Grundsatzes auf die Vermögensabschöpfungsmaßnahmen ergibt sich darüber hinaus aus der Regelung der Einziehung in Art. 46 der polnischen Verfassung.

b) Verhältnismäßigkeitsprüfung

Wie im deutschen Verfassungsrecht besteht die Verhältnismäßigkeitsprüfung nach polnischem Recht aus drei Elementen: Geeignetheit, Erforderlichkeit und Angemessenheit (Verhältnismäßigkeit im engeren Sinne).[528] Wegen des Ermessensspielraums, der dem Gesetzgeber in Bezug auf die Geeignetheit und Erforderlichkeit der Maßnahmen zusteht, konzentriert sich die Prüfung auf die Angemessenheit des Grundrechtseingriffs.[529] Bezüglich des in Art. 31 Abs. 3 der polnischen Verfassung geregelten Katalogs der zum Grundrechtseingriff ermächtigenden Zwecke dienen die Vermögensabschöpfungsmaßnahmen dem Schutz der öffentlichen Sicherheit und Ordnung.[530]

---

526 Wyr. TK z 29.06.2005 r., SK 34/04, OTK ZU 6A/2005, poz. 69.

527 Vgl. Królikowski u.a.-*Szczucki*, Kodeks karny – część ogólna, Bd. II, Art. 44 Rn. 2.

528 *Raglewski*, in: Dukiet-Nagórska (Hrsg.), Zasada proporcjonalności, S. 384 f.

529 Vgl. *Łabno*, in: Dukiet-Nagórska (Hrsg.), Zasada proporcjonalności, S. 30.

530 *Kulesza/Starzyński*, Państwo i Prawo 2008, 35; vgl. auch Sejm RP, VIII kadencja, Druk sejmowy Nr. 1186, Begründung, S. 1 ff.

aa) Geeignetheit und Erforderlichkeit des Grundrechtseingriffs

Eine Maßnahme, die Grundrechte des Einzelnen einschränkt, gilt im polnischen Verfassungsrecht als ein zur Verwirklichung ihres Zwecks geeignetes Mittel, wenn sie es erlaubt, diesen Zweck unmittelbar zu verwirklichen und nicht nur dessen Verwirklichung erleichtert.[531] In Bezug darauf, dass die Regelung der Zwecke, die einen Grundrechtseingriff rechtfertigen können, in Art. 31 Abs. 3 der polnischen Verfassung unscharf ist, können jedoch einzelne Regelungen nur teilweise zu der Verwirklichung dieser Zwecke beitragen. Wenn die Norm also einer der vielen Schritte bei der Verwirklichung des Zwecks ist, wird sie deswegen nicht als ungeeignet erklärt, sobald sie zur Verwirklichung des Zwecks unmittelbar beiträgt.[532] Im Rahmen der Geeignetheits- und Erforderlichkeitsprüfung hat der Gesetzgeber neben den erwarteten Auswirkungen der Norm auch die möglicherweise unerwünschten Folgen zu berücksichtigen, da sie sich negativ auf die Erreichung des Gesetzeszwecks auswirken können.[533] Wegen der Annahme, der Gesetzgeber handle rational, wird dies aber nicht durch den Verfassungsgerichtshof überprüft.[534] Der Gerichtshof kontrolliert somit nicht, ob die Zwecke, denen das Gesetz dient, rationell erreichbar sind. Als unverhältnismäßig werden nur die offensichtlich ungeeigneten Regelungen beanstandet.[535] Diese Zurückhaltung der verfassungsrechtlichen Kontrolle ergibt sich aus der Gewaltenteilung.

Im Hinblick darauf wird die Vermögensabschöpfung als ein geeignetes und erforderliches Mittel zur Bekämpfung gewinnorientierter Kriminalität gesehen. Es wird dabei argumentiert, dass wenn das Risiko, dass aus kriminellen Tätigkeiten negative finanzielle Konsequenzen resultieren, groß ist, weniger solche Delikte begangen werden.[536] Diese Annahme konnte jedoch nicht empirisch bestätigt werden.[537] Darüber hinaus wurde nach Einführung der Beweiserleichterungen 2003 durch das Antikorruptionsgesetz eine Studie anhand Prozessakten durchgeführt, die gezeigt hat, dass die praktische Bedeutung der Beweiserleichterungen marginal ist.[538] Dies gelte selbst in den Fällen, in denen der Täter einen Vermögensvorteil von erheblichem Wert erlangt hat. Laut der Strafverfolgungsorgane waren das Ge-

---

531 Safjan/Bosek-*Szydło*, Konstytucja RP, Art. 31 Rn. 113; siehe auch wyr. TK z 08.07.2008 r., K 46/07, OTK ZU 6A/2008, poz. 104.

532 Safjan/Bosek-*Szydło*, Konstytucja RP, Art. 31 Rn. 112.

533 Ebenda, Art. 31 Rn. 112.

534 Der Verfassungsgerichtshof hat das wie folgt formuliert: „er sei nicht berufen, die Rationalität des Gesetzgebers zu überprüfen"; vgl. wyr. TK z 26.04.1995 r., K 11/94, OTK ZU 1995, poz. 12; wyr. TK z 17.10.1995 r., K 10/95, OTK ZU 1995, poz. 30.

535 Vgl. wyr. TK z 26.04.1995 r., K 11/94, OTK ZU 1995, poz. 12; wyr. TK z 17.10.1995 r., K 10/95, OTK ZU 1995, poz. 30.

536 Siehe *Raglewski*, in: Dukiet-Nagórska (Hrsg.), Zasada proporcjonalności, S. 391 f.

537 Vgl. dazu auch oben Teil 4.III.C.3.b)aa).

538 Siehe *Buczkowski*, Prawo w działaniu 2010, S. 221 f.

ständnis des Täters und die Sicherung des Vermögens im Ermittlungsverfahren ausreichend, um das Vermögen effektiv abzuschöpfen.[539]

Nach der letzten Reform von 2017 wird auch die Geeignetheit der Einziehung eines Unternehmens, das einer anderen Person als dem Täter gehört, im Hinblick auf ihren präventiven Zweck hinterfragt.[540] Der Verfassungsgerichtshof vertritt den Standpunkt, die Einziehung der Tatwerkzeuge von einem Dritten habe generell keine präventive Wirkung. Als Grund wird genannt, dass die Person weder an der Tatbegehung mitgewirkt hat noch diese verhindern konnte.[541] In der Gesetzesbegründung wird diese Ansicht nicht mit überzeugenden Gegenargumenten widerlegt. Dabei ist der Gesetzgeber verpflichtet, die Eingriffe in die Rechte und Freiheiten ausreichend zu begründen. Fragwürdig ist auch die Erforderlichkeit des Schutzes der Wirtschaft und der ökonomischen Sicherheit gerade durch die Einziehung von Unternehmen, insbesondere unter Berücksichtigung des Umstands, dass das Strafrecht dem subsidiären Rechtsgüterschutz dient.[542]

bb) Angemessenheit des Grundrechtseingriffs

Die letzte Stufe und Schwerpunkt der Verhältnismäßigkeitsprüfung ist die Abwägung, ob das gebotene Verhältnis zwischen dem Grad des Grundrechtseingriffs und dem Grad der Verwirklichung des Zwecks durch die Eingriffsmaßnahme eingehalten wird. Dieser Frage wird hier in Bezug auf die wegen ihrer Eingriffsintensität kritisierten Abschöpfungsinstrumente nachgegangen. Die Prüfung der Angemessenheit ist eine Wertungsentscheidung, die aber nach rationalen Kriterien erfolgen und nachvollziehbar sein muss.[543] Als solche Kriterien der Beurteilung gelten: wie weitgehend der Grundrechtseingriff ist, welchen Rang der Wert hat, der den Eingriff rechtfertigen sollte – auch für diejenigen, die unmittelbar von der Regelung betroffen sind –, und inwieweit der Zweck durch die Regelung verwirklicht wird.[544]

i) Erweiterte Einziehung

Die Prüfung der Angemessenheit der erweiterten Einziehung[545] betrifft die eingeführte Beweislastumkehr bezüglich der Herkunft des Vermögens. Aus der Beweislastumkehr ergibt sich ein weiter Abschöpfungsumfang, der das im Zeitraum

---

539 Siehe ebenda, S. 221 f.

540 *Szeleszczuk*, Prokuratura i Prawo 2017, 43.

541 Wyr. TK z 29.06.2005 r., SK 34/04, OTK ZU 6A/2005, poz. 69.

542 *Szeleszczuk*, Prokuratura i Prawo 2017, 43.

543 Safjan/Bosek-*Szydło*, Konstytucja RP, Art. 31 Rn. 124, 127.

544 Ebenda, Art. 31 Rn. 129.

545 Siehe oben Teil 5.II.B.1.a)cc) und dd) und II.C.1.a)cc) und dd).

von fünf Jahren vor der Tatbegehung erworbene Vermögen des Betroffenen umfasst. Auf den Nachweis einer Verbindung zwischen diesem Vermögen und einer konkreten rechtswidrigen Tat hat der Gesetzgeber verzichtet. Somit stellt die erweiterte Einziehung einen schwerwiegenden Eingriff in das Eigentumsrecht des Betroffenen dar. Der Zweck, dem die Maßnahme dienen soll, ist einerseits die positive Generalprävention im Sinne der Stärkung des Vertrauens der Allgemeinheit in die Rechtsordnung, anderseits die negative Spezialprävention – durch die Maßnahme soll verhindert werden, dass der Täter weitere schwere gewinnorientierte Straftaten begeht.[546]

Die Einführung der Beweislastumkehr wird durch den Gesetzgeber als eine Antwort auf die praktischen Schwierigkeiten bei der Abschöpfung von Gewinnen aus Straftaten dargestellt. Diese Schwierigkeiten betreffen zum einen den Nachweis eines Zusammenhangs zwischen dem Vermögen und der Tat. Zum anderen geht es um die Übertragung von Vermögenswerten auf andere, tatunbeteiligte Personen, um so die Einziehung zu verhindern.[547] Der Gesetzgeber argumentiert somit dafür, die Beweislast dem Betroffenen aufzuerlegen, mit den für die schwere gewinnorientierte Kriminalität deliktspezifischen Schwierigkeiten. Seine Argumentation stützt er auch auf die Regelung der Vermögensabschöpfung in internationalen Abkommen.[548] Dem Standpunkt des Gesetzgebers bezüglich der Verhältnismäßigkeit der erweiterten Einziehung wird in der Literatur zugestimmt.[549] Der präventive Zweck der erweiterten Einziehung – die Entziehung der ökonomischen Grundlage zur Begehung von Straftaten – spricht dafür, dem Interesse der Allgemeinheit, schwere Kriminalität wirksam zu bekämpfen, Vorzug zu geben. Es überwiege das Individualinteresse am Schutz des Eigentums und rechtfertige auch die Verschiebung der Beweislast.[550] Darüber hinaus grenzte der Gesetzgeber im Zuge der letzten Reform die Beweislastumkehr zeitlich auf die Dauer von fünf Jahren vor der Tatbegehung ein.[551]

Die Argumentation überzeugt aber nicht und die Angemessenheit der erweiterten Einziehung ist zu hinterfragen. Gegen die Angemessenheit der Maßnahme spricht der Umstand, dass allein vom Zeitpunkt des Erwerbs des Vermögensgegenstandes auf seine strafrechtswidrige Herkunft geschlossen wird.[552] Auf einen Nachweis einer Verbindung zwischen der Tat und dem einzuziehenden Vermögen darf aber

---

546 Vgl. Sejm RP, VIII kadencja, Druk sejmowy Nr. 1186, Begründung, S. 3, 5 f.

547 Ebenda, S. 5 ff.; vgl. *Raglewski*, in: Dukiet-Nagórska (Hrsg.), Zasada proporcjonalności, S. 393.

548 Sejm RP, VIII kadencja, Druk sejmowy Nr. 1186, Begründung, S. 9 ff.; vgl. *Raglewski*, in: Dukiet-Nagórska (Hrsg.), Zasada proporcjonalności, S. 393 f.

549 Siehe *Brylak*, Prokuratura i Prawo 2010, 31.

550 Ebenda, 31, 36.

551 Zur Rechtslage vor der Reform siehe *Raglewski*, in: Dukiet-Nagórska (Hrsg.), Zasada proporcjonalności, S. 399 f.

552 Siehe *Kluza*, Zeszyty Naukowe Towarzystwa Doktorantów UJ 2017, 104 f.

nicht ganz verzichtet werden, wenn die Regelung einen angemessenen Eingriff in das Eigentumsrecht darstellen soll, da gerade diese Verbindung den Eingriff rechtfertigt.[553] *De lege lata* muss diese Verbindung zu einer rechtswidrigen Tat durch die Staatsanwaltschaft nicht einmal glaubhaft gemacht werden.[554] Darüber hinaus wird in der Literatur darauf hingewiesen, dass die zeitliche Geltung der Beweislastumkehr ein Verstoß gegen das Rückwirkungsverbot ist, der auch durch die Begehung einer schweren Tat nicht gerechtfertigt werden kann.[555]

Hinsichtlich des spezialpräventiven Zwecks – durch die Maßnahme sollen weitere schwere, gewinnorientierte Straftaten verhindert werden – muss hinterfragt werden, worauf sich die Annahme stützt, dass solche durch den Täter in der Zukunft begangen werden. Diese Annahme beruht auf der Verurteilung für eine Tat, aus der ein Vermögensvorteil von erheblichem Wert erlangt wurde oder irgendein Vermögensvorteil nur erlangt werden konnte – wenn die Straftat mit Freiheitsstrafe von mindestens fünf Jahren als Höchstmaß bedroht ist oder in einer organisierten Gruppe begangen wurde. Im Lichte dieser Voraussetzungen ist die erweiterte Einziehung kein Instrument, das ausschließlich gegen schwere Kriminalität eingesetzt werden kann; es sei denn, die Einziehung wird wegen des erlangten erheblichen Vermögensvorteils angewendet. Die Norm ist aber für alle Straftaten, die mit einer Freiheitsstrafe von fünf Jahren im Höchstmaß bedroht sind, also auch den einfachen Diebstahl, anzuwenden. Somit ist sie nicht nur als eine Maßnahme zu bewerten, die kein angemessenes Mittel zum Erreichen ihres Zwecks darstellt, sondern vielmehr als eine, die ihren Zweck verfehlt.

Kritisch ist auch die Angemessenheit der erweiterten Einziehung von Dritten zu bewerten. Zu fragen ist, ob diesem eine wirksame Möglichkeit, die Einziehung seines Vermögens zu verhindern, gewährt wurde.[556] Auch hier hat der Gesetzgeber eine Beweislastumkehr eingeführt. Wenn die Übertragung eines Vermögensgegenstandes, der der erweiterten Einziehung vom Täter unterliegen würde, stattgefunden hat, muss die Person, auf die der Gegenstand übertragen wurde, nachweisen, dass sie gutgläubig gehandelt hat. Sie muss belegen, dass es anhand der Umstände des Erwerbs nicht möglich war, zu erkennen, dass es sich um strafrechtswidrig erlangtes Vermögen gehandelt hat. Gelingt der Beweis nicht, wird der Vermögensgegenstand durch die Strafverfolgung so behandelt, als gehöre er dem Täter, und eingezogen. Die Rechtsfolge ist somit die Unwirksamkeit der Übertragung des Vermögensgegenstandes. Unklar ist dabei, ob sich diese Rechtsfolge nur auf das

---

553 Vgl. ebenda, 107, 110; siehe auch *Raglewski*, in: Dukiet-Nagórska (Hrsg.), Zasada proporcjonalności, S. 402.

554 Siehe *Kulesza/Starzyński*, Państwo i Prawo 2008, 41 f.; *Raglewski*, in: Dukiet-Nagórska (Hrsg.), Zasada proporcjonalności, S. 401 f.

555 Vgl. *Kluza*, Zeszyty Naukowe Towarzystwa Doktorantów UJ 2017, 105.

556 Vgl. *Filipkowski*, in: Guzik-Makaruk/Arciszewski (Hrsg.), Przepadek przedmiotów i korzyści pochodzących z przestępstwa, 229, 231; *Raglewski*, in: Dukiet-Nagórska (Hrsg.), Zasada proporcjonalności, S. 404.

Vermögen aus der Anlasstat gemäß Art. 45 § 2 k.k. oder auch auf das Vermögen aus der unbekannten Erwerbstat bezieht. Die zweite Auslegungsmöglichkeit würde einen weitgehenden Eingriff in das Eigentumsrecht des Dritten begründen. Unabhängig davon, für welche Auslegung entschieden wird, sprechen die bereits oben bei der Abschöpfung vom Täter genannten Gründe auch gegen die Angemessenheit der erweiterten Einziehung von einem Dritten.

ii) Einziehung eines Unternehmens[557]

Ein weiteres Abschöpfungsinstrument, dessen Angemessenheit als Eingriff in das Eigentumsrecht im Sinne des Art. 64 der polnischen Verfassung zu hinterfragen ist, ist die Einziehung eines Unternehmens, das als Tatmittel oder zum Verschleiern der Taterlöse fungiert hat. Diese Maßnahme soll die Wirtschaftskriminalität und insbesondere die Organisierte Kriminalität und ihren Einfluss auf die Wirtschaft einschränken. Somit hat die Norm vor allem generalpräventive Zwecke zu erfüllen.[558] Der Gesetzgeber hat sich bei der Einführung dieser Spezialregelung auf die Umsetzung der EU-Richtlinie 2014/42/EU berufen, obwohl weder diese noch andere internationale Abkommen die Einziehung eines Unternehmens vorsehen. Die Norm soll aber die Ziele der Richtlinie verwirklichen.[559]

Die zu rechtfertigende Schwere des Grundrechtseingriffs ergibt sich aus der Beweiserleichterung bei der Bestimmung des Abschöpfungsumfangs. Der Abschöpfungsgegenstand ist eine abstrakte Einheit, die sich aus mehreren realen Bestandteilen zusammensetzt, die insgesamt als Unternehmen fungieren. Durch die Verwendung eines der Bestandteile zur Begehung einer Straftat oder zum Verschleiern eines rechtswidrigen Vermögensvorteils wird die Einziehung des gesamten Unternehmens begründet.[560] Im Hinblick auf diesen weiten Abschöpfungsumfang ist die Angemessenheit der Maßnahme zu hinterfragen. Die Bestandteile eines Unternehmens konnten auch vor der Reform (und können weiterhin) einzeln als Tatwerkzeuge nach Art. 44 § 2 k.k. eingezogen werden. Angemessen wäre es, allein diejenigen Bestandteile des Unternehmens einzuziehen, die tatsächlich in die Begehung rechtswidriger Taten oder in das Verschleiern eines Vermögensvorteils

---

557 Siehe oben Teil 5.II.B.2.a)cc).

558 Vgl. Sejm RP, VIII kadencja, Druk sejmowy Nr. 1186, Begründung, S. 4 ff.

559 Siehe *Szeleszczuk*, Prokuratura i Prawo 2017, 39 f.

560 Zur Auslegung von Art. 44a k.k. siehe *Szeleszczuk*, Damian, Prokuratura i Prawo 2017, 47. Für die Unangemessenheit der Einziehung siehe Rzecznik Praw Obywatelskich, Sprawozdanie roczne 2017, S. 207. Der Ombudsmann hat darüber hinaus auf weitere Probleme hingewiesen, die sich aus der Einziehung eines Unternehmens ergeben werden, u.a. die Konsequenzen des Urteils eines Strafgerichts für die Rechte eines Unternehmens, die sich aus erteilten Genehmigungen ergeben. Solche Rechte dürfen nur durch einen neuen Bescheid entsprechender Verwaltungsbehörde aufgehoben werden. Siehe Pismo RPO z dnia 6 lipca 2016 do Min. Spraw., sygn. II.517.3.2016.VV.

verstrickt waren.[561] Diese Lösung wurde am Anfang des Gesetzgebungsverfahrens auch in Erwägung gezogen, der Gesetzgeber hat sich jedoch für eine Beweiserleichterung entschieden, da sonst die Bestimmung des Einziehungsumfangs beweistechnisch langwierig wäre.[562] Daraus ergibt sich die Frage, ob die Beweiserleichterung durch die deliktspezifischen Beweisschwierigkeiten der Organisierten Kriminalität gerechtfertigt ist. Zuvor muss aber entschieden werden, ob es sich bei der Einziehung eines Unternehmens um eine Maßnahme handelt, die nur auf Organisierte Kriminalität Anwendung findet. Das ergibt sich aus dem Gesetzeswortlaut nicht. Die Einziehung eines Unternehmens kann bei einer Verurteilung wegen jeder Straftat, aus der der Täter einen Vermögensvorteil von erheblichem Wert erlangt hat, angeordnet werden. Dies kann auch ein mittelbarer Vorteil sein. Dieser Umstand spricht gegen die Angemessenheit des Eingriffs in das Eigentumsrecht. Die Maßnahme stellt, ähnlich wie die erweiterte Einziehung, nicht nur kein angemessenes Mittel zum Erreichen ihres Zwecks dar, sondern schießt vielmehr über das Ziel hinaus.

Diese Argumentation gilt auch für die Einziehung eines Unternehmens, das nicht dem Täter gehört. Die Einziehung des Unternehmens von einem Dritten verlangt einen Nachweis der Mitwirkung bei der Tat und ist fakultativ;[563] zudem ist durch die Schwere des Eingriffs, die sich aus dem Abschöpfungsumfang ergibt, auch ihre Angemessenheit zu verneinen.[564] Der Gesetzgeber begründete zwar, dass eine effektive Bekämpfung gewinnorientierter Kriminalität häufig deswegen scheitere, weil das Unternehmen, das zur Tatbegehung verwendet wurde, nicht dem Täter gehöre.[565] Zum einen jedoch richtet sich die Maßnahme nicht nur gegen schwere gewinnorientierte Kriminalität,[566] zum anderen gilt hier insbesondere die Ansicht des Verfassungsgerichtshofs, dass die Schwere des Eingriffs dazu führen kann, dass der Dritte auf seine wirtschaftliche Tätigkeit verzichten muss. Im Ergebnis kann so seine Existenzgrundlage gefährdet sein, was selbst im Vergleich zum finanziellen Gewinn, den der Staat durch die Einziehung erzielt, unverhältnismäßig ist.[567]

iii) Selbständige Einziehung[568]

Die Angemessenheit des Eingriffs in das Eigentumsrecht wird auch bei der selbständigen Einziehung nach Art. 45a § 2 k.k. hinterfragt, da die Maßnahme auch im

---

[561] *Szeleszczuk*, Prokuratura i Prawo 2017, 48.

[562] Siehe ebenda, 48 f.

[563] Ebenda, 45.

[564] Vgl. *Kluza*, Zeszyty Naukowe Towarzystwa Doktorantów UJ 2017, 101 f.; *Pohl*, Nowa Kodyfikacja Prawa Karnego 2017, 481.

[565] Vgl. Sejm RP, VIII kadencja, Druk sejmowy Nr. 1186, Begründung, S. 4.

[566] Vgl. *Szeleszczuk*, Prokuratura i Prawo 2017, 44.

[567] Wyr. TK z 29.06.2005 r., SK 34/04, OTK ZU 6A/2005, poz. 69.

[568] Siehe oben II.B.1.a)ee).

Falle des Todes des Täters einen Zugriff auf das Vermögen ermöglicht. Das Gesetz greift hier in das verfassungsrechtlich geschützte Erbrecht ein, ohne den Erben eine angemessene Möglichkeit zu gewähren, ihr Recht zu verteidigen. Für die Einziehung ist ohne Bedeutung, ob die Erben an der Tat beteiligt waren.[569] Zum anderen wird die Einziehung bei einem unbekannten Täter kritisiert. Es handelt sich um die Fälle, in denen der Täter wegen mangelnder Beweise unbekannt bleibt. Die Beweislage, die nicht ausreichend ist, den Täter zu ermitteln, kann nicht zugleich für eine Verurteilung und als Grundlage der Einziehungsanordnung ausreichend sein.[570]

iv) Obligatorische Dritteinziehung

Zur obligatorischen Einziehung des Vermögens von tatunbeteiligten Dritten äußerte sich der Verfassungsgerichtshof kritisch. Solche Maßnahmen stellen eine im Sinne des Art. 31 Abs. 3 der polnischen Verfassung unverhältnismäßige Einschränkung des Eigentumsrechts dar.[571] Der zu entscheidende Fall betraf eine Regelung des Fiskalstrafrechts. Nach Ansicht des Gerichtshofs dient die Regelung keinem präventiven Zweck, da es sich um Gegenstände einer Person handelt, die weder an der Tatbegehung beteiligt war noch diese verhindern konnte. Somit bedeutet die Regelung eine Beeinträchtigung des Eigentumsrechts, die durch keinen der in Art. 31 Abs. 3 der polnischen Verfassung genannten Zwecke gerechtfertigt ist. Auch durch den monetären Vorteil für den Fiskus kann sie nicht gerechtfertigt werden. Infolge dieser Entscheidung wurde die Einziehungsnorm im Fiskalstrafrecht um sachliche Voraussetzungen, die einen Eingriff auf das Eigentum von an der Tat unbeteiligten Dritten rechtfertigen, ergänzt. Diese Argumentation kann aber auch auf die Regelung der Dritteinziehung im Strafgesetzbuch übertragen werden, in dem die Dritteinziehung von Tatwerkzeugen *de lege lata* an keine weiteren sachlichen Einschränkungen gebunden ist.[572]

4. Fazit

Die Bestimmung der Grenze der Vermögensabschöpfung nach dem Verhältnismäßigkeitsprinzip ist, wie auch die Frage nach der Rechtsnatur der Maßnahmen, eine Wertungsentscheidung. Sie wird auf der Ebene der Angemessenheitsprüfung getroffen. Die Erforderlichkeit und Geeignetheit des Eingriffs werden oft zugunsten des gesetzgeberischen Ermessensspielraums beurteilt. Im Hinblick darauf, dass

569 Siehe Rzecznik Praw Obywatelskich, Sprawozdanie roczne 2017, S. 207; *Kluza*, Zeszyty Naukowe Towarzystwa Doktorantów UJ 2017, 97.

570 *Kluza*, Zeszyty Naukowe Towarzystwa Doktorantów UJ 2017, 97; siehe auch *Pohl*, Nowa Kodyfikacja Prawa Karnego 2017, 481.

571 Wyr. TK z 29.06.2005 r., SK 34/04, OTK ZU 6A/2005, poz. 69.

572 Siehe *Raglewski*, in: Dukiet-Nagórska (Hrsg.), Zasada proporcjonalności, S. 391.

eine empirische Überprüfung der Annahmen des Gesetzgebers, die zur Einführung der Beweiserleichterungen und der Beweislastumkehr geführt haben, nicht vorliegt und die angenommene generalpräventive Wirkung der Maßnahmen sich ebenfalls nicht überprüfen lässt, kann die Grenze der Vermögensabschöpfung nur durch eine Angemessenheitskontrolle bestimmt werden. Im Ergebnis dieser Kontrolle haben sich insbesondere die erweiterte Einziehung und die Einziehung des Unternehmens als unangemessene Einschränkungen des Eigentumsrechts erwiesen. Für ihre Unangemessenheit spricht der weit gefasste Abschöpfungsumfang, welcher sich aus der eingeführten Beweiserleichterung und Beweislastumkehr ergibt. Diese wurden durch die Bekämpfung der organisierten, gewinnorientierten Kriminalität legitimiert, der aber die untersuchten Maßnahmen nicht (mehr) ausschließlich dienen. Somit fehlt es an Argumenten für das Interesse der Allgemeinheit, das dem Individualinteresse am Eigentumsschutz überzuordnen wäre.

D. Zusammenfassung

Aus der Analyse der Vermögensabschöpfung im Hinblick auf den Schutz der Rechte des Betroffenen ergibt sich, dass die Einschränkung des Eingriffs durch das Schuldprinzip und der Grundsatz der Verhältnismäßigkeit Hand in Hand gehen können.[573] Beide Grundsätze beziehen sich auf unterschiedliche Aspekte der Vermögensabschöpfung. Die Beweislastumkehr bei der erweiterten Einziehung, welche im Zeitrahmen von bis zu fünf Jahren vor der Tatbegehung gilt, verstößt gegen die Unschuldsvermutung als strafprozessuale Folge des Schuldprinzips. Unabhängig davon, wie die erweiterte Einziehung im Hinblick auf ihre Rechtsnatur zugeordnet wird, impliziert die Norm, dass der Betroffene Straftaten begangen hat, ohne dass ihm diese nachgewiesen werden. Vielmehr muss der Betroffene strafrechtliche Folgen nicht nachgewiesener Taten tragen. Nimmt man an, es handle sich nicht um Rechtsfolgen nicht nachgewiesener Taten, sondern um Folgen einer nachgewiesenen Tat, die die Voraussetzungen des Art. 45 § 2 k.k. erfüllt, verstößt die Norm gegen den Verhältnismäßigkeitsprinzip. Die einzuziehenden Gegenstände stehen weder in einem zeitlichen noch in einem kausalen Zusammenhang zur nachgewiesenen Tat. Dieser schwerwiegende Eingriff in das Eigentumsrecht des Betroffenen ist nicht durch eine angenommene generalpräventive Wirkung gerechtfertigt. Eine generalpräventive Wirkung eines Urteils in einem konkreten Fall kann erreicht werden, wenn dieses als gerecht, also als eine angemessene Sanktion, empfunden wird. Dazu fehlen jedoch die materiellen Grundlagen für die Einziehungsentscheidung, da die strafrechtswidrige Herkunft des Vermögens nicht zumindest glaubhaft gemacht werden muss.[574] Die Verhältnismäßigkeitsprüfung fällt auch bei der Ein-

---

573 Vgl. Rzecznik Praw Obywatelskich, Sprawozdanie roczne 2017, S. 207.

574 Vielmehr sei die erweiterte Einziehung von einem Dritten unverhältnismäßig. Siehe *Kulesza/Starzyński*, Państwo i Prawo 2008, 40 f.

ziehung eines Unternehmens negativ aus. Es handelt sich um eine Beweiserleichterung, die die Einziehung des gesamten Unternehmens ermöglicht, ohne dass ein Zusammenhang zwischen einzelnen Unternehmensbestandteilen und einer rechtswidrigen Tat nachgewiesen werden muss. Diese Maßnahme greift besonders schwer in das Eigentumsrecht des Betroffenen ein und kann seine Existenzgrundlage gefährden.

Teil 6

Rechtsvergleichung

I. Überblick

Im folgenden Teil der Arbeit werden die Ergebnisse der Landesberichte hinsichtlich ihrer Unterschiede und Ähnlichkeiten verglichen. Die Gliederung orientiert sich deswegen an der der Landesberichte.

Zuerst werden die Ergebnisse in Bezug auf die Beweisanforderungen für die Abschöpfungsmaßnahmen verglichen (II.). Es wird dabei zwischen Vermögensabschöpfung im Strafrecht (A.) und im Ordnungswidrigkeitenrecht (B.) unterscheiden. Ein weiteres Differenzierungskriterium stellt, genauso wie in den Landesberichten, der Abschöpfungsgegenstand dar: Tatgewinne (1.) und Tatmittel (2.). Bei beiden Kategorien wird zwischen Abschöpfung der Gegenstände (a)) und Zahlung eines Geldbetrages (b)) unterschieden.[1] In der Rechtsvergleichung werden zwei Aspekte hervorgehoben, die in den Landesberichten untersucht wurden. Zum einen ist es der Abschöpfungsadressat (aa)), zum anderen der Abschöpfungsgegenstand und die tatbestandliche Anknüpfung (bb)); hierdurch unterscheidet sich der Aufbau der Rechtsvergleichung von der der Landesberichte. Hinsichtlich des Abschöpfungsadressaten wird danach unterschieden, ob der Betroffene ein Tatbeteiligter – Täter oder Teilnehmer – oder eine andere Person ist. Gegenstand des Vergleichs sind dabei die Anforderungen an die abschöpfungsrelevante Handlung. Der zweite Aspekt des Vergleichs betrifft die Anforderungen an den Abschöpfungsgegenstand und die Tat. Es wird verglichen, wie der Abschöpfungsgegenstand bestimmt wird und welche Anforderungen die Tat, an die die Maßnahme anknüpft, erfüllen muss. Auch die Verknüpfung zwischen dem Abschöpfungsgegenstand und der Tat – der Bezug zur Tat – wird untersucht. In beiden Rechtsordnungen wird bei den meisten Abschöpfungsmaßnahmen der Nachweis einer rechtswidrigen Tat und einer Verbindung zwischen dieser Tat und dem Abschöpfungsgegenstand verlangt. Die Anforderungen an die Verbindung zwischen dem Abschöpfungsgegenstand und der Tat werden in der Gliederung nur dann weiter differenziert, wenn diesbezüglich andere Voraussetzungen gelten.

In einem zweiten Schritt werden Ansätze zur Bestimmung der Grenzen der Vermögensabschöpfung verglichen (III.). Dazu werden zwei Ansätze erläutert: Der

---

[1] Zahlung eines Geldbetrages gilt, wenn der ursprüngliche Abschöpfungsgegenstand nicht mehr eingezogen werden kann, weil er beispielsweise zerstört oder veräußert worden ist.

erste sieht die Grenze der Maßnahmen in der Anwendung des Schuldprinzips, in dessen Geltungsbereich die Vermögensabschöpfung wegen ihrer strafähnlichen Rechtsnatur fällt (A.). Der zweite Ansatz beschäftigt sich mit der Verhältnismäßigkeit des Grundrechtseingriffs, welchen die Abschöpfungsmaßnahmen darstellen (B.). Er überprüft, ob die Einschränkung des Eigentumsgrundrechts im verfassungsrechtlichen Sinne angemessen ist. Da bezüglich der Rechtsnatur der Maßnahmen kein Konsens herrscht, wird zum Abschluss dieses Teils versucht, allgemeine verfassungsrechtliche Kriterien für Vermögensabschöpfungsmaßnahmen als einen angemessenen Grundrechtseingriff herauszuarbeiten.

II. Vermögensabschöpfungsregelung in den untersuchten Rechtsordnungen

A. Vermögensabschöpfung im Strafrecht

In diesem Kapitel werden die Anforderungen miteinander verglichen, die im deutschen und im polnischen Strafrecht an die Vermögensabschöpfungsmaßnahmen gestellt werden. Neben den Regelungen aus den Strafgesetzbüchern beider Länder werden auch diejenigen aus dem polnischen Fiskalstrafgesetzbuch berücksichtigt.

1. Tatgewinne

a) Abschöpfung der Gegenstände

aa) Anforderungen an die Abschöpfungsadressaten

i) Tatbeteiligte

Bei der Abschöpfung von Tatgewinnen ist der primäre Abschöpfungsadressat der Tatbeteiligte. Sowohl in Polen als auch in Deutschland werden an sein Verhalten unterschiedliche Voraussetzungen gestellt.[2] Je nachdem, was der Abschöpfungsgegenstand ist, reichen die Anforderungen vom Verdacht, dass eine Straftat begangen wurde, bis hin zur Verurteilung. Auf den ersten Blick sind die Anforderungen an die Abschöpfung vom Tatbeteiligten im polnischen Strafrecht grundsätzlich höher als im deutschen. Im polnischen Straf- und Fiskalstrafgesetzbuch wird bei den zwei grundlegenden Abschöpfungsmaßnahmen – Einziehung der Gegenstände und Einziehung des Vermögensvorteils – die Begehung einer Straftat, also einer tatbestandsmäßigen, rechtswidrigen und schuldhaften Tat, verlangt.[3] Gleichzeitig schränkt aber das Gesetz die Einziehung im Hinblick auf den subjektiven

---

[2] Siehe oben Teil 4.II.B.1.a); Teil 5.II.B.1.a) und II.C.1.a).

[3] Siehe oben Teil 5.II.B.1.a)aa) und bb), II.C.1.a)aa) und bb).

Tatbestand nicht ein. Die Maßnahmen können sowohl bei vorsätzlichen als auch bei fahrlässigen Straftaten angeordnet werden.[4] Im deutschen Strafrecht knüpft die Einziehung der Taterträge an eine rechtswidrige und die Einziehung der Tatprodukte an eine vorsätzliche Tat an.[5] Die erweiterte Einziehung im polnischen Recht knüpft an eine Verurteilung wegen der Anlasstat an, die spezielle gesetzliche Voraussetzungen erfüllen muss. Bezüglich der Erwerbstat formuliert das Gesetz keine Anforderungen, da die Verurteilung wegen der Anlasstat eine Beweislastumkehr begründet. Das Vermögen, das der Betroffene im Zeitraum von fünf Jahren vor der Tatbegehung erworben hat, gilt als strafrechtswidrig erlangt.[6] Somit ist trotz erhöhter Voraussetzung an die Anlasstat die Grundlage für den Zugriff auf das Vermögen sehr weitgehend und von der Handlung des Betroffenen nahezu losgelöst. Im deutschen Recht hingegen knüpft die erweiterte Einziehung an die Begehung einer rechtswidrigen Tat an. Die Begehung jeder Straftat kann die Anordnung erweiterter Einziehung begründen, wenn das Gericht zur Überzeugung gelangt, dass weitere rechtswidrige Taten begangen wurden, aus denen das Vermögen des Betroffenen stammt.[7] Trotz auf den ersten Blick niedrigerer Voraussetzungen an die Handlung des Betroffenen im deutschen Recht ist der Eingriff in das Eigentumsrecht im polnischen Recht weitergehend.

Teils unterschiedlich, teils ähnlich sind in den untersuchten Rechtsordnungen die Regelungen der selbständigen Einziehung.[8] Diese Maßnahme wird in den untersuchten Rechtsordnungen in diversen Fallkonstellationen angeordnet, wobei einige davon nur das deutsche Recht kennt. Zum einen kommt die selbständige Einziehung in Frage, wenn von der Strafe abgesehen oder das Verfahren eingestellt wird. Diese Fälle regelt im polnischen Recht Art. 45a § 1 k.k. und im deutschen § 76a Abs. 3.[9] Die Einziehungsanordnung ist in beiden Ländern fakultativ und davon abhängig, ob die übrigen Voraussetzungen der jeweiligen Einziehungsmaßnahme erfüllt sind. Bei dieser Maßnahme geht das polnische Recht etwas weiter und erlaubt die Einziehungsanordnung auch dann, wenn ein Strafausschließungsgrund vorliegt, bei Unzurechnungsfähigkeit des Täters oder wenn die soziale Schädlichkeit der Tat gering ist. Insbesondere in letzterem Fall handelt es sich um Verhalten, die gemäß der Definition in Art. 1 § 2 k.k. keine Straftat darstellen, wobei gegen die Person, die diese Handlung begangen hat, trotzdem eine strafrechtliche Maßnahme verhängt werden kann. Zum anderen ist die selbständige Einziehung anwendbar, wenn es zum Abschluss des Verfahrens durch Verurteilung nicht kom-

---

4 Vgl. Wróbel/Zoll-*Raglewski*, Kodeks karny, Art. 44 Rn. 22.

5 Siehe oben Teil 4.II.B.1.a)aa) und dd).

6 Siehe oben Teil 5.II.B.1.a)cc) und II.C.1.a)cc).

7 Siehe oben Teil 4.II.B.1.a)bb).

8 Selbständige Einziehung ist keine eigenständige Vermögensabschöpfungsmaßnahme in dem Sinne, dass sie nur besondere Voraussetzungen regelt, unter denen die übrigen Maßnahmen angewendet werden können.

9 Siehe oben Teil 4.II.B.1.a)gg); Teil 5.II.B.1.a)ee).

men kann. Diesen Fall der selbständigen Einziehung regelt im polnischen Strafrecht Art. 45a § 2 k.k. Die Maßnahme ist fakultativ und kann zur Anwendung kommen, wenn die Beweislage dafür spricht, dass im Fall einer Verurteilung die Einziehung angeordnet werden würde. Die Anforderungen an das Verhalten des Betroffenen ähneln somit denen der für die selbständige Einziehung gemäß § 76a Abs. 1 StGB geforderten.[10] Das deutsche Recht knüpft die selbständige Einziehungsanordnung für diesen Fall daran, ob die übrigen Voraussetzungen dieser Maßnahme erfüllt sind. Das polnische Gesetzeswerk nennt enumerativ die Fälle, in denen trotz fehlgeschlagener Verurteilung die Einziehung angeordnet werden kann. Diese sind: Tod des Täters, Einstellung des Verfahrens, weil der Täter nicht ermittelt beziehungsweise festgenommen werden oder am Verfahren wegen einer schweren Krankheit nicht teilnehmen kann. Das deutsche Recht hingegen bleibt bei einer allgemeinen Voraussetzung: Wegen einer Straftat kann keine bestimmte Person verurteilt oder verfolgt werden. Nach dem deutschen Recht ist selbständige Einziehung der Taterträge auch dann zulässig, wenn die Verfolgung der Straftat verjährt ist (§ 76a Abs. 3). Auch hier müssen die übrigen Anforderungen an die Handlung des Betroffenen erfüllt sein. Eine Abschöpfungsgrundlage für die Erträge aus einer verjährten Tat kennt das polnische Recht nicht.

Besonderen Voraussetzungen unterliegt im deutschen Recht die selbständige Einziehung nach § 76a Abs. 4 StGB. Die Maßnahme bezieht sich auf Gegenstände, die im Rahmen eines Verfahrens wegen einer der Katalogtaten sichergestellt wurden.[11] Sicherstellung ist obligatorisch, wenn dringende Gründe für die Annahme vorliegen, dass der Gegenstand im späteren Verfahren eingezogen wird. Jedoch ist für eine fakultative Beschlagnahme gemäß § 111b StPO der Anfangsverdacht ausreichend. Diese Anforderung an das Verhalten des Betroffenen bezieht sich auf das Anlassverfahren – das Verfahren, das den Anlass für die spätere selbständige Einziehung bilden kann. Der Betroffene ist der Verdächtigte im Anlassverfahren, da es nicht zur Verurteilung kommt, jedenfalls nicht vor der Einziehungsanordnung. Aus dem Gesetzeswortlaut ergibt sich auch nicht, dass das eingezogene Vermögen aus der Tat, die Gegenstand des Anlassverfahrens war, herrühren muss. Somit bietet § 76a Abs. 4 eine weitgehende Abschöpfungsgrundlage. Eine mit § 76a Abs. 4 vergleichbare Zugriffsmöglichkeit auf das Vermögen von Verdächtigten wegen einer schweren Straftat gibt es im polnischen Strafrecht nicht.

Neben den im Strafgesetz geregelten Maßnahmen ist aus der Rechtspraxis in Deutschland eine sogenannte formlose außergerichtliche Einziehung bekannt.[12] Sie bedeutet einen Verzicht des Beschuldigten auf die beschlagnahmten Vermögensgegenstände. Das Eigentum daran wird auf den Staat übertragen. Da es zur Abschöpfung noch vor dem endgültigen Abschluss des Strafverfahrens kommt, kann

---

10 Siehe oben Teil 4.II.B.1.a)gg); Teil 5.II.B.1.a)ee).

11 Siehe oben Teil 4.II.B.1.a)hh).

12 Siehe oben Teil 4.II.B.1.a)ii).

gesagt werden, dass die Maßnahme an einen hinreichenden Tatverdacht geknüpft ist. Diesen Verdachtsgrad setzt die Anklageerhebung voraus. Zu der außergerichtlichen Einziehung äußerte sich der deutsche Gesetzgeber bei der letzten Reform der Vermögensabschöpfung dahingehend, dass die reformierten Maßnahmen ihr nicht im Wege stehen sollen.[13] Zur formlosen Einziehung im polnischen Strafverfahren liegen keine Informationen vor.

ii) Unbeteiligte Dritte

Die Abschöpfung von aus der Tat stammenden Gegenständen von anderen Personen als dem Täter oder Teilnehmer beruht auf dem Gedanken, dass die unrechtmäßigen Vermögensvorteile grundsätzlich niemandem zukommen sollten. Darüber hinaus wird das Vermögen oft gerade deswegen auf einen Dritten übertragen, um einen staatlichen Zugriff darauf unmöglich zu machen.[14] Im polnischen Fiskalstrafrecht kommt noch ein weiterer Begründungsansatz hinzu, nämlich dass der Täter oft nicht für sich selbst, sondern für einen anderen handelt.[15] Es geht aber um Abschöpfung von Personen, deren Verhalten am Rande des Strafbaren liegt. Deswegen sind insbesondere gutgläubige Personen, die trotz erforderlicher Sorgfalt in den Besitz illegal erlangter Gegenstände gelangt sind, zu schützen. Die Abschöpfung von aus der Tat stammenden Gegenständen von anderen als dem Täter oder Teilnehmer unterliegt in vielen Fällen zusätzlichen Einschränkungen.

Aus der Ausarbeitung der nationalen Regelungen ergibt sich, dass in den untersuchten Rechtsordnungen bei der Abschöpfung von Dritten unterschiedliche Ansätze verfolgt werden. Während im deutschen Recht grundsätzlich die gleichen Maßnahmen wie gegen Tatbeteiligte gelten,[16] setzt der polnische Gesetzgeber auf die Abschöpfung des Wertersatzes von Tatbeteiligten.[17] Einziehung des Vermögensvorteils und Einziehung der Gegenstände nach dem allgemeinen Strafrecht können nur gegen den Täter und Teilnehmer angeordnet werden. Sollte dies wegen Veräußerung des Vorteils nicht möglich sein, wird die Einziehung des Wertersatzes angeordnet. Eine Ausnahme stellt die Einziehung der Gegenstände im Fiskalstrafrecht dar.[18] Diese ist gemäß Art. 31 § 1 i.V.m. Art. 29 Pkt. 1 k.k.s. auch dann anzuordnen, wenn die Abschöpfungsgegenstände nicht Eigentum des Täters sind. Einziehung ist nur dann ausgeschlossen, wenn der Täter an den Besitz der Gegenstände eines Dritten durch eine verbotene Tat gelangt ist. Einziehung von einem

13 Vgl. Deutscher Bundestag, 18. Wahlperiode, BT-Drs. 18/9525, S. 61.

14 Vgl. Deutscher Bundestag, 18. Wahlperiode, BT-Drs. 18/9525, S. 56 f.; Sejm RP, VIII kadencja, Druk sejmowy Nr. 1186, Begründung, S. 6.

15 Siehe nur Kardas u.a.-*Łabuda*, Kodeks karny skarbowy, Art. 33 Rn. 6.

16 Siehe oben Teil 4.II.B.1.a)cc) und ee).

17 Siehe oben Teil 5.II.B.1.b).

18 Siehe oben Teil 5.II.C.1.a)aa).

Dritten ist auch dann ausgeschlossen, wenn sie zur Schwere der Tat unverhältnismäßig wäre. Darüber hinaus kennt das polnische Fiskalstrafrecht eine besondere Maßnahme, die nur gegen Dritte angeordnet werden kann. Dabei handelt es sich um die Verpflichtung zur Herausgabe des Vermögensvorteils, geregelt in Art. 24 § 5 k.k.s.[19] Bei dieser speziellen Maßnahme muss der Täter gemäß Art. 24 § 1 k.k.s. ein Vertreter des Abschöpfungsadressaten gewesen sein und der Vertretene muss einen Vorteil aus der Tat erlangt haben. Es handelt sich um eine Form der Verantwortlichkeit für die Tat eines anderen, die durch das Vertretungsverhältnis begründet wird.[20]

Im deutschen Strafrecht können sowohl Tatprodukte als auch Taterlöse von einer anderen Person als dem Täter oder Teilnehmer eingezogen werden. Diese Einziehung ist im Strafgesetzbuch separat geregelt und unterliegt einschränkenden Voraussetzungen, die sich auf die Handlung der betroffenen Person beziehen. Die Einziehung der Tatprodukte kann angeordnet werden, wenn die Grundvoraussetzungen nach § 74 Abs. 1 StGB erfüllt sind und der Dritte den Gegenstand in Kenntnis dieser Umstände erworben hat.[21] Der Erwerb muss auf verwerfliche Weise erfolgt sein. Dies ist insbesondere dann gegeben, wenn der Dritte die Vereitelung der Einziehung beabsichtigt.[22] Einziehung der Taterträge von einem Dritten ist in vier Fallkonstellationen möglich, drei davon knüpfen an die objektiven Umstände an, unter denen der Dritte an die Abschöpfungsgegenstände gekommen ist.[23] Zu den objektiven Umständen gehört es, wenn der Täter oder Teilnehmer für den Dritten gehandelt und für ihn etwas erlangt hat, wenn die Übertragung ohne rechtlichen Grund oder unentgeltlich stattgefunden hat oder aber als Erbe, Pflichtteil oder Vermächtnis übertragen wurde. Darüber hinaus ist die Dritteinziehung auch unter der Voraussetzung zulässig, dass der Betroffene es hätte erkennen müssen, dass es sich um Vermögen illegaler Herkunft handelt. Sie knüpft also an einen subjektiven Umstand an. Für die erweiterte Einziehung gelten im deutschen Recht die gleichen Einschränkungen wie die oben genannten. Es müssen darüber hinaus die Grundvoraussetzungen gemäß § 73a erfüllt sein.

Im polnischen Recht haben die Regelungen der erweiterten Einziehung im Straf- und Fiskalstrafgesetzbuch zum Zweck, der Übertragung der Taterträge auf einen Dritten entgegenzuwirken.[24] Die erweiterte Einziehung knüpft an den bösen Glauben des Dritten beim Erwerb der Vermögensgegenstände an.[25] Die Regelung ist

---

19 Siehe oben Teil 5.II.C.1.a)ee).

20 Vgl. Wilk/Zagrodnik-*Wilk*, Kodeks karny skarbowy, Art. 24 Rn. 13; Kardas u.a.-*Razowski*, Kodeks karny skarbowy, Art. 24 Rn. 10 ff.

21 Siehe oben Teil 4.II.B.1.a)ee).

22 Vgl. Schönke/Schröder-*Eser/Schuster*, StGB-Kommentar, § 74a Rn. 10.

23 Siehe Teil 4.II.B.1.a)cc).

24 Siehe nur Wróbel/Zoll-*Raglewski*, Kodeks karny, Art. 45 Rn. 46.

25 Siehe oben Teil 5.II.B.1.a)dd) und II.C.1.a)dd).

mit § 73b Satz 1 Nr. 2 Buchstabe b vergleichbar,[26] mit dem Unterschied, dass nach polnischem Recht der Betroffene nachweisen muss, dass er anhand der Umstände des Erwerbs nicht hätte annehmen können, es handle sich um aus Straftaten herrührendes Vermögen. Sonst gilt infolge der Übertragung der Taterträge die Annahme, dass die Gegenstände im Eigenbesitz des Dritten dem Täter gehören und als solche eingezogen werden können. Die Vermutung stimmt mit dem Konzept, dass gegen den Täter grundsätzlich die Einziehung angeordnet wird, überein. Im deutschen Recht gilt in Bezug auf den guten Glauben keine Beweislastumkehr und der Einziehungsumfang erstreckt sich auf Vermögen, von denen das Gericht überzeugt ist, dass es aus rechtswidrigen Taten stammt. Dagegen ist im deutschen Recht die erweiterte Einziehung auf jede Straftat anwendbar und im polnischen nur auf diejenigen, die die Voraussetzungen in Art. 45 § 2 k.k. oder Art. 33 § 2 k.k.s. erfüllen.

bb) Anforderungen an den Abschöpfungsgegenstand und die tatbestandliche Anknüpfung

i) Rechtswidrige Tat und Verbindung mit dem Vermögen

In beiden Rechtsordnungen setzen die meisten Maßnahmen zur Abschöpfung von aus der Tat stammendem Vermögen einen Nachweis der rechtswidrigen Tat und einer Verbindung zwischen der Tat und dem Abschöpfungsgegenstand voraus. Im deutschen Strafrecht ist es die Einziehung der Tatprodukte und Taterträge von Tätern, Teilnehmern und anderen, die nach § 76a Abs. 1 bis 3 auch selbständig angeordnet werden kann.[27] Im polnischen Strafrecht und Fiskalstrafrecht ist es die Einziehung der Gegenstände und des Vermögensvorteils von Tatbeteiligten und von Dritten.[28] Im Strafrecht können diese Maßnahmen nach Art. 45a k.k. auch selbständig angeordnet werden.[29] Der Nachweis einer rechtswidrigen Tat wird auch bei der Verpflichtung zur Herausgabe des Vermögensvorteils bei Fiskalstraftaten nach Art. 24 § 5 k.k.s. verlangt.[30]

Die Verbindung zwischen der Tat und dem abzuschöpfenden Gegenstand wird in beiden Rechtsordnungen für die unterschiedlichen Maßnahmen unterschiedlich definiert. Beide Rechtsordnungen kennen Maßnahmen, die entweder eine unmittelbare oder eine mittelbare Verknüpfung verlangen. Sowohl im deutschen als auch im polnischen Recht werden Gegenstände, die unmittelbar aus einer Straftat stammen, eingezogen.[31] Neben der Abschöpfung der Gegenstände kennen aber auch beide Rechtssysteme Maßnahmen, die einen Zugriff auf mittelbare deliktische Er-

---

26 Siehe oben Teil 4.II.B.1.a)cc).

27 Siehe oben Teil 4.II.B.1.a)aa), cc), dd), ee), gg).

28 Siehe oben Teil 5.II.B.1.a)aa), bb) und II.C.1.a)aa), bb).

29 Siehe oben Teil 5.II.B.1.a)ee).

30 Siehe oben Teil 5.II.C.1.a)ee).

31 Siehe oben Teil 4.II.B.1.a)dd); Teil 5.II.B.1.a)aa) und II.C.1.a)aa).

träge ermöglichen.[32] Einziehung der Taterträge nach § 73 StGB umfasst das, was der Täter durch oder für die Tat erlangt hat. Im polnischen Strafgesetzbuch regelt Art. 45 § 1 k.k., und im Fiskalstrafgesetzbuch Art. 33 § 1 die Einziehung des Vermögensvorteils. Dieser kann auch mittelbar aus der Begehung einer Straftat stammen. Im Abschöpfungsumfang enthalten sind auch in beiden Rechtsordnungen die Nutzungen und Surrogate.

Der Unterschied zwischen dem deutschen und dem polnischen Recht liegt aber darin, wie das abzuschöpfende Vermögen bezeichnet wird. Daraus ergeben sich Unterschiede im Abschöpfungsumfang. Mit dem Gesetz zur Änderung des Außenwirtschaftsgesetzes ersetzte 1992 der deutsche Gesetzgeber den Begriff des Vermögensvorteils durch den Begriff „etwas".[33] Dadurch wurde der Einziehungsumfang erweitert und umfasst prinzipiell alles, was infolge der Tatbegehung dem Abschöpfungsadressaten zugeflossen ist. Im polnischen Recht ergibt sich aus der Bezeichnung des Abschöpfungsgegenstandes als Vermögensvorteil grundsätzlich ein engerer Umfang der Einziehung. Ein weiterer Unterschied zwischen den beiden Rechtsordnungen besteht darin, wie die Verknüpfung zwischen den Taterträgen und der deliktischen Handlung bezeichnet wird. Inhaltliche Unterschiede für den Kausalzusammenhang zwischen der Tat und dem Vermögen ergeben sich daraus jedoch nicht. Das deutsche Recht bezeichnet die Taterträge als ein durch eine rechtswidrige Tat oder für sie erlangtes Etwas.[34] Das polnische Recht spricht von einem Vermögensvorteil aus der Begehung einer Straftat.[35] Im Abschöpfungsumfang befinden sich auch die aus der Tat erlangten Vorteile, da diese auf die Begehung der strafbaren Handlung zurückzuführen sind.

Die gleichen Beweisanforderungen an den Abschöpfungsgegenstand, die Tat und die Verbindung zwischen der Tat und dem Gegenstand gelten bei selbständiger Einziehung der Tatprodukte und Taterlöse nach § 76a Abs. 1 bis 3 StGB und Art. 45a k.k.[36] Im polnischen Fiskalstrafgesetzbuch gibt es keine entsprechende Regelung. Vergleichbar sind die Beweisanforderungen an die gegen einen bereicherten Dritten gerichtete Verpflichtung zur Herausgabe des Vermögensvorteils nach Art. 24 § 4 des polnischen Fiskalstrafgesetzbuchs.[37] Die Erwerbstat muss zuvor im Strafverfahren nachgewiesen werden, da die Maßnahme an Verurteilung anknüpft. Der Kausalzusammenhang ist genauso wie bei der Einziehung zu bestimmen.

---

32 Siehe oben Teil 4.II.B.1.a)aa), cc); Teil 5.II.B.1.a)bb) und II.B.1.a)bb).

33 Siehe oben Teil 4.I.B.5.a).

34 Siehe oben Teil 4.II.B.1.a)aa).

35 Siehe oben Teil 5.II.B.1.a)bb); Teil 5.II.C.1.a)bb).

36 Siehe oben Teil 4.II.B.1.a)gg); Teil 5.II.B.1.a)ee).

37 Siehe oben Teil 5.II.C.1.a)ee).

ii) Rechtswidrige Tat und Verbindung zwischen dem Vermögen und einer (anderen) rechtswidrigen Tat

Einen Nachweis über die Begehung einer rechtswidrigen Tat und einer Verbindung zwischen dem Vermögen und einer anderen Tat verlangt das deutsche Strafrecht für die erweiterte Einziehung.[38] Im polnischen Strafrecht gibt es keine Maßnahme, die Vermögensabschöpfung unter diesen Voraussetzungen zulassen würde. Die rechtswidrige Anlasstat, an die die erweiterte Einziehung im deutschen Recht anknüpft, kann jeder Tatbestand sein. Wenn also im Lauf des Strafverfahrens das Gericht zur Überzeugung gelangt, dass sich beim Täter oder Teilnehmer Gegenstände befinden, die aus anderen rechtswidrigen Taten stammen, können diese eingezogen werden. Ein Nachweis über die Erwerbstat ist nicht notwendig, aber das Gericht muss zur vollen Überzeugung über eine rechtswidrige Herkunft der Gegenstände gelangen.

Der Unterschied zwischen Einziehung nach § 73 und der erweiterten Einziehung nach § 73a liegt darin, dass bei der erweiterten Einziehung die Erwerbstat kein Gegenstand des Strafverfahrens ist.[39] Die erweiterte Einziehung kommt infrage, wenn das Vermögen des Täters nicht zu seinen ermittelten persönlichen und wirtschaftlichen Verhältnissen passt und gleichzeitig keine Verbindung zwischen dem Vermögen und der nachgewiesenen Straftat festgestellt werden kann. In diesem Zusammenhang wird angenommen, dass das Vermögen aus anderen, unbekannten Straftaten stammt. Es muss aber auch geprüft werden, welche möglichen unbekannten Vermögensquellen in Frage kommen, da allein die Diskrepanz zwischen nachgewiesenen Einkünften und dem Vermögen nicht zwingend eine strafrechtswidrige Herkunft des Vermögens bedeutet. Die Grauzone, in der sich „nichtoffizielle“, aber nicht strafrechtswidrige Geschäfte befinden, darf dabei nicht vergessen werden. Schließlich soll ein Vermögensvorteil abgeschöpft werden und nicht das gesamte Vermögen.[40] Im Hinblick auf die Beweisanforderungen der erweiterten Einziehung kann hinterfragt werden, wie die Überzeugungsbildung in der Praxis aussehen soll. Einerseits wird die volle richterliche Überzeugung über die deliktische Herkunft des Vermögens verlangt,[41] gleichzeitig ist aber die Einsicht in die Einzelheiten der Erwerbstat nicht notwendig. Um eine Aussage über die deliktische Herkunft des Vermögens treffen zu können, muss die Tat bekannt und ein Kausalzusammenhang zwischen der Tat und dem Vermögen feststellbar sein. Anderenfalls kann die Entscheidung lediglich auf einer Wahrscheinlichkeitsabwägung beruhen; dies ist weder vom Gesetzgeber noch von der Rechtsprechung gewollt.[42] So

---

38 Siehe oben Teil 4.II.B.1.a)bb).

39 Siehe oben Teil 4.II.B.1.a)aa) und bb).

40 Vgl. *Hüls*, ZWH 2017, 249; *Meyer*, StV 2017, 349; Kindhäuser u.a.-*Saliger*, Nomos Kommentar, § 73d Rn. 3.

41 Vgl. BGH NStZ 2001, 531.

42 Vgl. Deutscher Bundestag, 18. Wahlperiode, BT-Drs. 18/9525, S. 57 f.; BGH NStZ 2001, 531.

gesehen liegt der Unterschied zwischen der einfachen und der erweiterten Einziehung darin, dass bei der erweiterten die Erwerbstat nicht Gegenstand des Strafverfahrens ist.

iii) Annahme einer Verbindung zwischen dem Vermögen und einer rechtswidrigen Tat

Bei der erweiterten Einziehung im polnischen Straf- und Fiskalstrafrecht wird aus der Begehung einer rechtswidrigen Tat auf die strafrechtswidrige Herkunft des Vermögens des Täters geschlussfolgert.[43] Die formelle Voraussetzung ist die Verurteilung wegen der Anlasstat. Die Beweislast bezüglich der Herkunft des Vermögens im Zeitraum von fünf Jahren vor der Tatbegehung bis zu dem Erlass des Urteils trägt der Betroffene. Wegen der Beweislastumkehr muss keine Verbindung zwischen dem Vermögen und einer Erwerbstat nachgewiesen werden. Die Anlasstat für die erweiterte Einziehung kann nicht jede Straftat sein. Sowohl das Straf- als auch das Fiskalstrafgesetz beschränken die Anwendung der Maßnahme auf Delikte, die bestimmte Voraussetzungen erfüllen: ein erheblicher Vermögensvorteil aus der Anlasstat, Begehung einer mit Freiheitsstrafe von bestimmtem Mindestmaß bedrohten Tat, aus der der Täter einen Vermögensvorteil erlangt hat oder hätte erlangen können, schließlich Begehung der Anlasstat in einer organisierten Gruppe, wenn der Täter aus der Tat einen Vermögensvorteil erlangt hat oder hätte erlangen können. Im Fiskalstrafrecht unterscheiden sich die Voraussetzungen für die Anknüpfungstat nicht signifikant von denen, die im allgemeinen Strafrecht gelten.

Wenn das Vermögen auf eine andere Person übertragen wurde, kann es auch von dieser Person eingezogen werden. Dabei wird angenommen, dass das auf den Dritten übertragene Vermögen weiterhin dem Täter gehört. Dies gilt dann, wenn der Täter auf den Dritten einen Vermögensvorteil aus der Tat übertragen hat und anhand der Erwerbsumstände erkennbar war, dass es sich um Vermögen krimineller Herkunft handelt. Der Beweis eines gutgläubigen Erwerbs obliegt dem Betroffenen. Einziehung umfasst die Vermögenswerte im Eigenbesitz des Dritten.[44] Die Überprüfung einer Verknüpfung zwischen diesen und der strafrechtswidrigen Handlung ist nicht notwendig, nur die Übertragung muss durch die Strafverfolgung bewiesen werden.[45]

---

43 Siehe oben Teil 5.II.B.1.a)cc), dd) und II.C.1.a)cc), dd).

44 Vgl. Giezek u.a.-*Kłączyńska*, Kodeks karny. Część ogólna, Art. 45 Rn. 12; Wróbel/Zoll-*Raglewski*, Kodeks karny, Art. 45 Rn. 47; Berent/Filar-*Stefański*, Kodeks karny, Art. 45 Rn. 12.

45 Vgl. Królikowski u.a.-*Szczucki*, Kodeks karny – część ogólna, Bd. II, Art. 45 Rn. 25.

iv) Überzeugung über eine Verbindung zwischen dem Vermögen und einer rechtswidrigen Tat

Die selbständige Einziehung nach § 76a Abs. 4 StGB soll der Abschöpfung von Vermögen unklarer Herkunft dienen.[46] Für ihre Anordnung ist der Nachweis einer konkreten rechtswidrigen Tat nicht notwendig. Die Vorschrift kommt zur Anwendung, wenn wegen des Verdachts einer der Katalogtaten ein Verfahren eröffnet wurde und in diesem Verfahren Gegenstände sichergestellt wurden. Diese Gegenstände können im selbständigen Verfahren eingezogen werden, vorausgesetzt, die Verfolgung oder Verurteilung des Betroffenen ist nicht möglich. Die Gründe dieser Unmöglichkeit können sowohl tatsächlicher als auch rechtlicher Natur sein. Die Abschöpfung knüpft somit an ein Anlassverfahren an. Im Gegensatz zu den übrigen Fällen der selbständigen Einziehung, geregelt in § 76a Abs. 1 bis 3, erfordert die Einziehung nach Abs. 4 nicht, dass die Grundvoraussetzungen der Abschöpfung anderer Vorschriften des StGB erfüllt sind. Die Norm stellt eine eigene Abschöpfungsgrundlage mit geringeren Beweisanforderungen dar.[47] Die Verbindung zwischen den sichergestellten Gegenständen und der Tat, die Gegenstand des Verfahrens ist, muss nicht nachgewiesen werden. Die einzuziehenden Gegenstände müssen auch nicht aus dieser Tat, beziehungsweise können aus anderen rechtswidrigen Taten stammen. Das Gericht muss jedoch davon überzeugt sein, dass das sichergestellte Vermögen deliktischer Herkunft ist.[48] Die Entscheidung muss allerdings auf ein grobes Missverhältnis zwischen dem Wert des einzuziehenden Gegenstandes und den rechtmäßigen Einkünften des Beschuldigten gestützt sein. Darüber hinaus wird die Verbindung zwischen dem Vermögensgegenstand und einer rechtswidrigen Tat durch das Merkmal „herrühren" bestimmt. Deswegen reicht für die Einziehung ein bestehender wirtschaftlicher Kausalzusammenhang zwischen dem Gegenstand und einer Tat aus. Der Abschöpfungsumfang umfasst somit Vermögenswerte, die nur zum Teil mit strafrechtswidrigen Mitteln erworben wurden.[49]

Mit der selbständigen Einziehung kann die formlose außergerichtliche Einziehung verglichen werden, bei der der Beschuldigte auf die sichergestellten Gegenstände verzichtet.[50] Die Verbindung zwischen einer rechtswidrigen Tat und dem Abschöpfungsgegenstand muss auch nicht nachgewiesen werden. Die Überzeugung über eine rechtswidrige Herkunft des abzuschöpfenden Vermögens, die bei der selbständigen Einziehung vorliegen muss, wird durch die Verzichtserklärung des Betroffenen ersetzt. Der wesentliche Unterschied liegt zum einen darin, dass

---

46 Deutscher Bundestag, 18. Wahlperiode, BT-Drs. 18/9525, S. 73; siehe oben Teil 4. II.B.1.a)hh).

47 Vgl. *Meyer*, StV 2017, 345 f.; *Marstaller/Zimmermann*, Non-conviction-based confiscation in Deutschland? S. 40 ff.

48 Vgl. Deutscher Bundestag, 18. Wahlperiode, BT-Drs. 18/9525, S. 73.

49 Siehe *Meyer*, StV 2017, 345; *Rönnau/Begemeier*, JZ 2018, 446.

50 Siehe oben Teil 4.II.B.1.a)ii).

der Betroffene an der formlosen außergerichtlichen Einziehung aktiv beteiligt ist und bei selbständiger Einziehung die Entscheidung ohne seine Teilnahme am Prozess getroffen wird. Zum anderen ist die formlose Einziehung, im Gegensatz zu der selbständigen, nicht auf Verfahren wegen bestimmter Katalogdelikte beschränkt. Der wichtigste Unterschied liegt jedoch darin, dass die formlose Einziehung gesetzlich nicht geregelt ist; somit gelten dabei keine festen Beweisanforderungen.

b) Zahlung eines Geldbetrages

aa) Anforderungen an die Abschöpfungsadressaten

i) Tatbeteiligte

Wenn die primäre Einziehung von aus der Tat stammendem Vermögen nicht angeordnet werden kann, kann in beiden Rechtsordnungen dessen Wert vom Täter oder Teilnehmer eingezogen werden. Die Voraussetzungen an die Handlung des Betroffenen sind bei der Einziehung des Wertes gleich wie bei der primären Einziehung. Nach dem deutschen Strafrecht ist es die Begehung einer rechtswidrigen Tat für die Einziehung des Wertes von Taterträgen gemäß § 73c StGB und die Begehung einer vorsätzlichen Tat für die Einziehung des Wertes von Tatprodukten nach § 74c.[51] Im polnischen Straf- und Fiskalstrafrecht knüpft die Einziehung des Wertes sowohl der unmittelbar aus der Tat stammenden Gegenstände nach Art. 44 § 4 k.k. und Art. 32 § 1 k.k.s. als auch des Vermögensvorteils nach Art. 45 § 1 k.k. und Art. 33 § 1 Satz 1 k.k.s. an die Begehung einer Straftat an.[52] Einziehung des Wertersatzes von einem Tatbeteiligten kann in beiden Rechtsordnungen grundsätzlich auch selbständig angeordnet werden. Hierfür müssen die übrigen Voraussetzungen für die Maßnahme erfüllt sein; somit gelten die gleichen Anforderungen an die Handlung des Betroffenen.

Eine Voraussetzung der Einziehung des Wertes ist die Unmöglichkeit der primären Einziehung.[53] Wenn es sich dabei um den Wert von Taterträgen handelt, ordnet das Gericht in beiden Rechtsordnungen stets die Einziehung des Wertes an.[54] Unterschiede gibt es bei der Einziehung des Wertes der aus der Tat stammenden Gegenstände. Bei der Einziehung des Wertes von Tatprodukten nach dem deutschen Recht muss nach § 74c Abs. 1 StGB der Täter oder Teilnehmer den einzuziehenden Gegenstand veräußert, verbraucht oder auf eine andere Art die Einzie-

---

[51] Siehe oben Teil 4.II.B.1.b)aa) und bb).

[52] Siehe oben Teil 5.II.B.1.b)aa) und bb), II.C.1.b)aa) und bb).

[53] Ob im polnischen Strafrecht die Unmöglichkeit Voraussetzung für die Einziehung des Wertes des Vermögensvorteils ist, bleibt umstritten. Siehe nur Wilk/Zagrodnik-*Wilk*, Kodeks karny skarbowy, Art. 33 Rn. 2. Siehe oben Teil 5.II.B.1.b)bb).

[54] Vgl. § 73c StGB, Art. 45 § 1 k.k., Art. 33 § 1 Satz 2 k.k.s. Siehe oben Teil 4. II.B.1.b)aa) und bb); Teil 5.II.B.1.b)aa) und bb), II.C.1.b)aa) und bb).

hung vereitelt haben.[55] Die Voraussetzung für die Abschöpfung des Wertersatzes ist somit ein aktives Tun des Betroffenen, das dazu geführt hat, dass die primäre Einziehung nicht mehr möglich ist. Wurde der Gegenstand mit dem Recht eines Dritten belastet, kann nach Abs. 2 auch sein Wert eingezogen werden. Im polnischen Strafrecht knüpft die Einziehung des Wertes der unmittelbar aus der Tat stammenden Gegenstände nach Art. 44 § 4 k.k. allein an die Unmöglichkeit der primären Einziehung an.[56] Im Fiskalstrafrecht sind die Voraussetzungen dieser Maßnahme ausführlicher geregelt.[57] Nach Art. 32 § 1 k.k.s. kann sie angeordnet werden, wenn der primäre Einziehungsgegenstand zerstört, verloren oder verschleiert wurde oder seine Einziehung aus anderen rechtlichen oder faktischen Gründen nicht möglich ist. Trotz der Aufzählung der Unmöglichkeitsgründe hat diese Norm aus Sicht des Betroffenen keine einschränkende Wirkung. Zum einen, weil neben den genannten auch andere rechtliche und faktische Gründe zur Unmöglichkeit der primären Einziehung führen können, zum anderen muss die Einziehung nicht durch die Handlung des Betroffenen vereitelt worden sein.

ii) Unbeteiligte Dritte

Die Zahlung eines Geldbetrages statt primärer Einziehung kann auch gegen eine andere Person als den Täter oder Teilnehmer angeordnet werden. Im deutschen Strafrecht kann der Wert von Taterträgen gemäß § 73c StGB auch von einem anderen eingezogen werden, wenn die Voraussetzungen der primären Einziehung des Gegenstandes erfüllt sind, diese aber nicht möglich ist.[58] Für die Handlung des Dritten gelten somit die gleichen Voraussetzungen wie bei der primären Einziehung. Der Wert von Tatprodukten wird nicht von einem anderen als dem Täter oder Teilnehmer eingezogen.

Im polnischen Recht wird der Wert der Gegenstände und des Vermögensvorteils von einer anderen Person als dem Täter oder Teilnehmer nicht eingezogen. Im Fiskalstrafrecht kann aber der Dritte zur Zahlung eines Geldbetrages gemäß Art. 24 §§ 1 und 2 k.k.s. verpflichtet werden.[59] Die Norm regelt die subsidiäre Haftung für die Einziehung des Wertes von Gegenständen. Die Maßnahme wird angeordnet, wenn der Täter als Vertreter eines Dritten gehandelt hat und der Dritte aus der Tat einen Vermögensvorteil erlangt hat oder hätte erlangen können. Der subsidiär Haftende muss den angeordneten Geldbetrag erst dann leisten, wenn der Vollzug der Einziehung vom Täter erfolglos war. Die Anordnung ist nicht von der Handlung des Betroffenen, sondern von seiner Stellung gegenüber dem Täter und vom aus

55 Siehe oben Teil 4.II.B.1.b)bb).

56 Siehe oben Teil 5.II.B.1.b)aa).

57 Siehe oben Teil 5.II.C.1.b)aa).

58 Siehe oben Teil 4.II.B.1.b)aa).

59 Siehe oben Teil 5.II.C.1.b)cc).

der Tat erlangten Vermögensvorteil abhängig. Die Unabhängigkeit vom Verschulden ergibt sich aus dem Text der Norm. Teilweise wird aber das Aufsichtsverschulden *(culpa in custodiendo)* oder das Verschulden in der Auswahl der Person *(culpa in eligendo)* als eine zusätzliche, ungeschriebene und einschränkende Voraussetzung der subsidiären Haftung herangezogen.[60]

bb) Anforderungen an den Abschöpfungsgegenstand und die tatbestandliche Anknüpfung

Die Anforderungen an die Erwerbstat und die Verknüpfung zwischen der Tat und dem Vermögen sind bei der Geldzahlungspflicht die gleichen wie bei der primären Einziehung.[61] Es muss dabei eine Verbindung zwischen dem primären Abschöpfungsgegenstand und der Erwerbstat bestehen. Dies betrifft nicht den eigentlichen Abschöpfungsgegenstand – einen Geldbetrag, der den Wert des primären Abschöpfungsgegenstands repräsentiert. Der Wert des Erlangten und der Tatprodukte kann nach deutschem Recht geschätzt werden.[62] Im polnischen Recht wurde eine Schätzungsregelung für den Wertersatz der Tatprodukte im Fiskalstrafgesetzbuch vorgesehen.[63] Der Abschöpfungsumfang wird nach dem Bruttoprinzip bestimmt. Dies gilt sowohl im deutschen als auch im polnischen Recht, das Prinzip wird jedoch unterschiedlich definiert.[64] Nach der letzten Reform der strafrechtlichen Vermögensabschöpfung in Deutschland können nach § 73d Abs. 1 StGB die Aufwendungen des Abschöpfungsadressaten, mit Ausnahme dessen, was für die Begehung und Vorbereitung der Tat aufgewendet wurde, von dem einzuziehenden Geldbetrag abgezogen werden. Im polnischen Strafrecht gilt das uneingeschränkte Bruttoprinzip.[65] Es ergibt sich aus der Auslegung des Begriffs „Vermögensvorteil“. Die Rechtsprechung versteht unter einem Vermögensvorteil alle Vermögenswerte, die aus der Straftat stammen, und nicht allein den Gewinn des Täters. Aus diesem Grund ist es nicht gerechtfertigt, die Ausgaben des Täters vom Abschöpfungsgegenstand abzuziehen.

---

60 Siehe nur *Błaszczyk/Zbrojewska*, Prawo karne skarbowe, S. 94; Bojarski-*Prusak/Skowronek*, Szczególne dziedziny prawa karnego, Kapitel I § 11 Rn. 280.

61 Siehe oben II.A.1.a)bb).

62 Vgl. § 73d Abs. 2, § 74c Abs. 3 StGB.

63 Vgl. Art. 32 § 2 k.k.s.

64 Siehe oben Teil 4.II.B.1; Teil 5.II.1.a)bb).

65 Vgl. Wróbel/Zoll-*Raglewski*, Kodeks karny, Art. 45 Rn. 8.

2. Tatmittel

a) Abschöpfung der Gegenstände

aa) Anforderungen an die Abschöpfungsadressaten

i) Tatbeteiligte

Die Einziehung der zur Tatbegehung verwendeten Gegenstände (Tatmittel) regelt im deutschen Strafrecht § 74 StGB.[66] Die Maßnahme knüpft an eine vorsätzliche Handlung des Täters oder Teilnehmers an. Sie findet Anwendung bei einer zumindest versuchten vorsätzlichen Tat. Eine fahrlässige Handlung des Täters oder Teilnehmers bleibt im Hinblick auf diese Norm ohne Konsequenzen. Tatmittel können nach deutschem Recht im Rahmen der Sicherungseinziehung auch dann eingezogen werden, wenn der Täter oder Teilnehmer ohne Schuld gehandelt hat. Im polnischen Recht regeln Art. 44 § 2 k.k. und Art. 29 Pkt. 2 k.k.s. die Einziehung der zur Tatbegehung verwendeten Gegenstände.[67] In der Literatur wird diese Kategorie der Abschöpfungsgegenstände als Tatwerkzeuge bezeichnet. Einziehung der Tatwerkzeuge setzt einen Tatversuch voraus, ist aber nicht auf vorsätzliche Delikte beschränkt. Eine solche Einschränkung wird jedoch aus kriminalpolitischen Gründen in der Literatur zum Teil befürwortet. Einziehung bei fahrlässigen Straftaten wird als widersprüchlich zum präventiven Zweck der Norm gesehen.[68] Sie wäre aber auch nach Art. 44 § 3 k.k. und Art. 31 § 3 Pkt. 1 k.k.s. als unverhältnismäßig zu bewerten. Im polnischen Strafrecht kann nach Art. 44a § 1 k.k. als Tatwerkzeug auch ein Unternehmen eingezogen werden.[69] Die Abschöpfungsnorm knüpft an eine Verurteilung des Unternehmenseigentümers wegen einer Tat an, aus der er einen Vermögensvorteil von erheblichem Wert erlangt hat. Das Unternehmen muss er entweder zur Tatbegehung oder zum Verschleiern des aus der Tat erlangten Vorteils gebraucht haben.

Tatmittel (Tatwerkzeuge) können auch selbständig eingezogen werden. Nach deutschem Recht ist dies möglich, wenn wegen der Straftat keine bestimmte Person verfolgt oder verurteilt werden kann, bei Absehen von Strafe und bei Einstellung des Verfahrens.[70] Im polnischen Strafrecht können Gegenstände, die zur Tatbegehung verwendet oder dazu bestimmt wurden, nach Art. 45a § 2 k.k. selbständig eingezogen werden, wenn der Täter gestorben ist, bei Einstellung des Verfahrens wegen unbekanntem Täter, bei Aussetzung des Verfahrens, wenn der Täter nicht festgenommen werden kann oder wenn er am Verfahren wegen schwerer Krankheit

---

66 Siehe oben Teil 4.II.B.2.a)aa).

67 Siehe oben Teil 5.II.B.2.a)aa), II.C.2.a)aa).

68 Vgl. Wróbel/Zoll-*Raglewski*, Kodeks karny, Art. 44 Rn. 35; *Prusak*, Kodeks karny skarbowy, Art. 29 Rn. 12.

69 Siehe oben Teil 5.II.B.2.a)cc).

70 Siehe oben Teil 4.II.B.2.a)dd).

nicht teilnehmen kann. Darüber hinaus kann die Einziehung bei Vorliegen der Umstände, die die Verhängung einer Strafe ausschließen, angeordnet werden, sowie wenn Unzurechnungsfähigkeit gemäß Art. 31 § 1 k.k. vorliegt, die Tat geringe soziale Schädlichkeit aufweist oder das Verfahren mit Auflagen eingestellt wurde.[71]

ii) Unbeteiligte Dritte

Abschöpfung der zur Tatbegehung verwendeten Gegenstände kann sich nach deutschem Strafrecht auch gegen andere Personen als den Täter oder Teilnehmer richten.[72] Voraussetzung für die Abschöpfung ist zum einen leichtfertiges Verhalten, das dazu geführt hat, dass Gegenstände als Tatmittel benutzt wurden (§ 74a Nr. 1). Zum anderen kann sich die Maßnahme gegen einen Dritten richten, wenn dieser den Abschöpfungsgegenstand in Kenntnis der Umstände, die die Einziehung zulassen würden, erworben hat (§ 74a Nr. 2). Gegen unbeteiligte Dritte kann auch Sicherungseinziehung nach § 74b Abs. 1 Nr. 2 angeordnet werden. Hierfür ist das Vorliegen zusätzlicher Voraussetzungen nicht nötig. Für eine Sicherungseinziehung wird der Betroffene grundsätzlich entschädigt, es sei denn, er hat zu der Verwendung seines Eigentums als Tatmittel leichtfertig beigetragen oder dieses Tatmittel in Kenntnis der Umstände, die die Einziehung rechtfertigen, erworben.

Im polnischen Strafrecht knüpft die Einziehung der Tatwerkzeuge von einem Dritten nicht an bestimmte Voraussetzungen bezüglich der Handlung an. Sie ist aber nicht bei jedem Tatbestand zulässig, sondern muss ausdrücklich im Tatbestand vorgesehen sein.[73] Eine Ausnahme davon ist die Einziehung der Tatwerkzeuge im Fiskalstrafrecht nach Art. 31 § 1a k.k.s. Die Maßnahme knüpft an eine leichtfertige Handlung des Betroffenen an: Der Abschöpfungsadressat muss vorausgesehen haben oder hätte es voraussehen können, dass die Gegenstände zur Begehung einer Fiskalstraftat gebraucht werden.[74] Diese Regelung ähnelt § 74a Nr. 1 StGB. Eine zweite Ausnahme ist im Strafrecht die Einziehung eines Unternehmens, das einer anderen Person als dem Täter oder Teilnehmer gehört. Nach Art. 44a § 2 k.k. kann diese angeordnet werden, wenn der Dritte die Verwendung des Unternehmens zur Tatbegehung oder zum Verschleiern des aus der Tat erlangten Vermögensvorteils wollte oder billigend in Kauf nahm.[75] Die Anforderungen an die Handlung des Betroffenen sind somit mit denen an den Vorsatz des Täters vergleichbar. Trotz Erfüllung dieser Voraussetzungen wird das Unternehmen nicht eingezogen, wenn die Einziehung nach Art. 44a § 5 k.k. zum Verhalten des Dritten und seiner Motivation unverhältnismäßig wäre.

---

71 Siehe oben Teil 5.II.B.2.a)ee).

72 Siehe oben Teil 4.II.B.2.a)bb).

73 Siehe oben Teil 5.II.B.2.a)bb).

74 Siehe oben Teil 5.II.C.2.a)bb).

75 Siehe oben Teil 5.II.B.2.a)dd).

bb) Anforderungen an den Abschöpfungsgegenstand und die tatbestandliche Anknüpfung

In den untersuchten Rechtsordnungen werden als Tatmittel (Tatwerkzeuge) Gegenstände eingezogen, die zur Tatbegehung verwendet wurden oder dazu bestimmt waren. Abschöpfung findet im Rahmen des Strafverfahrens statt, und die Verbindung mit einer konkreten Tat, die Gegenstand des Verfahrens ist, wird vorausgesetzt.[76] Bei der Tat muss es sich zumindest um einen strafbaren Versuch handeln, wobei im polnischen Recht nach Art. 13 k.k. jeder Versuch strafbar ist. Im Hinblick darauf, wie der Abschöpfungsumfang definiert wird, werden im polnischen Strafrecht nur Gegenstände eingezogen, deren Gebrauch die Verwirklichung des Tatbestands ermöglicht oder wesentlich erleichtert hat. Diese Einschränkung ergibt sich nicht unmittelbar aus dem Gesetz, sondern aus der Rechtsprechung, und wird auch in der Literatur bestätigt.[77] Als Tatwerkzeuge können nicht die vor und nach der Tatbegehung verwendeten Gegenstände eingezogen werden.[78] Nach deutschem Recht hingegen werden als Tatmittel Gegenstände eingezogen, die die Tatbegehung auch mittelbar gefördert haben.[79] Zeitlich gilt dies auch für die Vorbereitungsphase, die in § 74 Abs. 1 StGB genannt wird. Somit ist der Abschöpfungsumfang weiter als im polnischen Strafrecht, in dem die Einziehung von in der Vorbereitungsphase verwendeten Gegenständen nur dann zulässig ist, wenn die Vorbereitung selbst eine strafbare Handlung darstellt.

Hinsichtlich des Abschöpfungsumfangs gelten für die Einziehung des Unternehmens im polnischen Strafrecht besondere Voraussetzungen.[80] Das Unternehmen kann eingezogen werden, wenn es zur Begehung der Tat oder zum Verschleiern des Vermögensvorteils verwendet wurde. Für die Bestimmung des Abschöpfungsumfangs nach Art. 44a k.k. gilt eine Beweiserleichterung, es ist nämlich ausreichend, dass ein Bestandteil des Unternehmens als Tatwerkzeug verwendet wurde, um die Einziehbarkeit des ganzen Unternehmens zu begründen.[81]

---

[76] Siehe oben Teil 4.II.B.2.a); Teil 5.II.B.2.a), II.C.2.a).

[77] Vgl. post. SN z 30.09.2010 r., I KZP 17/19, OSNKW 2010, nr 10, poz. 88; siehe auch *Stefańska*, in: Stefański (Hrsg.), Środki karne po nowelizacji, S. 343; Wróbel/Zoll-*Raglewski*, Kodeks karny, Art. 44 Rn. 27 f.

[78] Siehe Wróbel/Zoll-*Raglewski*, Kodeks karny, Art. 44 Rn. 28.

[79] Vgl. Schönke/Schröder-*Eser/Schuster*, StGB-Kommentar, § 74 Rn. 11 f.

[80] Siehe oben Teil 5.II.B.2.a)cc) und dd).

[81] Siehe *Szeleszczuk*, Prokuratura i Prawo 2017, 47 f.

b) Zahlung eines Geldbetrages

aa) Anforderungen an den Abschöpfungsadressaten

i) Tatbeteiligte

Im Fall der Unmöglichkeit der primären Einziehung von Tatmitteln kann im deutschen Strafrecht nach § 74c StGB der Wert dieser Gegenstände vom Täter oder Teilnehmer eingezogen werden.[82] Dies gilt, wenn die Unmöglichkeit durch eine Handlung des Betroffenen verursacht wurde oder wenn der Betroffene die Einziehung vereitelt hat. Die Einziehung des Wertes von Tatmitteln kann auch dann angeordnet werden, wenn der Gegenstand mit dem Recht eines Dritten belastet ist, der für die Einziehung entschädigt werden müsste.

Die Einziehung des Wertes der Tatwerkzeuge vom Täter oder Teilnehmer kann auch im polnischen Recht angeordnet werden.[83] Nach Art. 44 § 4 kann die Einziehung des Wertes auch bei Unmöglichkeit der primären Einziehung angeordnet werden. Das polnische Strafgesetzbuch bestimmt aber die Einziehungsvoraussetzungen nicht näher. Die Maßnahme ist somit nicht, wie nach deutschem Recht, auf die Fälle beschränkt, in denen der Betroffene durch seine Handlung die Unmöglichkeit verursacht hat. Das Fiskalstrafgesetzbuch nennt beispielhaft Gründe der Unmöglichkeit primärer Einziehung. Sie kann sich sowohl aus tatsächlichen als auch aus rechtlichen Gründen ergeben, die aber nicht durch den Betroffenen selbst verursacht worden sein müssen.[84] Wertersatz kann nach Art. 44a § 1 k.k. auch statt Einziehung des Unternehmens, das zur Tatbegehung oder zum Verschleiern des Vorteils aus der Tat gebraucht wurde, angeordnet werden. Dabei liegt die Entscheidung zwischen primärer Einziehung und Einziehung des Wertes im Ermessen des Gerichts.[85]

ii) Unbeteiligte Dritte

Einziehung des Wertes der Tatmittel (Tatwerkzeuge) kann in beiden Rechtsordnungen grundsätzlich nur gegen den Täter oder Teilnehmer angeordnet werden. Eine Ausnahme davon ist im polnischen Strafrecht nach Art. 44a § 2 k.k. die Einziehung des Wertes eines Unternehmens, das zur Tatbegehung oder zum Verschleiern des Vermögensvorteils aus der Tat verwendet wurde.[86] Sie richtet sich gegen eine an der Tat unbeteiligte Person. Für die Anordnung dieser Maßnahme gelten die gleichen Voraussetzungen wie für die primäre Einziehung des Unternehmens. Sie setzt vo-

---

[82] Siehe oben Teil 4.II.B.2.b).

[83] Siehe oben Teil 5.II.B.2.b), II.C.2.b).

[84] Vgl. Kardas u.a.-*Łabuda*, Kodeks karny skarbowy, Art. 32 Rn. 6.

[85] Siehe oben Teil 5.II.B.2.b)bb).

[86] Siehe oben Teil 5.II.B.2.b)cc).

raus, dass der Betroffene den strafrechtswidrigen Gebrauch seines Unternehmens gewollt oder billigend in Kauf genommen hat. Die Wahl zwischen primärer Einziehung und Einziehung des Wertes liegt im Ermessen des Gerichts.

bb) Anforderungen an den Abschöpfungsgegenstand und die tatbestandliche Anknüpfung

In Bezug auf den Abschöpfungsgegenstand und die tatbestandliche Anknüpfung ist im deutschen Recht die Einziehung des Wertes von Tatmitteln nach § 74c StGB an die gleichen Voraussetzungen wie die primäre Einziehung gebunden.[87] Darüber hinaus muss die Unmöglichkeit der primären Einziehung durch die Handlung des Täters oder Teilnehmers verursacht worden sein. Für die Bestimmung des Abschöpfungsumfangs gilt nach § 74c Abs. 3 StGB die Möglichkeit, den Wert des primären Einziehungsgegenstands oder seiner zu berücksichtigenden Belastung durch ein Recht eines Dritten zu schätzen. Auch im polnischen Recht gelten für die Einziehung des Wertes von Tatwerkzeugen die gleichen Voraussetzungen wie für die primäre Einziehung der Gegenstände.[88] Es gibt aber keine Schätzungsklausel bezüglich des Werts von primären Einziehungsgegenständen.

B. Vermögensabschöpfung im Ordnungswidrigkeitenrecht

Im folgenden Kapitel werden die Vermögensabschöpfungsmaßnahmen im Ordnungswidrigkeitenrecht beider Rechtsordnungen verglichen.[89] Vermögensabschöpfung spielt bei Ordnungswidrigkeiten generell eine geringere Rolle als bei Straftaten,[90] da diese Delikte eine geringere Schwere als Straftaten haben.

1. Tatgewinne

a) Abschöpfung der Gegenstände

aa) Anforderungen an die Abschöpfungsadressaten

i) Tatbeteiligte

In beiden Rechtsordnungen können die aus der Ordnungswidrigkeit stammenden Gegenstände vom Täter eingezogen werden. Dies gilt jedoch nur, wenn die Maß-

---

87 Siehe oben Teil 4.II.B.2.b).

88 Siehe oben Teil 5.II.B.2.b), II.C.2.b).

89 In polnischer Rechtsterminologie: Übertretungen. Im folgenden Kapitel wird bei der Rechtsvergleichung der Begriff „Ordnungswidrigkeit" verwendet.

90 Dies gilt mit der Ausnahme der Unternehmensgeldbuße nach § 130 Abs. 3 OWiG, die in Höhe von bis zu einer Million Euro verhängt werden kann. Da sich die vorliegende Arbeit nur mit der Verantwortlichkeit natürlicher Personen befasst, wird diese Sanktion nicht näher erläutert.

nahme im Tatbestand ausdrücklich vorgesehen ist.[91] Dabei hat die Einziehung im Ordnungswidrigkeitenrecht eine andere Stellung als im Strafrecht. Im deutschen Recht ist sie gemäß § 22 Abs. 1 OWiG Nebenfolge einer Ordnungswidrigkeit.[92] Im polnischen Recht gehört sie nach Art. 28 § 1 Pkt. 2 k.w. zu den Strafmaßnahmen.[93] Aus dem Charakter der Maßnahme folgt, dass ihre Anordnung grundsätzlich die Begehung einer Ordnungswidrigkeit voraussetzt und das Verschulden des Täters berücksichtigt wird. Eine Ausnahme davon stellt in beiden Rechtsordnungen die selbständige Einziehung der Gegenstände dar.[94] Diese knüpft an die Begehung einer rechtswidrigen Tat an. Im polnischen Recht kann die Einziehung nach Art. 28 § 3 k.w. im Falle der Verjährung der Strafbarkeit oder des Todes des Beschuldigten selbständig angeordnet werden. Darüber hinaus ist die selbständige Anwendung nach Art. 17 k.w. zulässig, wenn der Täter das 17. Lebensjahr nicht vollendet oder unzurechnungsfähig gehandelt hat. Bei Ordnungswidrigkeiten, die nach dem Fiskalstrafgesetzbuch geahndet werden, hat der polnische Gesetzgeber keine selbständige Einziehungsanordnung vorgesehen. Im deutschen Recht regelt § 27 OWiG die selbständige Einziehung. Die Maßnahme kann angeordnet werden, wenn aus tatsächlichen Gründen keine bestimmte Person verfolgt oder keine Geldbuße festgesetzt werden kann. Gemäß § 27 Abs. 3 OWiG kann die Einziehung auch dann angeordnet werden, wenn das Verfahren eingestellt oder von der Verfolgung abgesehen wird. Darüber hinaus regelt § 27 Abs. 2 OWiG selbständige Sicherungseinziehung für den Fall der Verjährung der Verfolgung oder wenn sonst aus rechtlichen Gründen keine bestimmte Person verfolgt werden kann. Die Sicherungseinziehung kennt jedoch nur das deutsche Recht. Wenn die aus der Tat stammenden Gegenstände eine Gefährdung für die Allgemeinheit darstellen, kann die Sicherungseinziehung nach § 22 Abs. 2 Nr. 2 und Abs. 3 OWiG angeordnet werden.[95]

ii) Unbeteiligte Dritte

Die Abschöpfung der Gegenstände, die aus einer Ordnungswidrigkeit stammen, kann in beiden Rechtsordnungen auch gegen eine tatunbeteiligte Person angeordnet werden.[96] Die Voraussetzung dafür ist entweder allein der objektive Umstand, dass der Dritte im Besitz der Gegenstände ist, oder es wird an seine Handlung ange-

---

[91] Das gilt auch gemäß Art. 47 § 2 Pkt. 2 k.k.s. für Fiskaldelikte, bei denen ebenso die Einziehung der Gegenstände angeordnet werden kann. Siehe oben Teil 4.II.C.1.a); Teil 5. II.D.1.a), II.C.1.a).

[92] Siehe oben Teil 4.II.C.1.a)aa).

[93] Siehe oben Teil 5.II.D.1.a).

[94] Siehe oben Teil 4.II.C.1.a)dd); Teil 5.II.D.1.a)cc).

[95] Vgl. nur Mitsch-*Mitsch*, KK-OWiG, § 22 Rn. 34 f.; zum Verhältnis zwischen Sicherungseinziehung und Einziehung nach § 22 Abs. 1 Nr. 1 OWiG siehe Mitsch-*Mitsch*, KK-OWiG, § 22 Rn. 31.

[96] Siehe oben Teil 4.II.C.1.a)cc); Teil 5.II.D.1.a)cc).

knüpft. Eine Abschöpfungsmaßnahme, die keinen Bezug zur Handlung des betroffenen Dritten verlangt, ist im deutschen Recht die Sicherungseinziehung nach § 22 Abs. 2 Nr. 2 oder § 22 Abs. 3 OWiG.[97] Die Einziehbarkeit des Gegenstandes beruht auf der Gefährdung für die Allgemeinheit, welche dieser Gegenstand nach seiner Art oder den Umständen nach darstellt. Dafür ist eine rechtswidrige Handlung des Täters ausreichend. Einem Dritten wird in solchen Fällen gemäß § 28 OWiG grundsätzlich eine Entschädigung für die Einziehung gewährt, wenn er in seinen Rechten beeinträchtigt wurde. Nicht entschädigt wird der Dritte nur dann, wenn er den aus der Tat stammenden Gegenstand in Kenntnis der Umstände, welche die Einziehung zulassen, in verwerflicher Weise erworben hat oder wenn eine Spezialnorm Einziehung ohne Entschädigung zulässt.[98]

An die Handlung des Betroffenen knüpft dagegen die Einziehung nach § 23 Nr. 2 OWiG an.[99] Diese Norm entspricht der strafrechtlichen Einziehung von einem anderem nach § 74a Nr. 2 StGB. Der Betroffene muss den Gegenstand in Kenntnis der Umstände erworben haben, die die Einziehung zulassen würden, was dem Wissenselement des Vorsatzes entspricht. Wer sich der Einziehbarkeit bewusst ist, handelt auf eigene Gefahr und muss bereit sein, die erworbene Eigentumsposition auf dem Wege der Einziehung zu verlieren.[100] Nicht ausreichend für die Einziehung von einem Dritten ist dagegen grob fahrlässige Unkenntnis der genannten Umstände.[101] Die Verwerflichkeit des Erwerbs wird nicht als zusätzliche Einschränkung der Einziehung ausgelegt. Sie sollte als Einschränkung dann gelten, wenn Umstände vorliegen, die die Verwerflichkeit des Erwerbs mindern. Anders ist die Einziehung von einem Dritten im polnischen Ordnungswidrigkeitenrecht geregelt. Sie kann nur dann angeordnet werden, wenn sie im Tatbestand ausdrücklich vorgesehen ist.[102] Bei Fiskaldelikten können aber Gegenstände, die unmittelbar aus einer Fiskalübertretung stammen, von einem Dritten immer eingezogen werden.[103] Die Maßnahme wird an keine zusätzlichen Voraussetzungen, die sich auf die Handlung des Betroffenen beziehen, geknüpft.[104]

---

97 Siehe oben Teil 4.II.C.1.a)bb).

98 Die eine Entschädigung ausschließende Voraussetzung des verwerflichen Erwerbs, geregelt in § 28 Abs. 2 Nr. 2 OWiG, stimmt im Wesentlichen mit der Voraussetzung der Dritteinziehung nach § 23 Nr. 2 OWiG überein. Siehe Mitsch-*Mitsch*, KK-OWiG, § 28 Rn. 17.

99 Siehe oben Teil 4.II.C.1.a)cc).

100 Siehe Mitsch-*Mitsch*, KK-OWiG, § 23 Rn. 27.

101 Ebenda, § 23 Rn. 17.

102 Siehe oben Teil 5.II.D.1.a)bb).

103 Gemäß Art. 47 § 4 k.k.s. findet Art. 31 § 1 k.k.s., der die Einziehung von Dritten bei Fiskalstraftaten zulässt, auf Ordnungswidrigkeiten entsprechende Anwendung.

104 Kardas u.a.-*Łabuda*, Kodeks karny skarbowy, Art. 31 Rn. 2.

bb) Anforderungen an den Abschöpfungsgegenstand und die tatbestandliche Anknüpfung

Die Abschöpfung der durch eine Ordnungswidrigkeit erlangten Gegenstände setzt in beiden Rechtsordnungen die Begehung einer rechtswidrigen Tat und eine Verbindung zwischen der Tat und dem Abschöpfungsgegenstand voraus.[105] Diese Voraussetzungen gelten auch für die selbständige Einziehung der Gegenstände. Im polnischen Recht können nach Art. 30 § 1 k.w. die sowohl unmittelbar als auch mittelbar aus einer Ordnungswidrigkeit stammenden Gegenstände eingezogen werden. Bei Fiskaldelikten umfasst die Einziehung gemäß Art. 29 § 1 Pkt. 1 k.k.s. aber nur unmittelbar aus einem Delikt stammende Gegenstände. Der gleiche Abschöpfungsumfang gilt im deutschen Recht. Es können nur Gegenstände eingezogen werden, die unmittelbar aus einer Ordnungswidrigkeit stammen.[106]

b) Zahlung eines Geldbetrages

aa) Anforderungen an die Abschöpfungsadressaten

i) Tatbeteiligte

Im deutschen Ordnungswidrigkeitenrecht dient der Abschöpfung des wirtschaftlichen Vorteils in erster Linie die Geldbuße.[107] Zum Zweck der Gewinnabschöpfung kann das gesetzliche Höchstmaß der Sanktion überschritten werden. Die Voraussetzung der Abschöpfung ist die Begehung einer rechtswidrigen und vorwerfbaren Tat, die mit Geldbuße geahndet wird. Mittels Geldbuße wird der Nettogewinn abgeschöpft. Wenn gegen den Täter keine Geldbuße festgesetzt wird, kann nach § 29a Abs. 1 OWiG die Einziehung eines Geldbetrags in Höhe des Erlangten angeordnet werden.[108] Auch diese Maßnahme knüpft an die Begehung einer rechtswidrigen und vorwerfbaren Tat an. Für die Bestimmung des Erlangten gilt aber das Bruttoprinzip. Die Aufwendungen des Täters können abgezogen werden, es sei denn, diese wurden für die Begehung der Tat oder ihre Vorbereitung getätigt. Der Umfang des Erlangten kann nach § 29a Abs. 4 OWiG geschätzt werden. Wenn der Täter die Einziehung durch Verwertung oder Veräußerung des Gegenstandes vereitelt hat, kann von ihm nach § 25 OWiG der Wert der aus der Tat stammenden Gegenstände eingezogen werden.[109] Im polnischen Recht wird die Einziehung des Wertes des Erlangten nur für Fiskalübertretungen angeordnet. Ge-

---

105 Siehe oben Teil 4.II.C.1.a); Teil 5.II.C.1.a), II.D.1.a).

106 Siehe Mitsch-*Mitsch*, KK-OWiG, § 22 Rn. 11. Bei der Sicherungseinziehung gemäß § 22 Abs. 2 Nr. 2 und Abs. 3 OWiG verlangt das Gesetz, dass zu dem Zeitpunkt der Entscheidung eine Gefahr für die Allgemeinheit durch diese Gegenstände gegeben ist.

107 Siehe oben Teil 4.II.C.1.b)aa).

108 Siehe oben Teil 4.II.C.1.b)cc).

109 Siehe oben Teil 4.II.C.1.b)bb).

mäß Art. 47 § 2 Pkt. 3 i.V.m. Art. 32 k.k.s. wird der Wert der Gegenstände, die unmittelbar aus der Ordnungswidrigkeit stammen, eingezogen, wenn der Gegenstand zerstört, verloren oder verschleiert wurde oder aus sonstigen faktischen oder rechtlichen Gründen nicht eingezogen werden kann.[110] Der Wert des Gegenstandes kann gemäß Art. 32 § 2 k.k.s. geschätzt werden. Die Abschöpfungsnorm knüpft an eine rechtswidrige und vorwerfbare Handlung des Betroffenen an. Das Übertretungsgesetzbuch kennt keine Abschöpfungsmaßnahmen, die eine Zahlungspflicht des Betroffenen begründen würden.

ii) Unbeteiligte Dritte

Die Einziehung eines Geldbetrags bis zu der Höhe des aus oder für eine Ordnungswidrigkeit Erlangten kann im deutschen Recht auch von einer tatunbeteiligten Person angeordnet werden.[111] Die Abschöpfung knüpft, neben der Begehung einer rechtswidrigen und vorwerfbaren Handlung durch den Täter, an die Handlung des Betroffenen an. Einziehung von Dritten ist dann zulässig, wenn diesem der Vorwurf gemacht werden kann, er wisse oder hätte wissen müssen, dass es sich um Vermögen handelt, das aus einer Ordnungswidrigkeit stammt. Nach § 29a Abs. 2 Satz 1 OWiG muss der Täter für den Dritten gehandelt und letzterer aus der Tat etwas erlangt haben. Nicht schutzwürdig sind nach Wertung des Gesetzes darüber hinaus die Eigentumspositionen, die unentgeltlich oder ohne rechtlichen Grund durch den Dritten erworben wurden (§ 29a Abs. 2 Satz 1 Nr. 2 Buchstabe a OWiG), sowie diejenigen, die infolge des Todes als Erbe, Pflichtanteil oder Vermächtnis auf den Dritten übergegangen sind (§ 29a Abs. 2 S. 2 Nr. 3 OWiG). In diesen Fällen ist die Einziehung durch die Art der Übertragung des Erlangten begründet. Im polnischen Recht kann demgegenüber der Wert des aus einer Ordnungswidrigkeit Erlangten nicht von einer anderen Person als dem Täter eingezogen werden.

bb) Anforderungen an den Abschöpfungsgegenstand und die tatbestandliche Anknüpfung

Die Abschöpfung des Wertes des aus der Tat Erlangten unterscheidet sich in beiden Rechtsordnungen dadurch, wie der Abschöpfungsumfang bestimmt wird. Im deutschen Recht ist es bei der Geldbuße nach § 17 OWiG der wirtschaftliche Nettogewinn aus Begehung einer Ordnungswidrigkeit, der abgeschöpft wird.[112] Dazu zählen sowohl die unmittelbaren als auch mittelbaren Vorteile, die die wirtschaftliche Situation des Täters verbessern. Wenn statt Geldbuße Einziehung nach

---

110 Siehe oben Teil 5.II.C.1.b)aa).

111 Siehe oben Teil 4.II.C.1.b)dd).

112 Siehe oben Teil 4.II.C.1.b)aa).

§ 29a Abs. 1 und 2 OWiG angeordnet wird, sind es lediglich die unmittelbaren Gewinne, die abgeschöpft werden.[113] Der Geldbetrag bemisst sich nach dem Wert des durch oder für die Ordnungswidrigkeit erlangten Etwas. Bei der Bestimmung des Erlangten werden Aufwendungen des Täters berücksichtigt, solange sie nicht für die Tatbegehung oder ihre Vorbereitung aufgewendet wurden. Geldbuße und Einziehung nach § 29a OWiG stellen die eigentlichen Maßnahmen zur Abschöpfung der Gewinne aus Ordnungswidrigkeiten dar. Auf diese Maßnahmen findet der Grundsatz der Verhältnismäßigkeit, geregelt in § 24 OWiG, keine Anwendung.

Im polnischen Recht sind die Möglichkeiten, den Wert des Vermögens, das aus Ordnungswidrigkeiten stammt, abzuschöpfen, enger gesteckt als im deutschen. Das Übertretungsgesetzbuch kennt nur die Einziehung von Gegenständen und keine Norm, die die Einziehung des Wertes des Erlangten zulässt.[114] Bei Fiskaldelikten kann der Wert des Erlangten eingezogen werden.[115] Jedoch ist die Einziehung – anders als im deutschen Recht – nur bei Unmöglichkeit der primären Einziehung des Gegenstandes zulässig. Die Unmöglichkeit kann sich sowohl aus tatsächlichen als auch aus rechtlichen Gründen ergeben. Der Wert des Erlangten kann geschätzt werden. Die Einziehung bezieht sich lediglich auf unmittelbare Gewinne.

2. Tatmittel

a) Abschöpfung der Gegenstände

aa) Anforderungen an die Abschöpfungsadressaten

i) Tatbeteiligte

In beiden Rechtsordnungen können vom Täter einer Ordnungswidrigkeit zur Begehung der Tat verwendete oder dazu bestimmten Gegenstände eingezogen werden. Die Abschöpfung knüpft im polnischen Recht an eine tatbestandsmäßige, rechtswidrige und vorwerfbare Handlung an.[116] Im deutschen Recht kann Einziehung als Nebenfolge einer Ordnungswidrigkeit grundsätzlich nur zusammen mit der Hauptfolge, welche die Geldbuße ist, verhängt werden.[117] Nach § 27 Abs. 1 OWiG kann die Einziehung aber auch selbständig angeordnet werden, wenn aus tatsächlichen Gründen keine bestimmte Person verfolgt oder keine Geldbuße gegen sie angeordnet werden kann. Die Ausnahme gilt gemäß § 27 Abs. 3 OWiG auch, wenn von der Verfolgung abgesehen oder das Verfahren eingestellt wird. Im polni-

---

[113] Vgl. Göhler u.a.-*Gürtler*, OWiG, Vor § 29a Rn. 10; Mitsch-*Mitsch*, KK-OWiG, § 29a Rn. 30; siehe oben Teil 4.II.C.1.b)cc) und dd).

[114] Siehe oben Teil 5.II.D.1.

[115] Siehe oben Teil 5.II.C.1.b)aa).

[116] Siehe oben Teil 5.II.D.2.a).

[117] Siehe oben Teil 4.II.C.2.a).

schen Recht wird Einziehung als Strafmaßnahme auch grundsätzlich zusätzlich zur Verhängung einer Strafe angeordnet. Das gilt auch für Fiskaldelikte.

In beiden Rechtsordnungen sind Fälle geregelt, in denen die Vorwerfbarkeit der Handlung nicht gegeben sein muss. Im deutschen Recht gilt dies für die Sicherungseinziehung nach § 22 Abs. 3 i.V.m. Abs. 2 Nr. 2 OWiG.[118] Diese ist durch die Gefährlichkeit des Einziehungsgegenstandes oder die Gefahr seiner Verwendung zur Begehung von rechtswidrigen Taten begründet. Dies gilt auch, wenn die Sicherungseinziehung selbständig angeordnet wird. Ebenso wie im deutschen wird auch im polnischen Recht die Vorwerfbarkeit der Handlung bei selbständiger Anordnung der Einziehung nicht vorausgesetzt. Dabei handelt es sich um Einziehung mit Sicherungscharakter, jedoch nicht um Sicherungseinziehung, wie sie im deutschen Recht in § 22 Abs. 2 Nr. 2 OWiG geregelt ist. Selbständige Einziehung im polnischen Recht ist in Art. 28 § 3 k.w. geregelt und umfasst Fälle, in denen der Täter aus tatsächlichen oder rechtlichen Gründen nicht bestraft wird.[119] Dazu zählt der Tod des Täters, die Verjährung der Strafbarkeit und das Vorliegen von Strafausschließungsgründen.[120]

ii) Unbeteiligte Dritte

Die Einziehung der zur Begehung einer Ordnungswidrigkeit verwendeten oder dazu bestimmten Gegenstände kann in beiden Rechtsordnungen auch von an der Tat unbeteiligten Dritten angeordnet werden.[121] Die Maßnahme muss allerdings im Tatbestand vorgesehen sein. Im deutschen Recht knüpft die Einziehung nach § 23 OWiG daran an, dass der Betroffene zumindest leichtfertig gehandelt hat. Er muss dazu beigetragen haben, dass die Sache oder das Recht als Mittel zur Tatbegehung verwendet wurde. Ähnlich ist die Einziehung von Dritten im polnischen Fiskalstrafgesetzbuch geregelt.[122] Sie kann angeordnet werden, wenn der Dritte von der gesetzeswidrigen Verwendung der Gegenstände wusste oder bei Einhalten erforderlicher Sorgfalt davon hätte wissen sollen. Eine Ausnahme gilt für die Einziehung eines Fahrzeugs, das als Mittel zur Begehung einer Ordnungswidrigkeit verwendet wurde. Diese Maßnahme ist nur dann zulässig, wenn das Fahrzeug für die Tatbegehung speziell angepasst wurde. Diese Regelung ist durch die – im Vergleich zu Straftaten – geringe Schwere der Delikte begründet. In den übrigen Fällen kann das Gericht aber auch von der Einziehung wegen Unverhältnismäßigkeit ab-

---

118 Siehe oben Teil 4.II.C.2.a)cc).

119 Siehe oben Teil 5.II.D.2.a)cc).

120 Siehe nur Grzegorczyk u.a.-*Grzegorczyk*, Kodeks wykroczeń, Art. 28 Rn. 5.

121 Siehe oben Teil 4.II.D.2.a)bb).

122 Siehe oben Teil 5.II.C.2.a)bb). Einziehung der Tatwerkzeuge ist im Übertretungsgesetzbuch nicht näher geregelt, abgesehen davon, dass sie eine spezielle Rechtsgrundlage im Tatbestand braucht.

sehen. Die Möglichkeit zur Korrektur der Einziehung durch den Grundsatz der Verhältnismäßigkeit hat auch der deutsche Gesetzgeber in § 24 OWiG vorgesehen.

Darüber hinaus können nach deutschem Ordnungswidrigkeitenrecht von Dritten Gegenstände eingezogen werden, die nach ihrer Art und den Umständen eine Gefahr für die Allgemeinheit darstellen, oder wenn eine Gefahr besteht, dass sie der Begehung einer rechtswidrigen Handlung dienen werden.[123] Die Einziehung kann auch nach § 27 OWiG selbständig angeordnet werden.[124] Kann dem Dritten ein leichtfertiges Beitragen zur Tatbegehung oder böswilliger Erwerb des einzuziehenden Gegenstandes nicht vorgeworfen werden, wird er nach § 28 OWiG für die Einziehung entschädigt.

bb) Anforderungen an den Abschöpfungsgegenstand und die tatbestandliche Anknüpfung

Der Abschöpfungsumfang bei den Gegenständen, die zur Begehung einer Ordnungswidrigkeit verwendet oder dazu bestimmt wurden, unterscheidet sich im deutschen und polnischen Recht. Das deutsche Gesetz verwendet den Begriff „Gegenstände", der sowohl Sachen als auch Rechte umfasst.[125] Im polnischen Recht wird der gleiche Begriff verwendet, aber als Gegenstände gelten bewegliche Sachen, Geld und Urkunden, die zum Erhalt einer Geldsumme berechtigen oder einen Anteil an einer Kapitalgesellschaft bestätigen.[126] Darüber hinaus ist die Einziehung eines als Tatmittel verwendeten Fahrzeuges nur dann zulässig, wenn es für die Tatbegehung entsprechend angepasst wurde.

Voraussetzung der Einziehung ist im deutschen und im polnischen Ordnungswidrigkeitenrecht die Begehung einer rechtswidrigen Tat und eine Verknüpfung zwischen den abzuschöpfenden Gegenständen und dieser Tat. Im polnischen Ordnungswidrigkeitenrecht wird die Verknüpfung als „zur Tatbegehung verwendet oder dazu bestimmt" bezeichnet. Im deutschen Recht ergibt sie sich nicht direkt aus dem Gesetzestext. Dies liegt daran, dass die Einziehung immer eine spezielle Rechtsgrundlage im Tatbestand braucht und § 22 Abs. 1 und 2 Nr. 1 nur eine generelle Regelung darstellen. Nur bei der Sicherungseinziehung, die in § 22 Abs. 2 Nr. 2 geregelt ist, wird gesagt, dass die Gegenstände nach ihrer Art und den Umständen die Allgemeinheit bedrohen müssen oder eine Gefahr bestehen muss, dass sie zur Begehung rechtswidriger Handlungen verwendet werden.

---

123 Siehe oben Teil 4.II.C.2.a)cc).

124 Siehe oben Teil 4.II.C.2.a)dd).

125 Vgl. Mitsch-*Mitsch*, KK-OWiG, § 22 Rn. 9 f.

126 Vgl. Grzegorczyk u.a.-*Grzegorczyk*, Kodeks wykroczeń, Art. 30 Rn. 1.

b) Zahlung eines Geldbetrages

aa) Anforderungen an die Abschöpfungsadressaten

i) Tatbeteiligte

Im deutschen Recht kann nach § 25 OWiG der Wertersatz für die Tatmittel eingezogen werden.[127] Im polnischen Recht ist dies nur bei Fiskaldelikten gemäß Art. 47 § 2 Pkt. 3 i.V.m. Art. 32 § 1 k.k.s. zulässig.[128] Das Übertretungsgesetzbuch kennt die Einziehung des Wertes von Tatwerkzeugen nicht. In beiden Rechtsordnungen knüpft die Einziehung des Wertersatzes an die Begehung einer rechtswidrigen und vorwerfbaren Tat an. Darüber hinaus muss die primäre Einziehung des Gegenstandes unmöglich sein. Ebenfalls in beiden Rechtsordnungen werden die Umstände, die zur Unmöglichkeit der Einziehung führen, im Gesetzestext genannt. Nach Art. 32 § 1 k.k.s. muss der Gegenstand verschleiert, zerstört, verloren oder aus anderen rechtlichen oder tatsächlichen Gründen nicht einziehbar sein. Das deutsche OWiG nennt in § 25 Abs. 1 ähnliche Gründe, jedoch hebt die Formulierung die Handlung des Betroffenen hervor, die dazu geführt hat, dass die Einziehung des Gegenstandes nicht möglich ist. Im polnischen Recht wird dafür an den objektiven Umstand der Unmöglichkeit angeknüpft. In beiden Rechtsordnungen findet die Einziehung des Wertersatzes auch bei partieller Unmöglichkeit Anwendung (nach § 25 Abs. 2 OWiG und Art. 32 § 1 k.k.s.)

ii) Unbeteiligte Dritte

Im Ordnungswidrigkeitenrecht beider Rechtsordnungen gibt es keine Maßnahmen zur Abschöpfung von zur Tatbegehung verwendetem Vermögen, die eine Zahlungspflicht eines an der Tat unbeteiligten Dritten begründen würden.

bb) Anforderungen an den Abschöpfungsgegenstand und die tatbestandliche Anknüpfung

Bei Abschöpfung des Wertes von Tatmitteln ist der Abschöpfungsgegenstand eine Geldsumme, die dem Wert des primären Abschöpfungsgegenstandes entspricht. Der primäre Abschöpfungsgegenstand muss zum Zeitpunkt der Handlung Eigentum des Täters gewesen sein und zu dem Zeitpunkt der Entscheidung nicht einziehbar sein. Eine Verbindung besteht somit zwischen dem primären Gegenstand und der Tat. Diese Verbindung muss nachweisbar sein. Die Höhe des zu zahlenden Betrags kann in beiden Rechtsordnungen geschätzt werden, wenn sich der Wert nicht genau feststellen lässt. Die Schätzung ist durch eine Klausel im

---

[127] Siehe oben Teil 4.II.C.2.b)aa).

[128] Siehe oben Teil 5.II.C.2.b)aa).

deutschen Recht in § 25 Abs. 3 OWiG und im polnischen Recht in Art. 32 § 2 k.k.s. geregelt.[129]

C. Fazit

Die Regelungen der Vermögensabschöpfung im deutschen und im polnischen Recht sind weitgehend ähnlich, es bestehen jedoch einige Unterschiede zwischen den beiden Rechtsordnungen, sowohl im Straf- als auch im Ordnungswidrigkeitenrecht.

Im Hinblick auf die strafrechtliche Abschöpfung der Tatgewinne unterscheiden sich die Rechtsordnungen insbesondere durch die Regelung der erweiterten Einziehung. Während diese Maßnahme im deutschen Recht bei jeder rechtswidrigen Tat angeordnet werden kann, hat der polnische Gesetzgeber den Anwendungsbereich auf bestimmte Delikte eingeschränkt. Unterschiedlich wurden auch die Voraussetzungen an die Verbindung zwischen dem einzuziehenden Vermögen und die Anknüpfungstat formuliert. Im deutschen Recht ist nach § 73a Abs. 1 StGB die richterliche Überzeugung über eine strafrechtswidrige Herkunft des Vermögens notwendig. Im polnischen Straf- und Fiskalstrafrecht gilt dagegen eine Vermutung der rechtswidrigen Herkunft des Vermögens, und der Beweis des Gegenteils obliegt dem Betroffenen. Somit stellt diese Maßnahme im polnischen Recht, trotz des eingeschränkten Anwendungsbereichs der erweiterten Einziehung, einen im Vergleich zu ihrem Pendant im deutschen Recht tiefgehenderen Eingriff in die Rechte des Betroffenen dar.

Eine weitere Differenz zwischen den beiden Rechtsordnungen besteht in der Regelung der selbständigen Einziehung. Eine Maßnahme zur Abschöpfung der in einem Strafverfahren sichergestellten Gegenstände, wie die *non-conviction-based confiscation* nach § 76a Abs. 4 StGB, wurde im polnischen Strafrecht nicht vorgesehen. Dieses kennt lediglich die selbständige, verurteilungsunabhängige Einziehung nach Art. 45a k.k., welche weitgehend der Regelung des § 76a Abs. 1 bis 3 StGB entspricht. Hervorzuheben ist auch das unterschiedliche Verständnis des Bruttoprinzips, nach dem in beiden Rechtsordnungen der Einziehungsumfang des Wertes der Tatgewinne bestimmt wird. Während im deutschen Recht nach der Reform von 2017 manche Aufwendungen des Täters abzugsfähig sind, gilt im polnischen Recht das uneingeschränkte Bruttoprinzip. Dieses wird durch Gesetzesauslegung bestimmt, mit dem Argument, dass bei der primären Abschöpfung die Aufwendungen des Täters nicht berücksichtigt werden und das Gleiche für die Einziehung des Wertes dieser Gegenstände gilt, damit die Maßnahme für den Betroffenen in beiden Fällen die gleiche Schwere aufweist. In Bezug auf die Abschöpfung der Tatmittel im Strafrecht stellt die Einziehung eines Unternehmens – eine Maßnahme, die im Zuge der Reform von 2017 in das polnische Strafgesetz-

---

129 Siehe oben Teil 4.II.C.2.b)aa); Teil 5.II.C.2.b)aa).

buch eingeführt worden ist – den Hauptunterschied dar. Ein Unternehmen kann eingezogen werden, wenn es zur Begehung der Tat oder zum Verschleiern des Vermögensvorteils verwendet wurde. Dabei ist es ausreichend, dass ein Bestandteil des Unternehmens als Tatmittel verwendet wurde, um die Einziehbarkeit des ganzen Unternehmens zu begründen. Das Unternehmen kann sowohl dem Täter als auch einer anderen Person gehören. Eine ähnliche Maßnahme kennt das deutsche Recht nicht.

Im Ordnungswidrigkeitenrecht unterscheiden sich die beiden Rechtsordnungen vor allem dadurch, dass im deutschen Recht die Geldbuße eine zentrale Rolle als Maßnahme zur Abschöpfung der Tatgewinne spielt. Im polnischen Ordnungswidrigkeitenrecht werden die Tatgewinne nur mittels Einziehung abgeschöpft. Dabei bestehen im polnischen Recht Unterschiede zwischen den Regelungen des Übertretungsgesetzbuchs und des Fiskalstrafgesetzbuchs, das neben Straftaten auch Fiskalübertretungen regelt. Das Übertretungsgesetzbuch kennt nur die Einziehung der Gegenstände, die unmittelbar aus der Tat stammen. Die Einziehung wird nur dann angeordnet, wenn sie im Tatbestand vorgesehen ist. Bei Fiskalübertretungen können die unmittelbar aus der Tat stammenden Gegenstände oder deren Wert eingezogen werden. Die Regelung des deutschen OWiG ist im Vergleich zu der polnischen umfangreicher und regelt neben der Einziehung der Gegenstände auch die Abschöpfung der Taterträge und deren Wertes. Die Taterträge können mittelbar aus einer Ordnungswidrigkeit stammen. Die Einziehung kann nach § 29a Abs. 2 OWiG auch gegen eine andere Person als den Täter angeordnet werden. Im polnischen Ordnungswidrigkeitenrecht ist von einem Dritten nur die primäre Einziehung der Gegenstände vorgesehen.

III. Grenzen der Vermögensabschöpfung

A. Grenzen aus der Rechtsnatur der Maßnahme

Im folgenden Kapitel werden die Argumente aus dem Diskurs über die Grenzen der Vermögensabschöpfung, die sich aus der Rechtsnatur der Maßnahmen ergeben, verglichen. Im ersten Schritt wird ein Überblick über die umstrittenen Schlüsseleingriffsnormen gegeben (1.). Dann wird das Verständnis der schuldbezogenen strafrechtlichen Garantien, die als Einschränkung der Abschöpfungsinstrumente genannt werden, verglichen (2.). Schließlich werden die in beiden Rechtsordnungen verwendeten Kriterien zur Abgrenzung zwischen strafrechtlichen und nichtstrafrechtlichen Rechtsnatur der Maßnahmen analysiert (3.).

1. Überblick

Über den strafähnlichen Charakter der Vermögensabschöpfungsmaßnahmen wird vor allem in Bezug auf die Abschöpfung der Tatgewinne gesprochen. Die

Maßnahmen zur Abschöpfung der Tatmittel verlangen neben einer vorsätzlichen oder sogar schuldhaften Tatbegehung grundsätzlich einen Nachweis der Verbindung zwischen dem Abschöpfungsgegenstand und der Tat. Beweiserleichterungen – bzw. Beweislastumkehr im polnischen Strafrecht – wurden bei den Maßnahmen zur Gewinnabschöpfung eingeführt, da die Anwendung dieser Instrumente wegen Beweisschwierigkeiten mehrfach scheiterte. Insbesondere im Zusammenhang mit schweren Delikten kam es vor, dass bei einem Täter Vermögen aufgefunden wurde, dessen Herkunft nicht mit Einkünften aus rechtmäßigen Quellen erklärt werden konnte. Die Strafverfolgung hatte aber keine Möglichkeit, auf dieses Vermögen zuzugreifen; so musste es dem Täter überlassen werden, auch wenn an seiner rechtmäßigen Herkunft Zweifel bestanden. Dies führte zu Ergebnissen, die dem Gerechtigkeitsempfinden der Allgemeinheit widersprechen[130] oder eine Gefahr für die Wirtschaft und ökonomische Sicherheit des Staates darstellen.[131] Ein anderes Problem für die Strafverfolgung stellten die Fälle dar, in denen sichergestelltes Vermögen nicht endgültig eingezogen werden konnte, weil rechtliche oder tatsächliche Hindernisse für die Verurteilung vorlagen. Diese Schwierigkeiten und der Umsetzungsbedarf der EU-Richtlinie 2014/42/EU lagen den in beiden Rechtsordnungen durchgeführten Reformen der Vermögensabschöpfung zugrunde.

Infolge der durchgeführten Reformen wird den untersuchten Rechtsordnungen im Hinblick auf den Anwendungsbereich des Schuldgrundsatzes und der Unschuldsvermutung der besonders eingriffsintensiven Abschöpfungsmaßnahmen zum Teil die Rechtnatur einer Strafe, oder zumindest einer strafähnlichen Maßnahme, zugeschrieben.[132] Im deutschen Recht bezieht sich diese Argumentation insbesondere auf die erweiterte und selbständige Einziehung, aber auch auf die Anwendung des Bruttoprinzips.[133] Im polnischen Recht wird vor allem bei der erweiterten Einziehung und bei der Einziehung eines Unternehmens als Tatmittel für die Rechtsnatur einer Strafe argumentiert.

2. Strafrechtliche Verfassungsgarantien

a) Schuldprinzip

Das Schuldprinzip[134] ergibt sich in beiden Rechtsordnungen aus der verfassungsrechtlichen Menschenwürdegarantie und dem Rechtsstaatsprinzip. Die Schuld erfüllt sowohl in deutschem als auch im polnischen Strafrecht eine strafbegründende und strafbegrenzende Funktion. Das Schuldprinzip fordert einen Nachweis der

---

130 Deutscher Bundestag, 18. Wahlperiode, BT-Drs. 18/9525, S. 45.

131 Sejm RP, VIII kadencja, Druk sejmowy Nr. 1186, Begründung, S. 4.

132 Siehe oben Teil 4.III.B. und Teil 5.III.B.

133 Die Argumentation betraf auch die Bestimmung des Abschöpfungsumfangs nach dem Bruttoprinzip, sie bezog sich allerdings auf die alte Fassung des Strafgesetzes.

134 Siehe oben Teil 4.III.B.1.a) und Teil 5.III.B.1.a).

schuldhaften Verwirklichung eines Tatbestands und schützt somit den Beschuldigten vor willkürlichen Eingriffen in seine Grundrechte und Freiheiten. Aus dem Schuldprinzip wird in beiden Ländern die Notwendigkeit der Erforschung materieller Wahrheit für das Strafverfahren erschlossen. Dabei wird dem Präventionsinteresse der Allgemeinheit durch das Schuldprinzip eine Grenze gesetzt und der Beschuldigte davor geschützt, zum Objekt des Strafverfahrens zu werden. Darüber hinaus dient die Schuldangemessenheit als Einschränkungskriterium für die Strafe der Stabilisierung des Rechtsbewusstseins, da eine schuldangemessene Strafe dem Gerechtigkeitsgefühl der Gesellschaft entspricht. In beiden Rechtsordnungen findet das Schuldprinzip auf alle Sanktionen mit Strafcharakter Anwendung, unabhängig von deren Einordnung im Gesetz.

b) Unschuldsvermutung

Die Unschuldsvermutung[135] ist in beiden Rechtsordnungen eine prozessuale Ergänzung und Konsequenz des Schuldprinzips. Sie ist im Grundgesetz nicht ausdrücklich geregelt und ergibt sich aus dem Rechtsstaatsprinzip und der Menschenwürdegarantie. Im polnischen Recht regelt Art. 42 Abs. 2 der Verfassung die Unschuldsvermutung. Trotz unterschiedlicher Herleitung des Grundsatzes ist ihr Inhalt in beiden Ländern ähnlich. Es wird zwischen zwei Aspekten der Unschuldsvermutung unterschieden – zum einen die Bindung der Staatsorgane an die Unschuldsvermutung und an das Verbot der Verdachtsstrafe, zum anderen die Verteilung der Beweislast im Strafverfahren. Im Hinblick auf die Beweiserleichterungen bei der Vermögensabschöpfung ist für die vorliegende Arbeit besonders der zweite Aspekt der Unschuldsvermutung von Bedeutung: Sie bestimmt die Stellung des Angeklagten im Strafverfahren und die Verteilung der Beweislast. Sowohl im deutschen als auch im polnischen Recht trägt die Anklagebehörde die formelle und materielle Beweislast im Strafverfahren.

3. Abgrenzung zwischen strafrechtlicher und nicht-strafrechtlicher Natur der Sanktion

Die Ansätze zur Abgrenzung zwischen strafrechtlicher und nicht-strafrechtlicher Natur der Sanktion werden in diesem Abschnitt unter zwei Gesichtspunkten betrachtet. Zuerst werden die in der Rechtsprechung und Literatur in beiden Rechtsordnungen in Bezug auf den Anwendungsbereich des Schuldprinzips und der Unschuldsvermutung genannten Merkmale einer Strafe verglichen (a)). Danach wird die Anwendung dieser Kriterien im Diskurs über die Rechtsnatur der Vermögensabschöpfungsmaßnahmen dargestellt und bewertet (b)). Dabei wird sichtbar, dass jedes Merkmal sowohl als Argument für als auch gegen eine strafrechtliche Natur

135 Siehe oben Teil 4.III.B.1.b) und Teil 5.III.B.1.b).

der diskutierten Eingriffsmaßnahmen verwendet wird. Da es sich bei den Merkmalen einer Strafe um keine scharfen Abgrenzungskriterien handelt, ist die Entscheidung für oder gegen den strafähnlichen Charakter einer Maßnahme eine Wertungsentscheidung.

a) Ansätze zur Abgrenzung zwischen strafrechtlicher und nicht-strafrechtlicher Natur der Sanktion

Die Untersuchung der Ansätze zur Abgrenzung zwischen strafrechtlicher und nicht-strafrechtlicher Natur der Sanktion hat gezeigt, dass sich diese nicht anhand fester Kriterien durchführen lässt und eine Wertungsentscheidung darstellt. In beiden Rechtsordnungen haben sich als zentrale Merkmale der Strafe im Hinblick auf den Anwendungsbereich des Schuldgrundsatzes und der Unschuldsvermutung der Zweck und die Wirkung der Maßnahme erwiesen. Dies gilt sowohl für die Rechtsprechung[136] als auch für die in der Literatur vertretenen Ansätze.[137] Eine Strafe ist somit eine Maßnahme, die einem vorwiegend repressiven Zweck dient. Neben der Repression dient eine Strafe auch präventiven Zwecken, die Repression überwiegt jedoch über diese. Auf den repressiven Zweck einer Sanktion kann dabei die materielle Übelswirkung hindeuten.[138] Im polnischen Recht wird als ein weiteres Kriterium auch das sozial-ethische Unwerturteil genannt. Das Unwerturteil ist auch im deutschen Recht ein wichtiges Merkmal einer Strafe, das aber nicht für den Anwendungsbereich des Schuldprinzips und der Unschuldsvermutung, sondern des Richtervorbehalts nach Art. 92 GG angewendet wird.[139] Im polnischen Verfassungsrecht wird das sozial-ethische Unwerturteil als ein Element der Übelswirkung einer Strafe gesehen.[140]

b) Argumente zur Bestimmung der Rechtsnatur der Vermögensabschöpfungsmaßnahmen

aa) Wirkung für den Betroffenen

Zu den konstitutiven Merkmalen einer Strafe gehört die Wirkung, die sie für den Betroffenen hat. Sie wird in der deutschen Strafrechtsdogmatik als Strafübel bezeichnet, in der polnischen als Zufügung einer Unannehmlichkeit.[141] Gemeint ist das gleiche, nämlich dass die Strafe für den Betroffenen einen durch die staatliche Gewalt gezielt zugefügten Nachteil von gewisser Schwere darstellt. Für das Straf-

---

136 Siehe oben Teil 4.III.B.2.a)aa) und Teil 5.III.B.2.a)aa).

137 Siehe oben Teil 4.III.B.2.a)bb) und Teil 5.III.B.2.a)bb).

138 Siehe oben Teil 4.III.B.2.a)cc) und Teil 5.III.B.2.a)cc).

139 Siehe oben Teil 4.III.B.2.a)aa).

140 Siehe oben Teil 5.III.B.2.a)cc).

141 Siehe oben Teil 4.III.B.2.a) und Teil 5.III.B.2.a).

übel sind somit zwei Elemente konstitutiv: zum einen das gezielte Zufügen, zum anderen eine gewisse Schwere des Nachteils. In der Diskussion um den strafähnlichen Charakter der Vermögensabschöpfung werden diese zwei Elemente durch die Befürworter und Gegner der These unterschiedlich gewichtet. Die Auffassung, dass Vermögensabschöpfungsmaßnahmen einen strafähnlichen Charakter haben, stellt auf die Schwere der Übelswirkung ab. Es wird argumentiert, dass Eingriffe in die Rechte des Betroffenen, die durch eine bestimmte Schwere gekennzeichnet sind, als Strafen oder zumindest strafähnliche Maßnahmen gelten müssen. Dies ergebe sich aus dem Rechtsstaatsprinzip. Der Betroffene sei durch strafrechtliche Garantien zu schützen. Die Gegenauffassung verneint die strafgleiche Schwere des Eingriffs und stützt sich dabei darauf, dass das Zufügen eines Nachteils nicht der primäre Zweck der Maßnahme, sondern ein Nebeneffekt sei. Das Übel, auch wenn im Einzelfall schwer für den Betroffenen, sei nicht das Wesen der Maßnahme. Diese Argumentation nimmt somit Bezug auf das neben der Schwere weitere Merkmal der Strafe, den Zweck.

i) Als Argument gegen den Strafcharakter

Die Wirkung der Maßnahme wurde in Deutschland insbesondere bezüglich der Gewinnabschöpfung nach dem Bruttoprinzip diskutiert.[142] Nach der alten Fassung des Strafgesetzes war umstritten, ob dabei die Aufwendungen des Täters berücksichtigt werden können. Das uneingeschränkte Bruttoprinzip, das diese Möglichkeit nicht vorsieht, kann dazu führen, dass vom Täter mehr eingezogen wird, als er tatsächlich durch die Tat erlangt hat. Dadurch wird im Einzelfall eine mit der Vermögenskonfiskation vergleichbare Wirkung erzielt. Nach der Reform von 2017 wird gegen die strafgleiche Wirkung des Bruttoprinzips und für seinen kondiktionsähnlichen Charakter argumentiert, dass die Aufwendungen, die nicht für das Verbotene getätigt wurden, bei der Bestimmung des erlangten Etwas berücksichtigt werden.[143]

Obwohl im polnischen Strafrecht das uneingeschränkte Bruttoprinzip gilt, wird es nicht wegen strafgleicher Wirkung kritisiert.[144] Die Frage nach dem Strafcharakter wegen materieller Übelswirkung wird aber bei der Einziehung eines Unternehmens als Tatmittel gestellt. Der Gesetzgeber führt aus, dass es sich dabei um eine Reaktion auf verwerfliches Verhalten des Betroffenen handelt und somit keine

142 Siehe oben Teil 4.III.B.2.b)aa)i).

143 Vgl. Deutscher Bundestag, 18. Wahlperiode, BT-Drs. 18/9525, S. 47, 55 f.; siehe oben Teil 4.II.B.1. und III.B.2.b)aa)i).

144 Das Bruttoprinzip ergibt sich aus der Auslegung des Begriffs „Vermögensvorteil". Die Rechtsprechung versteht als Vermögensvorteil alle Vermögenswerte, die aus der Straftat stammen, nicht nur den Gewinn des Täters. Deswegen ist es unberechtigt, die Ausgaben des Täters vom Abschöpfungsgenstand abzuziehen. Siehe oben Teil 5.II.B.1.a)bb).

Strafe darstellt.[145] Gegen strafgleiche Wirkung spricht, so der Gesetzgeber, dass die Anwendung der Maßnahme nicht obligatorisch ist, sondern dem richterlichen Ermessen und dem Verhältnismäßigkeitsgrundsatz unterliegt.[146] Mit ähnlicher Argumentation verneint der Gesetzgeber die strafgleiche Wirkung der erweiterten Einziehung. Diese Maßnahme diene dem Schutz der Wirtschaft und der ökonomischen Sicherheit des Staates und richte sich gegen schwere Delikte, wodurch die Schwere des Eingriffs zu präventiven Zwecken gerechtfertigt wird.[147] In diesem Sinne ist aus Sicht des Gesetzgebers auch die Beweislastumkehr bezüglich der Herkunft des Vermögens kein Verstoß gegen das Schuldprinzip und die Unschuldsvermutung.

ii) Als Argument für den Strafcharakter

Die Wirkung der Maßnahme ist gleichzeitig aber auch ein Argument zur Bestätigung der These, dass es sich bei manchen Vermögensabschöpfungsmaßnahmen um strafgleiche oder strafähnliche Eingriffe in die Rechte des Betroffenen handelt. In Deutschland wurde nach der Einführung des Bruttoprinzips über die strafgleiche Wirkung der Gewinnabschöpfung in der Literatur diskutiert.[148] Grund dafür war, dass der Betroffene nicht nur mit dem Verlust des Gewinns, sondern auch seiner Aufwendungen rechnen musste. In Bezug auf die Rechtslage nach der Reform wird hervorgehoben, dass im Bereicherungsrecht der Bereicherte bei Wegfall der Bereicherung nach allgemeinen Vorschriften und nicht mehr bereicherungsrechtlich haftet, es sei denn, er hat die Entreicherung schuldhaft verursacht. Das Gleiche soll für die strafrechtliche Vermögensabschöpfung gelten, wenn sie keinen Strafcharakter hat.[149] Im Hinblick auf den kondiktionsähnlichen Charakter der Vermögensabschöpfung wird bemängelt, dass Kondiktionsansprüche nach dem Zivilrecht zwischen zwei gleichgestellten Parteien entschieden werden. Auch die Folgen der Fehlentscheidung sind gleich verteilt. Deswegen ist es gerechtfertigt, nach überwiegender Wahrscheinlichkeit zu entscheiden, wenn der Sachverhalt unklar bleibt.[150] Bei der strafrechtlichen Vermögensabschöpfung ist die Situation aber durchaus eine andere und das Risiko sei nicht symmetrisch, sondern asymmetrisch verteilt. Deswegen habe Vermögensabschöpfung in diesem Zusammenhang keinen kondiktionsähnlichen Charakter.[151]

---

145 Vgl. Sejm RP, VIII kadencja, Druk sejmowy Nr. 1186, Begründung, S. 5.
146 Siehe oben Teil 5.III.2.b)bb)i).
147 Siehe oben Teil 5.III.2.b)aa)i).
148 Siehe oben Teil 4.II.B.1., III.B.2.b)aa)i).
149 Siehe oben Teil 4.III.B.2.b)aa)i).
150 *Hoyer*, GA 1993, 418.
151 Ebenda, 419.

Wegen der strafgleichen Wirkung wird aber besonders die erweiterte Einziehung kritisiert.[152] Bei dieser Maßnahme nimmt der Gesetzgeber die Einziehung von rechtmäßig erworbenen Gegenständen in Kauf, da die Verbindung zwischen dem einzuziehenden Gegenstand und der Tat, die Gegenstand des Verfahrens ist, nicht bestehen muss.[153] Strafgleiche Wirkung wird auch der formlosen außergerichtlichen Einziehung zugeschrieben. Grund dafür ist, dass im Strafprozess kein Vertrag zwischen zwei gleichgestellten Parteien abgeschlossen werden kann, da es sich um die Machtausübung des Staates handelt. Der Verzicht auf die Gegenstände bedeutet für den Betroffenen auch einen Verzicht auf die Rechtsmittel, um die Einziehungsentscheidung anzufechten.[154]

In Polen wird im Hinblick auf die Übelswirkung der Vermögensabschöpfung oft ein Bezug auf die Vermögensstrafe hergestellt. Dieser Strafe unterlag das gesamte Vermögen des Täters, ohne dass eine Verbindung zwischen dem Vermögen und der Tat bestehen musste. Eine Verknüpfung zwischen einer Straftat und dem abzuschöpfenden Gegenstand sei dann die Eigenschaft der Einziehung, die keinen Strafcharakter hat. Wird auf einen Nachweis dieser Verbindung durch Beweiserleichterungen oder Beweislastumkehr verzichtet, erhalte die Einziehung den Charakter einer Strafe. Sie wirke wie eine Vermögensstrafe, indem auch die Abschöpfung rechtmäßig erlangten Vermögen legitimiert werde. Dieser Kritikpunkt bezieht sich auf die erweiterte Einziehung, da bei dieser Maßnahme die Verbindung zwischen der Tat und dem Abschöpfungsgegenstand nicht nachgewiesen werden muss.[155] Dies ähnelt dem uneingeschränkten Vermögenszugriff bei der Vermögensstrafe: Die Delikte, aus denen das Vermögen stammen kann, sind nicht nur kein Gegenstand des Verfahrens, sondern sie müssen der Strafverfolgung auch nicht bekannt sein. Gerade die Beweislastumkehr verleiht der erweiterten Einziehung die Schwere, die als Strafübel bezeichnet werden kann.

bb) Zweck der Maßnahme

Bei der Frage nach der strafähnlichen Rechtsnatur einer Maßnahme gilt ihr Zweck als ein wichtiges Merkmal. Der überwiegend repressive Zweck wird als Argument für die strafähnliche Natur, und der präventive Zweck gegen die Strafähnlichkeit einer Maßnahme hervorgehoben.[156] In beiden Rechtsordnungen wird darauf hingewiesen, dass die Zwecke der Strafen und anderen Maßnahmen der

---

152 Siehe oben Teil 4.III.B.2.b)bb)i).

153 Siehe oben Teil 4.III.B.2.b)bb)i).

154 Siehe oben Teil 4.III.B.2.b)dd)i).

155 Siehe oben Teil 5.III.B.2.b)aa)i).

156 Siehe oben III.A.3.a). Allerdings wird auch argumentiert, dass Repression kein Strafzweck ist, sondern sich auf die Wirkung der Strafe bezieht – eine Strafe ist eine Repression – siehe *Roxin*, Strafrecht AT I, S. 89 f.; *Wróbel/Zoll*, Polskie prawo karne, S. 413 f.

strafrechtlichen Reaktion sich nicht wesentlich unterscheiden und alle eine präventive Grundtendenz aufweisen.[157] Trotzdem gilt der repressive Zweck als Hauptunterscheidungsmerkmal einer Strafe in Bezug auf die Anwendung des Schuldprinzips und der Unschuldsvermutung.

i) Als Argument gegen den Strafcharakter

Im deutschen Recht wird argumentiert, dass die strafrechtliche Gewinnabschöpfung an die Grundsätze des Bereicherungsrechts angelehnt ist und demnach keine pönale Reaktion auf ein früheres normwidriges Verhalten des Betroffenen darstellt.[158] Die Maßnahmen dienen laut Gesetzesbegründung dazu, rechtswidrige Vermögenslagen, eine Störung der Vermögensordnung, zu beseitigen. Die Verbrechensgewinne sollen nicht vom Täter genutzt werden und als Mittel der Einflussnahme auf die Wirtschaft dienen können. Diese Maßnahmen unterliegen nicht dem Schuldgrundsatz, weil sie zukunftsgerichtet sind, also einen rein präventiven Zweck erfüllen.[159] Wie im Bereicherungsrecht trägt auch bei der Vermögensabschöpfung der unrechtmäßig Bereicherte das Risiko des Verlustes seines Vermögens, vorausgesetzt, dass die nachgewiesenen Anlasstaten für die Überzeugungsbildung über die rechtswidrige Herkunft des Vermögens ausreichend sind.

Der polnische Gesetzgeber weist auch auf den präventiven Zweck der Vermögensabschöpfung hin. Betont wird die Rolle der erweiterten Einziehung in der Bekämpfung schwerer gewinnorientierter Kriminalität.[160] Gegen den strafähnlichen Charakter dieser Maßnahme spreche neben dem präventiven Zweck auch die dem Betroffenen gewährleistete Möglichkeit, die Rechtmäßigkeit seines Vermögens im Strafprozess zu beweisen und dadurch die Einziehung zu verhindern. Die gleiche Argumentation gelte für die Einziehung eines Unternehmens, das als Werkzeug zur Tatbegehung oder zum Verschleiern der Taterträge verwendet wurde.[161] Die Maßnahme richte sich, so der Gesetzgeber, gegen schwere Straftaten, die die ökonomische Sicherheit des Staates und des Wirtschaftsverkehrs gefährden.[162]

---

[157] Vgl. *Roxin*, Strafrecht AT I, S. 97 f.; *Wróbel/Zoll*, Polskie prawo karne, S. 413 ff. Dies veranschaulicht ein Beispiel, in dem die Unterbringung in einem psychiatrischen Krankenhaus auf die zu verbüßende Freiheitsstrafe angerechnet wird.

[158] Deutscher Bundestag, 18. Wahlperiode, BT-Drs. 18/9525, S. 66; siehe oben Teil 4. III.B.2.b)bb)ii) und cc)i).

[159] Deutscher Bundestag, 18. Wahlperiode, BT-Drs. 18/9525, S. 58; so auch *Marstaller/ Zimmermann*, Non-conviction-based confiscation in Deutschland? S. 71 f.; siehe oben Teil 4. III.B.2.b)bb)ii) und cc)i).

[160] Siehe oben Teil 5.III.B.2.b)aa)ii).

[161] Vgl. Sejm RP, VIII kadencja, Druk sejmowy Nr. 1186, Begründung, S. 9.

[162] Sejm RP, VIII kadencja, Druk sejmowy Nr. 1186, Begründung, S. 4 f.

ii) Als Argument für den Strafcharakter

In beiden Rechtsordnungen wird die Ansicht kritisiert, dass die Vermögensabschöpfung wegen ihres präventiven Zwecks keine strafähnliche Maßnahme darstelle. Zunächst kann die Ermittlung von Zwecken einer Maßnahme auf einer abstrakten Ebene wenig zur Bestimmung des Strafcharakters einer Sanktion beitragen, da sich die Zwecke von Strafen und Maßnahmen ohne Strafcharakter weitgehend decken. Zweitens handle es sich dabei immer um eine Wertungsentscheidung, die Ausdruck einer Überzeugung ist, aber keine These bestätigen oder widerlegen kann.[163] In der Literatur wird aber der Auffassung widersprochen, dass die Maßnahmen zur Abschöpfung von Taterträgen durch ihren präventiven Zweck nicht dem Schuldgrundsatz unterliegen. Insbesondere der Bestimmung der Rechtsnatur von erweiterter Einziehung nach ihrem präventiven Zweck wird entgegnet, es handle sich um eine auf Wiederherstellung der Rechtsordnung gerichtete repressive Maßnahme, da sie an die Rechtswidrigkeit der Tat anknüpft und eine einer Strafe ähnliche Übelswirkung für den Betroffenen hat. Deswegen sollte für die Anlass- und Herkunftstat eine schuldhafte Tatbegehung nachweislich sein.[164] Der Zusammenhang zwischen der Tat und dem Vermögen solle keinen Beweiserleichterungen unterliegen. Hinterfragt wird auch der präventive Zweck der erweiterten Einziehung, da die Maßnahme endgültig ist und nicht nur fortbesteht, solange die Gefahr krimineller Verwendung des Vermögens besteht. Zweifelhaft sei dabei die Möglichkeit, eine Gefahrenprognose zu erstellen, die nicht auf der Persönlichkeit des Täters basiert.[165] Darüber hinaus wird die Ausrichtung der selbständigen Einziehung an den Grundsätzen des Bereicherungsrechts kritisch bewertet, da die zivilrechtliche Regelung nicht auf die Verhinderung zukünftiger Vermögensverschiebungen gerichtet ist.[166]

cc) Anordnung im Strafverfahren

Die Anordnung der Abschöpfungsmaßnahmen im Strafverfahren gilt als ein Argument sowohl für als auch gegen die strafähnliche Rechtsnatur. Die Anordnung wird als Hinweis auf die strafähnliche Rechtsnatur der Maßnahme oder eine Gewähr für den ausreichenden Schutz der Rechte des Betroffenen gesehen. Andererseits gilt die Anordnung im Strafverfahren auch als ein zu beseitigendes Hindernis der Effektivität und ist ein Kritikpunkt an der Inkonsequenz des Gesetzgebers.[167]

---

163 Vgl. *Berg*, Beweiserleichterungen bei der Gewinnabschöpfung, S. 182.

164 Siehe oben Teil 4.III.B.2.b)bb)ii) und Teil 5.III.B.2.b)aa)ii).

165 Siehe oben Teil 4.III.B.2.b)bb)ii).

166 Siehe oben Teil 4.III.B.2.b)cc)i).

167 Siehe oben Teil 4.III.B.2.b)cc)ii).

i) Als Argument gegen den Strafcharakter

In der deutschen Literatur wird die Ausgliederung der selbständigen und erweiterten Einziehung aus dem Strafverfahren gefordert, da der Verfahrensgegenstand die Beseitigung rechtswidriger Vermögenslagen sei.[168] Die Maßnahmen haben einen vermögensordnenden Charakter und die strafrechtlichen Garantien finden auf sie keine Anwendung. Deswegen sei es geboten, sie im Verwaltungsverfahren anzuordnen. Dem steht auch die Eigentumsgarantie aus Art. 14 GG nicht entgegen, da sich aus dem Grundgesetz nicht ergibt, dass Einziehung auf eine Verurteilung gestützt sein muss. Im polnischen Recht dagegen darf die Einziehung gemäß Art. 46 der Verfassung nur aufgrund einer rechtskräftigen Gerichtsentscheidung erfolgen. Deswegen wird die Ausgliederung der Einziehung aus dem Strafverfahren nicht gefordert. Vielmehr wird die Anordnung im Strafverfahren bei der erweiterten Einziehung und Einziehung eines Unternehmens als ein Argument für den ausreichenden Schutz der Rechte des Betroffenen vorgebracht.[169]

ii) Als Argument für den Strafcharakter

Die Anordnung im Strafverfahren gilt allerdings noch als ein Argument für die strafähnliche Natur der Abschöpfungsmaßnahmen. In der deutschen Literatur wird insbesondere das Beweismaß bei der selbständigen Einziehung als Beweis des ersten Anscheins und als ein Fremdkörper im Strafverfahren kritisiert.[170] Es werde ein Zusammenhang zwischen dem einzuziehenden Vermögen und der Anlasstat angenommen, der aber nicht durch Regelmäßigkeit, Gewohnheit und Häufigkeit geprägt und deswegen unzulässig sei.[171]

dd) Sonstige Argumente in der Diskussion

Die Argumentation, dass Abschöpfungsmaßnahmen keinen Strafcharakter haben, wird in beiden Rechtsordnungen noch auf die systematische Auslegung des Gesetzes gestützt.[172] Sowohl im deutschen als auch im polnischen Recht sind die Abschöpfungsmaßnahmen im Strafgesetz in separaten Kapiteln geregelt. Darüber hinaus wird auf die Schwere der Delikte, an die die Maßnahmen anknüpfen, Bezug genommen. Diese solle die Eingriffsintensität und die geminderten Anordnungsvoraussetzungen rechtfertigten.

---

168 Siehe oben Teil 4.III.B.2.b)cc)ii).

169 Siehe oben Teil 5.III.B.2.b)aa)i).

170 Siehe oben Teil 4.III.B.2.b)cc)ii).

171 Siehe oben Teil 4.III.B.2.b)cc)ii).

172 Siehe oben Teil 5.III.2.b); Teil 4.III.B.2.b)bb)ii).

4. Fazit

Die rechtsvergleichende Untersuchung hat gezeigt, dass für die Bestimmung der Rechtsnatur einer Maßnahme im Hinblick auf den Anwendungsbereich des Schuldgrundsatzes und der Unschuldsvermutung insbesondere der Zweck der Maßnahme und ihre Wirkung eine wichtige Rolle spielen. Die Rechtsnatur der Vermögensabschöpfungsmaßnahmen bleibt jedoch in beiden Ländern umstritten, da die Merkmale einer Strafe keine scharfen Unterscheidungskriterien sind. Das gilt auch für das Hauptentscheidungskriterium für die Anwendung des Schuldprinzips und der Unschuldsvermutung – den überwiegend repressiven Zweck und für die materielle Übelswirkung der Sanktion. In beiden Rechtsordnungen dienen sowohl Strafen als auch andere Maßnahmen der strafrechtlichen Reaktion primär der Prävention, wobei über Strafen gesagt wird, dass die Repression über die präventiven Zwecke überwiegt. Dabei kann die Wirkung der Maßnahme für den Betroffenen ein Hinweis auf die strafrechtliche Natur sein. Aus der Untersuchung ergibt sich als Argument für den strafrechtlichen Charakter einer Maßnahme der Umstand, dass die materielle Übelswirkung der Sanktion durch ihren präventiven Zweck nicht legitimiert werden kann.[173] Dieser Umstand spricht dafür, dass die strafrechtliche Vermögensabschöpfung einer Einschränkung bedarf, um den strafrechtlichen Garantien Rechnung zu tragen. Da aber die rechtspolitischen Forderungen nach effektiven Abschöpfungsinstrumenten nicht außer Acht gelassen werden können, ist eine Verortung der Vermögensabschöpfung in Erwägung zu ziehen. Die Verortung bedeutet, die Sanktionen mit zivilrechtlich-restitutivem oder polizeilich-präventivem Zweck so zu gestalten, dass sie durch ihren Zweck als Eingriffsmaßnahmen legitimiert werden können.[174]

B. Übergreifende verfassungsrechtliche Grenzen – Verhältnismäßigkeit der Vermögensabschöpfung

Im folgenden Kapitel werden die Ansätze zur Bestimmung der Grenzen der Vermögensabschöpfung unabhängig von der Rechtsnatur durch den Verhältnismäßigkeitsgrundsatz verglichen. Die Untersuchung beginnt mit einem Überblick zum Verständnis und der Rolle des Verhältnismäßigkeitsgrundsatzes in beiden Rechtsordnungen (1.). Nachfolgend wird die Anwendbarkeit des Grundsatzes im Strafrecht der beiden Länder verglichen (2.). Anschließend werden die Ausführungen der Landesberichte zur Verhältnismäßigkeit der Vermögensabschöpfung verglichen (3.), mit dem Ziel, gemeinsame Kriterien der Angemessenheit dieser Eingriffsmaßnahmen herauszuarbeiten (c)).

---

173 Vgl. *Saliger*, ZStW 2017, 1003, 1006.

174 Dazu ausführlich siehe unten Teil 7.I.

1. Überblick

Der Verhältnismäßigkeitsgrundsatz bestimmt in beiden Rechtsordnungen das Verhältnis zwischen dem Einzelnen und der staatlichen Gewalt. Er dient als Maßstab für jede staatliche Einschränkung der Freiheiten und Rechte eines Menschen und ermöglicht die Kontrolle der praktischen Umsetzung der Grundrechtsbindung der staatlichen Gewalt.[175] In beiden Rechtsordnungen wurde dieser Grundsatz nach dem Zweiten Weltkrieg in der Praxis der Rechtsanwendung entwickelt. Im deutschen Recht diente er als Prüfmaßstab für die Entscheidungen der vollziehenden und rechtsprechenden Gewalt. Zuerst bezog sich die Verhältnismäßigkeitsprüfung auf die Kontrolle der individuell-konkreten Normen. Dann wurde sie zu einer generell-abstrakten Prüfung ausgebaut.[176] Da die Grundrechte die objektiven und materiellen Grundlagen der pluralistischen Demokratie bilden, ist die Verhältnismäßigkeit zum Prüfmaßstab auf der Ebene der Gesetzgebung geworden.[177]

Im polnischen Recht stammt der Verhältnismäßigkeitsgrundsatz aus dem Verwaltungsverfahren, wo er als Regel für die Rechtsanwendung diente. Später wurde er auch in die Rechtsprechung des Verfassungsgerichtshofs aufgenommen. Anfangs leitete der Gerichtshof die Verhältnismäßigkeit aus dem Vertrauen der Bürger in die staatliche Gewalt ab, und als das Rechtsstaatsprinzip in die Verfassung aufgenommen wurde, aus diesem Prinzip. Schließlich wurde der Verhältnismäßigkeitsgrundsatz in die polnische Verfassung von 1997 in Art. 31 Abs. 3 aufgenommen. Spätestens ab diesem Zeitpunkt ist der Gesetzgeber verpflichtet, die Verhältnismäßigkeit zu beachten, wenn ein Gesetz verabschiedet wird.[178] Das Rechtsstaatsprinzip dient dabei als Auslegungshilfe und als zusätzliche Einschränkung für die Beeinträchtigungen der Grundrechte und Freiheiten.[179]

Der formelle Unterschied zwischen den beiden Rechtsordnungen hat für den Inhalt und die praktische Anwendung des Grundsatzes kaum Bedeutung.[180] In der polnischen Verfassung wurden zwar in Art. 31 Abs. 3 die Voraussetzungen (Zwecke der Maßnahmen) bestimmt, die einen Eingriff in Rechte und Freiheiten rechtfertigen können, diese Bestimmungen sind jedoch so generell formuliert, dass sie zumindest für die in dieser Arbeit vorgenommene Untersuchung der Verhältnis-

---

175 Siehe oben Teil 4.III.C.1 und Teil 5.III.C.1; vgl. auch *Łabno*, in: Dukiet-Nagórska (Hrsg.), Zasada proporcjonalności, S. 17; *Lepsius*, in: Jestaedt/Lepsius (Hrsg.), Verhältnismäßigkeit, S. 4.

176 Siehe oben Teil 4.III.C.1.

177 Siehe oben Teil 4.III.C.1; vgl. auch *Häberle*, Die Wesensgehaltgarantie, S. 67 ff.

178 Siehe oben Teil 5.III.C.1.

179 Vgl. *Łabno*, in: Dukiet-Nagórska (Hrsg.), Zasada proporcjonalności, S. 27.

180 Dieser Unterschied liegt daran, dass die polnische Verfassung jünger als das deutsche Grundgesetz ist. Verhältnismäßigkeit als ein rechtsstaatliches Prinzip wurde auch in die Verfassungen anderer osteuropäischer Staaten aufgenommen. Siehe *Łabno*, in: Dukiet-Nagórska (Hrsg.), Zasada proporcjonalności, S. 20 f.

mäßigkeitsprüfung keine Rolle spielen.[181] Im deutschen Recht wurde der Verhältnismäßigkeitsgrundsatz in der Literatur und Rechtsprechung soweit dogmatisch entwickelt, dass er jetzt als ein selbständiger, im Rechtsstaatsprinzip verankerter Grundsatz gilt. Aus dem Rechtsstaatsprinzip werden die legitimen Zwecke der Grundrechtseingriffe hergeleitet.[182] Auch im polnischen Recht gilt für alle Einschränkungen von Rechten und Freiheiten, dass sie in einem demokratischen Rechtsstaat notwendig sein müssen.[183]

Die Verhältnismäßigkeitsprüfung besteht in beiden Rechtsordnungen aus drei Elementen: Geeignetheit, Erforderlichkeit und Angemessenheit.[184] Demnach muss die Einschränkung der Grundrechte für das Erreichen der Zwecke des Gesetzes geeignet und zu diesem Zweck auch notwendig sein, sowie dabei eine angemessene Einschränkung der Rechte und Freiheiten des Einzelnen darstellen. Eine Vorstufe dieser Prüfung ist die Ermittlung eines legitimen Zwecks des Gesetzes. In beiden Rechtsordnungen ist die Anwendung des Grundsatzes auf der Ebene der gesetzgeberischen Entscheidungen mit der Subsidiarität des staatlichen Handelns eng verbunden. Im Hinblick auf die Frage der Anwendung der Verhältnismäßigkeitsprüfung auf die generell-abstrakten Normen im Gesetzgebungsvorgang wird in beiden Rechtsordnungen darauf hingewiesen, dass die Kontrolle generell nur retrospektiv durchgeführt werden kann. Bei noch nicht geltenden Normen kann sich der Gesetzgeber grundsätzlich nur auf Prognosen stützen. Deswegen wird in der Praxis die Verhältnismäßigkeit der gesetzgeberischen Entscheidungen zuerst angenommen und später eventuell fallweise bei der justiziellen Kontrolle hinterfragt. Daraus ergibt sich auch für beide Rechtsordnungen, dass die Prüfung der Angemessenheit den Schwerpunkt der Verhältnismäßigkeitsprüfung bildet.[185]

2. Anwendbarkeit und Grenzen der Verhältnismäßigkeitsprüfung

Die Verhältnismäßigkeitsprüfung stößt bei strafrechtlichen Maßnahmen an ihre Grenzen. Bezogen auf die Vermögensabschöpfung beschäftigt sie sich mit der Auswirkung der Beweiserleichterungen auf die Schwere des Eingriffs in die Rechte des Betroffenen.[186] Es handelt sich um eine *ex post*-Kontrolle, ob Einziehung unter bestimmten Voraussetzungen einen unverhältnismäßigen Eingriff in die Rechte des Betroffenen darstellt.

---

[181] Siehe oben Teil 5.III.C.1.

[182] Siehe oben Teil 4.III.C.1.

[183] Siehe oben Teil 4.III.C.1.; vgl. auch *Łabno*, in: Dukiet-Nagórska (Hrsg.), Zasada proporcjonalności, S. 28.

[184] Siehe oben Teil 4.III.C.1. und Teil 5.III.C.1. In der polnischen Verfassungsrechtsdogmatik wird dazu noch die formelle Voraussetzung hinzugefügt, nämlich dass die Einschränkung nur im Wege eines Gesetzes erfolgen kann.

[185] Siehe oben Teil 4.III.C.1.–2. und Teil. 5.III.C.1.–2.

[186] Siehe oben Teil 4.III.C.3. und Teil 5.III.C.3.

Bei der Vermögensabschöpfung handelt es sich um einen Eingriff in die Rechte des Betroffenen mittels Strafrecht und deswegen ist der *ultima ratio*-Grundsatz zu berücksichtigen. Die Entscheidung über die Erforderlichkeit des Eingriffs sollte in Bezug auf gleich oder zumindest vergleichbar effektive Mittel getroffen werden. Die Wahl zwischen mehreren geeigneten Mitteln ist aber eine Entscheidung im Ermessensspielraum des Gesetzgebers.[187] In beiden Ländern ergeben sich praktische Schwierigkeiten bei der Anwendung des Verhältnismäßigkeitsgrundsatzes gerade daraus, dass der Ermessensspielraum des Gesetzgebers einbezogen werden muss. Eine tatsachenbezogene Kontrolle wird erst nachträglich durch die Judikative durchgeführt. Dies führt dazu, dass sich die Verhältnismäßigkeitsprüfung der generell-abstrakten Normen auf Ebene der Angemessenheit konzentriert, genauer auf die Frage, ob die Einschränkung unverhältnismäßig ist.[188] Somit wird sie zu einer Wertungsentscheidung über die rechtspolitische Zweckmäßigkeit der Einschränkung von Grundrechten. Probleme bereitet aber auch die Angemessenheitsprüfung selbst. Die Abwägung findet nicht zwischen konkreten Rechtspositionen, also abwägungsfähigen Rechtsgütern statt. Die Abschöpfungsmaßnahmen dienen vielfach der nicht überprüfbaren Generalprävention in Gestalt der Sicherung des Vertrauens der Allgemeinheit in die Unverbrüchlichkeit der Rechtsordnung, was dazu führt, dass subjektive Rechte gegen kollektive Interessen abgewogen werden. In beiden Rechtsordnungen wird dabei hervorgehoben, dass das Interesse der Allgemeinheit nicht *per se* das Individualinteresse überwiege und eine Angemessenheitsprüfung notwendig sei.[189]

3. Verhältnismäßigkeit der Vermögensabschöpfung

Wegen der Beweiserleichterungen und Beweislastumkehr bei der Vermögensabschöpfung wird die Verhältnismäßigkeit einiger dieser Maßnahmen hinterfragt. Im deutschen Recht gilt dies insbesondere für die erweiterte und die selbständige Einziehung.[190] Im polnischen Recht ist die erweiterte Einziehung ebenso betroffen wie auch die Einziehung eines Unternehmens.[191] Bei den genannten Maßnahmen haben die Gesetzgeber in beiden Ländern die Abschöpfung des legal erworbenen Vermögens in Kauf genommen oder sogar gebilligt, um die Effektivität der Kriminalitätsbekämpfung zu verbessern.[192] Für die Beurteilung der Geeignetheit und Erforderlichkeit fehlt in beiden Rechtsordnungen die Kenntnis über die relevanten Tatsachen.[193] Den Schwerpunkt der Verhältnismäßigkeitsprüfung bildet somit die

187 Siehe oben Teil 4.III.C.2. und Teil 5.III.C.2.

188 Siehe oben Teil 4.III.C.2. und Teil 5.III.C.2.

189 Siehe oben Teil 4.III.C.2. und Teil 5.III.C.2.

190 Siehe oben Teil 4.III.C.3.

191 Siehe oben Teil 5.III.C.3.

192 Siehe oben Teil 4.III.C.3. und Teil 5.III.C.3.

193 Siehe oben Teil 4.III.C.3.b) und Teil 5.III.C.3.b).

Angemessenheit des Grundrechtseingriffs, den die untersuchten Maßnahmen darstellen. Eine Angemessenheitsprüfung der strafrechtlichen Normen bedeutet eine Kontrolle, ob sie nicht gegen das Übermaßverbot verstoßen. Das Übermaßverbot bezieht sich in diesem Fall auf die Einschränkung der durch das deutsche Grundgesetz und die polnische Verfassung gewährten Eigentumsgarantie.[194]

a) *Verfassungsrechtliche Garantien*

Das durch die Vermögensabschöpfung beeinträchtigte Grundrecht ist vor allem die Eigentumsgarantie, die in Art. 14 GG und Art. 64 der polnischen Verfassung geregelt wird.[195] In beiden Rechtsordnungen wird der Begriff des Eigentums im Verfassungsrecht autonom ausgelegt und ist weiter als der zivilrechtliche zu verstehen. Im deutschen Recht bezieht er sich auf Grundeigentum, Eigentum an beweglichen Sachen und jedes private Vermögensrecht.[196] Die Anwendbarkeit der Eigentumsgarantie auf Maßnahmen, die einen Zahlungsanspruch des Staates begründen, wird aber zum Teil verneint. Dies betrifft neben der Geldbuße auch die in der Praxis häufige Einziehung des Wertes der primären Einziehungsgegenstände. Obwohl Vermögen kein ausgestaltetes Recht ist, gelten Geldleistungspflichten, die die Vermögensverhältnisse des Betroffenen grundlegend verändern, zum Teil als Einschränkungen des Eigentums. Dieser Auslegung der Eigentumsgarantie schließt sich die vorliegende Untersuchung an.[197] Sie entspricht auch dem Verständnis von Eigentum im polnischen Verfassungsrecht.[198] Im polnischen Recht wird durch die Eigentumsgarantie das Recht, Eigentümer zu sein, gewährt. Das bedeutet das Recht, Eigentum zu erwerben, zu nutzen, zu behalten und darüber zu verfügen. Die Regelung in Art. 64 der polnischen Verfassung bestimmt diesen Schutzumfang und wird als Ergänzung der allgemeinen Eigentumsgarantie nach Art. 21 der polnischen Verfassung gesehen. Zum Schutzumfang gehören neben dem Eigentum auch das Erbrecht und andere Vermögensrechte. Letztere schützen unmittelbare ökonomische Interessen des Einzelnen.[199] Im polnischen Recht sind darüber hinaus die formellen Voraussetzungen der Einziehung in der Verfassung geregelt: Nach Art. 46

[194] Siehe oben Teil 4.III.C.3.a)cc) und Teil 5.III.C.3.a)cc).

[195] Siehe oben Teil 4.III.C.3.a)cc) und Teil 5.III.C.3.a)cc). Im deutschen Verfassungsrecht wird die Meinung vertreten, dass die Vermögensabschöpfungsmaßnahmen, die eine Zahlungspflicht des Betroffenen begründen, nicht im Schutzbereich des Art. 14 GG enthalten seien. Sie könnten aber an Art. 2 Abs. 1 GG gemessen werden. Daraus ergebe sich Folgendes für die Verhältnismäßigkeitsprüfung: Abschöpfungsmaßnahmen, die als Einschränkungen der Eigentumsgarantie gesehen werden, gehören zu Inhalts- und Schrankenbestimmungen dieses Grundrechts, die Einschränkungen der allgemeinen Handlungsfreiheit nicht.

[196] Siehe oben Teil 4.III.C.3.a)aa).

[197] Siehe oben Teil 4.III.C.3.a)cc).

[198] Siehe oben Teil 4.III.C.3.a)aa) und Teil 5.III.C.3.a)aa).

[199] Siehe oben Teil 5.III.C.3.a)aa).

darf die Einziehung nur nach Überprüfung der gesetzlichen Voraussetzungen, der Beurteilung des Einzelfalls und infolge einer rechtskräftigen Gerichtsentscheidung erfolgen.[200]

b) Verhältnismäßigkeitsprüfung

Im deutschen Verfassungsrecht wird der Eigentumsverlust als Nebenfolge einer strafrechtlichen Verurteilung und als Inhalts- und Schrankenbestimmung des Eigentumsrechts gesehen. Dem Gesetzgeber steht das Recht zu, den Inhalt und die Schranken des Eigentumsrechts zu bestimmen. Im Rahmen dieser Kompetenz verabschiedete Regelungen unterliegen der Verhältnismäßigkeitsprüfung. Diese bezieht sich jedoch nicht auf die Geeignetheit und Erforderlichkeit der Regelung, da dies im Ermessensspielraum des Gesetzgebers liegt. Geprüft wird die Angemessenheit der Einschränkung.[201] Im Ergebnis ähnlich wird die Verhältnismäßigkeitsprüfung der Eigentumseinschränkungen im polnischen Recht gesehen. Aus der Eigentumsgarantie im polnischen Verfassungsrecht ergibt sich für den Gesetzgeber die Pflicht, den gesetzlichen Rahmen des Eigentums zu gestalten. Gemäß der Verfassung dürfen die gesetzlichen Regelungen nicht das Wesen des Grundrechts verletzen. Die Einschränkung des Eigentumsgrundrechts wird nach dem Verhältnismäßigkeitsgrundsatz geprüft.[202] Dabei geht es in beiden Rechtsordnungen um die Abwägung dieses Individualrechts gegen den Schutz der Sicherheit und der öffentlichen Ordnung.

aa) Geeignetheit und Erforderlichkeit des Grundrechtseingriffs

In beiden Rechtsordnungen kann die Geeignetheit und Erforderlichkeit des Grundrechtseingriffs durch die Vermögensabschöpfung nur eingeschränkt geprüft werden.[203] In der nachträglichen Kontrolle durch die Verfassungsgerichte der beiden Länder wird – bis auf das offensichtlich Ungeeignete – in den Ermessensspielraum des Gesetzgebers in diesem Bereich nicht eingegriffen. Darüber hinaus stehen Tatsachen generell nicht im Mittelpunkt des Interesses der Verfassungsgerichte; Gegenstand des Verfahrens sind die Rechtsfragen. Die Verhältnismäßigkeitskontrolle durch die Verfassungsgerichte beider Länder beschränkt sich auf die Frage, ob eine Maßnahme nicht unangemessen ist. Trotzdem wird in der Literatur die Geeignetheit und Erforderlichkeit mancher Abschöpfungsmaßnahmen hinterfragt.

Während in Polen die Geeignetheit und Erforderlichkeit des Grundrechtseingriffs nur punktuell beanstandet wird, wird in Deutschland generelle Kritik an der

---

200 Siehe oben Teil 5.III.C.3.a)bb).

201 Siehe oben Teil 4.III.C.3.a)cc).

202 Siehe oben Teil 5.III.C.3.a)cc).

203 Siehe oben Teil 4.III.C.3.b)aa) und Teil 5.III.C.3.b)aa).

Gewinnabschöpfung in dieser Hinsicht geäußert.[204] Ein wichtiger Kritikpunkt ist dabei folgender: Durch diese Maßnahmen habe der Gesetzgeber keinen Einfluss auf die Motivation des Täters, sich durch die Straftat zu bereichern, weil dem Täter die Gewinne nur in Nachhinein entzogen werden könnten. Ihren Verlust habe der Täter in das Risiko der Tataufdeckung einkalkuliert.[205] Kritisch wird auch die Geeignetheit der Abschöpfungsmaßnahmen zur Einschränkung der Handlungsmöglichkeiten von kriminellen Organisationen bewertet. Dadurch, dass es sich bei Organisierter Kriminalität um relativ dezentralisierte Strukturen handle, träfen die Maßnahmen eher einzelne Personen als ganze Gruppen. Auch auf hohen Ebenen könne das Strafrecht nur punktuell wirken und verspreche wenig Erfolg.[206] Sowohl in Deutschland als auch in Polen wird bemängelt, dass die eingeführten Beweiserleichterungen in der Praxis nur marginale Bedeutung haben oder haben werden.[207] In der Praxis habe das Geständnis des Täters und die Sicherung des Vermögens im Ermittlungsverfahren größere Bedeutung für die Effektivität der Vermögensabschöpfung. Darüber hinaus wird im polnischen Recht die Geeignetheit der Einziehung eines Unternehmens von einer anderen Person als dem Täter im Hinblick auf ihren präventiven Zweck beanstandet. Die präventive Wirkung der Einziehung der Tatwerkzeuge von Nicht-Tätern wird generell in der Rechtsprechung des Verfassungsgerichtshofs verneint.[208] Die Abschöpfungsmaßnahme richtet sich gegen eine Person, die weder an der Tat mitgewirkt hat noch diese verhindern konnte. Der Gesetzgeber begründet nicht ausreichend, wie dieses Instrument der Prävention dienen soll. Auch die Erforderlichkeit des Schutzes der Wirtschaft und der ökonomischen Sicherheit des Staates mittels Dritteinziehung von Unternehmen wird nicht belegt.[209] Im Hinblick auf den subsidiären Charakter des Rechtsgüterschutzes mittels Strafrechts spricht dies gegen die Geeignetheit und Angemessenheit der Dritteinziehung von Unternehmen.

bb) Angemessenheit des Grundrechtseingriffs

Den Schwerpunkt der Verhältnismäßigkeitsprüfung von Vermögensabschöpfungsmaßnahmen stellt die Angemessenheit der untersuchten Normen dar.[210] Diese bedeutet eine Mittel-Zweck-Abwägung, die auf der einen Seite die Beeinträchti-

---

204 Siehe oben Teil 4.III.C.3.b)aa) und Teil 5.III.C.3.b)aa).

205 Siehe oben Teil 4.III.C.3.b)aa); vgl. auch Neumann/Albrecht-*Albrecht*, Nomos Kommentar, § 43a Rn. 9; *Perron*, JZ 1993, 921 f.; *Herzog*, FS Lüderssen, S. 244.

206 Siehe oben Teil 4.III.C.3.b)aa); vgl. auch *Perron*, JZ 1993, 922 ; anders *Meyer*, StV 2017, 1 ff.

207 Siehe oben Teil 4.III.C.3.b)aa) und Teil 5.III.C.3.b)aa); vgl. auch *Buczkowski*, Prawo w działaniu 2010, 221 ff.; *Meyer*, NZWiSt 2018, 250.

208 Siehe oben Teil 5.III.C.3.b)bb)iv).

209 Siehe oben Teil 5.III.C.3.b)aa).

210 Siehe oben Teil 4.III.C.3b)bb) und Teil 5.III.C.3b)bb).

gung des Eigentumsrechts durch die Abschöpfungsmaßnahme, auf der anderen Seite den Zweck dieser Maßnahme betrifft. Die Beeinträchtigung des Eigentumsrechts durch die Abschöpfungsmaßnahme darf zu den durch die Maßnahme geschützten Rechtsgütern nicht unverhältnismäßig sein.

Da das Verständnis und die Anwendung des Verhältnismäßigkeitsgrundsatzes in beiden Rechtsordnungen weitgehend gleich sind, werden in diesem Kapitel die in der Diskussion vorgebrachten Argumente zusammengefasst. Auf diesem Weg wird versucht, eine Antwort auf die Frage zu geben, welche Merkmale eine angemessene Abschöpfungsmaßnahme erfüllen soll.

i) Verknüpfung zwischen dem Vermögen und einer rechtswidrigen Tat

Aus den Berichten zum nationalen Recht ergibt sich, dass für die Angemessenheit einer Vermögensabschöpfungsmaßnahme das Bestehen einer Verknüpfung zwischen dem abzuschöpfenden Gegenstand und einer (zumindest) rechtswidriger Tat spricht.[211] Diese Verbindung kann zweierlei Art sein. Entweder handelt es sich um Gewinne aus einer Tat oder um ein Werkzeug, das zur Tatbegehung eingesetzt wurde. Während im ersten Fall allein die Verknüpfung mit einer rechtswidrigen Tat, also die rechtswidrige Herkunft des Vermögens, ausreichend ist, sollte bei den Tatmitteln (Tatwerkzeugen) zusätzlich die Schwere der begangenen Tat und der Vorwurf gegen den Betroffenen im Verhältnis zum Wert des abzuschöpfenden Gegenstandes berücksichtigt werden.[212] Aus diesem Grund hat sowohl der deutsche als auch der polnische Gesetzgeber in die Regelung der Einziehung von Tatmitteln eine Verhältnismäßigkeitsklausel eingeführt.[213]

Im polnischen Strafrecht ist die Verhältnismäßigkeitsklausel bei der Einziehung des Unternehmens als Tatwerkzeug besonders umfangreich gestaltet.[214] Die Maßnahme kann sich gegen den Täter und gegen einen tatunbeteiligten Unternehmenseigentümer richten. Bei der Einziehung eines Unternehmens von einem Nicht-Täter bezieht sich die Verhältnismäßigkeitsklausel auf die Motivation des Betroffenen und die Art und Weise seiner Handlung (Art. 44a § 4 k.k.).[215] Darüber hinaus soll der durch die Straftat herbeigeführte Schaden oder der Wert des im Unternehmen verschleierten Vermögensvorteils nicht außer Verhältnis zum Ausmaß der Tätigkeit des Unternehmens stehen (Art. 44a § 5 k.k.). Dazu hat der Gesetzgeber noch eine Härteklausel in Art. 44a § 6 k.k. vorgesehen: Das Gericht kann von der Einziehung

---

[211] Siehe oben Teil 4.III.C.3b)bb)ii); Teil 5.III.C.3b)bb)i) und ii).

[212] Teil 5.III.C.3b)bb)ii) und iv).

[213] Einziehung von Tatwerkzeugen im Strafrecht, vgl. § 74f Abs. 1 Satz 1 StGB, Art. 44 § 3 k.k., Art. 44a §§ 4–6 k.k., Art. 31 § 3 Nr. 1 k.k.s.; Einziehung von Tatwerkzeugen im Ordnungswidrigkeitenrecht, vgl. § 24 Abs. 1 OWiG, Art. 30 § 5 k.w.

[214] Siehe oben Teil 5.II.B.2.a)cc) und dd).

[215] Siehe oben Teil 5.II.B.2.a)dd).

eines Unternehmens absehen, wenn dies für den Betroffenen eine unbillige Härte darstellen würde.[216] Allein diese weitgehende Absicherung des Gesetzgebers gegen unverhältnismäßige Ergebnisse der Anwendung dieser Regelung stellt ihre Angemessenheit in Frage. Anders gesagt, wenn bei einer individuell-konkreten Entscheidung so viel beachtet werden muss, ist die Norm vielleicht auch generell-abstrakt unverhältnismäßig. Die umfassende Regelung der Verhältnismäßigkeitsklausel kann sich daraus ergeben, dass bei der Einziehung des Unternehmens als Tatwerkzeug eine Beweiserleichterung bezüglich der Verbindung zwischen der Straftat und dem Abschöpfungsgegenstand eingeführt wurde.[217] Der Abschöpfungsgegenstand ist ein Unternehmen, also kein Gegenstand, sondern eine abstrakte Einheit, die sich aus mehreren realen Bestandteilen zusammensetzt, die insgesamt als Unternehmen fungieren. Eine Verbindung kann nur zwischen der Tat und einzelnen Bestandteilen des Unternehmens bestehen. Die Beweiserleichterung liegt darin, dass das ganze Unternehmen als in die Tat verstrickt gilt und eingezogen werden kann, wenn auch nur ein Teil des Unternehmens in eine Straftat verwickelt ist.[218] Dadurch erinnert die Regelung an die Totalkontamination in Anlehnung an den Geldwäschetatbestand bei der selbständigen Einziehung nach dem deutschen Recht.[219]

Eine Verbindung zwischen dem Abschöpfungsgegenstand und einer rechtswidrigen Tat fehlt sowohl im deutschen als auch im polnischen Recht bei der erweiterten Einziehung.[220] Im polnischen Recht wurde diesbezüglich eine Beweislastumkehr, im deutschen eine Beweiserleichterung eingeführt. Beides wurde mit praktischen Schwierigkeiten bei der Abschöpfung von Gewinnen aus Straftaten begründet: Die Einziehung vom Täter wird in manchen Fällen durch die Voraussetzung einer Verbindung zwischen dem Vermögen und der Tat verhindert. Die Einziehungsanordnung werde auch vielfach durch eine Übertragung des Vermögens auf tatunbeteiligte Dritte erschwert oder verhindert. Im Ergebnis bleiben potenziell rechtswidrige Vermögenswerte den Tätern überlassen.[221] Dies gefährde die Wirtschaft und das Vertrauen der Allgemeinheit in die Gerechtigkeit und die Unverbrüchlichkeit der Rechtsordnung.[222]

---

216 Siehe oben Teil 5.II.B.2.a)cc) und dd).

217 Siehe oben Teil 5.III.C.3.b)bb)ii).

218 Das kann auch nur die Buchhaltung, Organisationsstruktur oder Dokumentation des Unternehmens sein; siehe *Szeleszczuk*, Prokuratura i Prawo 2017, 47 f. Die Konsequenzen der Beweiserleichterung bei der Einziehung eines Unternehmens sind für den Betroffenen in gewisser Hinsicht sogar schwerer als die der Beweislastumkehr bei der erweiterten Einziehung. Schließlich kann der Betroffene durch einen Gegenbeweis nicht die Teile des Unternehmens vom Einziehungsumfang ausschließen.

219 Siehe *Rönnau/Begemeier*, JZ 2018, 445.

220 Siehe oben Teil 4.III.C.3.b)bb)ii) und Teil 5.III.C.3.b)i).

221 Siehe oben Teil 4.III.C.3.b)bb)ii) und Teil 5.III.C.3.b)i).

222 Vgl. Deutscher Bundestag, 18. Wahlperiode, BT-Drs. 18/9525, S. 47 ff.; Sejm RP, VIII kadencja, Druk sejmowy Nr. 1186, Begründung, S. 1 ff.

Im polnischen Strafrecht wird bei der Bestimmung der strafrechtswidrigen Herkunft des Vermögens auf den Zeitpunkt des Erwerbs eines Vermögensgegenstandes abgestellt. Wenn das Vermögen innerhalb von fünf Jahren vor der Tatbegehung erworben wurde, gilt die Annahme, es sei strafrechtswidriger Herkunft, und die Beweislast der rechtmäßigen Herkunft trägt der Betroffene. Diese Annahme überträgt das Risiko einer Fehlentscheidung der Strafverfolgungsbehörden ganz auf den Betroffenen.[223] Die Regelung der erweiterten Einziehung im deutschen Recht verzichtet ebenso auf eine Verbindung zwischen dem abzuschöpfenden Vermögen und einer rechtswidrigen Tat. Die rechtswidrigen Taten, aus denen das einzuziehende Vermögen stammt, müssen nicht nachgewiesen werden.[224] Jedoch ist, anders als im polnischen Recht, für die Einziehung die uneingeschränkte richterliche Überzeugung notwendig.[225] Die Anwendung der Maßnahme kann nicht auf einen bloßen Verdacht gestützt werden. Die Beweiserleichterung liegt somit darin, dass die rechtswidrige Herkunftstat im Strafverfahren nicht aufgeklärt werden muss. Es bleibt dabei unklar, wie das Gericht zur vollen Überzeugung der strafrechtswidrigen Herkunft des Vermögens gelangen kann, ohne dass diese Tat aufgeklärt wird. Praktisch kann es nur eine auf faktische Grundlagen gestützte Wahrscheinlichkeitsabwägung sein. Die unsichere, da nicht nachgewiesene Herkunft des Vermögens spricht in beiden Rechtsordnungen nicht zugunsten der Gewichtung der generalpräventiven Zwecke der erweiterten Einziehung. Im Gegenteil, das rechtmäßig erlangte Vermögen ist vor einer erhöhten Verlustgefahr zu schützen, was dafür spricht, dem Schutz des Eigentums den Vorzug zu geben.[226]

Der fehlende Bezug zwischen der Tat und dem Vermögen wird auch hinsichtlich der Angemessenheit von selbständiger Einziehung im deutschen Recht hinterfragt.[227] Diese Maßnahme ist an den Geldwäschetatbestand angelehnt; bei einer Vermischung von strafrechtswidrigem und rechtmäßig erworbenem Vermögen wird beides abgeschöpft: Auch ein sichergestellter Gegenstand, der zum Teil mit legalen Mitteln erworben wurde, kann eingezogen werden.[228] Bei der Angemessenheitsprüfung wird auch auf die niedrige Eingriffsschwelle hingewiesen, die sich aus der Sicherstellung als Einziehungsvoraussetzung ergibt.[229] Diese Maßnahme knüpft zwar formell an eine rechtswidrige (Anlass- und nicht Erwerbs-)Tat an, diese muss jedoch nicht im Verfahren nachgewiesen werden. Die Überzeugungsbildung des Gerichts bezüglich strafrechtswidriger Herkunft des Vermögens stützt sich auf § 437 StPO und kann durch ein grobes Missverhältnis zwischen dem Wert

---

223 Siehe oben Teil 5.III.C.3.b)i).

224 Siehe oben Teil 4.III.C.3.b)bb)ii).

225 Vgl. Deutscher Bundestag, 18. Wahlperiode, BT-Drs. 18/9525, S. 57 f.

226 Siehe oben Teil 4.III.C.3.b)bb)ii) und Teil 5.III.C.3.b)i).

227 Siehe oben Teil 4.III.C.3.b)bb)iii).

228 Siehe oben Teil 4.III.C.3.b)bb)iii); vgl. auch *Rönnau/Begemeier*, JZ 2018, 447 f.; *Gebauer*, ZRP 2016, 104.

229 Siehe oben Teil 4.III.C.3.b)bb)iii).

des Gegenstandes und den rechtmäßigen Einkünften des Betroffenen begründet sein. Eine ähnliche Argumentation wird in Bezug auf die selbständige Einziehung nach Art. 45a § 2 k.k. im polnischen Recht vorgebracht. Die Angemessenheit der Einziehung wird hinterfragt, wenn der Täter wegen mangelnder Beweise nicht ermittelt werden kann, da in dieser Beweislage auch keine angemessene Grundlage für die Einziehungsanordnung bestehen kann.[230]

Der Bezug zwischen einer rechtswidrigen Tat und dem Abschöpfungsgegenstand wird im deutschen Recht auch bei der Sicherungseinziehung nach § 74b StGB bemängelt.[231] Es handelt sich um eine Maßnahme zur Gefahrenabwehr. Der Gefahrenbegriff ermöglicht einen weitgehenden Eingriff in das Privateigentum, weswegen die Maßnahme nur bei konkreten Anhaltspunkten für eine rechtswidrige Verwendung des Vermögens angewendet werden soll. Die rechtswidrige Verwendung des Eigentums muss sehr wahrscheinlich und längeres Abwarten, bis der Eingriff erfolgt, für die Behörden unzumutbar sein. Unter diesen Voraussetzungen ist die Angemessenheit der Maßnahme gegeben.[232]

ii) Deklarierter Zweck und tatsächlicher Anwendungsbereich

Bei der Angemessenheitsprüfung der Schlüsseleingriffsmaßnahmen in beiden Rechtsordnungen wurde bemängelt, dass der tatsächliche Anwendungsbereich der Maßnahme ihrem deklarierten Zweck nicht entspricht.[233] Laut diversen Gesetzesbegründungen soll die Vermögensabschöpfung dem Schutz der Wirtschaft und des Vertrauens in die Gerechtigkeit und die Unverbrüchlichkeit der Rechtsordnung dienen. Folglich sollen sich die eingriffsintensiven Maßnahmen nur gegen bestimmte schwere Delikte richten.[234] Dieser Einwand betrifft die erweiterte Einziehung in beiden Ländern. Nach dem deutschen Recht kann die Maßnahme bei jeder Straftat angeordnet werden. Der Gesetzgeber argumentiert für die Ausweitung der erweiterten Einziehung mit der Möglichkeit der Abschöpfung der Taterlöse bei gewerbsmäßigem Diebstahl.[235] In Bezug auf diesen und auf das generelle, oben genannte Ziel der Reform der Vermögensabschöpfung wird die erweiterte Einziehung als ein unangemessener Eingriff in das Eigentumsrecht bewertet.[236] Sie setzt das rechtmäßig erlangte Vermögen einer erhöhten Verlustgefahr aus, die mit den

---

230 Siehe oben Teil 5.III.C.3.b)bb)iii); vgl. auch *Kluza*, Zeszyty Naukowe Towarzystwa Doktorantów UJ 2017, 97.

231 Siehe oben Teil 4.III.C.3.b)bb)v); vgl. auch *Julius*, ZStW 1997, 75 f.

232 Siehe oben Teil 4.III.C.3.b)bb)v); vgl. auch *Heckmann*, ZRP 1995, 3 f.

233 Siehe oben Teil 4.III.C.3.b)bb)ii) und iii); Teil 5.III.C.3.b)bb)i) und ii).

234 Allerdings ergibt sich aus dem Schutz des Vertrauens in die Gerechtigkeit und die Unverbrüchlichkeit der Rechtsordnung die Einschränkung der Maßnahmen auf schwere Kriminalität nicht eindeutig.

235 Siehe Deutscher Bundestag, 18. Wahlperiode, BT-Drs. 18/9525, S. 57.

236 Siehe oben Teil 4.III.C.3.b)bb)ii).

für die organisierte Kriminalität typischen Beweisschwierigkeiten begründet wird. Diese Beweisschwierigkeiten sind nicht auf alle Delikte übertragbar und somit ist die Anwendung der erweiterten Einziehung auch nicht bei allen Delikten durch das Allgemeininteresse gerechtfertigt.[237] Bei Delikten, welche die für die Organisierte Kriminalität typischen Beweisschwierigkeiten nicht aufweisen, kann die einfache Einziehung als milderes Mittel die angemessene Lösung sein.[238] Das Gleiche trifft für die erweiterte Einziehung im polnischen Recht zu. Sie gilt dort zwar nicht bei jeder Straftat, aber die Voraussetzungen der Maßnahme erfüllt auch ein einfacher Diebstahl.[239] Im polnischen Recht wird der Zweck der Maßnahme auch bei der Einziehung eines Unternehmens einer Kritik unterzogen.[240] Die Maßnahme soll sich gegen schwere Wirtschafts- und Organisierte Kriminalität richten,[241] ähnlich aber wie bei der selbständigen Einziehung im deutschen Recht, erfasst ihr Anwendungsbereich die gesamte Wirtschaftskriminalität und andere Delikte.[242]

iii) Abschöpfung von tatunbeteiligten Personen

Aus der Untersuchung der Grenzen der Vermögensabschöpfung in den nationalen Rechtsordnungen ergibt sich auch, dass eine Abschöpfungsmaßnahme, die sich gegen eine andere Person als den Täter richtet, an deren Verhalten anknüpfen soll.[243] Allein das Vorliegen einer rechtswidrigen Tat ist bei der Einziehung vom Täter ausreichend, da er diese Tat begangen hat. Dagegen hat ein Dritter keine rechtswidrige Tat begangen und seine Handlung geschieht am Rand des strafrechtlich Relevanten. Um die Angemessenheit des Eigentumsverlustes zu gewährleisten, soll an das Verhalten dieser Person angeknüpft werden. Die Einziehung kann als angemessen gesehen werden, wenn der Betroffene an der Tat mitgewirkt oder aus dieser einen Vermögensvorteil erlangt hat.[244]

---

237 In der Literatur wird die erweiterte Einziehung teilweise als eine von der Verurteilung wegen der Anlasstat losgelöste Maßnahme gesehen, die nur anlässlich einer Verfolgung angeordnet wird. Als solche soll sie nicht auf alle Delikte Anwendung finden. Eine derartige Ausweitung der erweiterten Einziehung ist auch nicht für die Umsetzung der EU-Richtlinie 2014/42/EU notwendig. Vgl. *Greeve*, ZWH 2017, 280; *Rönnau/Begemeier*, NZWiSt 2016, 262 ff.; *Perron*, JZ 1993, 919.

238 Siehe oben Teil 4.III.C.3.b)bb)ii); Teil 5.III.C.3.b)bb)i); vgl. *Esser*, in: Rui/Sieber (Hrsg.), Non-Conviction-Based Confiscation in Europe, S. 91.

239 Siehe oben Teil 5.III.C.3.b)bb)i).

240 Siehe oben Teil 5.III.C.3.b)bb)ii).

241 Vgl. Sejm RP, VIII kadencja, Druk sejmowy Nr. 1186, Begründung, S. 4 ff.

242 Siehe oben Teil 5.III.C.3.b)bb)ii) und Teil 4.III.C.3.b)bb)iii); vgl. *Greeve*, ZWH 2017, 280 ; *Schilling/Corsten/Hübner*, StraFo 2017, 310.

243 Siehe oben Teil 4.III.C.3.b)bb)iv); Teil 5.III.C.3.b)bb)i); Teil 5.III.C.3.b)bb)ii); Teil 5.III.C.3.b)bb)iv).

244 Siehe oben Teil 5.III.C.3.b)bb)iv); vgl. wyr. TK z 29.06.2005 r., SK 34/04, OTK ZU 6A/2005, poz. 69; *Julius*, ZStW 1997, 85 ff.

Fraglich ist, ob ein gutgläubiger Eigentumserwerb vor Einziehung schützen soll, wenn Beweise vorliegen, dass der Vermögensgegenstand strafrechtswidriger Herkunft ist. Diese Frage wird in beiden Rechtsordnungen hinsichtlich der Einziehung in Erbschaftsfällen gestellt. Der deutsche Gesetzgeber hat entschieden, dass ein gutgläubiger Erwerb entgeltlich und mit rechtlichem Grund erfolgen muss, damit die Bereicherungskette unterbrochen wird. Eine Erbschaft und eine unentgeltliche Übertragung oder Übertragung ohne rechtlichen Grund sind nicht schützenswert.[245] In der Literatur wird der Einziehung bei Vermögensübertragung durch Erbschaft, ohne Rücksicht auf die Gutgläubigkeit des Betroffenen, widersprochen. Die Lösung überzeugt nicht, da bei den Vermögensverschiebungsfällen die Gutgläubigkeit des Betroffenen berücksichtigt wird.[246] Aus demselben Grund wird im polnischen Recht die Angemessenheit der selbständigen Einziehung im Falle des Todes des Täters hinterfragt. Nach Art. 45a § 2 k.k. ist es für die Einziehung ohne Bedeutung, ob die betroffenen Erben an der Tat mitgewirkt oder in gutem Glauben gehandelt haben.[247]

Neben den Erbschaftsfällen wird im deutschen Recht der Verzicht auf ein spezifisch strafrechtliches Verschulden bei Dritteinziehung von Tatmitteln und Tatprodukten kritisch bewertet.[248] Dies führt zum Ergebnis, dass eine an der Tat unbeteiligte Person unter geringeren Voraussetzungen ihr Eigentum verlieren kann als der Täter, bei dem die Begehung einer Straftat Voraussetzung der Einziehung ist. Bei der Einziehung von Tatmitteln und Tatprodukten wird sogar eine vorsätzliche Tatbegehung vorausgesetzt, während der Dritte lediglich leichtfertig gehandelt haben muss. Die im Vergleich zum Täter niedrigeren Voraussetzungen des Eigentumsverlustes sprechen deutlich für die Unangemessenheit der Maßnahme.[249] Diese Argumentation gilt auch für die Einziehung der Tatwerkzeuge im polnischen Recht, welche keine auf die Handlung des Dritten bezogene Voraussetzungen enthalten.[250] Darüber hinaus knüpft im polnischen Recht die erweiterte Einziehung von einem Dritten, neben dem objektiven Umstand der Übertragung von Vermögen, an sein fahrlässiges Verhalten an. Es ist dabei unerheblich, ob die Übertragung entgeltlich oder unentgeltlich war. Dazu ist die Norm so formuliert, dass der Betroffene seinen guten Glauben beim Erwerb belegen muss.[251] Als unangemessen wird auch die

---

245 Siehe oben Teil 4.III.C.3.b)bb)iv); vgl. § 73b Abs. 1 Satz 2 StGB.

246 Siehe oben Teil 4.III.C.3.b)bb)iv); vgl. *Hüls*, ZWH 2017, 246.

247 Siehe oben Teil 5.III.C.3.b)bb)iv); vgl. *Kluza*, Zeszyty Naukowe Towarzystwa Doktorantów UJ 2017, 97.

248 Siehe oben Teil 4.III.C.3.b)bb)iv).

249 Siehe oben Teil 4.III.C.3.b)bb)iv); vgl. *Julius*, ZStW 1997, 85 ff.

250 Siehe oben Teil 5.III.C.3.b)bb)iv). Die Einziehung der Tatwerkzeuge im Fiskalstrafrecht knüpft dagegen an die Handlung des Betroffenen an, vgl. Art. 31 § 1a k.k.s. Vgl. *Raglewski*, in: Dukiet-Nagórska (Hrsg.), Zasada proporcjonalności, S. 391.

251 Siehe oben Teil 5.III.C.3.b)bb)i). Zum unzureichenden Schutz des Betroffenen siehe Rzecznik Praw Obywatelskich, Sprawozdanie roczne 2017, S. 207; *Kluza*, Zeszyty Naukowe Towarzystwa Doktorantów UJ 2017, 97.

Dritteinziehung von Unternehmen im polnischen Strafrecht gesehen. Obwohl die Anordnung der Maßnahme von einem sogenannten Vorsatztest abhängig ist, gleicht dieser die Schwere des Eingriffs, die durch die Beweiserleichterung bezüglich der Verstrickung des Unternehmens in die Tat gegeben ist, nicht aus. Die Anwendung der Maßnahme kann dazu führen, dass der Dritte die Grundlage seiner wirtschaftlichen Tätigkeit und damit auch seiner Existenz verliert.[252]

iv) Umfang der primären Einziehung und Einziehung des Wertes

Die letzte Überlegung zur Angemessenheit der Vermögensabschöpfung betrifft den Umfang der primären Einziehung und Einziehung des Wertersatzes. Die Überlegung ergibt sich nur mittelbar aus der Diskussion über die Grenzen der Vermögensabschöpfung und mehr aus der Vergleichung der Abschöpfungsregelung.[253] In beiden Rechtsordnungen wird der Abschöpfungsumfang bei der Einziehung des Wertes nach dem Bruttoprinzip bestimmt, wobei dieses Prinzip unterschiedliche Bedeutung hat.[254] Im deutschen Recht wurde diese Bemessungsgrundlage für den Abschöpfungsgegenstand durch das OrgKG eingeführt. Im Zuge der Reform der Vermögensabschöpfung wurde das Bruttoprinzip eingeschränkt, sodass die Aufwendungen des Täters berücksichtigt werden können, es sei denn, sie wurden für die Vorbereitung oder Begehung der Tat getätigt.[255] Im polnischen Recht gilt für die Bemessung des Abschöpfungsumfangs das uneingeschränkte Bruttoprinzip. Dieses ist auch nicht ausdrücklich im Strafgesetz geregelt, sondern wird durch die Rechtsprechung aus dem Begriff des Vermögensvorteils als Einziehungsgegenstand interpretiert.[256] Die Frage, ob die Abschöpfung der Taterlöse nach dem Bruttoprinzip eine angemessene Einschränkung des Eigentumsrechts darstelle, wurde aber – anders als in der deutschen[257] – in der polnischen Literatur nicht umfassend diskutiert. Dies könnte daran liegen, dass die theoretischen Konzepte, auf die sich die Abschöpfung der Taterlöse stützt, in beiden Ländern unterschiedlich sind. Während die Abschöpfung der Taterlöse im deutschen Recht als auf dem Bereicherungsrecht basierend gesehen wird,[258] ist dies im polnischen Recht nicht der Fall. Die Erklärung für das Verständnis des Bruttoprinzips ist unterschiedlich: Im polnischen Recht hat die Einziehung des Vermögensvorteils einen subsidiären Charakter

252 Siehe oben Teil 5.III.C.3.b)bb)ii).

253 Siehe oben Teil 4.II.B.1.; Teil 5.II.B.1.a)bb); vgl. auch oben Teil 4.III.B.2.b)aa), C.3.b)bb)i).

254 Siehe oben Teil 4.II.B.1.; Teil 5.II.B.1.a)bb).

255 Siehe oben Teil 4.II.B.1.

256 Siehe oben Teil 5.II.B.1.a)bb); vgl. post. SN z 26.08.2010 r., I KZP 12/10, OSNKW 2010, Nr 9, poz. 78; wyr. SN z 17.11.1972 r., III KRN 210/72, OSNKW 1973, Nr 4, poz. 47.

257 Siehe oben Teil 4.III.B.2.b)aa), C.3.b)bb)i).

258 Siehe oben Teil 4.II.B.1.; vgl. Deutscher Bundestag, 18. Wahlperiode, BT-Drs. 18/9525, S. 55.

gegenüber der Einziehung der Gegenstände. Aus der gesetzlichen Regelung ergibt sich, dass zuerst die Einziehung der Gegenstände geprüft werden soll. Die Einziehung des Vermögensvorteils, oder seines Wertes, kommt erst danach zur Anwendung.[259] Bei der primären Einziehung von Gegenständen kann der Täter seine Aufwendungen nicht verrechnen und erstattet bekommen. Es besteht somit kein Grund, diese bei Einziehung des Vermögensvorteils oder seines Wertes zu berücksichtigen.[260] Auch im deutschen Recht besteht zwischen der Einziehung der Taterträge und ihres Wertes nach § 73c StGB Subsidiarität. Der Abschöpfungsumfang ist jedoch durch die Anwendung des Bruttoprinzips nur auf die Einziehung des Wertes nach § 73d Abs. 1 StGB unterschiedlich. Die Unangemessenheit der unterschiedlichen Ansätze zur Bestimmung des Abschöpfungsumfangs wird in der Kritik an der selbständigen Einziehung deutlich. *Rönnau* und *Begemeier* weisen darauf hin, dass bei dieser Maßnahme der Abschöpfungsumfang über das hinausgehe, was durch das Bruttoprinzip legitimiert werde.[261] Das liegt daran, dass das Bruttoprinzip nur bei Einziehung des Wertes angewendet wird und die selbständige Einziehung sich gegen sichergestellte Vermögensgegenstände richtet. Im Ergebnis wird bei dieser Maßnahme das Vermögen im Umfang über das durch das Bruttoprinzip Legitimierte hinaus eingezogen.

Der Vergleich der Anwendung und des Verständnisses des Bruttoprinzips in beiden Rechtsordnungen macht deutlich, dass der Umfang der Vermögensabschöpfung bei der primären Einziehung dem der sekundären Abschöpfung des Wertes gleich sein soll, um angemessen zu sein. Aus der Regelung der Vermögensabschöpfung im deutschen und im polnischen Recht ergibt sich, dass die primäre und die subsidiäre Einziehung auf derselben Legitimation beruhen, da die zweite dann zur Anwendung kommt, wenn die erste unmöglich ist. Somit besteht kein sachlicher Grund für die Unterschiede im Abschöpfungsumfang, unabhängig davon, ob sich der Gesetzgeber für das Brutto- oder das Nettoprinzip entscheidet.[262]

4. Fazit

Aus dem Vergleich der Argumentation zur Verhältnismäßigkeit der Vermögensabschöpfungsmaßnahmen haben sich vier Kriterien ergeben, die für die Angemes-

---

[259] Siehe oben Teil 5.II.B.1.a)bb); vgl. Art. 44 § 1 kk und Art. 45 § 1 k.k. Die Abschöpfungsgegenstände nach Art. 44 § 1 k.k. sind eine Teilmenge der Abschöpfungsgegenstände nach Art. 45 § 1 k.k. Dies bestätigt auch die systematische Stellung der beiden Abschöpfungsnormen im Gesetz. Kontraintuitiv wird aber zuerst die Untermenge (Gegenstand) und dann die Obermenge (Vermögensvorteil) betrachtet. Das führt zu Anwendungsfehlern in der Praxis, da die Anwendbarkeit der Einziehung der Gegenstände vielfach gar nicht geprüft wird.

[260] Wyr. SA w Lublinie z 12.10.2006 r., II Aka 237/06, KZS 2007, z. 2, poz. 53.

[261] Vgl. *Rönnau/Begemeier*, JZ 2018, 447 f.

[262] Für den Unterschied des Abschöpfungsumfangs könnte die im deutschen Recht vertretene Meinung sprechen, dass durch primäre Einziehung und Einziehung des Wertes unterschiedliche Grundrechte beeinträchtigt werden. Die erste richte sich gegen das Eigentumsgrundrecht, die zweite gegen die allgemeine Handlungsfreiheit.

senheit eines Eingriffs in das Eigentumsrecht sprechen. Voraussetzung der Maßnahme ist eine Verknüpfung zwischen dem einzuziehenden Vermögen und einer (zumindest) rechtswidrigen Tat. Diese Verbindung ist nicht infolge der Beweislastumkehr ohne tatsächliche Anhaltspunkte einfach nur anzunehmen, sondern durch die Strafverfolgung mit Nachweisen zu belegen. Bei der Kontrolle der Angemessenheit ist darüber hinaus der durch den Gesetzgeber deklarierte Zweck der Maßnahme mit ihrem tatsächlichen Anwendungsbereich zu überprüfen. Die Abwägung des Individualinteresses gegen das Interesse der Allgemeinheit soll sich auf den Zweck beziehen, den die Maßnahme durch ihren Anwendungsbereich tatsächlich erfüllt. Wenn sich die Vermögensabschöpfung gegen andere Personen als den Täter richtet, sollen die Maßnahmen neben den übrigen Voraussetzungen an das Verhalten dieser (dritten) Person knüpfen. Das liegt daran, dass die an der Tat unbeteiligte Person keine rechtswidrige Handlung begangen hat und der Eingriff in ihr Eigentumsrecht einer zusätzlichen Begründung zugunsten des Interesses der Allgemeinheit bedarf. Zuletzt besteht kein sachlicher Grund, die primäre Einziehung der Gegenstände, die unmittelbar aus der Tat erlangt wurden, anders zu behandeln als die Einziehung des Wertes dieser Gegenstände. Wenn für die Einziehung des Wertes das eingeschränkte Bruttoprinzip als angemessene Maßnahme gilt, soll sie deswegen auch auf die Einziehung der Gegenstände Anwendung finden.

Teil 7

Rechtspolitische Schlussfolgerungen

I. Legitimation der Vermögensabschöpfung

In der Literatur wird grundsätzlich zwischen drei Modellen der Vermögensabschöpfung und somit auch drei Legitimationsansätzen unterschieden: dem strafrechtlichen, präventiv-polizeilichen und zivilrechtlichen.[1] Nach dem strafrechtlichen Modell erfolgt die Vermögensabschöpfung nach einer Verurteilung. Das zweite Modell wird als präventiv-polizeilich bezeichnet, da Abschöpfung eine auf Gefahrenabwehr gerichtete Maßnahme ist.[2] Im zivilrechtlichen Modell ist die Abschöpfung von einer Verurteilung unabhängig und dient einer Korrektur von rechtswidrigen Vermögenslagen.[3] Während die Bezeichnung „Regelungsmodell" verfahrensrechtliche Aspekte miteinbezieht,[4] wird in der vorliegenden Untersuchung allein das materielle Recht analysiert – die Legitimation der Regelung, ihr Anwendungsbereich und die Einschränkungen, die sich daraus ergeben.[5] Aus diesem Grund wird von drei Legitimationsansätzen und nicht von Regelungsmodellen gesprochen.

Der grundlegende Unterschied zwischen den drei Ansätzen zur Legitimation der Vermögensabschöpfung besteht darin, ob an das Verhalten einer Person oder an einen Zustand – eine rechtswidrige oder eine Gefahr bildende Vermögenslage – angeknüpft wird.[6] Da jede Vermögenslage infolge eines menschlichen Handelns entsteht, ist die Wahl zwischen der Anknüpfung an die Handlung oder an den Zustand eine Ermessensentscheidung des nationalen Gesetzgebers.[7] Wenn eine Abschöpfungsmaßnahme an eine Vermögenslage anknüpft, tritt die Handlung in den

---

[1] *Rui/Sieber*, in: Rui/Sieber (Hrsg.), Non-Conviction-Based Confiscation, S. 249 ff., dazu siehe auch oben Teil 4.III.B.2.a)bb); vgl. auch *Meyer*, NZWiSt 2018, 246 f. Von vier unterschiedlichen Ansätzen als Begründung der Vermögensabschöpfung spricht *Boucht*, davon ist der vierte die Kompensation der Opfer oder des Staates, siehe *Boucht*, The Limits of Asset Confiscation, S. 97.

[2] Siehe *Rui/Sieber*, in: Rui/Sieber (Hrsg.), Non-Conviction-Based Confiscation, S. 254 f.; *Panzavolta/Flor*, in: Rui/Sieber (Hrsg.), Non-Conviction-Based Confiscation, S. 111 ff.

[3] Siehe *Rui/Sieber*, in: Rui/Sieber (Hrsg.), Non-Conviction-Based Confiscation, S. 252 f.; siehe auch *Cassella*, Asset forfeiture law in the United States, S. 1 ff.

[4] Vgl. zur Unterscheidung zwischen *civil* und *criminal forfeiture* im US-amerikanischen Recht *Cassella*, in: Rui/Sieber (Hrsg.), Non-Conviction-Based Confiscation, S. 16 ff.

[5] Siehe oben Teil 4.III.B.2.b), C.3.b)bb); Teil 5.III.B.2.b), C.3.b)bb).

[6] Siehe oben Teil 4.III.A.; Teil 5.III.A.; Teil 6, III.A.4., B.4.

[7] Siehe *Rui/Sieber*, in: Rui/Sieber (Hrsg.), Non-Conviction-Based Confiscation, S. 247.

Hintergrund und muss nicht gleichermaßen aufgeklärt werden wie bei einer Maßnahme, die die Vermögensabschöpfung als Konsequenz einer rechtswidrigen Handlung definiert. Maßnahmen, die an eine Vermögenslage anknüpfen, können in den Fällen angewendet werden, in denen die Tat, aus der sich die Vermögenslage ergibt, nicht aufgeklärt werden kann oder aber noch nicht begangen wurde.[8] In solchen Fällen sind Instrumente, die an eine vergangene Handlung des Betroffenen anknüpfen, nicht effektiv. Die Entscheidung hängt somit davon ab, welchem Zweck die Abschöpfungsmaßnahme dienen soll.[9] Aus dem Zweck ergibt sich die Legitimation der Maßnahme als Grundrechtseingriff und ihre Einschränkungen bezüglich des Abschöpfungsadressaten und -umfangs.

Die Ansätze zur Legitimation der Vermögensabschöpfung werden in diesem Kapitel aufgezeichnet.[10] Bei der Darstellung der strafrechtlichen Legitimation, welche als Begründung der Abschöpfungsmaßnahmen in den untersuchten Rechtsordnungen gilt, wird auch auf die Maßnahmen hingewiesen, die den Rahmen dieser Legitimation überschreiten und deswegen einer Korrektur bedürfen. Als Alternative dazu wird die präventiv-polizeiliche und zivilrechtliche Vermögensabschöpfung erläutert.

A. Strafrechtliche Vermögensabschöpfung

Die strafrechtliche Vermögensabschöpfung knüpft an eine vergangene Handlung des Betroffenen an und gehört somit zu den Folgen einer Straftat.[11] Dabei ist der Zweck der Vermögensabschöpfung in erster Linie die Prävention weiterer Straftaten. Aus dem Zweck und der Anknüpfung an ein vergangenes Verhalten ergibt sich ein weitreichender Anwendungsbereich der Maßnahmen, dieser unterliegt aber gleichzeitig auch im Vergleich zu der polizeilich-präventiven und zivilrechtlichen Vermögenabschöpfung hohen Beweisanforderungen. Strafrechtliche Vermögensabschöpfung umfasst die Einziehung von Taterträgen, Tatmitteln und die Einziehung deren Wertes. Die Maßnahmen können sowohl gegen den Täter als auch gegen eine andere Person angeordnet werden. Eine Abschöpfungsanordnung setzt

---

8 Siehe Deutscher Bundestag, 18. Wahlperiode, BT-Drs. 18/9525, S. 2 f., 58; *Meyer*, NZWiSt 2018, 246.

9 Siehe oben Teil 4.III.A.; Teil 5.III.A.; vgl. auch *Meyer*, NZWiSt 2018, 246. Als weitere Kriterien werden noch punitive oder restitutive Wirkung und zukunfts- oder vergangenheitsorientierter Charakter der Maßnahmen genannt. Diese sind jedoch keine scharfen Kriterien. Wie diese Untersuchung gezeigt hat, sind die Vermögensabschöpfungsmaßnahmen zukunfts- und vergangenheitsorientiert zugleich: Sie knüpfen an ein vergangenes Verhalten an und dienen dazu, ähnlichem Verhalten in der Zukunft vorzubeugen.

10 Vgl. *Rui/Sieber*, in: Rui/Sieber (Hrsg.), Non-Conviction-Based Confiscation, S. 249 ff., dazu siehe auch oben Teil 4.III.B.2.a)bb).

11 Siehe *Boucht*, The Limits of Asset Confiscation, S. 96 f.; *Rui/Sieber*, in: Rui/Sieber (Hrsg.), Non-Conviction-Based Confiscation, S. 250.

jedoch voraus, dass eine rechtswidrige Tat und eine Verbindung zwischen dem Vermögen und dieser Tat nachgewiesen wird. Auch an die richterliche Überzeugungsbildung werden hohe Anforderungen gestellt.

Im Hinblick auf die Eingriffsintensität der strafrechtlichen Maßnahmen ist insbesondere bei den strafrechtlichen Maßnahmen wichtig, dass der Zweck, der die Maßnahme legitimiert, ihrem tatsächlichen Anwendungsbereich entspricht. Dies ist im Fall der erweiterten Einziehung sowohl nach deutschem als auch nach polnischem Recht nicht gegeben. Maßnahmen, die als Mittel gegen schwere Kriminalität eingeführt wurden, können im deutschen Recht wegen jeder Straftat, im polnischen zwar nicht wegen jeder, aber durchaus bei „normaler Kriminalität“, angeordnet werden. Diese Regelung, zusammen mit dem Abschöpfungsumfang (mittelbare Taterträge, Wertersatz nach dem Bruttoprinzip), spricht für die Einschränkung der Vermögensabschöpfung auf ihren ursprünglichen Anwendungsbereich.[12]

1. Tatbestandliche Anknüpfung und Abschöpfungsumfang

Die strafrechtliche Vermögensabschöpfung sollte, als Folge einer rechtswidrigen Tat, an diese Tat anknüpfen. Um den Eingriff auf das Vermögen des Betroffenen zu begründen, muss eine Verbindung zwischen dem einzuziehenden Gegenstand und der Tat durch die Strafverfolgungsbehörde nachgewiesen werden. In diesem Sinne kann die erweiterte Einziehung im polnischen Strafrecht als ein unangemessener Eingriff in das Eigentumsrecht bewertet werden. Die Maßnahme erlaubt es, aus der Begehung einer rechtswidrigen Tat auf eine rechtswidrige Herkunft des gesamten Vermögens des Täters zu schlussfolgern. Im deutschen Recht hingegen wurde bei der erweiterten Einziehung zwar eine Beweiserleichterung eingeführt, sodass das Vermögen aus anderen Delikten als die abgeurteilte Tat abgeschöpft werden kann, jedoch verlangt die Maßnahme die volle richterliche Überzeugung bezüglich der deliktischen Herkunft dieses Vermögens.[13] Es kann aber hinterfragt werden, wie diese Überzeugungsbildung in der Praxis ohne Tataufklärung verlaufen soll. Angenommen, dies sei möglich, stellt sich die Frage, ob unter diesen Voraussetzungen die erweiterte Einziehung tatsächlich eine Beweiserleichterung im Vergleich zu der einfachen Einziehung darstellt. In Bezug auf die Verknüpfung zwischen dem Vermögen und der Tat kann auch die Einziehung des Unternehmens nach dem polnischen Strafrecht beanstandet werden. Es handelt sich um eine strafrechtliche Maßnahme, die an ein begangenes Unrecht anknüpft. Trotzdem wird auf die Feststellung einer Verbindung zwischen dem Abschöpfungsgegenstand und der rechtswidrigen Tat verzichtet, indem von der Strafverfolgungsbehörde einfach angenommen wird, dass durch die Verwicklung von Bestandteilen eines Unterneh-

[12] Zu den abgesenkten Anforderungen an die selbständige Einziehung nach § 76a Abs. 4 StGB und zu ihrer Einschränkung auf den Bereich der schweren Kriminalität *Trüg*, NJW 2017, 1916; *Schilling/Hübner*, StV 2018, 52 ff.

[13] Siehe *Rönnau/Begemeier*, NZWiSt 2016, 262.

mens in die Tat das gesamte Unternehmen in die Tat verwickelt wurde. Kritisch kann auch die Regelung der selbständigen Einziehung im deutschen Recht nach § 76a Abs. 4 StGB bewertet werden. Diese erlaubt es, Gegenstände einzuziehen, die zum Teil für rechtmäßige, zum Teil für rechtswidrige Mittel erworben wurden.[14] Darüber hinaus, durch die Bestimmung der Verknüpfung zwischen dem Gegenstand und der Tat als wirtschaftlichem Kausalzusammenhang, wird die Einziehung jedes Gegenstandes ermöglicht, für dessen Existenz aus wirtschaftlicher Sicht die Tat kausal war. Dies wird als eine unangemessene Ausweitung des Abschöpfungsumfangs gesehen, weswegen die Einschränkung auf den Geldwert des „bemakelten" Vermögens befürwortet wird.[15]

Im Hinblick darauf, dass die strafrechtliche Vermögensabschöpfung eine Folge einer rechtswidrigen Tat darstellt, kann nicht nur der primär rechtswidrig erlangte Gegenstand, sondern auch sein Wert eingezogen werden. Die Einziehung des Wertes eines Gegenstandes ist hingegen bei der polizei-präventiven und der zivilrechtlichen Abschöpfung durch den Zweck der Maßnahmen nicht legitimiert, da diese allein der Beseitigung einer eine Gefahr bildenden oder einer rechtswidrigen Vermögenslage dienen. Diese Zwecke der Maßnahmen legitimieren nur die primäre Einziehung. Unter dem Gesichtspunkt, dass die Einziehung des Wertes ein Ersatz für die primäre Einziehung ist, sollte sie den gleichen Umfang haben. Dies ist im deutschen Recht nicht gegeben, da bei der Einziehung des Wertes manche Aufwendungen des Täters vom Abzuschöpfenden abgezogen werden können, was bei der primären Einziehung nicht der Fall ist.[16]

2. Abschöpfungsadressaten

Die strafrechtliche Abschöpfung ist die Folge einer rechtswidrigen Tat für den Täter, sie knüpft an seine Handlung. Deswegen sollte die Einziehung des Vermögens einer tatunbeteiligten Person ebenfalls an deren Handlung anknüpfen und nicht allein an den Umstand, dass der Abschöpfungsgenstand Eigentum dieser Person ist. In diesem Sinne wäre eine entsprechende Anpassung der Regelung der Dritteinziehung im polnischen Straf- und Fiskalstrafrecht geboten, da diese an den Besitz der rechtswidrig erlangten Gegenstände durch Dritte und nicht an die Handlung Dritter anknüpfen.

---

[14] Siehe *Rönnau/Begemeier*, JZ 2018, 443 ff.

[15] Ebenda, 446. Darüber hinaus ist der Umfang der selbständigen Einziehung weiter als der der einfachen Einziehung. Das ist ein widersprüchliches Ergebnis im Hinblick darauf, dass die selbständige Einziehung subsidiär ist. Siehe *Rönnau/Begemeier*, JZ 2018, 446 f.

[16] Zum Bruttoprinzip bei der Einziehung des Wertes siehe *Geiger*, Die Rechtsnatur der Sanktion, S. 307; *Rönnau/Begemeier*, GA 2017, 7.

B. Präventiv-polizeiliche Vermögensabschöpfung

Die präventiv-polizeiliche Vermögensabschöpfung dient der Vorbeugung, bevor Straftaten begangen werden.[17] Die Maßnahmen knüpfen an eine konkrete Gefahr an, die eine Handlung einer Person oder eine Vermögenslage für die Allgemeinheit darstellen.[18] Polizeilich-präventive Vermögensabschöpfung umfasst die Gegenstände, die zur Tatbegehung verwendet werden sollen, für ihre Einziehung reicht es aus, wenn eine Verbindung zwischen dem Vermögen und der kriminellen Tätigkeit, ohne den Bezug zu konkreten Delikten, festgestellt wird.[19] Die Einziehung umfasst jedoch nicht den Wert der Gegenstände. Für die Anwendung der präventiv-polizeilichen Vermögensabschöpfung wird mit der Gefährdung der legalen Wirtschaft durch die Einflussnahme der kriminellen Organisationen argumentiert.[20] Obwohl der präventive Zweck der Vermögensabschöpfung als legitim und überzeugend gilt, birgt er zugleich eine große Missbrauchsgefahr.[21] Das hat mit der Maßlosigkeit der Vermögensabschöpfung zur Gefahrenabwehr zu tun. Im Gegensatz zu einer strafrechtlichen Abschöpfungsmaßnahme, die eine adäquate Reaktion auf das Vergangene sein muss, erfährt eine präventiv ausgerichtete Maßnahme keine solche Einschränkung. Mit anderen Worten, präventive Maßnahmen haben keine immanente, normative Einschränkung vor dem Übermaß.[22] Dies liegt in der Natur der Gefahrenabwehr, welche auf die Zukunft gerichtet ist und sich auf eine Prognose eines bestimmten Geschehens stützt. Die Entscheidung über den Eingriff und dessen Umfang soll deswegen die allgemeinen verfassungsrechtlichen Grenzen berücksichtigen, welche durch den Verhältnismäßigkeitsgrundsatz festgesetzt werden.[23]

Die Zulässigkeit präventiver Vermögensabschöpfung als nicht-strafrechtliche Maßnahme wurde in der Rechtsprechung des EGMR bestätigt.[24] Der Gerichtshof hat in den Entscheidungsbegründungen Bezug genommen auf die besonderen Herausforderungen, die sich aus bestimmten Kriminalitätsformen für den Staat ergeben können; dazu gehören Drogenhandel, Organisierte Kriminalität und Bestechung. In

---

[17] Siehe *Panzavolta/Flor*, in: Rui/Sieber (Hrsg.), Non-Conviction-Based Confiscation, S. 111; *Boucht*, The Limits of Asset Confiscation, S. 109.

[18] Vgl. *Rui/Sieber*, in: Rui/Sieber (Hrsg.), Non-Conviction-Based Confiscation, S. 254; *Boucht*, The Limits of Asset Confiscation, S. 109; *Vogel*, in: Rui/Sieber (Hrsg.), Non-Conviction-Based Confiscation, S. 226.

[19] Siehe *Panzavolta/Flor*, in: Rui/Sieber (Hrsg.), Non-Conviction-Based Confiscation, S. 111 ff.; *Rui/Sieber*, in: Rui/Sieber (Hrsg.), Non-Conviction-Based Confiscation, S. 245.

[20] *Boucht*, The Limits of Asset Confiscation, S. 110 f.; vgl. auch Sejm Rzeczypospolitej Polskiej, VIII kadencja, Druk sejmowy Nr. 1186, Begründung, S. 4.

[21] Siehe *Vogel*, in: Rui/Sieber (Hrsg.), Non-Conviction-Based Confiscation, S. 230 f.; *Boucht*, The Limits of Asset Confiscation, S. 112 ff.

[22] *Hassemer*, ZIS 2006, 270.

[23] Vgl. *Boucht*, The Limits of Asset Confiscation, S. 112; *Steiker*, Journal of Criminal Law and Criminology 88 (1998), 806 ff.

[24] Siehe nur EGMR v. 02.02.1994, Beschwerde-Nr. 12954/87, *Raimondo ./. Italien*; EGMR v. 05.07.2001, Beschwerde-Nr. 52024/99, *Arcuri u.a. ./. Italien*.

diesen Kriminalitätsbereichen wird die Notwendigkeit effektiver Vermögensabschöpfung anerkannt.[25] Diese Auffassung entspricht auch der Vermögensabschöpfungsregelung in den internationalen Übereinkommen.[26] Im Hinblick darauf und auf das Missbrauchspotenzial der präventiven Vermögensabschöpfung sollen sich die Maßnahmen nur gegen die oben genannte schwere Kriminalität richten und nicht über den deklarierten Anwendungsbereich hinaus ausweiten. Unter diesen Voraussetzungen kann das Interesse der Allgemeinheit an Kriminalitätsprävention über das Individualinteresse am Eigentumsschutz gestellt werden.

1. Tatbestandliche Anknüpfung und Abschöpfungsumfang

Im präventiven Regulierungsmodell besteht zwischen dem einzuziehenden Vermögen und einer rechtswidrigen Tat keine Verbindung. Die Maßnahme knüpft allein an eine Prognose an, dass mittels des Vermögens eine Tat in der Zukunft begangen werden könnte. Abschöpfungsgegenstand können somit allein Tatmittel sein, da es unmöglich ist, Gewinne aus noch nicht begangenen Delikten abzuschöpfen.[27] Es können rechtmäßig erlangte Vermögensgegenstände eingezogen werden, wenn eine Gefahr besteht, dass sie zur Begehung rechtswidriger Taten verwendet werden.[28] Gerade wegen der Anknüpfung an die Gefahr, die von einer Person ausgeht, ist auf die Unzulässigkeit, auf das Vermögen allein wegen deren *criminal lifestyle* zuzugreifen, hinzuweisen.[29] Ein durch Tatsachen nicht ausreichend fundierter Eingriff in das Eigentumsrecht kann als eine unangemessene Beeinträchtigung des Eigentumsrechts bewertet werden.[30] Aus diesem Grund soll die präventive Vermögensabschöpfung an eine konkrete und absehbare Gefährdung und nicht auf eine abstrakte Gefahr hin anknüpfen. Für das Bestehen der Gefährdung müssen tatsächliche Anhaltspunkte vorliegen, sodass längeres Abwarten mit dem staatlichen Eingriff unzumutbar ist. Dies kann sich z.B. aus der Zugehörigkeit zu einer kriminellen Organisation ergeben. Für die Strafverfolgungspraxis bestehen trotzdem keine klaren Entscheidungskriterien. Der Informationsbedarf für die Feststellung einer Gefährdung lässt sich nicht einfach durch eine abstrakte Formel bestimmen.

---

[25] Kritisch dazu *Boucht*, The Limits of Asset Confiscation, S. 114.

[26] Siehe oben Teil 2.I.A.–C.

[27] Vgl. *Vogel*, in: Rui/Sieber (Hrsg.), Non-Conviction-Based Confiscation, S. 238 ff.; *Boucht*, The Limits of Asset Confiscation, S. 116.

[28] *Boucht*, The Limits of Asset Confiscation, S. 113.

[29] Siehe ebenda.

[30] Über die Schwierigkeit der Unterscheidung zwischen präventiven und repressiven Maßnahmen, welche sich daraus ergibt, siehe *Boucht*, The Limits of Asset Confiscation, S. 113.

2. Abschöpfungsadressaten

Die präventiv ausgerichtete Abschöpfung von Vermögen, von dem man annimmt, dass es zur Begehung einer rechtswidrigen Tat verwendet wird, soll sich grundsätzlich gegen die Tatbeteiligten richten. Es handelt sich hier um einen schwerwiegenden Eingriff in das Eigentumsrecht, der im Vorfeld einer rechtswidrigen Handlung stattfindet. Das abzuschöpfende Vermögen ist vielfach rechtmäßiger Herkunft. Wenn es sich um das Eigentumsrecht von Personen handelt, die an der geplanten Tatbegehung nicht beteiligt sind, wird im Regelfall das Individualinteresse am Eigentumsschutz das Interesse der Allgemeinheit überwiegen. Wegen des Missbrauchspotenzials der präventiv-polizeilichen Vermögensabschöpfung sind die Voraussetzungen, unter denen ein Zugriff auf Vermögen Dritter zulässig ist, als Ausnahmefälle zu formulieren.[31]

C. Zivilrechtliche Vermögensabschöpfung

Der Zweck der zivilrechtlichen Vermögensabschöpfung ist die Wiederherstellung der rechtmäßigen Vermögensverhältnisse. Es handelt sich um vergangenheitsbezogene Maßnahmen, die keine Übelswirkung für den Betroffenen haben sollen, sondern die Vermögenslage vor der Tatbegehung wiederherstellen.[32] Die Maßnahmen knüpfen deswegen nicht an die Schuld des Täters und die Schwere der Tat an. Sie werden weder als Strafen noch als strafähnliche Maßnahmen gesehen.[33] Sie sind an das Konzept der ungerechtfertigten Bereicherung angelehnt und Ausdruck dessen, dass niemand von einer rechtswidrigen Handlung profitieren soll.[34] Die zivilrechtliche Abschöpfung mit dem Zweck der Wiederherstellung der legitimen Vermögensordnung soll nach dem Nettoprinzip erfolgen und sich auf das strafrechtswidrig erlangte Vermögen beschränken.[35]

---

[31] Siehe dazu Beispiele aus dem US-amerikanischen Recht *Lisa Olivia Leonard v. Texas*, 580 U.S. (2017), Statement of Thomas, J.; Harv. L. Rev. 131 (2018), 2387 ff.;

[32] Vgl. *Rui/Sieber*, in: Rui/Sieber (Hrsg.), Non-Conviction-Based Confiscation, S. 252; *Boucht*, The Limits of Asset Confiscation, S. 98 ff. Der deutsche Gesetzgeber argumentiert, selbständige Einziehung diene dazu, die Störung der Vermögenslage zu beseitigen. Vgl. Deutscher Bundestag, 18. Wahlperiode, BT-Drs. 18/9525, S. 58; zur Wiederherstellung der Rechtsordnung siehe *Poscher*, in: Lepsius/Jestaedt (Hrsg.), Rechtswissenschaftstheorie, S. 109.

[33] *Rui/Sieber*, in: Rui/Sieber (Hrsg.), Non-Conviction-Based Confiscation, S. 252.

[34] Siehe *Boucht*, The Limits of Asset Confiscation, S. 98; vgl. auch Deutscher Bundestag, 18. Wahlperiode, BT-Drs. 18/9525, S. 46 f.

[35] Siehe *Boucht*, The Limits of Asset Confiscation, S. 98; *Eser*, Sanktionen gegen das Eigentum, S. 285; *Geiger*, Die Rechtsnatur der Sanktion, S. 307; *Rönnau/Begemeier*, GA 2017, 7; *Rui/Sieber*, in: Rui/Sieber (Hrsg.), Non-Conviction-Based Confiscation, S. 258; *Cassella*, in: Rui/Sieber (Hrsg.), Non-Conviction-Based Confiscation, S. 16 ff. *Vogel*, in: Rui/Sieber (Hrsg.), Non-Conviction-Based Confiscation, S. 238; zu den Bedenken

1. Tatbestandliche Anknüpfung und Abschöpfungsumfang

Im Vergleich zu der strafrechtlichen Vermögensabschöpfung werden an die Überzeugungsbildung der Strafverfolgung über das Bestehen einer Verknüpfung zwischen dem abzuschöpfenden Gegenstand und einer rechtswidrigen Tat niedrigere Anforderungen gestellt. Die Maßnahme gilt nicht als Folge einer rechtswidrigen Tat, und für die Entscheidungsfindung bedarf es weniger Informationen als bei der strafrechtlichen Vermögensabschöpfung. Da sie dem Zweck der Beseitigung rechtswidriger Vermögenslagen dient, kann jedoch auf einen Nachweis der Verknüpfung zwischen dem Abschöpfungsgegenstand und einer rechtswidrigen Tat nicht verzichtet werden. Als angemessene Anforderung für die richterliche Überzeugungsbildung kann der Zustand, in dem die Umstände eine Annahme über die rechtswidrige Herkunft des Vermögens rechtfertigen, also eine Wahrscheinlichkeitsabwägung, gelten.[36] Dabei sind auch Beweiserleichterungen bezüglich der Strafrechtswidrigkeit einer Vermögenslage nicht grundsätzlich auszuschließen. Sie sollen aber an die konkrete Tat anknüpfen und nicht dazu führen, dass aus der Begehung einer Tat auf die Begehung weiterer Taten geschlossen wird, während die Strafverfolgungsbehörde die Begehung dieser Taten durch die Beweisführung nicht glaubhaft machen muss. Unzulässig wäre die Einziehung von Vermögen, weil es in irgendeiner Verbindung zur Kriminalität steht. Dieses Problem ist beispielsweise im US-amerikanischen Recht bekannt und führt zur Kritik der *civil forfeiture*: Es geht um Situationen, in denen das Vermögen abgeschöpft wird, weil sich aus den Umständen ergibt, dass es entweder krimineller Herkunft sein oder zu einem kriminellen Zweck eingesetzt werden könnte. Diese Vermischung von Abschöpfungsgrundlagen – Tatmittel und Tatertrag –, ohne präzise zu nennen, um welche es sich handelt, führt zusammen mit dem Verzicht auf Darlegung einer konkreten rechtswidrigen Tat zu Missbrauch.[37]

2. Abschöpfungsadressaten

Nach dem zivilrechtlichen Modell ist die Vermögenseinziehung von der Verurteilung unabhängig, sie kann sich gegen unbeteiligte Personen genauso wie gegen den Täter richten.[38] Dabei soll sich aber der Abschöpfungsgegenstand auf das durch die Tat Erlangte beschränken. Wenn dies der Fall ist, kann auf die Anknüpfung an die Handlung der tatunbeteiligten Person verzichtet werden. Wichtig ist hier die Verbindung zwischen dem Vermögen und einer strafrechtswidrigen Tat.

---

bezüglich der Einziehung nach dem Nettoprinzip siehe *Boucht*, The Limits of Asset Confiscation, S. 99.

36 Wie bei der *civil forfeiture* im US-amerikanischen Recht, dazu siehe *Cassella*, in: Rui/Sieber (Hrsg.), Non-Conviction-Based Confiscation, S. 17.

37 Siehe nur *Lisa Olivia Leonard v. Texas*, 580 U.S. (2017), Statement of Thomas, J.

38 Wie im US-amerikanischen Recht, siehe *Cassella*, in: Rui/Sieber (Hrsg.), Non-Conviction-Based Confiscation, S. 17.

Dabei ist es geboten, von der Abschöpfung abzusehen, wenn der betroffene Dritte die aus einer rechtswidrigen Tat stammenden Gegenstände gutgläubig erworben hat.[39] Ein wichtiges Argument für die zivilrechtliche Lösung ist, dass sich die Abschöpfung auf den Gewinn aus der kriminellen Tätigkeit beschränkt und die Bestrafung des Betroffenen für seine Handlung die Domäne der Strafe bleibt.[40] Die Abschöpfung nach dem zivilrechtlichen Modell umfasst dabei nur Erträge aus der Tat und nicht deren Wertersatz. Die Anwendung des Nettoprinzips verleiht der Abschöpfung keinen Strafcharakter.[41]

II. Zusammenfassung

Die Analyse der Vermögensabschöpfungsregelung in beiden Rechtsordnungen hat gezeigt, dass es sich häufiger um auf Gefahrenprävention gerichtete Maßnahmen gegen die finanziellen Langzeitwirkungen der Kriminalität als um persönliche Sanktionen handelt. Durch den technischen Fortschritt ist es möglich, immer neue Informationsquellen über potenzielle Gefahren zu gewinnen. Aus den Begründungen der Gesetzesreformen kann dabei der Eindruck entstehen, dass die Gesetzgeber dazu gedrängt werden, diese Informationsquellen immer zu nutzen und sich zu einer Erklärung verpflichtet sehen, wenn dies nicht getan wird. Diese Erklärung bezieht sich dabei auf die Auswirkung des Nicht-Nutzens auf das Gefühl der Gerechtigkeit und Sicherheit der Allgemeinheit. Gerade im Strafrecht ist aber eine umgekehrte Begründung geboten, nämlich die Begründung für jeden Eingriff in die Rechte und Freiheiten eines Einzelnen. In diesem Sinne soll die Vermögensabschöpfung nicht zu einer Suche nach Zufallsfunden werden. Dadurch, dass sie in das Strafrecht eingebunden bleibt, können den Zugriffsmöglichkeiten auf das Vermögen Grenzen gesetzt werden.[42]

Die Gesetzgeber in den untersuchten Rechtsordnungen haben sich für eine strafrechtliche Regelung der Vermögensabschöpfung entschieden. Die vorliegende Untersuchung hat ergeben, dass manche Maßnahmen den strafrechtlichen Legitimationsrahmen überscheiten.[43] Im Gesetzgebungsprozess wurden unterschiedliche Legitimationsansätze vermischt und die Zwecke der Abschöpfungsmaßnahmen

---

[39] Eine ähnliche Regelung ist auch dem US-amerikanischen Recht bekannt, wo sich der Tatunbeteiligte durch *innocent owner defence* verteidigen kann. Siehe *Cassella*, Kentucky Law Journal Vol. 89 (2000-2001), 654 ff.; *Lisa Olivia Leonard v. Texas*, 580 U.S. (2017), Statement of Thomas, J.

[40] *Boucht*, The Limits of Asset Confiscation, S. 99.

[41] Siehe ebenda, S. 116; *Rui/Sieber*, in: Rui/Sieber (Hrsg.), Non-Conviction-Based Confiscation, S. 253.

[42] Siehe *Meyer*, NZWiSt 2018, 250.

[43] Siehe oben Teil 4.III.B.3., III.C.4.; Teil 5.III.B.3., C.4.

nicht ausreichend differenziert.[44] Deswegen bleibt *de lege lata* die Begründung für den Grundrechtseingriff und seine Einschränkungskriterien umstritten. Als eine Alternative zu der strafrechtlichen Regelung kann eine polizeilich-präventive oder zivilrechtliche Regelung der Vermögensabschöpfung in Erwägung gezogen werden. Wenn diese Maßnahmen im durch den Zweck legitimierten Umfang angewendet werden, stellen sie eine mit den rechtsstaatlichen Garantien konforme Lösung dar.[45]

Die Darstellung der Ansätze zur Legitimation der Vermögensabschöpfung veranschaulicht, dass diese nicht in jedem Regelungsmodell umgesetzt werden können. Die zivilrechtliche und polizei-präventive Vermögensabschöpfung stützt sich auf formelle, und nicht auf materielle Wahrheit. Diese beiden Arten der Vermögensabschöpfung sind deswegen mit der strafrechtlichen Regulierung – wegen ihrer Beweisanforderungen und Anknüpfung an die materielle Wahrheit – nicht kompatibel. Ein Beispiel dafür ist die Regelung der erweiterten Einziehung in beiden Rechtsordnungen.[46] Diese dient dem Zweck der Korrektur rechtswidriger Vermögenslagen. Als eine Maßnahme mit zivilrechtlicher Legitimation passt sie nicht in das strafrechtliche Regelungsmodell. Die erweiterte Einziehung kann nicht die strafrechtlichen Beweisanforderungen erfüllen. Im deutschen Recht wird zwar für die Abschöpfung des Vermögens die volle richterliche Überzeugung verlangt, jedoch werden die Delikte, aus denen das Vermögen stammt, nicht aufgeklärt. Es bleibt unklar, wie bei dieser Beweislage die volle richterliche Überzeugung erlangt werden soll.[47] Im Hinblick darauf, dass die Vermögensabschöpfungsmaßnahmen einen hoheitlichen Eingriff in das Eigentumsrecht des Betroffenen darstellen, wäre den Maßnahmen mit zivilrechtlicher oder präventiv-polizeilicher Legitimation der verwaltungsrechtlichen Regulierung der Vorzug zu geben.[48] Diese Maßnahmen können im Einklang mit rechtsstaatlichen Garantien gestaltet werden, wenn die Einschränkungen beachtet werden, die sich aus ihrer Legitimation ergeben. Dies betrifft insbesondere den Abschöpfungsumfang und die Adressaten. Zivilrechtliche und polizeilich-präventive Maßnahmen, welche im Vergleich zu den strafrechtlichen einen leichteren Zugriff auf das Vermögen ermöglichen, sollen nicht den gleichen Abschöpfungsumfang und Adressatenkreis betreffen wie die strafrechtlichen Maßnahmen.

---

[44] Siehe oben Teil 4.III.C.3.b); Teil 5.III.C.3.b).

[45] Die Legitimation einer Maßnahme über einen bestimmten Zweck hängt davon ab, ob dieser Zweck eine hinreichende Stütze im Gesetzestext findet. Vgl. *Berg*, Beweiserleichterungen bei der Gewinnabschöpfung, S. 155.

[46] Siehe oben Teil 4.III.C.3.b)bb)ii); Teil 5.III.C.3.b)bb)i).

[47] Siehe oben Teil 4.III.C.3.b)bb)ii).

[48] Siehe *Meyer*, StV 2017, 349 f.; *Sieber*, in: Tiedemann/Sieber/Satzger u.a. (Hrsg.), Die Verfassung, S. 367; *Sieber*, in: Sieber/Mitsilegas/Mylonopoulos u.a. (Hrsg.), Alternative Systems, S. 25.

Literaturverzeichnis

Achenbach, Hans, Ahndung materiell sozialschädlichen Verhaltens durch bloße Geldbuße? GA 2008, 1–17.

Albers, Marion, Terrorismusfinanzierungsbekämpfung im globalen Kontext. In: Marion Albers/Lena Groth (Hrsg.), Globales Recht und Terrorismusfinanzierungsbekämpfung. Baden-Baden 2015, S. 85–132.

Albrecht, Hans-Jörg, Strafzumessung und Vollstreckung bei Geldstrafen unter Berücksichtigung des Tagessatzsystems. Die Geldstrafe im System strafrechtlicher Sanktionen. Berlin 1980.

Altenhain, Karsten/Hagemeier, Ina/Haimerl, Michael/Stammen, Karl-Heinz, Die Praxis der Absprachen in Wirtschaftsstrafverfahren. Baden-Baden 2007.

Andrejew, Igor/Wolter, Władysław/Świda, Witold, Kodeks karny z komentarzem (Strafgesetzbuch mit Kommentierung). Warschau 1973 [zit. Andrejew u.a.-*Bearbeiter*].

Arnold, Michaela, Verfall, Einziehung und Unbrauchbarmachung (§§ 73 bis 76a StGB). Reformdiskussion und Gesetzgebung seit dem 19. Jahrhundert. Berlin 2015.

Artymiak, Grażyna, Domniemania wprowadzone nowelą antykorupcyjną jako odstępstwo od podstawowych zasad prawa karnego − zagadnienia wybrane (Durch das Antikorruptionsgesetz eingeführte Vermutungen – ausgewählte Aspekte). In: Tadeusz Bojarski (Hrsg.), Zmiany w polskim prawie karnym. Po wejściu w życie kodeksu karnego z 1997 roku (Änderungen im polnischen Strafrecht nach dem Inkrafttreten des Strafgesetzbuchs 1997). Lublin 2006, S. 285–296.

Athing, Gerhard/Bockemühl, Jan/Joecks, Wolfgang/Miebach, Klaus, Münchener Kommentar zum Strafgesetzbuch, Band 2. 3. Auflage. München 2016 [zit. Athing u.a.-*Bearbeiter*, MüKo].

Bafia, Jerzy/Hochberg, Leo/Siewierski, Mieczysław, Ustawy karne PRL. Komentarz (Strafgesetze der Volksrepublik Polen. Kommentar). Warschau 1965 [zit. Bafia u.a.-*Bearbeiter*].

Bafia, Jerzy/Mioduski, Kryspin/Siewierski, Mieczysław, Kodeks karny. Komentarz (Strafgesetzbuch. Kommentar). Warschau 1977.

Barczak-Oplustil, Agnieszka, Zasada koincydencji winy i czynu w Kodeksie karnym (Koinzidenz von Schuld und tatbestandsmäßiger Handlung im Strafrecht). Krakau 2016.

Bardach, Juliusz/Leśnodorski, Bogusław/Pietrzak, Michał, Historia państwa i prawa polskiego (Polnische Staats- und Rechtsgeschichte). Warschau 1976.

Barreto da Rosa, Steffen, Die Reform der Vermögensabschöpfung: Offene Fragen des neuen Sicherstellungsrechts. NZWiSt 2018, 215–219.

Baumann, Jürgen/Brauneck, Anne-Eva/Hanack, Ernst-Walter u.a., Alternativ-Entwurf eines Strafgesetzbuches. Allgemeiner Teil. Tübingen 1966.

Bednarzak, Jan, Kryteria orzekania konfiskaty mienia (Kriterien der Verhängung von Vermögensstrafe). NP 1975, 502–510.

Belusa, Jürgen-Christian, Das Übermaßverbot in seiner Bedeutung für die strafrechtliche Einziehung. Hamburg 1969.

Berent, Marcin/Filar, Marian, Kodeks karny. Komentarz (Strafgesetzbuch. Kommentar). 5. Auflage. Warschau 2016.

Berg, Johannes, Beweiserleichterungen bei der Gewinnabschöpfung. Köln 2001.

Beseler, Georg, Kommentar über das Strafgesetzbuch für die Preußischen Staaten und das Einführungsgesetz vom 14. April 1851. Leipzig 1851.

Binding, Karl, Handbuch des Strafrechts, Band 1. Leipzig 1885.

Błaszczyk, Magdalena, Przepadek w polskim prawie karnym skarbowym (Einziehung im polnischen Fiskalstrafrecht). Warschau 2016.

Błaszczyk, Magdalena/Zbrojewska, Monika, Prawo karne skarbowe (Fiskalstrafrecht). Warschau 2015.

Bohnert, Joachim, Ordnungswidrigkeitenrecht. 4. Auflage. München 2010.

Boister, Neil, Treaty-based Crimes. In: Antonio Cassese (Hrsg.), The Oxford Companion to International Criminal Justice. Oxford, New York 2009, S. 540–542.

– Penal Aspects of the UN Drug Conventions. The Hague 2001.

Bojarski, Marek (Hrsg.), Szczególne dziedziny prawa karnego. Prawo karne wojskowe, skarbowe i pozakodeksowe (Nebenstrafrecht. Militärstrafrecht, Fiskalstrafrecht und nicht kodifiziertes Strafrecht). 2. Auflage. Warschau 2018.

Bojarski, Marek/Radecki, Wojciech, Kodeks wykroczeń. Komentarz (Übertretungsgesetzbuch. Kommentar). 7. Auflage. Warschau 2016.

Bojarski, Tadeusz/Michalska-Warias, Aneta/Piórkowska-Flieger, Joanna/Szwarczyk, Maciej, Kodeks karny. Komentarz (Strafgesetzbuch. Kommentar). 7. Auflage. Warschau 2016).

– Kodeks wykroczeń. Komentarz (Übertretungsgesetzbuch. Kommentar). 5. Auflage. Warschau 2015.

Borgers, Matthias J., Confiscation of the Proceeds of Crime: The European Union Framework. In: Colin King/Clive Walker (Hrsg.), Dirty Assets. Emerging Issues in the Regulation of Criminal and Terrorist Assets. Farnham 2014, S. 27–45.

Boucht, Johan, The Limits of Asset Confiscation. London 2017.

Brauch, Philip, Die außergerichtliche Einziehung von Vermögenswerten im Strafverfahren. NStZ 2013, 503–509.

Brenner, Karl, Gewinnabschöpfung, das unbekannte Wesen im Ordnungswidrigkeitenrecht. NStZ 1998, 557–560.

Bringewat, Peter, Die Bildung der Gesamtvermögensstrafe – ein kriminalpolitisches Kuckucksei. NStZ 1993, 316–319.

Brodowski, Dominik, Strafrechtsrelevante Entwicklungen in der Europäischen Union – ein Überblick. ZIS 2013, 455–472.

– Strafrechtsrelevante Entwicklungen in der Europäischen Union – ein Überblick. ZIS 2012, 558–570.

Brylak, Joanna, Znaczenie przepadku korzyści majątkowej w walce z przestępczością zorganizowaną (Die Bedeutung der Einziehung und der Vermögensstrafe in der Bekämpfung von Organisierter Kriminalität). Prokuratura i Prawo 2010, 29–43.

Buczkowski, Konrad, Skuteczność odzyskiwania korzyści majątkowych uzyskanych przez sprawców przestępstwa – analiza przepadków orzeczonych na podstawie art. 45 k.k. (Effektivität der Vermögensabschöpfung – eine Analyse der Einziehungsanordnung nach Art. 45 k.k.). Prawo w działaniu 2010, 221–263.

Burzyński, Paweł, Ustawowe określenie sankcji karnej (Gesetzliche Bestimmung der strafrechtlichen Sanktion). Warschau 2008.

Caesar, Peter, Das Gesetz gegen die Organisierte Kriminalität – eine unendliche Geschichte? ZRP 1991, 241–244.

Cassella, Stefan D., Civil Asset Recovery – The American Experience. In: Jon Petter Rui/Ulrich Sieber (Hrsg.), Non-Conviction-Based Confiscation in Europe. Possibilities and limitations on rules enabling confiscation without a criminal conviction. Berlin 2015, S. 13–30.

– Asset forfeiture law in the United States. 2. Auflage. Huntington, N.Y. 2013.

– The Uniform Innocent Owner Defense to Civil Asset Forfeiture: The Civil Asset Forfeiture Reform Act of 2000 Creates a Uniform Innocent Owner Defense to Most Civil Forfeiture Cases Filed by the Federal Government. Kentucky Law Journal Vol. 89 (2000-2001), 653–709.

Chudzik, Joanna/Jakowczyk, Michał/Kowalski, Kaja/Krajewski, Andreas/Matthies, Kamila (Hrsg.), Strafgesetzbuch und Übertretungsgesetzbuch. Zweisprachige Textausgabe = Kodeks karny i kodeks wykroczeń: tekst dwujęzyczny. Warschau 2012.

Cieślak, Marian, Zagadnienia dowodowe w procesie karnym (Beweisfragen im Strafprozess). Krakau 2011.

– O węzłowych pojęciach związanych z sensem kary (Zu den wichtigsten Begriffen bei der Frage nach dem Sinn der Strafe). Nowe Prawo 1969, 195–213.

Claus, Susanne, Gewinnabschöpfung und Steuer. Dogmatik, Praxis, Reform. Baden-Baden 2010.

Conrad, Hermann, Deutsche Rechtsgeschichte. Frühzeit und Mittelalter. 2. Auflage. Karlsruhe 1962.

Czwojda, Anna C., Przepadek korzyści majątkowej w polskim prawie karnym (Einziehung des Vermögenvorteils im polnischen Strafrecht). Breslau 2018.

Dadak, Wojciech, Grzywna samoistna w stawkach dziennych. Aspekty prawnokarne i kryminologiczne (Geldstrafe in Tagessätzen. Strafrechtliche und kriminologische Aspekte). Warschau 2011.

Dannert, Michaela A.M., Die verfassungsrechtliche Zulässigkeit von Eigentumsentziehungen zur Verfolgung und Verhinderung von Straftaten. Berlin 1998.

Deutscher, Axel, Rechtsprechungsübersicht zur Reform der strafrechtlichen Vermögensabschöpfung (Teil II). StRR 3/2019, 4–9.

Drathjer, Johann, Die Abschöpfung rechtswidrig erlangter Vorteile im Ordnungswidrigkeitenrecht. Köln 1997.

Dreher, Eduard/Tröndle, Herbert/Schwarz, Otto G., Strafgesetzbuch und Nebengesetze. 46. Auflage. München 1993 [zit. Dreher u.a.-*Bearbeiter*].

Dreier, Horst, Grundgesetz. Kommentar. 3. Auflage. Tübingen 2013 [zit. Dreier-*Bearbeiter*].

Engelhart, Marc, Sanktionierung von Unternehmen und Compliance. Eine rechtsvergleichende Analyse des Straf- und Ordnungswidrigkeitenrechts in Deutschland und den USA. 2. Auflage. Berlin 2012.

Eser, Albin, Neue Wege der Gewinnabschöpfung im Kampf gegen die organisierte Kriminalität? Kritische Bemerkungen zu aktuellen Reformbemühungen. In: Wilfried Küper/Friedrich Dencker (Hrsg.), Beiträge zur Rechtswissenschaft. Festschrift für Walter Stree und Johannes Wessels zum 70. Geburtstag. Heidelberg 1993, S. 833–853.

– Die strafrechtlichen Sanktionen gegen das Eigentum. Dogmatische und rechtspolitische Untersuchungen zu Einziehung, Unbrauchbarmachung und Gewinnverfall. Tübingen 1969.

Feigen, Peter, Beweislastumkehr im Strafrecht. Geldwäsche, Vermögenseinziehung, Hehlerei – de lege lata et ferenda. Herdecke 1998.

Feinäugle, Clemens A., Die Terroristenlisten des Sicherheitsrates – Endlich Rechtsschutz des Einzelnen gegen die Vereinten Nationen? ZRP 2007, 75–78.

Filipkowski, Wojciech, Aktualny stan prawny w zakresie przepadku przedmiotów i korzyści pochodzących z przestępstwa na tle kodyfikacji karnych z 1997 roku. Instytucja przepadku w kodeksie karnym z 1997 r. (Einziehung der Gegenstände und Vermögensvorteile aus Straftaten *de lege lata*, unter Berücksichtigung der Kodifikation des Strafrechts von 1997. Einziehung im Strafgesetzbuch 1997). In: Ewa Monika Guzik-Makaruk/Jacek Arciszewski (Hrsg.), Przepadek przedmiotów i korzyści pochodzących z przestępstwa (Einziehung der Gegenstände und Vermögensvorteile aus Straftaten). 8. Auflage. Warschau 2012, S. 211–232.

Fischer, Thomas, Strafgesetzbuch mit Nebengesetzen. 66. Auflage. München 2019.

– Strafgesetzbuch mit Nebengesetzen. 64. Auflage. München 2017.

Frisch, Wolfgang, Die Maßregeln der Besserung und Sicherung im strafrechtlichen Rechtsfolgesystem. Straftheoretische Einordnung, inhaltliche Ausgestaltung und rechtsstaatliche Anforderungen. ZStW 1990, 343–393.

Frister, Helmut, Schuldprinzip, Verbot der Verdachtsstrafe und Unschuldsvermutung als materielle Grundprinzipien des Strafrechts. Berlin 1988.

Gardocki, Lech, Prawo karne (Strafrecht). 20. Auflage. Warschau 2017.

Gebauer, Tim, Reform der strafrechtlichen Vermögensabschöpfung. ZRP 2016, 101–104.

Geiger, Thomas, Die Rechtsnatur der Sanktion. Berlin 2006.

Gensikowski, Piotr, Przepadek (Einziehung). In: Magdalena Budyn-Kulik u.a. (Hrsg.), Środki karne, przepadek i środki kompensacyjne w znowelizowanym Kodeksie karnym (Strafmaßnahmen, Einziehung und Maßnahmen zur Wiedergutmachung im novellierten Strafgesetzbuch). Warschau 2017, S. 359–389.

Giezek, Jacek, Kapitel III. Podstawowe zasady prawa karnego (Kapitel III. Grundsätze des Strafrechts). In: Marek Bojarski u.a. (Hrsg.), Prawo karne materialne. Część ogólna i szczegółowa (Materielles Strafrecht. Allgemeiner und Besonderer Teil). 6. Auflage. Warschau 2015.

Giezek, Jacek/Kłączyńska, Natalia/Łabuda, Grzegorz, Kodeks karny. Część ogólna. Komentarz (Strafgesetzbuch. Allgemeiner Teil. Kommentar). 2. Auflage. Warschau 2012.

Glücksmann, Alfred, Die Rechtskraft der strafprozessualen Entscheidung über Einziehung und Unbrauchbarmachung. Breslau 1898.

Göhler, Erich/König, Peter/Seitz, Helmut, Gesetz über Ordnungswidrigkeiten. 17. Auflage. München 2017 [zit. Göhler u.a.-*Bearbeiter*].

Goldschmidt, James, Strafen (Haupt- und Nebenstrafen) und verwandte Maßregeln unter Berücksichtigung der den Inhalt der Strafe bestimmenden Grundsätze des Strafvollzugs. In: Joseph Heimberger/James Goldschmidt (Hrsg.), Vergleichende Darstellung des deutschen und ausländischen Strafrechts. Allgemeiner Teil. Berlin 1908.

Goltdammer, Theodor, Die Materialien zum Straf-Gesetzbuche fuer die Preussischen Staaten. Theil 1. Das Einführungs-Gesetz und den allgemeinen Theil enthaltend. Berlin 1851.

Görg, Sabine, Geldwäschebezogene Terrorismusbekämpfung. Praktische Wirkung und kriminalpolitische Angemessenheit der Bekämpfungsmaßnahmen. Frankfurt am Main 2011.

Gössel, Karl Heinz, Wesen und Begründung der strafrechtlichen Sanktionen. In: Otto-Friedrich von Gamm/Peter Raisch/Klaus Tiedemann (Hrsg.), Strafrecht, Unternehmensrecht, Anwaltsrecht. Festschrift für Gerd Pfeiffer zum Abschied aus dem Amt als Präsident des Bundesgerichtshofes. Köln u.a.1988, S. 3–25.

Greeve, Gina, Das neue Recht der strafrechtlichen Vermögensabschöpfung. Ausgewählte Aspekte aus Sicht der Strafverteidigung. ZWH 2017, 277–283.

Gropp, Walter, Zum verfahrenslimitierenden Wirkungsgehalt der Unschuldsvermutung. JZ 1991, 804–813.

Große Strafrechtskommission, Niederschriften über die Sitzungen der Grossen Strafrechtskommission. Allgemeiner Teil. 26. bis 37. Sitzung. Bonn 1958.

– Niederschriften über die Sitzungen der Grossen Strafrechtskommission. Grundsatzfragen. 1. bis 13. Sitzung. Bonn 1956.

Groth, Reimer, Verdeckte Ermittlung im Strafverfahren und Gewinnabschöpfung. Eine verfassungsrechtliche Untersuchung zweier Maßnahmenkomplexe zur Bekämpfung der organisierten Kriminalität. Münster 1996.

Grzegorczyk, Tomasz/Jankowski, Wojciech J./Zbrojewska, Monika, Kodeks wykroczeń (Übertretungsgesetzbuch) [zit. Grzegorczyk u.a.-*Bearbeiter*]. 2. Auflage. Warschau 2013.

Grześkowiak, Alicja, Komunistyczne prawo karne Polski Ludowej (Kommunistisches Strafrecht der Volksrepublik Polen). Lublin 2007.

Gusy, Christoph, Gewährleistung von Freiheit und Sicherheit im Lichte unterschiedlicher Staats- und Verfassungsverständnisse. In: Juliane Kokott/Winfried Brugger/Christoph Gusy/Thomas Vesting (Hrsg.), Die Staatsrechtslehre und die Veränderung ihres Gegenstandes. Konsequenzen von Europäisierung und Internationalisierung. Gewährleistung von Freiheit und Sicherheit im Lichte unterschiedlicher Staats- und Verfassungsverständnisse. Berlin 2004, S. 151–213.

Hassemer, Winfried, Strafrecht, Prävention, Vergeltung. ZIS 2006, 266–273.

Häberle, Peter, Die Wesensgehaltgarantie des Artikel 19 Abs. 2 Grundgesetz. Zugleich ein Beitrag zum institutionellen Verständnis der Grundrechte und zur Lehre vom Gesetzesvorbehalt. Karlsruhe 1962.

Heckmann, Dirk, Die Einziehung verdächtigen Vermögens: Zur Regelung der „Beweislastumkehr“ im Entwurf eines Vermögenseinziehungsgesetzes. ZRP 1995, 1–4.

Heine, Günter, Beweislastumkehr im Strafverfahren? JZ 1995, 651–657.

Hellmann, Uwe, Richterliche Überzeugungsbildung und Schätzung bei der Bemessung strafrechtlicher Sanktionen. GA 1997, 503–524.

Herzog, Felix, Gewinnabschöpfung und Vermögenssanktionen: Verbrechensbekämpfung durch Kostenmaximierung des Normbruchs? In: Cornelius Prittwitz (Hrsg.), Festschrift für Klaus Lüderssen. Zum 70. Geburtstag am 2. Mai 2002. Baden-Baden 2002, S. 241–251.

Hetzer, Wolfgang, Gewinnabschöpfung durch Beweislastumkehr? wistra 2000, 368–377.

Hinderer, Patrick/Blechschmitt, Lisa, Die „erweiterte selbständige Einziehung“ nach § 76a Abs. 4 StGB i.V.m. § 437 StPO. NZWiSt 2018, 179–185.

Hohn, Kristian, Die Zulässigkeit materieller Beweiserleichterungen im Strafrecht. Eine Untersuchung über Erscheinungsformen und Grenzen der Lösung beweisrechtlicher Probleme im materiellen Strafrecht. Frankfurt am Main u.a. 2000.

Hoyer, Andreas, Die Rechtsnatur des Verfalls angesichts des neuen Verfallsrechts. GA 1993, 406–422.

Hüls, Silke, Zur Reform des Rechts der Vermögensabschöpfung im Strafrecht. ZWH 2017, 242–251.

Hunsicker, Ernst, Präventive Gewinnabschöpfung. Eine Bilanz nach rund zehn Jahren. Kriminalistik 2013, 396–400.

Jähnke, Burkhard/Laufhütte, Heinrich W./Odersky, Walter, Strafgesetzbuch. Leipziger Kommentar, Band 3. 11. Auflage. Berlin 2006 [zit. Jähnke u.a.-*Bearbeiter*, Leipziger Kommentar].

Jescheck, Hans-Heinrich/Weigend, Thomas, Lehrbuch des Strafrechts. Allgemeiner Teil. 5. Auflage. Berlin 1996.

Jescheck, Hans-Heinrich/Ruß, Wolfgang/Willms, Günther, Strafgesetzbuch. Leipziger Kommentar, Band 2. 10. Auflage. Berlin 1985 [zit. Jescheck u.a.-*Bearbeiter*, Leipziger Kommentar].

Julius, Karl-Peter, Einziehung, Verfall und Art. 14 GG. ZStW 1997, 58–102.

Kaiser, Günther, Möglichkeiten zur Verbesserung des Instrumentariums zur Bekämpfung von Geldwäsche und zur Gewinnabschöpfung. wistra 2000, 121–130.

– Strafrechtliche Gewinnabschöpfung im Dilemma zwischen Rechtsstaatlichkeit und Effektivität. ZRP 1999, 144–150.

Kardas, Piotr/Łabuda, Grzegorz/Razowski, Tomasz, Kodeks karny skarbowy. Komentarz (Fiskalstrafgesetzbuch. Kommentar). 3. Auflage. Warschau 2017 [zit. Kardas u.a.-*Bearbeiter*].

Kaspar, Johannes, Verhältnismäßigkeit und Grundrechtsschutz im Präventionsstrafrecht. Baden-Baden 2014.

Katholnigg, Oskar, Die Neuregelungen beim Verfall. JR 1994, 353–356.

Kerrl, Hanns, Nationalsozialistisches Strafrecht. Denkschrift des Preußischen Justizministers. Mit dem Vorwort von Staatssekretär Dr. Roland Freisler. 2. Auflage. Berlin 1935.

Keusch, Sven, Probleme des Verfalls im Strafrecht. Frankfurt am Main 2005.

Kilchling, Michael, § 16 Geldwäsche. In: Ulrich Sieber u.a. (Hrsg.), Europäisches Strafrecht. 2. Auflage. Baden-Baden 2014.

Kindhäuser, Urs/Neumann, Ulfrid/Paeffgen, Hans-Ullrich/Albrecht, Hans-Jörg/Altenhain, Karsten, Strafgesetzbuch, Band 1. 5. Auflage. Baden-Baden 2017 [zit. Kindhäuser u.a.-*Bearbeiter*].

Kingreen, Thorsten/Poscher, Ralf, Grundrechte. Staatsrecht II. 34. Auflage. Heidelberg 2018.

Klesczewski, Diethelm, Ordnungswidrigkeitenrecht. 2. Auflage. München 2016.

Kluza, Jan, Krytyczna annaliza nowelizacji dotyczącej konfiskaty rozszerzonej - omówienie zmian w obrębie kodeksu karnego i kodeksu postępowania karnego (Eine kritische Analyse der Novellierung der erweiterten Einziehung – Besprechung der Änderungen im Strafgesetzbuch und in der Strafprozessordnung). Zeszyty Naukowe Towarzystwa Doktorantów UJ 2017, 93–111.

Köbner, Otto, Die Massregel der Einziehung. Nach dem Reichsstrafgesetzbuche und der Nachdrucksgesetzgebung. Jena 1892.

Köhler, Markus, Die Reform der strafrechtlichen Vermögensabschöpfung – Teil 1/2. Überblick und Normverständnis für die Praxis. NStZ 2017, 497–512.

Köhler, Michael/Beck, Wolfgang, Gerechte Geldstrafe statt konfiskatorischer Vermögenssanktionen. JZ 1991, 797–804.

Köhler, Markus/Burkhard, Christiane, Die Reform der strafrechtlichen Vermögensabschöpfung – Teil 2/2. Überblick und Normverständnis für die Rechtspraxis. NStZ 2017, 665–682.

Konarska-Wrzosek, Violetta, Formy popełnienia przestępstw i wykroczeń skarbowych (Begehungsformen von Fiskalstraftaten und -übertretungen). In: Violetta Konarska-Wrzosek u.a. (Hrsg.), Prawo i postępowanie karne skarbowe (Materielles und prozessuales Fiskalstrafrecht). 2. Auflage. Warschau 2013, S. 72–91.

– Kary grożące za przestępstwa i wakrocznenia skarbowe (Strafen für Fiskalstraftaten und -übertretungen). In: Violetta Konarska-Wrzosek u.a. (Hrsg.), Prawo i postępowanie karne skarbowe. (Materielles und prozessuales Fiskalstrafrecht). 2. Auflage. Warschau 2013, S. 72–91.

– Kształtowanie się i rozwój prawa karnego skarbowego w Polsce (Entwicklung des Fiskalstrafrechts in Polen). In: Violetta Konarska-Wrzosek u.a. (Hrsg.), Prawo i postępowanie karne skarbowe (Materielles und prozessuales Fiskalstrafrecht). 2. Auflage. Warschau 2013, S. 72–91.

– Środki karne, ich rodzaje i rola. In: Violetta Konarska-Wrzosek u.a. (Hrsg.), Prawo i postępowanie karne skarbowe (Materielles und prozessuales Fiskalstrafrecht). 2. Auflage. Warszawa 2013, S. 117–147.

– Zagadnienia wstępne (Einführende Systematisierung). In: Violetta Konarska-Wrzosek u.a. (Hrsg.), Prawo i postępowanie karne skarbowe (Materielles und prozessuales Fiskalstrafrecht. 2. Auflage. Warschau 2013, S. 72–91.

Körner, Harald H., Die Strafrechtspraxis im Labyrinth neuer Betäubungsmittelrechtsbestimmungen. NJW 1993, 233–239.

Korte, Matthias, Vermögensabschöpfung reloaded. wistra 2018, 1–12.

Krämer, Gregor, Die Bekämpfung von Geldwäsche und Terrorismusfinanzierung. Die Tätigkeit der FATF als internationaler Standardsetter. Baden-Baden 2008.

Krey, Volker/Dierlamm, Alfred, Gewinnabschöpfung und Geldwäsche. JR 1992, 353–360.

Królikowski, Michał/Zawłocki, Robert/Błaszczyk, Magdalena/Długosz u.a. Kodeks karny – część ogólna (Strafgesetzbuch – Allgemeiner Teil), Band I. 3. Auflage. Warschau 2015 [zit. Królikowski u.a.-*Bearbeiter*].

– Kodeks karny – część ogólna (Strafgesetzbuch – Allgemeiner Teil), Band II. 3. Auflage. Warschau 2015 [zit. Królikowski u.a.-*Bearbeiter*].

Kruszyński, Piotr, Zasada domniemania niewinności w polskim procesie karnym (Grundsatz der Unschuldsvermutung im polnischen Strafprozessrecht). Warschau 1983.

Kruszyński, Piotr/Pawelec, Szymon, Zasada domniemania niewinności (Die Unschuldsvermutung). In: Piotr Hofmański (Hrsg.), System prawa karnego procesowego (System des Strafprozessrechts), Band III Teil 2. Warschau 2014.

Krzymuski, Edmund, System prawa karnego: ze stanowiska nauki i trzech kodeksów, obowiązujących w Polsce. Część ogólna (Das Strafrechtssystem unter Berücksichtigung der Strafrechtslehre und der drei geltenden Gesetzbücher. Allgemeiner Teil). Krakau 1921.

Kühl, Kristian, Unschuldsvermutung, Freispruch und Einstellung. Köln u.a.1983.

Kühl, Kristian/Heger, Martin, Strafgesetzbuch. Kommentar. 29. Auflage. München 2018.

Kulesza, Cezary/Starzyński, Piotr, Powrót konfiskaty mienia? (Rückkehr der Vermögensstrafe?). Państwo i Prawo 2008, 35–47.

Kulik, Marek, Zmiany przepisów dotyczących przepadku przedmiotów i przepadku korzyści majątkowych w kodeksie karnym z 1997 roku (Änderung der Regelung der Einziehung der Gegenstände und Vermögensvorteile aus Straftaten im Strafgesetzbuch 1997). In: Tadeusz Bojarski (Hrsg.), Zmiany w polskim prawie karnym. Po wejściu w życie kodeksu karnego z 1997 roku (Änderungen im polnischen Strafrecht. Nach dem Inkrafttreten des Strafgesetzbuchs 1997). Lublin 2006, S. 81–92.

Kunicka-Michalska, Barbara, Zasady odpowiedzialności karnej. Art. 1 § 1 i 2, art. 3–7 KK. Komentarz (Grundsätze der strafrechtlichen Verantwortlichkeit. Art. 1 § 1 und 2, Art. 3–7 KK. Kommentar). Warschau 2006.

Łabno, Anna, Istota zasady proporcjonalności (Das Wesen des Verhältnismäßigkeitsprinzips). In: Teresa Dukiet-Nagórska (Hrsg.), Zasada proporcjonalności w prawie karnym (Verhältnismäßigkeitsprinzip im Strafrecht). Warschau 2010, S. 17–35.

Lackner, Karl, Strafgesetzbuch. 20. Auflage. München 1993.

Lagodny, Otto, Strafrecht vor den Schranken der Grundrechte. Die Ermächtigung zum strafrechtlichen Vorwurf im Lichte der Grundrechtsdogmatik dargestellt am Beispiel der Vorfeldkriminalisierung. Tübingen 1996.

Lang, Hermann, Die Einziehung nach § 40 des Reichsstrafgesetzbuches und nach dem Amtlichen Entwurf zu einem Allgemeinen Deutschen Strafgesetzbuch. München 1928.

Laskowska, Katarzyna, Kara konfiskaty mienia w kodeksie karnym z 1969 r. i w projekcie nowego kodeksu (Vermögensstrafe im Strafgesetzbuch 1969 und im Entwurf des neuen Strafgesetzbuchs). Prokuratura i Prawo 1996, 32–51.

Lehmann, Walter, Über die Vermögensstrafen des römischen Rechts. Eine rechthistorische Studie. Berlin 1904.

Lepsius, Oliver, Die Chancen und Grenzen des Grundsatzes der Verhältnismäßigkeit. In: Matthias Jestaedt/Oliver Lepsius (Hrsg.), Verhältnismäßigkeit. Zur Tragfähigkeit eines verfassungsrechtlichen Schlüsselkonzepts. Tübingen 2015, S. 2–41.

Lerche, Peter, Übermaß und Verfassungsrecht. Zur Bindung des Gesetzgebers an die Grundsätze der Verhältnismäßigkeit und der Erforderlichkeit. Köln 1961.

Lothar, Michael, Das Verhältnismäßigkeitsprinzip als Schlüssel(bund)konzept. In: Matthias Jestaedt/Oliver Lepsius (Hrsg.), Verhältnismäßigkeit. Zur Tragfähigkeit eines verfassungsrechtlichen Schlüsselkonzepts. Tübingen 2015. S. 42–59.

Low, Lucinda A./Pieth, Mark/Cullen, Peter J., The OECD Convention on Bribery. A commentary. Cambridge, New York 2007.

Makarewicz, Juliusz, Kodeks karny z komentarzem (Strafgesetzbuch mit Kommentierung). 5. Auflage. Lemberg 1938.

– Prawo karne ogólne (Allgemeines Strafrecht). Krakau 1914.

Marek, Andrzej, Prawo wykroczeń (materialne i procesowe) (Ordnungswidrigkeitenrecht [materielles und prozessuales]). 6. Auflage. Warschau 2008.

– Problematyka przepadku korzyści pochodzących z przestępstwa. Aktualny stan prawny i projekty zmian nowelizacyjnych (Einziehung der Vermögensvorteile aus Straftaten. Die aktuelle Rechtslage und die Gesetzesentwürfe). Apelacja Gdańska – Kwartalnik 2003, 5–16.

Marstaller, Marie-Lena/Zimmermann, Till, Non-conviction-based confiscation in Deutschland? Eine straf- und verfassungsrechtliche Untersuchung zur Legitimität der erweiterten selbständigen Tatertragseinziehung nach § 76a IV StGB i.V.m. § 437 StPO. Baden-Baden 2018.

Melezini, Mirosława, Środki karne jako instrument polityki kryminalnej (Strafmaßnahmen als Instrument der Kriminalpolitik). Białystok 2013.

– Punitywność wymiaru sprawiedliwości karnej w Polsce w XX wieku (Punitivität der Strafjustiz in Polen im 20. Jahrhundert). 2. Auflage. Białystok 2003.

Melezini, Mirosława/Cieślak, Wojciech/Grześkowiak, Alicja/Konarska-Wrzosek u.a., Kary i inne środki reakcji prawnokarnej (Strafen und andere Maßnahmen der strafrechtlichen Reaktion), Band 6. 2. Auflage. Warschau 2016 [zit. Melezini u.a.-*Bearbeiter*, System Prawa Karnego].

Meyer, Frank, Abschöpfung von Vermögen unklarer Herkunft. NZWiSt 2018, 246–250.

– Die selbstständige Einziehung nach § 76a StGB-E, oder: Don't bring a knife to a gunfight. StV 2017, 343–354.

– „Reformiert die Rückgewinnungshilfe!" – Denkanstöße für eine Generalüberholung der Vermögensabschöpfung. ZStW 2015, 241–283.

– Strafrechtsgenese in internationalen Organisationen. Eine Untersuchung der Strukturen und Legitimationsvoraussetzungen strafrechtlicher Normbildungsprozesse in Mehrebenensystemen. Baden-Baden 2012.

Meyer, Jürgen, Gewinnabschöpfung durch Vermögensstrafe? ZRP 1990, 85–89.

Meyer-Goßner, Lutz/Schmitt, Bertram (Hrsg.), Strafprozessordnung, Gerichtsverfassungsgesetz, Nebengesetze und ergänzende Bestimmungen. 62. Auflage. München 2019.

Mitsch, Wolfgang, Karlsruher Kommentar zum Gesetz über Ordnungswidrigkeiten. 5. Auflage. München 2018 [zit. Mitsch-*Bearbeiter*, KK-OWiG].

Mommsen, Theodor, Römisches Strafrecht. Leipzig 1899.

Murzynowski, Andrzej, Istota i zasady procesu karnego (Das Wesen und die Grundsätze des Strafprozesses). 3. Auflage. Warschau 1994.

Naumowicz, Zenon, Represja ekonomiczna w sprawach karnych w teorii i praktyce (Ökonomische Repression in Strafsachen in Theorie und Praxis). NP 1963, 310–323.

Note. How Crime Pays: The Unconstitutionality of Modern Civil Asset Forfeiture as a Tool of Criminal Law Enforcement. Harv. L. Rev. 131 (2018), 2387–2408.

Olshausen, Justus, Kommentar zum Strafgesetzbuch für das Deutsche Reich, Band 1. 5. Auflage. Berlin 1897.

Oppenhoff, Friedrich C., Das Strafgesetzbuch für das Deutsche Reich. 2. Auflage. Berlin 1872.

Ordner, Jakob, Die Verständigungseignung von vermögensabschöpfenden Rechtsfolgen. wistra 2017, 50–57.

Panzavolta, Michele/Flor, Roberto, A Necessary Evil? The Italian "Non-Criminal-System" of Asset Forfeiture. In: Jon Petter Rui/Ulrich Sieber (Hrsg.), Non-Conviction-Based Confiscation in Europe. Possibilities and limitations on rules enabling confiscation without a criminal conviction. Berlin 2015, S. 111–149.

Peiper, Leon, Komentarz do Kodeksu karnego, prawa o wykroczeniach, przepisów wprowadzajacych obie te ustawy oraz do rozporzadzenia Prezydenta R.P. o niektórych przestepstwach przeciw bezpieczeństwu państwa z dnia 24 października 1934 r. (Kommentar zum Strafgesetzbuch, Gesetz zu Übertretungen, Einführungsvorschriften zu diesen Gesetzen und zur Verordnung des Präsidenten über manche Straftaten gegen die Sicherheit des Staates vom 24.10.1934). Krakau 1936.

Pelz, Christian, Abschöpfung von Vermögen unklarer Herkunft in Deutschland. NZWiSt 2018, 251–254.

Perron, Walter, Vermögensstrafe und erweiterter Verfall. Im Spannungsfeld zwischen öffentlichen Strafverfolgungsinteressen und privaten Eigentumsrechten. JZ 1993, 918–925.

Pieroth, Bodo/Schlink, Bernhard, Grundrechte. Heidelberg 1985.

Pintaske, Patrick M., Das Palermo-Übereinkommen und sein Einfluss auf das deutsche Strafrecht. Eine Untersuchung der UN-Konvention gegen grenzüberschreitende organisierte Kriminalität und ihrer Zusatzprotokolle. Göttingen 2014.

Pohl, Łukasz, O ujęciu przepadku składników i praw majątkowych przedsiębiorstwa w projektowanym art. 44a § 1 kodeksu karnego (Über die Einziehung der Bestandteile und Vermögensrechte eines Unternehmens im Gesetzesentwurf – Art. 44a § 1). Nowa Kodyfikacja Prawa Karnego 2017, 477–481.

Poscher, Ralf, Öffentliche Ordnung und Grundgesetz. Zur verfassungsrechtlichen Einhegung eines rechtsstaatlichen Risikos. In: Dirk Heckmann/Ralf P. Schenke/Gernot Sydow (Hrsg.), Verfassungsstaatlichkeit im Wandel. Festschrift für Thomas Würtenberger zum 70. Geburtstag. Berlin 2013, S. 1030–1045.

– Sicherheitsverfassungsrecht im Wandel. In: Stefan Korioth/Thomas Vesting (Hrsg.), Der Eigenwert des Verfassungsrechts. Tübingen 2011, S. 245–262.

– Am Fuße der Kathedrale. Von den Bedingungen, Grenzen und Kosten eines idealistischen Systemanspruchs im Recht. In: Oliver Lepsius/Matthias Jestaedt (Hrsg.), Rechtswissenschaftstheorie. Tübingen 2008, S. 105–112.

– Grundrechte als Abwehrrechte. Reflexive Regelung rechtlich geordneter Freiheit. Tübingen 2003.

Postulski, Kazimierz/Siwek, Marek, Przepadek w polskim prawie karnym (Einziehung im polnischen Strafrecht). Krakau 2004.

Prengel, Marek, Odwrócenie ciężaru dowodu w przedmiocie odebrania mienia uzyskanego z przestępstwa w ujęciu prawnoporównawczym i międzynarodowoprawnym (Beweislastumkehr bei der Abschöpfung des aus Straftaten stammenden Vermögens aus der Perspektive der Rechtsvergleichung und des internationalen Rechts). Studia Prawnicze 2003, 143–159.

Prusak, Feliks, Kodeks karny skarbowy. Komentarz (Strafgesetzbuch. Kommentar). Krakau 2006.

Radtke, Henning, Handeln „für einen anderen" bei Verfall und Wertersatzverfall gegen Dritte im Sinne von § 73 Abs. 3 StGB. In: Roland Hefendehl u.a. (Hrsg.), Festschrift für Bernd Schünemann zum 70. Geburtstag am 1. November 2014. Berlin 2014, S. 927–940.

Raglewski, Janusz, Przepadek i środki kompensacyjne w projektowanej nowelizacji Kodeksu karnego (Einziehung und Wiedergutmachungsmaßnahmen im Gesetzentwurf zur Reform des Strafgesetzbuchs). KKSSiP 2014, 123–134.

– Znaczenie zasady proporcjonalności w wyznaczaniu modelu normatywnego prawnokarnejregulacji przepadku (Bedeutung des Verhältnismäßigkeitsprinzips bei der strafrechtlichen Regelung der Einziehung). In: Teresa Dukiet-Nagórska (Hrsg.), Zasada proporcjonalności w prawie karnym (Das Verhältnismäßigkeitsprinzip im Strafrecht). Warschau 2010, S. 383–406.

Raglewski, Janusz, Nowelizacja przepisów o przepadku osiągniętych z popełnienia przestępstwa korzyści majątkowych (Reform der Regelung der Einziehung von Vermögensvorteilen aus Straftaten). Palestra 2001, 19–24.

Rheinstein, Max/von Borries, Reimer, Einführung in die Rechtsvergleichung. München 1987.

Rocholl, Paul, Die selbständige Einziehung des § 42 RStGB. Hannover 1899.

Rönnau, Thomas, Vermögensabschöpfung in der Praxis. 2. Auflage. München 2015.

– Beweiserleichterungen im kommenden Vermögensabschöpfungsrecht? In: Thomas Rotsch/Janique Brüning/Jan Schady (Hrsg.), Strafrecht – Jugendstrafrecht – Kriminalprävention in Wissenschaft und Praxis. Festschrift für Heribert Ostendorf zum 70. Geburtstag am 7. Dezember 2015. Baden-Baden 2015, S. 707–724.

Rönnau, Thomas/Begemeier, Moritz, Wider die Entgrenzung der Vermögenseinziehung gemäß § 76a Abs. 4 StGB durch die Geldwäschedogmatik. JZ 2018, 443–450.

– Grund und Grenzen der Bruttoeinziehung. Zur Gestaltung der Bruttoabschöpfung anlässlich der Reform der strafrechtlichen Vermögensabschöpfung. GA 2017, 1–19.

– Die neue erweiterte Einziehung gem. § 73a Abs. 1 StGB-E: mit Kanonen auch auf Spatzen? NZWiSt 2016, 260–264.

Rotberg, Hans E., Gesetz über Ordnungswidrigkeiten. Berlin, Frankfurt am Main 1952.

Rotberg, Hans E./Kleinewefers, Herbert, Kommentar zum Gesetz über Ordnungswidrigkeiten. 4. Auflage. Berlin, Frankfurt am Main 1969.

Roxin, Claus, Strafrecht. Allgemeiner Teil. 4. Auflage. München 2006.

Rüdorff, Hans, Strafgesetzbuch für das Deutsche Reich mit Kommentar. Berlin 1871.

Rüdorff, Hans/Stenglein, Melchior, Strafgesetzbuch für das Deutsche Reich mit Kommentar. Berlin, Leipzig 1881.

Rui, Jon P./Sieber, Ulrich, Non-Conviction-Based Confiscation in Europe. Bringing the Picture Together. In: Jon Petter Rui/Ulrich Sieber (Hrsg.), Non-Conviction-Based Confiscation in Europe. Possibilities and limitations on rules enabling confiscation without a criminal conviction. Berlin 2015. S. 245–304.

Rzecznik Praw Obywatelskich, Informacja o stanie przestrzegania wolności i praw człowieka i obywatela w 2017 r. oraz o działalności Rzecznika Praw Obywatelskich (Ombudsmann, Jahresbericht über die Einhaltung der Grundrechte und Grundfreiheiten 2017 und über die Tätigkeit des Ombudsmannes). Warschau 2018.

Rzeplińska, Irena, Konfiskata mienia. Studium z historii polityki kryminalnej (Vermögensstrafe. Analyse der Geschichte der Kriminalpolitik). Warschau 1997.

– Polityka stosowania kary konfiskaty mienia w PRL (Anwendung der Vermögensstrafe in der Volksrepublik Polen). Archiwum Kryminologii 1992, 147–167.

Safjan, Marek/Bosek, Leszek, Konstytucja RP. Komentarz (Verfassung der Republik Polen. Kommentar). Warschau 2016.

Saliger, Frank, Grundfragen der Vermögensabschöpfung. ZStW 2017, 995–1034.

Satzger, Helmut, Internationales und Europäisches Strafrecht. 8. Auflage. Baden-Baden 2018.

Sauer, Heiko, Rechtsschutz gegen völkerrechtsdeterminiertes Gemeinschaftsrecht? Die Terroristenlisten vor dem EuGH. NJW 2008, 3685–3688.

Schilling, Hellen/Hübner, Yannic, „Non-conviction-based confiscation" – Ein Fremdkörper im neuen Recht der strafrechtlichen Vermögensabschöpfung? StV 2018, 49–57.

Schilling, Hellen/Corsten, Johannes/Hübner, Yannic, Das Gesetz zur Reform der strafrechtlichen Vermögensabschöpfung. StraFo 2017, 305–316.

Schlösser, Jann, Die Bestimmung des erlangten Etwas i.S.v. § 73 I 1 StGB bei in Folge von Straftaten abgeschlossenen gegenseitigen Verträgen. Zum Streit des 5. Senats und 1. Senats des BGH über den Umfang der Verfallserklärung. NStZ 2011, 121–131.

Schnieders, Robert, Die Geschichte der Vermögensstrafe in Deutschland. Berlin 2002.

Schönke, Adolf/Schröder, Alexander, Strafgesetzbuch. Kommentar. 30. Auflage. München 2019 [zit. Schönke/Schröder-*Bearbeiter*, StGB-Kommentar].

Schröder, Richard/von Künßberg, Eberhard, Lehrbuch der deutschen Rechtsgeschichte. 7. Auflage. Berlin, Leipzig 1932.

Schroth, Hans-Jürgen, Der Regelungsgehalt des 2. Gesetzes zur Bekämpfung der Wirtschaftsktiminalität im Bereich des Ordnungswidrigkeitenrechts. wistra 1986, 158–165.

Schubert, Werner/Regge, Jürgen, Quellen zur Reform des Straf- und Strafprozessrechts. Weimarer Republik (1918–1932). Abteilung I, Band 3. Berlin 1997.

– Quellen zur Reform des Straf- und Strafprozeßrechts. Weimarer Republik (1918–1932): Entwürfe zu einem Strafgesetzbuch: (1919, 1922, 1924/25 und 1927). Abteilung I, Band 1. Berlin 1995.

Schultehinrichs, Friedrich, Gewinnabschöpfung bei Betäubungsmitteldelikten. Zur Problematik der geplanten Vorschrift über den erweiterten Verfall. Mainz 1991.

Sieber, Ulrich, Administrative Sanction Law in Germany. In: Matthew Dyson/Benjamin Vogel (Hrsg.), The Limits of Criminal Law. Anglo-German Concepts and Principles. Cambridge u.a. 2018, S. 301–341.

– The New Architecture of Security Law – Crime Control in the Global Risk Society. In: Ulrich Sieber/Valsamis Mitsilegas/Christos Mylonopoulus/Emmanouil Billis/Nandor Knust (Hrsg.), Alternative Systems of Crime Control. Berlin 2018, S. 3–35.

– Der Paradigmenwechsel vom Strafrecht zum Sicherheitsrecht. In: Klaus Tiedemann/ Ulrich Sieber/Helmut Satzger/Christoph Burchard/Dominik Brodowski (Hrsg.), Die Verfassung moderner Strafrechtspflege. Erinnerung an Joachim Vogel. Baden-Baden 2016, S. 351–372.

– Grenzen des Strafrechts. Grundlagen und Herausforderungen des neuen strafrechtlichen Forschungsprogramms am Max-Planck-Institut für ausländisches und internationales Strafrecht. ZStW 2007, 1–68.

Sieber, Ulrich/Vogel, Benjamin, Terrorismusfinanzierung. Prävention im Spannungsfeld von internationalen Vorgaben und nationalem Tatstrafrecht. Berlin 2015.

Sieber, Ulrich/Satzger, Helmut/von Heintschel-Heinegg, Bernd, Europäisches Strafrecht. 2. Auflage. Baden-Baden 2014.

Simma, Bruno, The Charter of the United Nations. A commentary. 2. Auflage. Oxford 1995.

Simonato, Michele, Directive 2014/42/EU and Non-Conviction Based Confiscation. A Step Forward on Asset Recovery? NJECL 6 (2015), 213–228.

Skowronek, Grzegorz, Szczególne strony postępowania w sprawach karnych skarbowych (Besondere Verfahrensbeteiligte im Fiskalstrafrecht). Prokuratura i Prawo 2005, 163–179.

Sotiriadis, Georgios, Die Entwicklung der Gesetzgebung über Gewinnabschöpfung und Geldwäsche. Unter Berücksichtigung der jeweiligen kriminalpolitischen Tendenzen. Berlin 2010.

Spotowski, Andrzej, Konfiskata mienia i przepadek rzeczy (Uwagi de lege ferenda) (Vermögensstrafe und Einziehung der Gegenstände [Anmerkungen *de lege ferenda*]). Państwo i Prawo 1989, 101–107.

Sroka, Tomasz, Konstytucyjne aspekty instytucji kary łącznej. Zagadnienia wybrane (Verfassungsrechtliche Aspekte der Gesamtstrafe. Ausgewählte Aspekte). In: Wojciech Górowski/Pitr Kardas/Tomasz Sroka/Włodzimierz Wróbel (Hrsg.), Zagadnienia teorii i nauczania prawa karnego. Kara łączna. Księga jubileuszowa profesor Marii Szewczyk (Strafrechtstheorie und Lehre. Gesamtstrafe. Festschrift für Professor Maria Szewczyk). Warschau 2013, S. 532–562.

Stalbohm, Gerhard, Die Dritteinziehung und Artikel 14 des Bonner Grundgesetzes. Hamburg 1968.

Stefańska, Blanka J., Przepadek korzyści majątkowej (Einziehung des Vermögensvorteils). In: Ryszard Andrzej Stefański (Hrsg.), Środki karne po nowelizacji w 2015 roku (Strafmaßnahmen nach der Gesetzesreform 2015). Warschau 2016, S. 371−359.

– Przepadek przedmiotów (Einziehung der Gegenstände). In: Ryszard Andrzej Stefański (Hrsg.), Środki karne po nowelizacji w 2015 roku (Strafmaßnahmen nach der Gesetzesreform 2015). Warschau 2016, S. 331–370.

Stefański, Ryszard A., Wprowadzenie (Einführung). In: Ryszard Andrzej Stefański (Hrsg.), Środki karne po nowelizacji w 2015 roku (Strafmaßnahmen nach der Gesetzesreform 2015). Warschau 2016, S. 13–17.

Steiker, Carol S., Foreword: The Limits of the Preventive State. Journal of Criminal Law and Criminology 88 (1998), 771–808.

Stotz, Rüdiger, Aktueller Bericht aus der Rechtsprechung des Gerichtshofs der Europäischen Union. ZIS 2018, 443–454.

Szeleszczuk, Damian, Przepadek przedsiębiorstwa (Einziehung des Unternehmens). Prokuratura i Prawo 2017, 37–55.

Szewczyk, Marcin J., Przepadek korzyści majątkowej (Einziehung des Vermögensvorteils). Palestra 2009, 69–86.

Szewczyk, Maria, System środków karnych w projekcie nowego prawa karnego (Strafmaßnahmen im Gesetzentwurf). In: Stanisław Waltoś (Hrsg.), Problemy kodyfikacji prawa karnego. Księga ku czci Profesora Mariana Cieślaka (Fragen der Strafrechtskodifikation. Festschrift für Professor Marian Cieślak). Krakau 1993, S. 149–159.

– Glosa do wyroku SN z dnia 11 kwietnia 1984 r., RNw 4/84 (Anmerkungen zum Urteil des Obersten Gerichts vom 11.04.1984, RNw 4/84). Prokuratura i Prawo 1987, 139–142.

Tehrani, Ramin, Die „Smart Sanctions“ im Kampf gegen den Terrorismus und als Vorbild einer präventiven Vermögensabschöpfung. Berlin 2014.

Tęcza-Paciorek, Anna, Zasada domniemania niewinności w polskim procesie karnym (Grundsatz der Unschuldsvermutung im polnischen Strafprozess). Warschau 2012.

Thode, Martina, Die außergerichtliche Einziehung von Gegenständen im Strafprozess. NStZ 2000, 62–67.

Tolkiemit, Rudolf, Die Einziehung nach § 40 des Reichsstrafgesetzbuches. Beuthen O.S. 1898.

Trüg, Gerson, Die Reform der strafrechtlichen Vermögensabschöpfung. NJW 2017, 1913–1918.

Vierucci, Luisa, Freezing of Assets. In: Antonio Cassese (Hrsg.), The Oxford Companion to International Criminal Justice. Oxford, New York 2009, S. 326–328.

Vogel, Joachim, Chapter 9: The Legal Construction that Property Can Do Harm. Reflections on the Rationality and Legitimacy of "Civil" Forfeiture. In: Jon Petter Rui/Ulrich Sieber (Hrsg.), Non-Conviction-Based Confiscation in Europe. Possibilities and limitations on rules enabling confiscation without a criminal conviction. Berlin 2015, S. 225–243.

von Liszt, Franz, Lehrbuch des Deutschen Strafrechts. 7. Auflage. Berlin 1896.

von Seeler, Georg, Die Einziehung nach dem Reichstrafgesetzbuch. Bonn 1918.

Vormbaum, Thomas, Einführung in die moderne Strafrechtsgeschichte. 3. Auflage. Berlin, Heidelberg 2016.

Vormbaum, Thomas/Rentrop, Kathrin, Reform des Strafgesetzbuchs. Sammlung der Reformentwürfe. Juristische Zeitgeschichte. Abteilung 3: Beiträge zur modernen deutschen Strafgesetzgebung. Berlin 2008.

Waltoś, Stanisław, Proces karny. Zarys systemu (Strafprozess. Grundlagen des Systems). 12. Auflage. Warschau 2016.

Warylewski, Jarosław, Kara. Podstawy filozoficzne i historyczne (Strafe. Philospohische und historische Grundlagen). Danzig 2007.

Waszczyński, Jan, Kary dodatkowe w nowym kodeksie karnym (Zusatzstrafen im neuen Strafgesetzbuch). Państwo i Prawo 1969, 524–536.

Weigend, Ewa/Długosz, Joanna, National characteristics, fundamental principles, and history of criminal law in Poland. In: Ulrich Sieber/Konstanze Jarvers/Emily Silverman (Hrsg.), National Criminal Law in a Comparative Legal Context. Volume 1.3 Introduction to National Systems. National characteristics, fundamental principles, and history of criminal law. Berlin 2014, S. 149–231.

Weigend, Thomas, Bewältigung von Beweisschwierigkeiten durch Ausdehnung des materiellen Strafrechts? In: Kurt Schmoller (Hrsg.), Festschrift für Otto Triffterer zum 65. Geburtstag. Wien 1996, S. 695–712.

Werle, Gerhard, Justiz-Strafrecht und polizeiliche Verbrechensbekämpfung im Dritten Reich. Berlin 1989.

Weßlau, Edda, Konsensprinzip als Leitidee des Strafverfahrens. StraFo 2007, 1–7.

– Neue Methoden der Gewinnabschöpfung? – Vermögensstrafe, Beweislastumkehr. StV 1991, 226–235.

Wielgolewska, Anna/Piaseczny, Andrzej, Kodeks karny skarbowy. Komentarz (Fiskalstrafgesetzbuch. Kommentar). Warschau 2012.

Wilk, Leszek/Zagrodnik, Jarosław, Kodeks karny skarbowy. Komentarz (Fiskalstrafgesetzbuch. Kommentar). 4. Auflage. Warschau 2018 [zit. Wilk/Zagrodnik-*Bearbeiter*].

– Prawo i proces karny skarbowy (Materielles und prozessuales Fiskalstrafrecht). 2. Auflage. Warschau 2015.

Wojtyczek, Krzysztof, Granice ingerencji ustawodawczej w sferę praw człowieka w Konstytutcji RP (Grenze des gesetzgeberischen Eingriffs in die durch die Verfassung gewährleisteten Grundrechte). Krakau 1999.

Wolters, Gereon, Die Neufassung der strafrechtlichen Verfallsvorschrift. Überlegungen zu den Voraussetzungen der Verfallsanordnung und zum Verfallsgegenstand unter besonderer Berücksichtigung des Umweltstrafrechts. Baden-Baden 1995.

Wróbel, Włodzimierz, Kapitel 35 Zasady prawa karnego materialnego. 4. Zasada winy (Kapitel 35 Grundsätze des materiellen Strafrechts. 4. Schuldgrundsatz). In: Piotr Hofmański (Hrsg.), System prawa karnego procesowego (System des Strafprozessrechts), Band III Teil. 2. Warschau 2014.

– O dwóch aspektach zasady domniemania niewinności (Über die zwei Aspekte der Unschuldsvermutung). In: Krzysztof Krajewski/Janina Błachut (Hrsg.), Nauki penalne wobec problemów współczesnej przestępczości. Księga jubileuszowa z okazji 70. rocznicy urodzin Profesora Andrzeja Gaberle (Strafrechtswissenschaft gegenüber den gegenwärtigen Herausforderungen der Kriminalität. Festschrift für Professor Andrzej Gaberle zum 70. Geburtstag). Warschau, Krakau 2007, S. 323–334.

– Zmiana normatywna i zasady intertemporalne w prawie karnym (Gesetzesänderung und intertemporales Recht im Strafrecht). Krakau 2003.

Wróbel, Włodzimierz/Zoll, Andrzej, Kodeks karny. Część ogólna. Komentarz do art. 1-52. (Strafgesetzbuch. Allgemeiner Teil. Kommentar Art. 1-52), Band 1. 5. Auflage. Warschau 2016 [zit. Wróbel/Zoll-*Bearbeiter*].

– Polskie prawo karne. Część ogólna (Polnisches Strafrecht. Allgemeiner Teil). 2. Auflage. Krakau 2012.

Zatyka, Elżbieta, Przepadek i konfiskata mienia w ujęciu historycznym (Einziehung und Vermögensstrafe aus historischer Sicht). In: Ewa Monika Guzik-Makaruk/Jacek Arciszewski (Hrsg.), Przepadek przedmiotów i korzyści pochodzących z przestępstwa (Einziehung der Gegenstände und Vermögensvorteile aus Straftaten). 8. Auflage. Warschau 2012, S. 36–53.

Ziemba, Zdzisław A., Prawo przeciwko społeczeństwu. Polskie prawo karne w latach 1944–1956 (Das Recht gegen die Gesellschaft. Polnisches Strafrecht 1944–1956). Warschau 1997.

Zoll, Andrzej, Wstęp (Nowelizacja Kodeksu karnego z 1997 r.) (Einführung [Reform des Strafgesetzbuchs 1997]). KKSSiP 2014, 5–16.

Zygmont, Bogumil, Konfiskata mienia a przapadek korzyści majątkowych (Vermögensstrafe und Einziehung). Prokuratura i Prawo 2001, 24–35.

Schriftenreihe des Max-Planck-Instituts für ausländisches und internationales Strafrecht

Die zentralen Veröffentlichungen des Max-Planck-Instituts für ausländisches und internationales Strafrecht werden in Zusammenarbeit mit dem Verlag Duncker & Humblot in den folgenden sechs Unterreihen der „Schriftenreihe des Max-Planck-Instituts für ausländisches und internationales Strafrecht" vertrieben:

- „Strafrechtliche Forschungsberichte"
- „Kriminologische Forschungsberichte"
- „Interdisziplinäre Forschungen aus Strafrecht und Kriminologie"
- „Publications of the Max Planck Partner Group for Balkan Criminology"
- „Series of the Max Planck Institute for Foreign and International Criminal Law and Bahçeşehir University Joint Research Group"
- „Sammlung ausländischer Strafgesetzbücher in Übersetzung"

Diese Publikationen können direkt über das Max-Planck-Institut unter <www.mpicc.de> oder über den Verlag Duncker & Humblot unter <www.duncker-humblot.de> erworben werden. Darüber hinaus erscheinen in der Unterreihe „research in brief" zusammenfassende Kurzbeschreibungen von Forschungsergebnissen und in der Unterreihe „Arbeitsberichte" Veröffentlichungen vorläufiger Forschungsergebnisse. Diese Veröffentlichungen können über das Max-Planck-Institut bezogen werden.

Detaillierte Informationen zu den einzelnen Publikationen des Max-Planck-Instituts für ausländisches und internationales Strafrecht sind unter <www.mpicc.de> abrufbar.

The main research activities of the Max Planck Institute for Foreign and International Criminal Law are published in the following six subseries of the "Schriftenreihe des Max-Planck-Instituts für ausländisches und internationales Strafrecht" (Research Series of the Max Planck Institute for Foreign and International Criminal Law), which are distributed in cooperation with the publisher Duncker & Humblot:

- "Strafrechtliche Forschungsberichte" (Reports on Research in Criminal Law)
- "Kriminologische Forschungsberichte" (Reports on Research in Criminology)
- "Interdisziplinäre Forschungen aus Strafrecht und Kriminologie" (Reports on Interdisciplinary Research in Criminal Law and Criminology)
- "Publications of the Max Planck Partner Group for Balkan Criminology"
- "Series of the Max Planck Institute for Foreign and International Criminal Law and Bahçeşehir University Joint Research Group"
- "Sammlung ausländischer Strafgesetzbücher in Übersetzung" (Collection of Foreign Criminal Laws in Translation)

These publications can be ordered from the Max Planck Institute at <www.mpicc.de> or from Duncker & Humblot at <www.duncker-humblot.de>. Two additional subseries are published: "research in brief" contains short reports on results of research activities, and "Arbeitsberichte" (working materials) present preliminary results of research projects. These publications are available at the Max Planck Institute.

Detailed information on all publications of the Max Planck Institute for Foreign and International Criminal Law can be found at <www.mpicc.de>.

Max-Planck-Institut für ausländisches
und internationales Strafrecht

Auswahl aus dem strafrechtlichen Forschungsprogramm:

S 166 *Nicolas von zur Mühlen*
Zugriffe auf elektronische Kommunikation
Eine verfassungsrechtliche und strafprozessrechtliche Analyse
2019 • 470 Seiten • ISBN 978-3-86113-776-4 € 44,00
Ausgezeichnet mit der Otto-Hahn-Medaille der Max-Planck-Gesellschaft

S 165 *Marc Engelhart / Sunčana Roksandić Vidlička* (eds.)
Dealing with Terrorism
Empirical and Normative Challenges of Fighting the Islamic State
2019 • 296 Seiten • ISBN 978-3-86113-777-1 € 38,00

S 164 *Yukun Zong*
Beweisverbote im Strafverfahren
Rechtsvergleichende Untersuchung zum deutschen,
US-amerikanischen und chinesischen Recht
2018 • 487 Seiten • ISBN 978-3-86113-779-5 € 44,00

S 163 *Huawei Wang*
Die strafrechtliche Verantwortlichkeit von Internet-Service-Providern
Ein deutsch-chinesischer Rechtsvergleich
2019 • 228 Seiten • ISBN 978-3-86113-781-8 € 35,00

S 161 *Ulrich Sieber/Valsamis Mitsilegas/Christos Mylonopoulos/ Emmanouil Billis/Nandor Knust* (eds.)
Alternative Systems of Crime Control
National, Transnational, and International Dimensions
2018 • 343 Seiten • ISBN 978-3-86113-786-3 € 44,00

S 156 *Ulrich Sieber / Nicolas von zur Mühlen* (eds.)
Access to Telecommunication Data in Criminal Justice
A Comparative Analysis of European Legal Orders
2016 • 771 Seiten • ISBN 978-3-86113-796-2 € 58,00

S 154 *Carl-Wendelin Neubert*
Der Einsatz tödlicher Waffengewalt durch die deutsche auswärtige Gewalt
2016 • 391 Seiten • ISBN 978-3-86113-799-3 € 41,00

S 146 *Jon Petter Rui / Ulrich Sieber* (eds.)
Non-Conviction-Based Confiscation in Europe
Possibilities and Limitations on Rules Enabling Confiscation without a Criminal Conviction
2015 • 306 Seiten • ISBN 978-3-86113-809-9 € 40,00

Max-Planck-Institut für ausländisches
und internationales Strafrecht

Auswahl aus dem strafrechtlichen Forschungsprogramm:

S **128.1.1** *Ulrich Sieber / Konstanze Jarvers / Emily Silverman* (eds.)
National Criminal Law in a Comparative Legal Context
Volume 1.1: Introduction to National Systems
2013 • 314 Seiten • ISBN 978-3-86113-822-8 € 40,00

S 128.1.2 Volume 1.2: Introduction to National Systems
2013 • 363 Seiten • ISBN 978-3-86113-826-6 € 43,00

S 128.1.3 Volume 1.3: Introduction to National Systems
2014 • 297 Seiten • ISBN 978-3-86113-818-1 € 40,00

S 128.1.4 Volume 1.4: Introduction to National Systems
2014 • 391 Seiten • ISBN 978-3-86113-810-5 € 43,00

S 128.1.5 Volume 1.5: Introduction to National Systems
2018 • 375 Seiten • ISBN 978-3-86113-785-6 € 43,00

S **128.2.1** *Ulrich Sieber / Susanne Forster / Konstanze Jarvers* (eds.)
National Criminal Law in a Comparative Legal Context
Volume 2.1: General limitations on the application of criminal law
2011 • 399 Seiten • ISBN 978-3-86113-834-1 € 43,00

S 128.2.2 *Ulrich Sieber / Konstanze Jarvers / Emily Silverman* (eds.)
National Criminal Law in a Comparative Legal Context
Volume 2.2: General limitations on the application of criminal law
2017 • 272 Seiten • ISBN 978-3-86113-798-6 € 35,00

S **128.3.1** *Ulrich Sieber / Susanne Forster / Konstanze Jarvers* (eds.)
National Criminal Law in a Comparative Legal Context
Volume 3.1: Defining criminal conduct
2011 • 519 Seiten • ISBN 978-3-86113-833-4 € 46,00

S 128.3.2 *Ulrich Sieber / Konstanze Jarvers / Emily Silverman* (eds.)
National Criminal Law in a Comparative Legal Context
Volume 3.2: Defining criminal conduct
2017 • 370 Seiten • ISBN 978-3-86113-790-0 € 43,00

S **128.4.1** *Ulrich Sieber / Konstanze Jarvers / Emily Silverman* (eds.)
National Criminal Law in a Comparative Legal Context
Volume 4.1: Special forms of criminal liability
2015 • 401 Seiten • ISBN 978-3-86113-803-7 € 43,00

Auswahl aus dem strafrechtlichen Forschungsprogramm:

S **128.5.1** *Ulrich Sieber / Konstanze Jarvers / Emily Silverman* (eds.)
National Criminal Law in a Comparative Legal Context
Volume 5.1: Grounds for rejecting criminal liability
2016 • 410 Seiten • ISBN 978-3-86113-800-6 € 43,00

S 128.5.2 *Ulrich Sieber / Konstanze Jarvers / Emily Silverman* (eds.)
Volume 5.2: Grounds for rejecting criminal liability
2019 • 394 Seiten • ISBN 978-3-86113-774-0 € 43,00

G 126 **Strafgesetzbuch der Tschechischen Republik –**
Trestní zákonik České republiky
Deutsche Übersetzung von Susanne Altmann
Einführung von Helena Valková, Josef Kuchta, Petr Bohata
Zweisprachige Ausgabe
2017 • 430 Seiten • ISBN 978-3-86113-789-4 € 50,00

G 125 **Die türkische Strafprozessordnung – Ceza Muhakemesi Kanunu**
Deutsche Übersetzung und Einführung von Mehmet Arslan
Zweisprachige Ausgabe
2017 • 289 Seiten • ISBN 978-3-86113-792-4 € 48,00

Auswahl aktueller Publikationen aus der kriminologischen Veröffentlichungsreihe K:

K 183 *Katharina Meuer*
Legalbewährung nach elektronischer Aufsicht im Vollzug der Freiheitsstrafe
Eine experimentelle Rückfallstudie zum baden-württembergischen Modellprojekt
Berlin 2019 • 225 Seiten • ISBN 978-3-86113-272-1 € 35,00

K 182 *Hans-Jörg Albrecht, Maria Walsh, Elke Wienhausen-Knezevic* (eds.)
Desistance Processes Among Young Offenders Following Judicial Interventions
Berlin 2019 • 165 Seiten • ISBN 978-3-86113-271-4 € 32,00

K 181 *Maria Walsh*
Intensive Bewährungshilfe und junge Intensivtäter
Eine empirische Analyse des Einflusses von Intensivbewährungshilfe auf die kriminelle Karriere junger Mehrfachauffälliger in Bayern
Berlin 2018 • 233 Seiten • ISBN 978-3-86113-269-1 € 35,00

Max-Planck-Institut für ausländisches
und internationales Strafrecht

Auswahl aktueller Publikationen aus der kriminologischen Veröffentlichungsreihe K:

K 180 *Linn Katharina Döring*
Sozialarbeiter vor Gericht?
Grund und Grenzen einer Kriminalisierung unterlassener staatlicher Schutzmaßnahmen in tödlichen Kinderschutzfällen in Deutschland und England
Berlin 2018 • 442 Seiten • ISBN 978-3-86113-268-4 € 42,00
Ausgezeichnet mit der Otto-Hahn-Medaille der Max-Planck-Gesellschaft

K 179 *Michael Kilchling*
Opferschutz innerhalb und außerhalb des Strafrechts
Perspektiven zur Übertragung opferschützender Normen aus dem Strafverfahrensrecht in andere Verfahrensordnungen
Berlin 2018 • 165 Seiten • ISBN 978-3-86113-267-7 € 32,00

K 177 *Tillmann Bartsch, Martin Brandenstein, Volker Grundies, Dieter Hermann, Jens Puschke, Matthias Rau (Hrsg.)*
50 Jahre Südwestdeutsche und Schweizerische Kriminologische Kolloquien
Berlin 2017 • 312 Seiten • ISBN 978-3-86113-265-3 € 35,00

K 174 *Min Kyung Han*
The Effectiveness of Electronic Monitoring in Korea
Berlin 2017 • 210 Seiten • ISBN 978-3-86113-261-5 € 35,00

K 173 *Jing Lin*
Compliance and Money Laundering Control by Banking Institutions in China
Self-Control, Administrative Control, and Penal Control
Berlin 2016 • 222 Seiten • ISBN 978-3-86113-260-8 € 35,00

K 172 *Julia Kasselt*
Die Ehre im Spiegel der Justiz
Eine Untersuchung zur Praxis deutscher Schwurgerichte im Umgang mit dem Phänomen der Ehrenmorde
Berlin 2016 • 495 Seiten • ISBN 978-3-86113-255-4 € 42,00

K 171 *Rita Haverkamp, Harald Arnold* (Hrsg.)
Subjektive und objektivierte Bedingungen von (Un-)Sicherheit
Studien zum Barometer Sicherheit in Deutschland (BaSiD)
Berlin 2015 • 384 Seiten • ISBN 978-3-86113-254-7 € 38,00

K 170 *Moritz Tauschwitz*
Die Dopingverfolgung in Deutschland und Spanien
Eine strafrechtliche und kriminologische Untersuchung
Berlin 2015 • 332 Seiten • ISBN 978-3-86113-253-0 € 37,00

K 169 *Andreas Schwedler, Gunda Wössner*
Elektronische Aufsicht bei vollzugsöffnenden Maßnahmen
Implementation, Akzeptanz und psychosoziale Effekte des baden-württembergischen Modellprojekts
Berlin 2015 • 126 Seiten • ISBN 978-3-86113-252-3 € 25,00